EDAF
MADRID

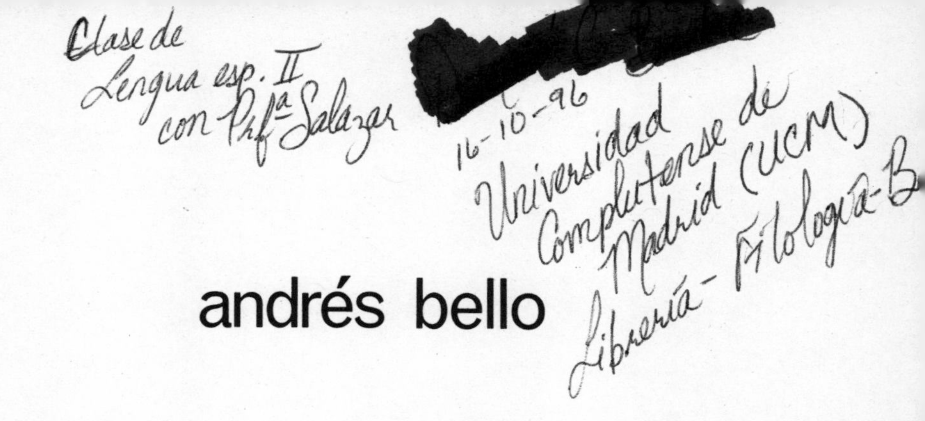

andrés bello

gramática de la lengua castellana

16

COLECCION EDAF UNIVERSITARIA

© EDITORIAL EDAF, S. A.
Jorge Juan, 30, Madrid, 1984.

I.S.B.N.: 84-7166-562-X
Depósito legal: M. 39.707-1984

IMPRESO EN ESPAÑA PRINTED IN SPAIN

Rogar, S. A. - Pol. Ind. Cobo Calleja - Fuenlabrada (Madrid)

gramática de la lengua castellana

PREFACIO

0. El comienzo entre nosotros de una historiografía moderna, a la altura y riqueza intelectual de los tiempos, puede simbolizarse con la participación de Jaime Vicens Vives en el IX Congreso Internacional de Ciencias Históricas (1930), y en el programa medotológico que daba a conocer al año siguiente, con el designio de que informase la actividad investigadora del *Centro de Estudios Históricos Internacionales* de Barcelona (1).

A nosotros nos importa aquí recoger dos de sus postulados, que tenemos por vías fecundas de explicación en el estudio histórico-cultural de Andrés Bello (2). De un lado, el necesario interés por las totalidades sociohistóricas (Renacimiento, Ilustración, etc.), en las cuales factores y productos se interrelacionan dinámicamente. Escribía, así, Vicens Vives:

> *Creemos fundamentalmente que la Historia es la Vida*, en toda su completa diversidad... Intentamos captar la realidad viva del pasado... *Creemos que la Historia debe definir las sucesivas mentalidades del pasado* (3).

Andrés Bello, por tanto, deberá ser entendido a la luz de la globalidad estructural sociohistórica en que vivió y desplegó su actividad (4), y en tanto impregnado de una mentalidad teórica y social-política.

En segundo lugar, de acuerdo también con Vicens, deberemos proceder al establecimiento de la hornada generacional de nuestro autor. El método histórico de las generaciones proporciona, en efecto —nos parece— una clave de interpretación y

(1) Ese "credo histórico" puede leerse ahora en J. Vicens Vives, *Obra Dispersa*, II, Barcelona, 1967, pp. 523-529. Reveladoramente, el equipo de trabajo de Vicens se acoge al rótulo institucional de Centro de Estudios Históricos Internacionales, de modo paralelo al Centro de Estudios Históricos de Menénedez Pidal, pero señalando a la vez características diferenciales: fundamentalmente, el *ideologismo* atribuído a don Ramón; comp. *op. cit.*, pp. 186-187: "De Marcelino Menéndez Pelayo a Ramón Menéndez Pidal". Véanse también las orientaciones metodológicas de J. Reglá, *Introducción a la Historia*, Barcelona, 1970, de J. Fontana, *La Historia*, Barcelona, 1974, y de VV.AA., *Once ensayos sobre la Historia*, Madrid, 1976.

(2) De aspectos más inmanentes de su *Gramática* trataremos en un trabajo actualmente en preparación.

(3) *Loc cit.*, p. 528.

(4) Un ensayo, en nuestra opinión afortunado, de análisis de "totalidad concreta" histórico-cultural es el de José A. Maravall, *La cultura del Barroco*, Madrid, 1975. Puede verse así mismo nuestro libro, ahora en imprenta, *Menéndez Pidal en la historia de las mentalidades (Positivismo y Krausismo).*

entendimiento que por supuesto deberá ser contrastada *a posteriori*, pero dotada *a priori* de un razonable poder aclaratorio.

> *Creemos* —postulaba J. Vicens— *que cada generación histórica tiene su propia mentalidad*, que... se revela en una serie de afirmaciones políticas e intelectuales. Pero no creemos en la "generación local", sino en las grandes generaciones en el seno de una misma cultura; la Occidental en nuestro caso. Aquella indica un timbre; ésta el tono del conjunto (5).

Andrés Bello compuso su *Gramática* obedeciendo a estímulos bien determinados en la serie de los hechos historicoculturales, y la compuso —además— afirmando su personalidad lógico-científica en la serie de los estudios lingüísticos; a una y otra cosa debemos atender en un planteamiento comprehensivo de las complejidades y concausas de lo histórico (*).

1. Bello nació en 1781 (6); pertenece, por tanto, a la generación de los que lo hicieron entre 1771 y 1785, según nuestro cómputo (7). Se trata de la que Rosenblat llama "generación libertadora" de 1810 (8); algunos de sus coetáneos españoles son Arjona, Quintana y Reinoso, Alberto Lista y Blanco White, Gallardo, Juan Nicasio Gallego, Somoza, etc. En la historia de la lingüística general, hay que adscribir a esta hornada nombres como los de F. von Schlegel, J. Grimm y Vicente Salvá.

F. von Schlegel (1772-1829), ya en el marco de los estudios decimonónicos de lingüística diacrónica, estudió sánscrito durante una estancia en París ("el principal aliciente de la lingüística histórica y comparada de la primera parte del siglo XIX fue el estudio del sánscrito") (9), y es uno de los nombres de la erudición germana sanscritista que protagoniza un período de la historia de nuestra disciplina (10).

J. Grimm (1785-1863) estructura la historiografía de las

(5) *Loc. cit.*, p. 528. De la pertenencia generacional como principio hermenéutico e interpretativo hablo, con ejemplificaciones concretas, en un par de trabajos que me permito citar: *Historia de la lingüística como historia de la ciencia*, Valencia, 1976; "Interpretación del ensayo español contemporáneo", *Estudios ofrecidos a Emilio Alarcos Llorach*, II, Oviedo, 1978.

(*) El presente prólogo constituye un replanteamiento, a los tres años de su redacción, de nuestro ensayo *Lengua española e historia de la lingüística (Primer estudio sobre Andrés Bello)*, que ahora se publica (Madrid, SGEL, 1978). Dado lo escueto del presente escrito, sólo sugerimos o apuntamos determinados cuadros de conjunto. La matización de lo aquí dicho (en cualquier caso, no meramente hipotético, sino razonable —creemos—) deberá hacerse en una obra de mayor envergadura.

(6) Vid. en general Rafael Caldera, *Andrés Bello*, Caracas, 1972. Preliminar por Pedro Grases.

(7) Luego vienen las dos generaciones románticas, en la cultura española las del duque de Rivas (nacida de 1786 a 1800), y de Larra-Espronceda (que nace entre 1801 y 1815). Posteriormente, las de Valera, 1868 (Galdós), 1883 (Clarín), el noventa y ocho, etc.

(8) Angel Rosenblat, *Andrés Bello a los cien años de su muerte*, Caracas, 1966, p. 7.

(9) Cfr. R. H. Robins, *Breve historia de la Lingüística*, Madrid, 1974, pp. 135, 148.

(10) Cfr. *ibid.*, p. 167.

lenguas mediante la formulación de leyes diacrónicas, y está considerado en concreto como el fundador de la lingüística germánica (11). Pero lo que nos interesa ahora (12) es que tanto Schlegel como Grimm aparecen enraizados en el historicismo y nacionalismo romántico (13), y que "las ideas lingüísticas del siglo XVIII sirvieron de marco para gran parte de la labor realizada a principios del siglo XIX" (14). Encontramos, pues, estímulos de época (erudición, afán estructurador, el aludido nacionalismo-romanticismo) que, en coincidencia generacional, habrían de operar (convergentemente con otros) sobre Andrés Bello. El pensamiento de Bello se encuadra de este modo en el marco de la ideación de la *Ilustración Romántica* (15).

Coetáneos suyos son, así mismo, según ya hemos apuntado, Bartolomé José Gallardo y Vicente Salvá. Gallardo (1776-1852) convivió con Bello en Londres de 1814 a 1820; debemos saber su actitud en el tema de la corrección idiomática, que R. Senabre interpreta y sintetiza de este modo:

> Los debates acerca del galicismo, del purismo, de las malas traducciones y de los usos correctos, continúan siendo actuales. Un escritor de la época —y Gallardo lo es, sin duda alguna— tenía que modelar su ideario lingüístico asumiendo una postura concreta ante tales problemas. La Academia —aunque no siempre sus componentes— se había pronunciado con claridad: los vocablos y locuciones de su primer Diccionario tenían el aval de numerosas "autoridades", seleccionadas de entre los autores clásicos; lo correcto, lo legítimo, era aquello que tenía la garantía de su uso por parte de nuestros escritores áureos. En este sentido, la actitud de Gallardo, tenaz estudioso de los clásicos españoles, no podía ser muy diferente (16).

(11) *Ibid.*, p. 168.

(12) Caracteriza con penetración la ciencia del lenguaje del XIX, E. Coseriu en sus *Lezioni di Linguistica Generale*, Torino, 1973, pp. 22 ss.

(13) Robins, p. 169.

(14) *Ibid.*, p. 170.

(15) Comp. M. Ruiz Lagos, *El deán López Cepero y la Ilustración romántica*, Jerez de la Frontera, 1970. Aún debemos notar el papel de los hermanos Schlegel en la acuñación del concepto de Siglo de Oro. J. M. Rozas, que tiene prácticamente acabado un libro sobre el tema (*"Siglo de Oro": historia de un concepto*), dice al referirse a ellos: "Varias razones hacían converger a los hermanos Schlegel hacia nuestra literatura y hacia su puesta de moda en la Europa romántica. En primer lugar, su situación de teorizadores del Romanticismo y de la literatura nacional; en segundo lugar, su enemiga hacia el clasicismo francés...; en tercer lugar pudo tal vez influir la conversión al catolicismo de Federico, que fue teorizador y difusor de ideales teocéntricos. Todo ello hizo que en torno a los dos hermanos se crease una inquietud por nuestra literatura, especialmente por nuestro Siglo de Oro, que es, sin duda, el principio del hispanismo confesional en el mundo. Augusto Guillermo (1767-1845), sobre todo, en sus dos tomos del *Curso de literatura dramática* (1809-1811), pronto popularizados en francés y en toda Europa, y Federico (1772-1829), sobre todo, en su *Historia de la Literatura Antigua y Moderna* (1822-1825), también en dos tomos, traducidos al francés en 1829, muestran una decidida inclinación hacia nuestro siglo XVII".

(16) Cfr. sus *Notas sobre el estilo de Bartolomé José Gallardo*, Badajoz, 1975, p. 8 [tirada aparte de *Revista de Estudios extremeños*, XXXI]. También coinciden Bello y Gallardo en el designio de riqueza a la vez empírica y teórica. Vid. J. González Muela. "Bartolomé José Gallardo, gramático", en la misma *R.E.E.*, 1951, pp. 297-331.

Salvá (1780-1849) escribió, también en Londres, una *Gramática de la Lengua Castellana según ahora se habla*, "repertorio de material idiomático" (17) que tuvo a la vista Bello; y como él, la concibe según un criterio sincrónico-inmanente:

> No es lo mismo —decía— trazar una gramática general, que escribir la de una lengua particular... Al escritor de la gramática de una lengua, no le es permitido alterarla en lo más mínimo: su encargo se limita a presentar bajo un sistema ordenado todas sus facciones, esto es, su índole y giro; y la Gramática que reúna más idiotismos y en mejor orden, debe ser la preferida (18).

Compárense entre sí, por otra parte, la aludida idea de normatividad de Gallardo, y la de Bello, con esta distinta de Salvá:

> el uso que es general entre las personas que por su dignidad, luces o educación han debido esmerarse en cultivarlo, y no el de uno u otro escritor, por muy distinguido y recomendable que sea (19).

Pero ya hemos aludido antes a otros coetáneos españoles de don Andrés: tener en cuenta sus respectivos perfiles es referirse a la unicidad y diversidad de todos ellos; naturalmente, la traza generacional común es notable. Manuel María de Arjona y Félix José Reinoso escribieron de temas eruditos, histórico-institucionales, y de la administración (20); esas preocupaciones cívicas y patrióticas se concretan en las de la filantropía humanitaria, el progreso, los conocimientos útiles, etc., en Quintana, A. Lista, Blanco o Somoza. Alberto Lista fue además hombre de acción de actividad incesante, y los escritos de Quintana tuvieron el alcance de acto político. De algún modo los rasgos de unos y otros configuran así mismo el perfil espiritual-intelectual de Bello.

2. Rasgos fundamentales de la mentalidad ilustrada configu-

(17) Vid. Manuel Mourelle-Lema, *La teoría lingüística en la España del siglo XIX*, Madrid, 1968, p. 366.

(18) Citado *ibid.*, p. 361. Igualmente, la historiografía deberá ser —para Bello— particular-concreta, y no sólo filosofía de la historia: "Chile, en sus accidentes, su fisonomía característica... es lo que debe retratar el historiador... Abranse las obras célebres dictadas por la filosofía de la historia. ¿Nos dan ellas la filosofía de la historia de la humanidad? La nación chilena no es la humanidad en abstracto; es la humanidad bajo ciertas formas especiales; tan especiales como los montes, valles y ríos de Chile; como sus plantas y animales; como las razas de sus habitantes; como las circunstancias morales y políticas en que nuestra sociedad ha nacido y se desarrolla". Vid. "Modo de estudiar la historia" (1848), reproducido por J. Vila en A. Bello, *Antología de Discursos y Escritos*, Madrid, 1976, pp. 194-201: p. 199.

(19) *Ibid.*, p. 360.

(20) Tenemos presente en el texto la información dada por J. L. Alborg en el extenso tomo que trata del XVIII de su *Historia de la literatura española* (III, Madrid, 1975), así como una obra menor, pero sugerente, de José Luis Cano: *Heterodoxos y Prerrománticos*, Madrid, 1975. Cfr. igualmente nuestro libro *El signo literario*, Madrid, 1977, pp. 235-244, y comp. este testimonio: "A últimos de siglo [XVIII], la Universidad de Salamanca había cambiado de orientación por completo. Torres y Villarroel, Tavira y el padre Bernardo Zamora formaron una promoción de alumnos que posteriormente poseyeron una gran fuerza en el ambiente nacional: ... Somoza, Gallardo, Quintana" (citado por M. Mourelle, *La teoría...*, pp. 42-43).

ran el sentido global de la obra y la acción de don Andrés (21). La mentalidad ilustrada concibe el conocimiento como análisis, esto es —en último término—, vertebración ordenada de los datos (de lo dado) de lo real. Artola, siguiendo a Cassirer, sintetiza con claridad:

> La Ilustración adopta el método filosófico del análisis, propugnado en las *regulae philosophandi* de Newton, y construye su sistema partiendo de los fenómenos y remontándose desde ellos a la enunciación de los principios generales... Cassirer ha destacado el diverso sentido de la palabra razón al cambiar el siglo. Si en el XVII designaba al conjunto de "verdades eternas", en el siguiente indica solamente una determinada forma de adquisición, consistente en disolver lo fáctico en sus elementos simples, para proceder luego a su reconstrucción de acuerdo con sus reglas particulares. Armados de este modo de pensamiento, emprenderán la tarea de analizar y reconstruir todas las cosas dadas, convencidos de la existencia de un camino que conduce desde los sentidos a Dios a través de la ciencia racional (22).

Este designio analítico de conocimiento se proyecta sociológicamente en el principio-clave de la ilustración individual; pues, en efecto, el individuo está considerado como elemento social fundamental. De nuevo otro párrafo de Miguel Artola es aclarador:

> A la hora de explicar la pobreza, la injusticia y la arbitrariedad, surgirá, como única justificación posible, la ignorancia, ignorancia de los verdaderos intereses individuales, producida por la falta de ilustración, que al ocultar aquéllos conduce a los individuos por senderos extraviados. La ilustración se convertirá de este modo en la piedra fundamental del edificio de la sociedad. Se concre-

(21) Una reevaluación inteligente del período ilustrado deberá partir de enjuiciamientos como este de J. L. Alborg: "Colocados detrás de los gigantes del Renacimiento y del Barroco, los novelistas, dramaturgos y líricos del Setecientos son casi raquíticos, y la inevitable comparación —cómoda y fácil, por lo demás— los reduce a la nada. Pero el parangón es reversible y podría alumbrar sorpresas; porque si atendemos a los géneros de contenido ideológico, el Siglo Barroco es casi un vacío en el dominio del pensamiento... Sería, por tanto, necesaria una cierta audacia, un olvido —aunque fuera momentáneo— de los grandes tabús, para preguntarse —¿y quién se atrevería a intentarlo?— qué es lo que está más vivo en nuestros días, los dramas de honor o el pensamiento de Jovellanos, las sátiras de Quevedo a sastres y cornudos o la gigantesca tarea depuradora de Feijoo, las *Empresas* de Saavedra Fajardo o las *Cartas Económico-Políticas* de León de Arroyal. El siglo XVIII, como es bien sabido, es la gran época de la controversia intelectual". Cfr. *Historia de la literatura...*, p. 12; comp. en la misma línea evaluadora la reflexión sobre la ausencia de "un auténtico siglo XVIII" entre nosotros (p. 17).

(22) M. Artola, *Los orígenes de la España Contemporánea*, I, Madrid, 1959, p. 17. Y comp. con la observación de J. Mercader y A. Domínguez Ortiz: "Los ilustrados no pretendían ser tales por poseer una gran suma de conocimientos, de igual forma que los enciclopedistas no tenían nada de común con lo que hoy llamamos un talento enciclopédico. Por el contrario, aquellos hombres desdeñaban las compilaciones farragosas y las inútiles acumulaciones de datos. Una mente clara, libre de prejuicios, exenta de las tinieblas del error era lo que preconizaban para alcanzar el reinado de *las luces*" ("La época del Despotismo Ilustrado", en J. Vicens Vives, dir., *Historia de España y América*, IV, Barcelona, 1972, p. 203).

tará históricamente en el gigantesco esfuerzo de reforma de la enseñanza, que no es una característica más, sino el fundamento mismo de su programa político, lo que hará posible las restantes aplicaciones concretas. La enseñanza se convertirá de especulativa en útil, y todas las obras de los reformistas del XVIII estarán repletas de referencias elogiosas a las *ciencias útiles*, ciencias que clasificarán de acuerdo con el mayor o menor grado en que pueden servir a los intereses individuales (23).

En fin; en el aspecto político-jurídico, el programa ilustrado desemboca en un neto enriquecimiento del contenido estatal.

Idearios lingüístico y lógico (expuesto en la *Filosofía del Entendimiento)* de Bello, resultan coherentes entre sí y en el marco de los principios filosóficos de la Ilustración. Partamos, para verlo, de su actividad y empresas socio-históricas e histórico-culturales (24).

Un momento histórico-social se vuelve inteligible como estructura global significativa informada —como vio Max Weber— por unos supuestos de acción axiológicos, valorativos (25). En el caso de Bello ese valor concreto era la construcción nacional, el ordenamiento cívico de una comunidad recién independizada. Su obra general —vista globalmente, no teniendo sólo en cuenta las particulares aportaciones a tal o cual segmento del saber—, se inscribe en el proceso histórico, constatable en concreto, de racionalización de la existencia colectiva; se inscribe en ese proceso como contribución de enorme trascendencia para la nación chilena. Efectivamente, la historia occidental es interpretable como un desarrollo presidido por la instalación de la racionalidad científico-burocrática en la existencia social. *Redactar distintos proyectos de Código Civil, el "Derecho de Gentes", o la "Gramática Castellana", eran para Bello tareas absolutamente paralelas:* con el buen manejo del idioma se contribuía a la instrucción pública, la interpretación de las leyes, etc.; *se trataba en definitiva de forjar "el proceso de progresiva racionalización de la subjetividad individual y del sistema de las objetivaciones práctico-institucionales en que se estructura históricamente la actividad total de la totalidad de*

(23) *Op. cit.*, pp.19-20. Por su parte, Mercader y Domínguez Ortiz aluden a la "voluntad de organizar una Ciudad Humana de la que queden excluídos para siempre el error, la miseria y la superstición", y a cómo los ilustrados "estaban convencidos de lograr [una] renovación automática por medio de la promulgación de leyes y reglamentos" *(loc. cit.*, pp. 203-204).

(24) Extractamos en los párrafos que siguen la interpretación de fondo que para este punto propusimos en nuestro anterior estudio sobre don Andrés.

(25) Cfr. C. Moya, "Razón y racionalización burocrática", en *Burocracia y Sociedad industrial*, Madrid, 1972, pp. 209-248, pp. 218-219.

individuos que constituyen las diversas sociedades concretas" (26). No es que, de esta manera, la Razón sea el sujeto de progreso histórico: el único protagonista posible es cada hombre como actor individual. La racionalización, históricamente efectiva, de la vida histórico-social es "progresiva racionalización de la actividad subjetiva". De modo que el designio *pedagógico* y el subsecuente *cívico* son los que presiden, en natural continuidad, el esfuerzo cuyo resultado son las obras bellistas, las líneas de sentido que aclaran unitariamente su corpus doctrinal vario.

Ideas, como vemos, del modelo de teoría social de Max Weber, permiten una propuesta de entendimiento novedosa del sentido de conjunto de la obra teórica de Andrés Bello. Si un designio de racionalidad recorre la historia occidental contemporánea en cuanto modelo de organización de la vida colectiva (racionalidad a cargo del único sujeto histórico: todos-y-cada-uno de los miembros del grupo social), *Bello preside*, en los decenios iniciales de la independencia chilena, *la formalización de su ordenamiento nacional, asentado en una muy concretamente deseada "ilustración" de sus ciudadanos; esto es: racionalidad individual como supuesto de la colectiva. La lengua cumple, en esta situación, un decisivo papel, pues es —en el pensamiento bellista— garantía de comercio material e intelectual-moral entre pueblos y entre tiempos históricos, y disciplina propedéutica para cualquier clase de estudios.*

Decidido a elaborar una Gramática castellana por razones de índole histórico-cultural, Bello necesitaba para su empresa efectuar unas concretas opciones de lógica de la investigación lingüística adecuadas a lo que se le aparecía como realidad de los hechos idiomáticos. Determina entonces llevar a cabo un análisis del buen uso que desvele las regularidades a que tal empleo obedece, para lograr así su visión teórica. Bello encontraba la legalidad de los hechos lingüísticos, su regularidad y sistematismo, en la configuración opositiva que caracteriza al código comunicativo, y en su recurrente trama sintáctico-funcional. Nos proponemos ahora encontrar la coherencia del programa bellista de investigación lingüística con su *Lógica* y, más allá, con el conjunto de su pensamiento.

Andrés Bello concibe la posibilidad misma del razonamiento —y en consecuencia de la investigación— por la legalidad y regularidad de lo real. Dicho muy toscamente, aunque de modo gráfico: es posible nuestro conocimiento del agua o del ácido

(26) *Ibid.*, p. 224.

sulfúrico porque cualquier muestra de ellos que se nos ofrezca contiene, recurrentemente, gracias a la esencial legalidad de todo lo real, H_2O y SO_4H_2 en uno u otro caso. El uso lingüístico, como cualquier otra parcela fenomenológico-empírica, está presidido por una fundamental legalidad y regularidad cuyo satisfactorio esclarecimiento corresponde a la ciencia del lenguaje. La lingüística es —así— una disciplina nomotética.

El conocimiento principia en cualquier caso —establece Bello— por el juicio. Mediante el juicio conocemos lo verdadero y lo falso, lo probable o improbable, etc. El atesoramiento de una multitud de juicios produce "conocimiento" en cuanto "posesión" de saberes. De modo que conocimiento es "el poder que tiene el alma de renovar un juicio" (27).

El proceder discursivo, raciocinante, consiste en, de uno o varios juicios, deducir otro nuevo, inferirlo. "Si A es igual de B, y B a C, es imposible de toda imposibilidad que A o C no sean también iguales entre sí". O si sabemos que A está incluido en B, y B en C, deducimos la inclusión de A en C. "La fuerza deductiva del raciocinio empírico se funda en la suposición de la invariable constancia de las leyes que rigen el universo". El raciocinio empírico viene autorizado por la estabilidad y recurrencia de las leyes naturales, y por eso puede generalizar apriorísticamente, y de la semejanza de las causas deducir la de los efectos en casos inobservados en su concreta particularidad, o de la de los efectos inferir la de las causas (28). En definitiva, la razón consiste en concebir relaciones, estableciendo la concreta legalidad de lo real: "Las observaciones y los experimentos no son de ordinario más que un paso preliminar para un procedimiento ulterior, que consiste en reducir primero los hechos particulares a otros hechos más simples y comprensivos, y en aplicar luego estos hechos generales o leyes de la naturaleza a la explicación sintética de los fenómenos particulares. Estas dos operaciones constituyen toda la investigación" (29).

Constatamos la legalidad del universo (30) cuando vemos que realidades homogéneas se ajustan a un mismo plan. "La simplicidad —escribe Bello citando a Juan Sylvano Bailly— no es una idea de la infancia del mundo, antes pertenece a la madurez de los hombres; es la más grande de las verdades que la observación constante ha arrancado a la falaz variedad y multiplici-

(27) A. Bello, *Filosofía del Entendimiento* [O. C., III], Caracas, 1951, pp. 397-398.
(28) *Ibid.*, pp. 421 ss.
(29) *Ibid.*, p. 504.
(30) Utilizamos las expresiones "legalidad de lo real" y "legalidad del universo" como meras variantes estilísticas.

dad de los efectos" (31). La índole recurrente de lo real se resume en el principio de la estabilidad de las leyes de la naturaleza (son principios del pensamiento —para Bello— aquellas "leyes primarias que presiden a todos los actos de la inteligencia"). El principio de la estabilidad de las leyes de la naturaleza fundamenta y justifica la generalización de las observaciones, de los resultados empíricos. "La naturaleza sugiere este juicio; nuestra razón lo acepta, y raciocinamos con el principio empírico, haciéndolo no tanto una premisa como un supuesto de todos nuestros juicios en materia de hechos. Podemos formularlo así: Dada la causa, se sigue necesariamente el efecto; esto es, dado el fenómeno precursor se desarrolla necesariamente el segundo fenómeno. Cousin ha hecho ver del modo más luminoso que la certidumbre de los juicios empíricos no se debe toda a la experiencia, sin el concurso del principio empírico" (32). Sostiene Bello que el hecho de que el Criador (*sic*) haya sometido a una legalidad constante las conexiones fenoménicas es algo totalmente necesario y *a priori*, pero nuestro conocimiento de esas leyes concretas es *a posteriori*, y nunca deben mirarse como absolutamente necesarias, pues sólo lo son en el sentido de que resultan conformes al orden general al alcance de la inteligencia humana (33). El principio de la estabilidad de las leyes de lo real —viene a concluir Bello— nos guía en el conocimiento constante instintivamente (34). "La estabilidad de las conexiones fenomenales entra en la idea de causa... Así, el principio empírico, si no es el mismo principio de causalidad, coexiste necesariamente con él" (35). Por el principio de causalidad hacemos-depender-de, referimos todo fenómeno a una causa. La misma existencia de la realidad factual lo postula como necesario en absoluto —pues "empezar a existir y no tener causa son ideas que se repugnan"—. Como el principio concomitante —si es que no es el mismo— de la legalidad y recurrencia de lo real, el de causalidad nos guía instintivamente en el proceder discursivo (36).

El universo de las cosas, de los hechos, de los fenómenos, es cognoscible gracias a la legalidad interna que lo preside; lo lingüístico —como cualquier entidad— se organiza sobre recurrencias, sistematicidades y leyes: los estudios gramaticales tienen como objeto formal propio clasificarlas y precisarlas. En

(31) *Filosofía...*, pp. 487, 502.
(32) *Ibid.*, pp. 378-379.
(33) *Ibid.*, p. 385.
(34) *Ibid.*, p. 398.
(35) *Ibid.*, p. 385.
(36) *Ibid.*, pp. 378, 379, 399.

estos enunciados podríamos sintetizar quizá la última coherencia de las doctrinas lógica y lingüística de Andrés Bello. Pero esta admirable unicidad y coherencia aún llega más allá. Para él (37) los mundos material y moral son partes de idéntico plan. La legalidad que posibilita el conocimiento y a la vez permite anticiparse a la naturaleza y re-crearla de acuerdo con los designios humanos, en su versión sociomoral exige la regulación de la vida colectiva en el sometimiento a la Ley. A Bello, *a la vez que indagaba en la trama legal de lo real, se le aparecía el fundamento de la vida comunitaria como ordenación también legal*, y por eso concibe su *Gramática* con un sentido cívico de mejora responsable de la marcha organizada de la comunidad histórica, y redacta el corpus legislativo de la nación chilena. Desde estos supuestos interpretadores podemos encuadrar a nuestro autor en el centro de la poblemática espiritual de la Modernidad. "El principio de legalidad constituye, desde luego, un instrumento directamente lanzado contra la estructura política del Estado absoluto: frente al poder personal y arbitrario, el ideal del gobierno por y en virtud de leyes... Esta formulación del imperio o de la soberanía de la Ley como ideal político no es más que una transposición a la teoría social del principio de legalidad del universo sobre el que trabaja el pensamiento de Occidente desde el Renacimiento y que alcanza en la Física de Newton y en la Ilustración su expresión definitiva" (38).

3. Anotemos ahora el lugar de Bello en la historia de la teoría del lenguaje y la lingüística general. Conocida es la raigambre de su pensamiento en la tradición inglesa; el hecho, en general, hay que referirlo al estado de la cultura en España y América. "El siglo había de terminar bajo el signo de Locke, de Condillac", registran J. Mercader y A. Domínguez Ortiz (39), y refiriéndose al propio siglo ilustrado, Mario Hernández testifica, con referencia a la sociedad colonial americana en que Bello recibía su primera formación: "Existió entre las gentes educadas una enorme afición por la lectura. Las listas de obras remitidas desde Europa a los libreros de América abarcaban una inmensa variedad de títulos y autores... Muchos eran de significación ideológica: obras de... Locke, Condillac... (40).

(37) Cfr. *ibid.*, p. 488.
(38) Cfr. E. García de Enterría, *Revolución francesa y administración contemporánea*, Madrid, 1972, pp. 10 ss.
(39) Loc. cit., p. 197. Cfr. el texto de Juan Justo García, catedrático de la Universidad de Salamanca, copiado por Mourelle, p. 41.
(40) "Las Indias en el siglo XVIII", en J. Vicens, *Historia...*, IV, p. 400.

Al hacer historia de nuestra disciplina, Robins ha subrayado en concreto la contribución británica del empirismo, y el interés de sus gramáticos por alcanzar descripciones particulares y contrastables de cada lengua (41); es la traza en la que se moverá nuestro autor. Por medio de Locke —en definitiva— se llega al "positivismo y descriptivismo" (42); convergentemente, Condillac postulará la observación de las lenguas medinte el *análisis* (43). Debe contarse, pues, con una línea en la que confluyen Locke, Condillac, Pestalozzi *et alii*, "a la que es deudora la gramática española decimonónica" (44).

Don Andrés Bello, habíamos visto, es coetáneo de F. Schlegel; la generación inmediatamente anterior es la de Humboldt y A. W. Schlegel. Todos ellos representan momentos en la historia de la tipología lingüística (45), y en particular Humboldt subraya con insistencia ideas en las que coincidirá Bello: pertenecen al horizonte teórico de su tiempo. Se expresaba así Wilhelm von Humboldt:

> Aquello que permanece constante y uniforme en esta labor del espíritu de elevar el sonido articulado a expresión del pensamiento, considerado tanto como sea posible en su totalidad y en sus conexiones y presentado de manera sistemática, es lo que constituye la forma de la lengua.
>
> ....
>
> La tarea de la investigación de cualquier lengua consiste, pues, en el reconocimiento de lo característico en la homogeneidad.
>
> ....
>
> Sólo cuando el espíritu de un pueblo adopta un nuevo principio unitario, una nueva concepción, surge una nueva lengua (46).

* * *

Querríamos haber apuntado en este pequeño prefacio algunas de las claves histórico-culturales que —nos parece— pueden

(41) *Op. cit.*, pp. 113, 122-123.

(42) F. Marcos Marín, *Lingüística y lengua española*, Madrid, 1975, p. 158. Positivismo —descriptivismo, apostilla Marcos— "en donde se originan el *Curso de Lingüística General*, por un lado, y las escuelas de gramática histórica por otro, ejemplo claro de la relativa heterogeneidad que puede existir en el seno de cada corriente". Es fundamental B. L. Velleman, "El influjo del empirismo inglés en el pensamiento gramatical de Bello", *Thesaurus* (Bogotá), XXXI, 1976, pp. 1-13.

(43) Cfr. Mourelle, *op. cit.*, p. 47.

(44) Marcos, p. 173.

(45) Cfr. E. Coseriu, *Tradición y novedad en la ciencia del lenguaje*, Madrid, 1977, caps. V y VIII.

(46) *Ibid.*, pp. 162, 163, 164.

esclarecer la gigantesca obra gramatical de Andrés Bello; compare el lector, sin más, los datos e ideas aquí recogidos, con los de la *Gramática* de nuestro autor: el cotejo, creemos, resulta bien ilustrativo.

Vamos a terminar el prólogo con un juicio evaluador global de Luis Juan Piccardo (47), en el que coincidimos: "Cuando uno piensa en los progresos que ha hecho la ciencia del lenguaje..., si algo extraña es que quede tanto en pie de la obra de Bello. Y el hecho de que se le sigan acotando rectificaciones y enmiendas, en vez de sumirla en el olvido, ¿no habla a las claras de ciertas calidades insuperables?" (*).

Francisco Abad

(47) L. J. Piccardo, "Dos momentos en la historia de la gramática española. Nebrija y Bello", *Revista de la Facultad de Humanidades y Ciencias* (Montevideo), 4, 1949, pp. 87-112; p. 110.

(*) La historiografía lingüística, como hemos dicho, deberá intentar explicarse el desarrollo de los estudios sobre el idioma en tanto *serie* o secuencia dotada de una lógica interna de progresión y —además— dependiente de las estructuras globales sociohistóricas en las que surge. No es raro que —quizá echando de menos este esfuerzo clarificador— Coseriu haya escrito: "La historia de la lingüística teórica es una historia extraña".

Del desenfoque en que a veces nos movemos da idea el tratamiento recibido por Chomsky en manuales que se encuentran en el mercado. Hemos visto uno cuyo autor, al parecer, desconoce qué obras suyas son representantivas de cada una de las etapas de su pensamiento, pues las agrupa arbitrariamente; otro segundo da ya a Chomsky por muerto, señalando como momento de madurez del creador de la gramática generativa el de la teoría estándar. Y así sucesivamente. Pero el ideario de Chomsky deberá ser analizado a la luz del contexto lógico-teórico en que surge, y del de su pensamiento global. Nos permitimos transcribir aquí párrafos de unas páginas inéditas nuestras donde lo apuntamos.

John Searle nos ha mostrado cómo la revolución de Chomsky en lingüística ha seguido exactamente el modelo general de Kuhn: "La obra de Chomsky —escribe— ha confrontado el modelo aceptado, o "paradigma", de la lingüística con una cantidad cada vez mayor de contraejemplos molestos y de datos recalcitrantes que el paradigma no podía explicar. Posteriormente, los contraejemplos condujeron a Chomsky a romper completamente el antiguo modelo y a crear otro enteramente nuevo". Prueba de que las concepciones chomskyanas están desempeñando, históricamente, el papel de paradigma, es que se hayan convertido "en el saber convencional", y que sea dentro de ese sistema conceptual donde se están produciendo las innovaciones de la "semántica generativa", a cargo muchas veces de sus mejores discípulos. Así, "el autor de la revolución ocupa ahora una posición minoritaria en el movimiento que creó. La mayoría de la gente que trabaja activamente en la gramática generativa considera que la posición de Chomsky ha quedado anticuada por los diferentes argumentos referentes a la interacción entre sintaxis y semántica".

Si, pues, la obra de Chomsky, como hecho de historia de las ideas, es una "revolución científica", ¿cuál es el contenido conceptual de su movimiento? Frente a la concepción de la lingüística como "ciencia clasificatoria" (Hocket), reclama que el objetivo de las disciplinas idiomáticas debiera ser más bien "una teoría deductiva formal que contendría una serie de reglas gramaticales que pudiesen generar la serie infinita de oraciones de la lengua, que no generasen nada que no fuese una oración y que constituyesen una descripción de la estructura gramatical de cada oración", o, según la formulación más general de *Aspectos*, la teoría lingüística está destinada a "explicar todas las relaciones lingüísticas entre el sistema de los sonidos y el sistema de los significados de la lengua".

Pedagógicamente, Searle sintetiza así la ruptura estructuralismo-gramática generativa: si para aquél era tema de estudio un corpus de expresiones, para éste lo es la competencia lingüística del hablante; frente al objetivo estructuralista de clasificación de los elementos del corpus, la gramática generativa se propone especificar las reglas gramaticales subyacentes a la construcción de las oraciones; finalmente, si uno, metodológicamente, se sirve de procedimientos mecánicos que, sin más, nos llevarían a la realidad factual, la otra utiliza procedimientos de valoración entre hipótesis rivales para alcanzar idéntico propósito.

En última instancia, pueden considerarse ideas como las que transcribimos concreción formal de los designios investigadores chomskyanos: "Debemos aislar y estudiar el sistema de la *competencia lingüística*, que está en la base del comportamiento y lo fundamenta, pero que no se realiza de un modo directo o simple en el comportamiento. Y ese sistema de la competencia lingüística es cualitativamente distinto de todo lo que puede describirse en términos de los métodos taxonómicos de la lingüística estructural, los conceptos de la psicología fundada en la relación E-R o las nociones desarrolladas dentro de la teoría matemática de la comunicación o la teoría de los autómatas simples". De esta manera, Chomsky se opone (aunque también integra en superior síntesis) al puro descriptivismo de la lingüística moderna, concediendo particular relevancia al aspecto *creador* del uso del lenguaje y al estudio de las condiciones *universales* que rigen en los sistemas idiosincrónicos de reglas lingüísticas.

Probablemente la obra más accesible para iniciarse en la lectura de nuestro autor sea la que en versión castellana circula como *El lenguaje y el entendimiento*, de la cual —a su vez— cabe considerar un capítulo *Lingüística cartesiana*. En ellas se propone el entendimiento de la ciencia del lenguaje como una rama de la psicología del pensamiento, en tanto trasunto teorético y abstracto de las operaciones reales del proceder discursivo. Si los procesos descritos por la Lingüística no son explicables *desde* los supuestos de la "psicología empirista", debe reclamarse otra; quizá sea (apuntó en su día A. Deaño) la psicología de Piaget.

En el contexto de esta problemática, Chomsky ha hecho particular hincapié en el hiato cualitativo existente entre, de una parte, la comunicación animal, y de otra el aspecto *creador* del uso del lenguaje. Cualquier sistema de comunicación animal —nos dice— es reductible a un número fijo de señales asociados cada uno a una trama bien fija de condiciones o estados, esto es, un número de dimensiones "lingüísticas" co-relacionado con otro de dimensiones no lingüísticas. Frente a ello, las lenguas naturales escapan de alguna manera del tejido de los estímulos inmediatos, y por ello sirven como instrumento de la expresión y de los procesos discursivos. De ahí que con el transcurso del tiempo y el trabajo de los grandes creadores de pensamiento y de lengua, los idiomas recojan en sí lo que anteriormente no poseían, "debido al creciente desarrollo de las ideas, a la lógica en aumento y a una facultad sensitiva más penetrante". En definitiva, caracteriza al lenguaje de los hombres su uso no-puramente-práctico, a diferencia de los códigos *ad hoc* y de los de la comunicación animal. Así, "una psicología totalmente adecuada requiere la postulación de un *principio creador* junto con el *principio mecánico* que basta para explicar todos los otros aspectos del mundo inanimado y del animado y de un sector importante de las acciones humanas lo mismo que de las *pasiones*". Con todo, cabe apuntar que el modelo propuesto por Chomsky para dar cuenta del aspecto *creador* del uso idiomático ha parecido *a posteriori* notablemente tímido. Recordemos en este sentido que la *Lógica natural* diseñada por Lakoff constituye quizá la respuesta programático-investigadora a las demandas de la semántica "generativa" y de la Pragmática; se sostiene ahora que el sentido del decurso deriva tanto de formas lógicas como de postulados de sentido (presuposiciones, entorno, etc.). Se trata, parafraseando a Austin, de dar cuenta de cómo se hacen cosas con palabras.

Teoría del lenguaje y concepciones sobre la organización social de Chomsky responden, en última coherencia, a su idea de lo humano. Así es como ha de entenderse la (quizá a simple vista disparatada) aserción de que hay entendimientos de lo político "más afines" a la lingüística generativa. Pues, como el mismo Chomsky declaró a la *New Left Review*, "mi impresión personal es que la capacidad humana fundamental es la capacidad y la necesidad de autoexpresión creadora, la necesidad del libre control de la propia vida y del pensamiento en todos sus aspectos. Una proyección particularmente importante de esta facultad es la utilización creadora del lenguaje en cuanto libre instrumento de pensamiento y expresión. Pues bien, al tener esta idea acerca de la naturaleza y de las necesidades humanas, uno se siente inclinado a pensar sobre las formas de organización social que permitan el desarrollo más libre y completo del individuo". La búsqueda, justamente, de la posible coherencia global del pensamiento de Chomsky es la clave interpretativa, por ejemplo, de la monografía que le ha dedicado Lyons.

NOTA EDITORIAL

Reproducimos sólo el texto de la *Gramática* de Bello, sin las anotaciones posteriores. En caso de disparidad de lectura entre las distintas versiones presentes en el mercado, hemos seguido la más correcta a nuestro juicio.

Sobre el autor véase la extensa bibliografía compilada por A. Millares Carlo, en *Revista de Historia de América*, México, 1969, págs. 211-331.

EDAF UNIVERSITARIA

GRAMATICA DE LA LENGUA CASTELLANA DESTINADA AL USO DE LOS AMERICANOS

PROLOGO

Aunque en esta Gramática hubiera deseado no desviarme de la nomenclatura y explicaciones usuales, hay puntos en que me ha parecido que las prácticas de la lengua castellana podían representarse de un modo más completo y exacto. Lectores habrá que califiquen de caprichosas las alteraciones que en esos puntos he introducido, o que las imputen a una pretensión extravagante de decir cosas nuevas: las razones que alego probarán, a lo menos, que no las he adoptado sino después de un maduro examen. Pero la prevención más desfavorable, por el imperio que tiene aun sobre personas bastante instruídas, es la de aquellos que se figuran que en la gramática las definiciones inadecuadas, las clasificaciones mal hechas, los conceptos falsos, carecen de inconveniente, siempre que por otra parte se expongan con fidelidad las reglas a que se conforma el buen uso. Yo creo, con todo, que esas dos cosas son inconciliables; que el uso no puede exponerse con exactitud y fidelidad sino analizando, desenvolviendo los principios verdaderos que lo dirigen, que una lógica severa es indispensable requisito de toda enseñanza; y que en el primer ensayo que el entendimiento hace de sí mismo es en el que más importa no acostumbrarle a pagarse de meras palabras.

El habla de un pueblo es un sistema artificial de signos, que bajo muchos respectos se diferencia de los otros sistemas de la misma especie: de que se sigue que cada lengua tiene su teoría particular, su gramática. No debemos, pues, aplicar indistintamente a un idioma los principios, los términos, las analogías en que se resumen bien o mal las prácticas de otro. Esta misma palabra idioma * *está diciendo que cada lengua tiene su genio, su fisonomía, sus giros; y mal*

* En griego *peculiaridad, naturaleza propia, índole característica.*

desempeñaría su oficio el gramático que explicando la suya se limitara a lo que ella tuviese de común con otra, o (todavía peor) que supusiera semejanzas donde no hubiese más que diferencias, y diferencias importantes, radicales. Una cosa es la gramática general, y otra la gramática de un idioma dado: una cosa comparar entre sí dos idiomas, y otra considerar un idioma como es en sí mismo. ¿Se trata, por ejemplo, de la conjugación del verbo castellano? Es preciso enumerar las formas que toma, y los significados y usos de cada forma, como si no hubiese en el mundo otra lengua que la castellana; posición forzada respecto del niño, a quien se exponen las reglas de la sola lengua que está a su alcance, la lengua nativa. Este es el punto de vista en que he procurado colocarme, y en el que ruego a las personas inteligentes, a cuyo juicio someto mi trabajo, que procuren también colocarse, descartando, sobre todo, las reminiscencias del idioma latino.

En España, como en otros países de Europa, una admiración excesiva a la lengua y literatura de los romanos dió un tipo latino a casi todas las producciones del ingenio. Era ésta una tendencia natural de los espíritus en la época de la restauración de las letras. La mitología pagana siguió suministrando imágenes y símbolos al poeta; y el período ciceroniano fue la norma de la elocución para los escritores elegantes. No era, pues, de extrañar que se sacasen del latín la nomenclatura y los cánones gramaticales de nuestro romance.

Si como fuè el latín el tipo ideal de los gramáticos, las circunstancias hubiesen dado esta preeminencia al griego, hubiéramos probablemente contado cinco casos en nuestra declinación en lugar de seis, nuestros verbos hubieran tenido no sólo voz pasiva, sino voz media, y no habrían faltado aoristos y paulo-post-futuros en la conjugación castellana *.

Obedecen, sin duda, los signos del pensamiento a ciertas leyes generales, que derivadas de aquellas a que está sujeto el pensamiento mismo, dominan a todas las lenguas y constituyen una gramática universal. Pero si se exceptúa la resolución del razonamiento en proposiciones, y de la proposición en sujeto y atributo; la existencia del sustantivo para

* Las declinaciones de los latinizantes me recuerdan el proceder artístico del *pintor de hogaño*, que, por parecerse a los antiguos maestros, ponía golilla y ropilla a los personajes que retrataba.

expresar directamente los objetos, la del verbo para indicar los atributos y la de otras palabras que modifiquen y determinen a los sustantivos y verbos a fin de que, con un número limitado de unos y otros, puedan designarse todos los objetos posibles, no sólo reales sino intelectuales, y todos los atributos que percibamos o imaginemos en ellos; si exceptuamos esta armazón fundamental de las lenguas, no veo nada que estemos obligados a reconocer como ley universal de que a ninguna sea dado eximirse. El número de las partes de la oración pudiera ser mayor o menor de lo que es en latín o en las lenguas romances. El verbo pudiera tener géneros y el nombre tiempos. ¿Qué cosa más natural que la concordancia del verbo con el sujeto? Pues bien; en griego era no sólo permitido sino usual concertar el plural de los nombres neutros con el singular de los verbos. En el entendimiento dos negaciones se destruyen necesariamente una a otra, y así es también casi siempre en el habla; sin que por eso deje de haber en castellano circunstancias en que dos negaciones no afirman. No debemos, pues, trasladar ligeramente las afecciones de las ideas a los accidentes de las palabras. Se ha errado no poco en filosofía suponiendo a la lengua un trasunto fiel del pensamiento; y esta misma exagerada suposición ha extraviado a la gramática en dirección contraria: unos argüían de la copia al original; otros del original a la copia. En el lenguaje lo convencional y arbitrario abraza mucho más de lo que comúnmente se piensa. Es imposible que las creencias, los caprichos de la imaginación, y mil asociaciones casuales, no produjesen una grandísima discrepancia en los medios de que se valen las lenguas para manifestar lo que pasa en el alma; discrepancia que va siendo mayor y mayor a medida que se apartan de su común origen.

Estoy dispuesto a oír con docilidad las objeciones que se hagan a lo que en esta gramática pareciere nuevo; aunque, si bien se mira, se hallará que en eso mismo algunas veces no innovo, sino restauro. La idea, por ejemplo, que yo doy de los casos en la declinación, es la antigua y genuina; y en atribuír la naturaleza de sustantivo al infinitivo, no hago más que desenvolver una idea perfectamente enunciada en Prisciano: «Vim nominis habet verbum infinitum; dico enim bonum est legere, *ut si dicam* bona est lectio». *No he querido, sin embargo, apoyarme en autoridades, porque para mí la sola irrecusable en lo tocante a una lengua es la lengua misma. Yo no me creo autorizado para dividir lo que ella constantemente une, ni para identificar lo que ella distingue. No miro las analogías de otros idiomas sino como pruebas accesorias. Acepto las prácticas como la lengua las presenta; sin imaginarias elipsis, sin otras explicaciones que las que se reducen a ilustrar el uso por el uso.*

Tal ha sido mi lógica. En cuanto a los auxilios de que he procurado aprovecharme, debo citar especialmente las obras de la Academia Española y la gramática de D. Vicente Salvá. He mirado esta última como el depósito más copioso de los modos de decir castellanos; como un libro que ninguno de los que aspiran a hablar y escribir correctamente nuestra lengua nativa debe dispensarse de leer y consultar a menudo. Soy también deudor de algunas ideas al ingenioso y docto D. Juan Antonio Puigblanch en las materias filológicas que toca por incidencia en sus Opúsculos. Ni fuera justo olvidar a Garcés, cuyo libro, aunque sólo se considere como un glosario de voces y frases castellanas de los mejores tiempos, ilustradas con oportunos ejemplos, no creo que merezca el desdén con que hoy se le trata.

Después de un trabajo tan importante como el de Salvá, lo único que me parecía echarse de menos era una teoría que exhibiese el sistema de la lengua en la generación y uso de sus inflexiones y en la estructura de sus oraciones, desembarazado de ciertas tradiciones latinas que de ninguna manera le cuadran. Pero cuando digo teoría *no se crea que trato de especulaciones metafísicas. El señor Salvá reprueba con razón aquellas abstracciones ideológicas que, como las de un autor que cita, se alegan para legitimar lo que el uso proscribe. Yo huyo de ellas, no sólo cuando contradicen al uso, sino cuando se remontan sobre la mera práctica del lenguaje. La filosofía de la gramática la reduciría yo a representar el uso bajo las fórmulas más comprensivas y simples. Fundar estas fórmulas en otros procederes intelectuales que los que real y verdaderamente guían al uso, es un lujo que la gramática no ha menester. Pero los procederes intelectuales que real y verdaderamente le guían, o en otros términos, el valor preciso de las inflexiones y las combinaciones de las palabras, es un objeto necesario de averiguación; y la gramática que lo pase por alto no desempeñará cumplidamente su oficio. Como el diccionario da el significado de las raíces, a la gramática incumbe exponer el valor de las inflexiones y combinaciones, y no sólo el natural y primitivo, sino el secundario y el metafórico, siempre que hayan entrado en el uso general de la lengua. Este es el campo que privativamente deben abrazar las especulaciones gramaticales, y al mismo tiempo el límite que las circunscribe. Si alguna vez he pasado este límite, ha sido en brevísimas excursiones, cuando se trataba de discutir los alegados fundamentos ideológicos de una doctrina, o cuando los accidentes gramaticales revelaban algún proceder mental curioso: trasgresiones, por otra parte, tan raras, que sería demasiado rigor calificarlas de importunas.*

Algunos han censurado esta gramática de difícil y oscura. En los establecimientos de Santiago que la han adoptado, se ha visto que esa dificultad es mucho mayor para los que, preocupados por las doctrinas de otras gramáticas, se desdeñan de leer con atención la mía y de familiarizarse con su lenguaje, que para los alumnos que forman por ella sus primeras nociones gramaticales.

Es, por otra parte, una preocupación harto común la que nos hace creer llano y fácil el estudio de una lengua, hasta el grado en que es necesario para hablarla y escribirla correctamente. Hay en la gramática muchos puntos que no son accesibles a la inteligencia de la primera edad; y por eso he juzgado conveniente dividirla en dos cursos, reducido el primero a las nociones menos difíciles y más indispensables, y extensivo el segundo a aquellas partes del idioma que piden un entendimiento algo ejercitado. Los he señalado con diverso tipo y comprendido los dos en un solo tratado, no sólo para evitar repeticiones, sino para proporcionar a los profesores del primer curso el auxilio de las explicaciones destinadas al segundo, si alguna vez las necesitaren. Creo, además, que esas explicaciones no serán enteramente inútiles a los principiantes, porque, a medida que adelanten, se les irán desvaneciendo gradualmente las dificultades que para entenderlas se les ofrezcan. Por este medio queda también al arbitrio de los profesores el añadir a las lecciones de la enseñanza primaria todo aquello que de las del curso posterior les pareciere a propósito, según la capacidad y aprovechamiento de los alumnos. En las notas al pie de las páginas llamo la atención a ciertas prácticas viciosas del habla popular de los americanos, para que se conozcan y eviten, y dilucido algunas doctrinas con observaciones que requieren el conocimiento de otras lenguas. Finalmente, en las notas *que he colocado al fin del libro* (*) *me extiendo sobre algunos puntos controvertibles, en que juzgué no estarían de más las explicaciones para satisfacer a los lectores instruídos. Parecerá algunas veces que se han acumulado profusamente los ejemplos; pero sólo se ha hecho cuando se trataba de oponer la práctica de escritores acreditados a novedades viciosas, o de discutir puntos controvertibles, o de explicar ciertos procederes de la lengua a que creía no haberse prestado atención hasta ahora.*

He creído también que en una gramática nacional no debían pasarse por alto ciertas formas y locuciones que han desaparecido de la lengua corriente; ya porque el poeta y aun el prosista no dejan de recurrir alguna vez a ellas, y ya porque su conocimiento es necesario para la perfecta inteligencia de las obras más estimadas de otras edades de la lengua. Era conveniente manifestar el uso impropio que algunos hacen de ellas, y los conceptos erróneos con que otros han querido explicarlas; y si soy yo el que ha padecido error, sirvan mis desaciertos de estímulo a escritores más competentes, para emprender el mismo trabajo con mejor suceso.

No tengo la pretensión de escribir para los castellanos. Mis lecciones se dirigen a mis hermanos, los habitantes de Hispanoamérica. Juzgo importante la conservación de la lengua de nuestros padres en su posible pureza, como un medio providencial de comunicación y un vínculo de fraternidad entre las varias naciones de origen español derramadas sobre los dos continentes. Pero no es un purismo supersticioso lo que me atrevo a recomendarles. El adelantamiento prodigioso de todas las ciencias y las artes, la difusión de la cultura intelectual y las revoluciones políticas, piden cada día nuevos signos para expresar ideas nuevas, y la introducción de vocablos flamantes, tomados de las lenguas antiguas y extranjeras, ha dejado ya de ofendernos, cuando no es manifiestamente innecesaria, o cuando no descubre la afectación y mal gusto de los que piensan engalanar así lo que escriben. Hay otro vicio peor, que es el prestar acepciones nuevas a las palabras y frases conocidas, multiplicando las anfibologías de que por la variedad de significados de cada palabra adolecen más o menos las lenguas todas, y acaso

* En la presente edición, dichas notas han sido colocadas a continuación del capítulo en que se trata el tema que las motiva. *(N. del E.).*

en mayor proporción las que más se cultivan, por el casi infinito número de ideas a que es preciso acomodar un número necesariamente limitado de signos. Pero el mayor mal de todos, y el que, si no se ataja, va a privarnos de las inapreciables ventajas de un lenguaje común, es la avenida de neologismos de construcción, que inunda y enturbia mucha parte de lo que se escribe en América, y alterando la estructura del idioma, tiende a convertirlo en una multitud de dialectos irregulares, licenciosos, bárbaros; embriones de idiomas futuros, que durante una larga elaboración reproducirían en América lo que fué la Europa en el tenebroso período de la corrupción del latín. Chile, el Perú, Buenos Aires, México, hablarían cada uno su lengua, o por mejor decir, varias lenguas, como sucede en España, Italia y Francia, donde dominan ciertos idiomas provinciales, pero viven a su lado otros varios, oponiendo estorbos a la difusión de las luces, a la ejecución de las leyes, a la administración del Estado, a la unidad nacional. Una lengua es como un cuerpo viviente: su vitalidad no consiste en la constante identidad de elementos, sino en la regular uniformidad de las funciones que éstos ejercen, y de que proceden la forma y la índole que distinguen al todo.

Sea que yo exagere o no el peligro, él ha sido el principal motivo que me ha inducido a componer esta obra, bajo tantos respectos superior a mis fuerzas. Los lectores inteligentes que me honren leyéndola con alguna atención, verán el cuidado que he puesto en demarcar, por decirlo así, los linderos que respeta el buen uso de nuestra lengua, en medio de la soltura y libertad de sus giros, señalando las corrupciones que más cunden hoy día, y manifestando la esencial diferencia que existe entre las construcciones castellanas y las extranjeras que se les asemejan hasta cierto punto, y que solemos imitar sin el debido discernimiento.

No se crea que recomendando la conservación del castellano sea mi ánimo tachar de vicioso y espurio todo lo que es peculiar de los americanos. Hay locuciones castizas que en la Península pasan hoy por anticuadas, y que subsisten tradicionalmente en Hispanoamérica; ¿por qué proscribirlas? Si según la práctica general de los americanos es más analógica la conjugación de algún verbo, ¿por qué razón hemos de preferir la que caprichosamente haya prevalecido en Castilla? Si de raíces castellanas hemos formado vocablos nuevos, según los procederes ordinarios de derivación que el castellano reconoce, y de que se ha servido y se sirve continuamente para aumentar su caudal, ¿qué motivos hay para que nos avergoncemos de usarlos? Chile y Venezuela tienen tanto derecho como Aragón y Andalucía para que se toleren sus accidentales divergencias, cuando las patrocina la costumbre uniforme y auténtica de la gente educada. En ellas se peca mucho menos contra la pureza y corrección del lenguaje que en las locuciones afrancesadas, de que no dejan de estar salpicadas hoy día aun las obras más estimadas de los escritores peninsulares.

He dado cuenta de mis principios, de mi plan y de mi objeto, y he reconocido, como era justo, mis obligaciones a los que me han precedido. Señalo rumbos no explorados, y es probable que no siempre haya hecho en ellos las observaciones necesarias para deducir generalidades exactas. Si todo lo que propongo de nuevo no pareciere aceptable, mi ambición quedará satisfecha con que alguna parte lo sea, y contribuya a la mejora de un ramo de enseñanza, que no es ciertamente el más lucido, pero es uno de los más necesarios.

NOCIONES PRELIMINARES

1. La GRAMÁTICA de una lengua es el arte de hablar correctamente, esto es, conforme al buen uso, que es el de la gente educada.

2. Se prefiere este uso porque es el más uniforme en las varias provincias y pueblos que hablan una misma lengua, y por lo tanto el que hace que más fácil y generalmente se entienda lo que se dice; al paso que las palabras y frases propias de la gente ignorante varían mucho de unos pueblos y provincias a otros, y no son fácilmente entendidas fuera de aquel estrecho recinto en que las usa el vulgo.

3. Se llama lengua *castellana* (y con menos propiedad *española*) la que se habla en Castilla y que con las armas y las leyes de los castellanos pasó a la América, y es hoy el idioma común de los Estados hispanoamericanos.

4. Siendo la lengua el medio de que se valen los hombres para comunicarse unos a otros cuanto saben, piensan y sienten, no puede menos de ser grande la utilidad de la Gramática, ya para hablar de manera que se comprenda bien lo que decimos (sea de viva voz o por escrito), ya para fijar con exactitud el sentido de lo que otros han dicho; lo cual abraza nada menos que la acertada enunciación y la genuina interpretación de las leyes, de los contratos, de los testamentos, de los libros, de la correspondencia escrita; objetos en que se interesa cuanto hay de más precioso y más importante en la vida social.

5. Toda lengua consta de palabras diversas, llamadas también *dicciones, vocablos, voces.* Cada *palabra* es un signo que representa por sí solo alguna idea o pensamiento, y que *construyéndose,* esto es, combinándose, ya con unos, ya con otros signos de la misma especie, contribuye a expresar diferentes conceptos, y a manifestar así lo que pasa en el alma del que habla.

6. El bien hablar comprende la *estructura material* de las palabras, su *derivación* y *composición,* la *concordancia* o armonía que entre varias clases de ellas ha establecido el uso, y su *régimen* o dependencia mutua.

La concordancia y el régimen forman la *construcción* o *sintaxis*.

CAPÍTULO I

ESTRUCTURA MATERIAL DE LAS PALABRAS

7. Si atendemos a la estructura material de las palabras, esto es, a los sonidos de que se componen, veremos que todas ellas se resuelven en un corto número de sonidos *elementales,* esto es, irresolubles en otros. De éstos los unos pueden pronunciarse separadamente con la mayor claridad y distinción, y se llaman VOCALES: los representamos por las letras *a, e, i, o, u: a, e, o,* son sonidos vocales llenos; *i, u,* débiles. De los otros ninguno puede pronunciarse por sí solo, a lo menos de un modo claro y distinto; y para que se perciban claramente, es necesario que *suenen con* algún sonido vocal: llámanse por eso CONSONANTES. Tales son los que representamos por las letras *b, c, ch, d, f, g, j, l, ll, m, n, ñ, p, r, rr, s, t, v, y, z;* combinados con el sonido vocal *a* en *ba, ca, cha, da, fa, ga, ja, la, lla, ma, na, ña, pa, ar, rra, sa, ta, va, ya, za.* Tenemos, pues, cinco sonidos vocales y veinte sonidos consonantes en castellano; la reunión de las letras o caracteres que los representan es nuestro ALFABETO.

8. La *h,* que también figura en él, no representa por sí sola sonido alguno: pero en unas pocas voces, como *ah, oh, he,* que parecen la expresión natural de ciertos afectos, pues se encuentran en todos los idiomas, pintamos con este signo la aspiración o esfuerzo particular con que solemos pronunciar la vocal que le precede o sigue.

9. La *h* que viene seguida de dos vocales de las cuales la primera es *u,* y la segunda regularmente *e,* como en *hueso, huérfano, ahuecar,* parece representar un verdadero sonido consonante, aunque tenuísimo, que se asemeja un poco al de la *g* en *gula, agüero.*

10. En todos los demás casos es enteramente ociosa la *h,* y la miraremos como no existente. Serán, pues, vocales concurrentes, o que se suceden inmediatamente una a otra; *a o* en *ahora,* como en *caoba; e u* en *rehuye,* como en *reúne.*

11. Hay en nuestro alfabeto otro signo, el de la *q*, que, según el uso corriente, viene siempre seguido de una *u* que no se pronuncia ni sirve de nada en la escritura. Esta combinación *qu* se escribe sólo antes de las vocales *e*, *i*, como en *aquel*, *aquí*, y se le da el valor que tiene la *c* en las dicciones *cama*, *coro*, *cuna*, *clima*, *crema*.

12. La *u* deja también de pronunciarse muchas veces cuando se halla entre la consonante *g* y una de las vocales *e*, *i*, como en *guerra*, *aguinaldo*. La combinación *gu* tiene entonces el mismo valor de la *g* en las dicciones *gala*, *gola*, *gula*, *gloria*, *grama*; y no es ociosa la *u*, porque si no se escribiese, habría el peligro de que se pronunciase la *g* con el sonido *j*, que muchos le dan todavía escribiendo *general*, *gente*, *gime*, *ágil*, *frágil*, etc. Cuando la *u* suena entre la *g* y la vocal *e* o *i*, se acostumbra señalarla con los dos puntitos llamados *crema*, como en *vergüenza*, *argüir*.

13. La *x*, otro signo alfabético, no denota un sonido particular sino los dos que corresponderían a *gs* o a *cs*, como en la palabra *examen*, que se pronuncia *egsamen* o *ecsamen*.

14. En fin, la *k* y la *w* (llamada *doble u*) sólo se usan en nombres de personas, lugares, dignidades y oficios extranjeros, como *Newton*, *Franklin*, *Wáshington*, *Westminster*, *alwacir* (gobernador, mayodormo de palacio, entre los árabes), *walí* (prefecto, caudillo entre los mismos), etc.

15. Aunque *letras* significa propiamente los caracteres escritos de que se compone el alfabeto, suele darse este nombre, no sólo a los signos alfabéticos, sino a los sonidos denotados por ellos. De aquí es que decimos en uno y otro sentido *las vocales*, *las consonantes*, subentendiendo *letras*. Los sonidos consonantes se llaman también *articulaciones* y sonidos *articulados*.

16. Combinándose unos con otros los sonidos elementales forman palabras; bien que basta a veces un solo sonido, con tal que sea vocal, para formar palabra; como *a* cuando decimos *voy a casa*, *atiendo a la lección*; o como *y* cuando decimos *Madrid y Lisboa*; *va y viene*.

17. Cada palabra consta de uno o más miembros, cada uno de los cuales puede proferirse por sí solo perfectamente, y es indivisible en otros en que pueda hacerse lo mismo; reproduciendo todos juntos la palabra entera. Por ejemplo, *gramática* consta de cuatro miembros indivisibles, *gra-má-ti-ca*: y si quisiéramos dividir cada uno de éstos en otros, no podríamos, sin alterar u oscurecer algunos de los sonidos componentes. Así, del miembro *gra* pudiéramos sacar el sonido *a*, pero quedarían oscuros y difíciles de enunciar los sonidos *gr*.

18. Llámanse SÍLABAS los miembros o fracciones de cada palabra, separables e indivisibles. Las palabras según el número de sílabas de que se componen, se llaman *monosílabas* (de una sílaba), *disílabas* (de dos sílabas), *trisílabas* (de tres), *polisílabas* (de muchas).

19. Cuando una consonante se halla en medio de dos vocales, pudiera dudarse con cuál de las dos forma sílaba. Parecerá, por ejemplo, que pudiéramos dividir la dicción *pelar* en la sílabas *pel-ar*, no menos bien que en las sílabas *pe-lar*. Pero en los casos de esta especie nos es natural referir a la vocal siguiente toda consonante que pueda hallarse en principio de dicción. La *l* puede principiar dicción, como se ve en *laúd, león, libro, loma, luna.* Debemos, pues, dividir la palabra *pelar* en las sílabas *pe-lar,* juntando la *l* con la *a.*

20. No sucede lo mismo en *París.* Ninguna dicción castellana principia por el sonido que tiene la *r* en *París.* Al contrario, hay muchas que terminan por esta letra, como *cantar, placer, morir, flor, segur.* Por consiguiente, la división natural de *París* es en las dos sílabas *Par-ís.*

21. Cuando concurren dos consonantes en medio de dicción, como en *monte,* es necesario las más veces juntar la primera con la vocal precedente y la segunda con la siguiente: *mon-te.*

22. Pero hay combinaciones binarias de sonidos articulados, por las cuales puede principiar dicción, como lo vemos en *blasón, brazo, clamor, cría, droga, flema, franja, gloria, grito, pluma, preso, tlascalteca, trono.* Sucede entonces que la segunda consonante se aproxima de tal modo a la primera, que parece como embeberse en ella. Decimos por eso que se *liquida,* y la llamamos *líquida.* La primera se llama *licuante.*

23. No hay en castellano otras líquidas que la *l* y la *r* (pronunciándose esta última con el sonido suave que tiene en *ara, era, mora);* ni más licuantes que la *b,* la *c* (pronunciada con el sonido fuerte que le damos en *casa, coro, cuna),* la *d,* la *f,* la *g* (pronunciada con el sonido suave que le damos en *gala, gola, gula),* la *p* y la *t.*

24. Las combinaciones de licuante y líquida se refieren siempre a la vocal que sigue, como en *ha-blar, a-bril, te-cla, cua-dro, a-fluencia, aza-frán, co-pla, a-tlántico, le-tra;* a menos que la *l* o la *r* deje de liquidarse verdaderamente, como sucede en *sublunar, subrogación,* que no se pronuncian *sublu-nar, subro-ga-ción,* sino *sub-lu-nar, sub-ro-ga-ción,* y deben, por consiguiente, dividirse de este segundo modo; lo que podría, con respecto a la *r,* indicarse en la escritura, duplicando esta letra (*subrrogación*); pues la *r* tiene en este caso el sonido de la *rr.*

25. Juntándose tres o cuatro consonantes, de las cuales la segunda es *s,* referimos ésta y la articulación precedente a la vocal anterior, como en *pers-pi-ca-cia, cons-tan-te, trans-cri-bir.* La razón es porque ninguna dicción castellana principia por *s líquida* (que así se llama en la gramática latina la *s* inicial seguida de consonante, como en *stella, sperno);* al paso que algunas terminan en *s* precedida de consonante, como *fénix* (que se pronuncia *fénigs* o *fénics).*

26. Como la *x* representa dos articulaciones distintas, de las cuales la primera forma sílaba con la vocal anterior, y la segunda con la vocal que sigue *(examen, eg-sa-men, ec-sa-men),* es evidente que de ninguna de las dos vocales puede en la escritura separarse la *x,* sin despedazar una sílaba; ni *ex-a-men,* ni *e-xa-men,* representan el verdadero silabeo de esta palabra, o los miembros en que naturalmente se resuelve. Sin embargo, cuando a fin de renglón ocurre separarse las dos sílabas a que pertenece por mitad la *x,* es preferible juntarla con la vocal anterior, porque ninguna dicción castellana principia por esta letra, y algunas terminan en ella.

27. Apenas parece necesario advertir que los caracteres de que se componen las letras *ch, ll, rr,* no deben separarse el uno del otro, porque juntos presentan sonidos indivisibles. La misma razón habría para silabear *guer-ra,* que *coc-he, bul-la.*

28. Cuando concurren en una dicción dos vocales, puede dudarse si pertenecen a sílabas distintas o a una misma. Parecerá, por ejemplo, a primera vista que podemos dividir la palabra *cautela* en las cuatro sílabas *ca-u-te-la*: pero silabeando así, la combinación *au* duraría demasiado tiempo, y desnaturalizaríamos por consiguiente la dicción, porque en ella, si la pronunciamos correctamente, el sonido de la *u* no debe durar más que el brevísimo espacio que una consonante ocuparía; el mismo, por ejemplo, que la *p* ocupa en *captura,* de que se sigue que *cautela* se divide en las tres sílabas *cau-te-la.* Al contrario, *rehusar* se divide naturalmente en las tres sílabas *re-hu-sar,* porque esta dicción se pronuncia en el mismo tiempo que *reputar*; gastándose en proferir la combinación *eu* el mismo tiempo que si mediara una consonante (miramos las vocales *e u* como concurrentes, porque la *h* no tiene aquí sonido alguno).

29. Esto hace ver que para el acertado silabeo de las palabras es preciso atender a la *cantidad* de las vocales concurrentes, esto es, al tiempo que gastamos en pronunciarlas. Si, pronunciada correctamente una palabra, se gasta en dos vocales concurrentes el mismo tiempo que se gastaría poniendo una consonante entre ellas, debemos mirarlas como separables y referirlas a sílabas distintas: así sucede en *ca-ído, ba-úl, re-íme, re-hu-sar, sa-ra-o, océ-a-no, fi-ando, continú-a.* Pero si se emplea tan breve tiempo en proferir las vocales concurrentes que no pueda menos de alargarse con la interposición de una consonante, debemos mirarlas como inseparables y formar con ellas una sola sílaba: así sucede en *nai-pe, flauta, pei-ne, reu-ma, doi-te, cam-bio, fra-guo;* donde las vocales *i u* no ocupan más lugar que el de una consonante. Se llama DIPTONGO la concurrencia de dos vocales en una sola sílaba.

30. En castellano pueden concurrir hasta tres vocales en una sola sílaba de la dicción, formando lo que se llama TRIPTONGO, como en *cam-biáis, fra-guáis.* En efecto, si silabeásemos *cam-bi-áis,* haríamos durar la dicción el mismo espacio de tiempo que se gasta en *combináis,* y desnaturalizaríamos su legítima pronunciación; y lo mismo sucedería si silabeásemos *cam-bia-is,* pronunciándola en el mismo tiempo que *cambiados.* Luego en *cambiáis* las tres vocales concurrentes *i, a, i,* pertenecen a una sola sílaba: al revés de lo que sucede con las tres de *fiáis,* que se pronuncia en igual tiempo que *fináis,* y en las dos de *país,* cuyas vocales concurrentes duran tanto como las de *París.* Así, *país* es disílabo, perteneciendo cada vocal a distinta sílaba; *fiáis,* disílabo, perteneciendo la primera *i* a la primera sílaba, y el diptongo *ai* a la segunda; y *cambiáis,* también disílabo, formando las tres últimas vocales un triptongo.

31. Si importa atender a la cantidad de las vocales para la división de las dicciones en sus verdaderas sílabas o fracciones indivisibles, no importa menos atender al acento, que da a cada palabra una fisonomía, por decirlo así, peculiar, siendo él a veces la sola cosa que las diferencia unas de otras, como se notará comparando estas tres dicciones: *vario, varío, varió,* y estas otras tres: *líquido, liquido, liquidó.*

32. El *acento* consiste en una levísima prolongación de la vocal que se acentúa, acompañada de una ligera elevación del tono. Las vocales acentuadas se llaman *agudas,* y las otras *graves.* Las dicciones en que el acento cae sobre la última sílaba (que no es lo mismo que sobre la última vocal), se llaman también *agudas,* como *varió, jabalí, corazón, veréis, fraguáis;* aquellas en que cae sobre la penúltima sílaba, *llanas* o *graves*, como *varío, conato, margen, peine, cambio, cuento;* aquellas en que cae sobre la antepenúltima sílaba, *esdrújulas*, como *líquido, lágrima, régimen, cáustico, diéresis;* y en fin, aquellas en que sobre una sílaba anterior a la antepenúltima (lo que sólo sucede en palabras compuestas, es decir, en cuya formación han entrado dos o más palabras), *sobreesdrújulas*, como *cumpliéramoslo, daríamostela.*

33. Lo que se ha dicho sobre la estructura y silabeo de las palabras castellanas no es aplicable a los vocablos extranjeros, en que retenemos la escritura y, en cuanto nos es posible, la pronunciación de su origen.

CAPÍTULO II

CLASIFICACIÓN DE LAS PALABRAS POR SUS VARIOS OFICIOS

34. Atendiendo ahora a los varios oficios de las palabras en el razonamiento, podemos reducirlas a siete clases, llamadas *Sustantivo, Adjetivo, Verbo, Adverbio, Preposición, Conjunción, Interjección.* Principiamos por el verbo, que es la más fácil de conocer y distinguir *

VERBO

35. Tomemos una frase cualquiera sencilla, pero que haga sentido completo, v. gr.: *el niño aprende, los árboles crecen.* Podemos reconocer en cada una de estas dos frases dos partes diversas: la primera significa una cosa o porción de cosas, *el niño, los árboles;* la segunda da a conocer lo que acerca de ella o ellas pensamos: *aprenden, crecen.* Llámase la primera SUJETO O SUPUESTO, y la segunda ATRIBUTO; denominaciones que se aplican igualmente a las palabras y a los conceptos que declaramos con ellas. El sujeto y el atributo unidos forman la PROPOSICIÓN **.

* Véase la Nota I.
** Véase la Nota II.

36. Entre estas dos partes hay una correspondencia constante. Si en lugar de *el niño* ponemos *los niños,* y en lugar de *los árboles, el árbol,* es necesario que en la primera proposición digamos *aprenden,* y en la segunda *crece.* Si el sujeto es uno, se dice *aprende, crece;* si más de uno, *aprenden, crecen.* El atributo varía, pues, de forma, según el sujeto significa unidad o pluralidad. O en otros términos, según el sujeto está en NÚMERO singular o plural. No hay más que dos números en nuestra lengua.

37. No es esto sólo. Hablando del niño se dice que *aprende;* si el niño hablase de sí mismo, diría *yo aprendo,* y si hablando del niño le dirigiésemos la palabra, diríamos *tú aprendes.* En el plural sucede otro tanto. Hablando de muchos niños sin dirigirles la palabra, decimos *aprenden; nosotros aprendemos,* dirían ellos hablando de sí, o uno de ellos que hablase de todos; y *vosotros aprendéis,* diríamos a todos ellos juntos o a cualquiera de ellos, hablando de todos.

Yo es primera persona de singular; *tú,* segunda persona del mismo número; *nosotros,* primera persona de plural; *vosotros,* segunda; toda cosa o conjunto de cosas que no es primera o segunda persona, es tercera de singular o plural, con cualquiera palabra que la designemos.

38. Vemos, pues, que la forma del atributo varía con el número y persona del sujeto. La palabra PERSONA, que comúnmente, y aun en la gramática, suele significar lo que tiene vida y razón, lleva en el lenguaje gramatical otro significado más, denotando las tres diferencias de primera, segunda y tercera, y comprendiendo en este sentido a los brutos y los seres inanimados no menos que a las verdaderas personas.

39. Observemos ahora que en las proposiciones *el niño aprende, los árboles crecen,* atribuímos al niño y a los árboles una cualidad o acción que suponemos coexistente con el momento mismo en que estamos hablando. Supongamos que el aprender el niño no sucediese ahora, sino que hubiese sucedido tiempo ha: se diría, por ejemplo, en las tres personas de singular, *yo aprendí, tú aprendiste, el niño aprendió,* y en las tres de plural, *nosotros aprendimos, vosotros aprendisteis, ellos aprendieron.* De la misma manera, *yo crecí, tú creciste, el árbol creció, nosotros crecimos, vosotros crecisteis, los árboles crecieron.* Varía, pues, también la forma del atributo para significar el tiempo del mismo atributo, entendiéndose por TIEMPO el ser ahora, antes o después, con respecto al momento mismo en que se habla; por lo que todos los tiempos del atributo se pueden reducir a tres: *presente, pasado* y *futuro*.

Hay todavía otras especies de variaciones de que es susceptible la forma del atributo, pero basta el conocimiento de éstas para nuestro objeto presente.

40. En las proposiciones *el niño aprende, los árboles crecen,* el atributo es una sola palabra. Si dijésemos *el niño aprende mal,* o *aprende con dificultad,* o *aprende cosas inútiles,* o *aprendió la aritmética el año pasado,* el atributo constaría de muchas palabras, pero siempre habría entre ellas una cuya forma indicaría la persona y número del sujeto y el tiempo del atributo. Esta palabra es la más esencial del atributo; es por excelencia el atributo mismo, porque todas las otras de que éste puede constar no hacen más que referirse a ella, explicando o particularizando su significado. Llamámosla *verbo*. El VERBO es, pues, una palabra que denota el atributo de la proposición, indicando juntamente el número y persona del sujeto y el tiempo del mismo atributo *.

SUSTANTIVO

41. Como el verbo es la palabra esencial y primaria del atributo, el *sustantivo* es la palabra esencial y primaria del sujeto, el cual puede también componerse de muchas palabras, dominando entre ellas un sustantivo, a que se refieren todas las otras, explicando o particularizando su significado, o, como se dice ordinariamente, *modificándolo*. Tal es *niño*, tal es *árboles*, en las dos proposiciones de que nos hemos servido como ejemplos. Si dijésemos: *el niño aplicado, un niño dotado de talento, la plaza mayor de la ciudad, los árboles fructíferos, algunas plantas del jardín,* particularizaríamos el significado de *niño,* de *plaza,* de *árboles,* de *plantas,* y cada una de estas palabras podría ser en su proposición la dominante, de cuyo número y persona dependería la forma del verbo. El SUSTANTIVO es, pues, una palabra que puede servir para designar el sujeto de la proposición. Se dice que *puede servir,* no que *sirve,* porque, además de esta función, el sustantivo ejerce otras, como después veremos. El verbo, al contrario, ejerce una sola, de que ninguna otra palabra es susceptible. Por eso, y por la variedad de sus formas, no

* Véase la Nota III.

hay ninguna que tan fácilmente se reconozca y distinga, ni que sea tan a propósito para guiarnos en el conocimiento de las otras.

42. Como al verbo se refieren todas las otras palabras del atributo, y al sustantivo todas las otras del sujeto, y como el verbo mismo se refiere a un sustantivo, ya se echa de ver que el sustantivo sujeto es en la proposición la palabra primaria y dominante, y a la que, directa o indirectamente, miran todas las otras de que la proposición se compone.

43. Los sustantivos significan directamente los objetos en que pensamos, y tienen a menudo dos números, denotando ya la unidad, ya la pluralidad de los mismos objetos; para lo que toman las más veces formas diversas, como *niño, niños, árbol, árboles.*

ADJETIVO

44. Las cosas en que podemos pensar son infinitas, puesto que no sólo son objetos del pensamiento los seres reales que conocemos, sino todos aquellos que nuestra imaginación se fabrica; de que se sigue que en la mayor parte de los casos es imposible dar a conocer por medio de un sustantivo, sin el auxilio de otras palabras, aquel objeto particular en que estamos pensando. Para ello necesitamos a menudo combinarlo con otras palabras que lo modifiquen, diciendo, por ejemplo, *el niño instruído, el niño de poca edad, los árboles silvestres, las plantas del huerto.*

45. Entre las palabras de que nos servimos para modificar el sustantivo, hay unas que, como el verbo, se refieren a él y lo modifican directamente, pero que se diferencian mucho del verbo, porque no se emplean para designar primariamente el atributo, ni envuelven la multitud de indicaciones de que bajo sus varias formas es susceptible el verbo. Llámanse ADJETIVOS, porque suelen añadirse al sustantivo, como en *niño instruído, metales preciosos.* Pero sucede también muchas veces que, sin embargo de referirse directamente a un sustantivo, no se le juntan; como cuando decimos *el niño es* o *me parece instruído;* proposiciones en que *instruído,* refiriéndose al sustantivo sujeto, forma parte del atributo.

46. Casi todos los adjetivos tienen dos números, variando de forma para significar la unidad o pluralidad del sustantivo a que se refieren: *casa grande, casas grandes, ciudad hermosa, ciudades hermosas.*

47. De dos maneras puede modificar el adjetivo al sustantivo: o agregando a la significación del sustantivo algo que necesaria o naturalmente no está comprendido en ella, o desenvolviendo, sacando de su significación, algo de lo que en ella se comprende, según la idea que nos hemos formado del objeto. Por ejemplo, la timidez y la mansedumbre no son cualidades que pertenezcan propiamente al animal, pues hay muchos animales que son bravos o fieros; pero son cualidades propias y naturales de la oveja, porque toda oveja es naturalmente tímida y mansa. Si decimos, pues, *los animales mansos,* indicaremos especies particulares de animales; pero si decimos *las mansas ovejas,* no señalaremos una especie particular de ovejas, sino las ovejas en general, atribuyéndoles, como cualidad natural y propia de todas ellas, el ser mansas. En el primer caso el adjetivo *particulariza, especifica,* en el segundo *desenvuelve, explica.* El adjetivo empleado en este segundo sentido es un epíteto del objeto y se llama *predicado* *.

48. Lo más común en castellano es anteponer al sustantivo los epítetos cortos y posponerle los adjetivos especificantes, como se ve en *mansas ovejas* y *animales mansos;* pero este orden se invierte a menudo, principalmente en verso.

49. Hay otra cosa que notar en los adjetivos, y es que teniendo muchos de ellos dos terminaciones en cada número, como *hermoso, hermosa,* no podemos emplear a nuestro arbitrio cualquiera de ellas con un sustantivo dado, porque si, v. gr., decimos *niño, árbol, palacio,* tendremos que decir forzosamente *niño hermoso, árbol hermoso, palacio hermoso* (no *hermosa*); y si decimos *niña, planta, casa,* sucederá lo contrario; tendremos que decir *hermosa niña, hermosa planta, casa hermosa* (no *hermoso*).

Llamamos *segunda* terminación de los adjetivos (cuando tienen más de una en cada número) la singular en *a,* y la plural en *as;* la otra se llama *primera,* y ordinariamente la singular es en *o,* la plural en *os.*

50. Hay, pues, sustantivos que no se juntan sino con la primera terminación de los adjetivos, y sustantivos que no se juntan sino con la segunda. De aquí la necesidad de dividir los sustantivos en dos clases. Los que se construyen con la primera terminación del adjetivo se llaman *masculinos,* porque entre ellos se comprenden especialmente aquellos que significan sexo masculino, como *niño, emperador, león;* y los que se construyen con la segunda se llaman *femeninos,* a causa de comprenderse especialmente en ellos los que signi-

* Véase la Nota II.

fican sexo femenino, v. gr., *niña, emperatriz, leona.* Son, pues, masculinos *árbol, palacio,* y femeninos *planta, casa,* sin embargo de que ni los primeros significan macho, ni los segundos hembra.

51. Hay sustantivos que sin variar de terminación significan ya un sexo, ya el otro, y piden, en el primer caso, la primera terminación del adjetivo, y en el segundo, la segunda. De este número son *mártir, testigo,* pues se dice *el santo mártir, la santa mártir, el testigo* y *la testigo.* Estos sustantivos se llaman *comunes,* que quiere decir, comunes de los dos géneros masculino y femenino.

52. Pero también hay sustantivos que denotando seres vivientes, se juntan siempre con una misma terminación del adjetivo, que puede ser masculina, aunque el sustantivo se aplique accidentalmente a hembra, y femenina, aunque con el sustantivo se designe varón o macho. Así, aun hablando de un hombre decimos que es *una persona discreta,* y aunque hablemos de una mujer, podemos decir que es *el dueño de la casa* *. Así también, *liebre* se usa como femenino, aun cuando se habla del macho; y *buitre* como masculino, sin embargo de que con este sustantivo se designe la hembra. Dáseles el nombre de *epicenos*, es decir, más que comunes.

Suelen agregarse a los epicenos (cuando es necesario distinguir el sexo) los sustantivos *macho, hembra: la liebre macho, el buitre hembra.*

53. En fin, hay un corto número de sustantivos que se usan como masculinos y como femeninos, sin que esta variedad de terminación corresponda a la de sexo, del que generalmente carecen. De esta especie es el sustantivo *mar,* pues decimos *mar tempestuoso* y *mar tempestuosa.* Los llamamos *ambiguos.*

54. La clase a que pertenece el sustantivo, según la terminación del adjetivo con que se construye, cuando éste tiene dos en cada número, se llama GÉNERO. Los géneros, según

* Se va extendiendo bastante la práctica de variar la terminación de *dueño* para cada sexo: práctica no desconocida en el siglo clásico de la lengua, como lo prueba el equívoco en estos versos de Tirso de Molina:

> «¿Queréisme vos declarar
> Quién sois? — No os ha de importar;
> Una *dueña* de esta casa.
> —*Dueña,* porque la señora
> Sois de la casa. — Eso no.»

La expresión usual *mi dueño, dueño mío,* que se dirige igualmente a hombres y mujeres, prueba que aun en el día se suele usar este sustantivo como epiceno.

lo dicho, no son más de dos en castellano, *masculino* y *femenino*. Pero atendiendo a la posibilidad de emplear ciertos sustantivos, ya en un género, ya en otro, llamamos *unigéneres* (a que pertenecen los epicenos) los que no mudan de género; como *rey, mujer, buitre; comunes* los que varían de género según el sexo a que se aplican, como *mártir, testigo;* y *ambiguos* los que mudan de género sin que esta variación corresponda a la de sexo, como *mar*.

55. Es evidente que si todos los adjetivos tuviesen una sola terminación en cada número, no habría géneros en nuestra lengua; que pues en cada número no admite adjetivo alguno castellano más que dos formas que se construyan con sustantivos diferentes, no podemos tener bajo este respecto más de dos géneros; y que si en cada número tuviesen algunos adjetivos tres o cuatro terminaciones, con cada una de las cuales se combinasen ciertos sustantivos y no con las otras, tendríamos tres o cuatro géneros en castellano. Después (cap. XV) veremos que hay en nuestra lengua algunos sustantivos que bajo otro respecto que explicaremos, son *neutros*, esto es, ni masculinos ni femeninos, pero esos mismos, bajo el punto de vista de que ahora se trata, son masculinos, porque se construyen con la primera terminación del adjetivo.

56. A veces se calla el sustantivo a que se refiere el adjetivo, como cuando decimos *los ricos,* subentendiendo *hombres; la vecina,* subentendiendo *mujer; el azul,* subentendiendo *color;* o como cuando después de haber hecho uso de la palabra *capítulo,* decimos, *el anterior, el primero, el segundo,* subentendiendo *capítulo.* En estos casos el adjetivo parece revestirse de la fuerza del sustantivo tácito, y se dice que *se sustantiva.*

57. Sucede también que el adjetivo se toma en toda la generalidad de su significado, sin referirse a sustantivo alguno, como cuando decimos que *los edificios de una ciudad no tienen nada de grandioso,* esto es, nada de aquello a que solemos dar ese título. Esta es otra manera de sustantivarse el adjetivo *.

58. Dícese sustantivadamente *el sublime, el ridículo, el patético, el necesario, el superfluo, el sumo posible.* «Infelices cuya existencia se reduce *al mero necesario*» (Jovellanos). «Todo impuesto debe salir *del superfluo* y no *del necesario* de la fortuna de los contribuyentes» (el mismo). *El sumo posible* ocurre muchas veces en este esmerado escritor. Pero estas locuciones son excepcionales, y es preciso irse con tiento en ellas.

* Se pudiera también decir *no tienen nada de grandiosos.* En este caso no se sustantivaría el adjetivo, sino se emplearía como predicado de *edificios.* Véase lo que se dice más adelante sobre la *preposición* (§ 69).

59. Por el contrario, podemos servirnos de un sustantivo para especificar o explicar otra palabra de la misma especie, como cuando decimos, *el profeta rey, la dama soldado; la luna, satélite de la tierra; rey* especifica a *profeta; soldado a dama; satélite de la tierra* no especifica, es un epíteto o predicado de *la luna;* en los dos primeros ejemplos el segundo sustantivo particulariza al primero; en el tercero lo explica. El sustantivo, sea que especifique o explique a una palabra de la misma especie, *se adjetiva;* y puede ser de diferente género que el sustantivo modificado por él, como se ve en *la dama soldado,* y hasta de diferente número, como en *las flores, ornamento de la tierra.* Dícese hallarse en aposición cuando se construye directamente con otro sustantivo, como en todos los ejemplos anteriores. En *Colón fué el descubridor de la América, descubridor* es un epíteto o predicado de *Colón,* y por lo tanto se adjetiva; pero no está en aposición a este sustantivo, porque sólo se refiere a él por medio del verbo, con el cual se construye.

60. El último ejemplo manifiesta que un adjetivo o sustantivo adjetivado puede hallarse en dos relaciones diversas a un mismo tiempo: especificando a un verbo, y sirviendo de predicado a un sustantivo: *Tú eres feliz; ellas viven tranquilas; la mujer cayó desmayada; la batalla quedó indecisa.*

61. Este cambio de oficios entre el sustantivo y el adjetivo, y el expresar uno y otro con terminaciones semejantes la unidad y la pluralidad, pues uno y otro forman sus plurales añadiendo *s* o *es,* ha hecho que se consideren como pertenecientes a una misma clase de palabras, con el título de NOMBRES.

62. Los nombres y los verbos son generalmente palabras *declinables,* esto es, palabras que varían de terminación para significar ciertos accidentes de *número,* de *género,* de *persona,* de *tiempo,* y algunos otros que se darán a conocer más adelante.

63. En las palabras declinables hay que distinguir dos partes: la *raíz,* esto es, la parte generalmente invariable (que, por ejemplo, en el adjetivo *famoso* comprende los sonidos *famos,* y en el verbo *aprende* los sonidos *aprend),* y la *terminación, inflexión* o *desinencia,* esto es, la parte que varía (que en aquel adjetivo es *o, a, os, as,* y en el verbo citado *o, es, e, emos, eis, en,* etc.). La *declinación* de los nombres es la que más propiamente se llama así: la de los verbos se llama casi siempre *conjugación.*

ADVERBIO

64. Como el adjetivo modifica al sustantivo y al verbo, el ADVERBIO modifica al verbo y al adjetivo: al verbo, v. gr.; *corre aprisa, vienen despacio, escribe elegantemente;* al adjetivo, como en *una lección bien aprendida, una carta mal escrita, costumbres notoriamente depravadas, plantas demasiado frondosas.* Sucede también que un adverbio modifica a otro, como en estas proposiciones: *el ave volaba muy aceleradamente, la función terminó demasiado tarde.* Nótese la graduación de modificaciones: *demasiado* modifica a *tarde,* y *tarde* a *terminó,* como *muy* a *aceleradamente,* y *aceleradamente* a *volaba;* además *terminó* y *volaba* son, como atributos, verdaderos modificativos de los sujetos *la función, el ave.*

PREPOSICIÓN

65. No es el adjetivo, aun prescindiendo del verbo, el único medio de modificar sustantivos, ni el adverbio el único medio de modificar adjetivos, verbos y adverbios. Tenemos una manera de modificación que sirve igualmente para todas las especies de palabras que acabamos de enumerar.

Cuando se dice *el libro,* naturalmente se ofrecen varias referencias o relaciones al espíritu: ¿quién es el autor de ese libro? ¿quién su dueño? ¿qué contiene? Y declaramos estas relaciones diciendo: *un libro de Iriarte* (compuesto por Iriarte), *un libro de Pedro* (cuyo dueño es Pedro), *un libro de fábulas* (que contiene fábulas). De la misma manera cuando decimos que alguien *escribe,* pueden ocurrir al entendimiento estas varias referencias: ¿qué escribe? ¿a quién escribe? ¿dónde escribe? ¿en qué material escribe? ¿sobre qué asunto escribe? ¿con qué instrumento escribe? etc.; y declaramos estas varias relaciones diciendo: *escribe una carta, escribe a su amigo, escribe en la oficina, escribe en vitela, escribe sobre la revolución de Francia, escribe con una pluma de acero.* Si decimos que un hombre es *aficionado,* ocurre la idea de a qué, y la expresamos añadiendo *a la caza.* Si decimos, en fin, que un pueblo *está lejos,* el alma, por decirlo así, se pregunta, ¿de dónde? y se llena la frase añadiendo *de la ribera.*

66. En estas expresiones hay siempre una palabra o frase que designa el objeto, la idea en que termina la relación *(Iriarte, Pedro, fábulas, una carta, su amigo, la oficina, vitela,* *la revolución de Francia, una pluma de acero, la caza, la ribera)*. Llamámosla TÉRMINO. Frecuentemente precede al término una palabra denominada PREPOSICIÓN, cuyo oficio es anunciarlo, expresando también a veces la especie de relación de que se trata *(de, a, en, sobre, con)*. Hay preposiciones de sentido vago que, como *de*, se aplican a gran número de relaciones diversas; hay otras de sentido determinado que, como *sobre*, pintan con bastante claridad relaciones siempre semejantes. Por último, la preposición puede faltar antes del término, como en *escribe una carta*, pero no puede nunca existir sin él.

67. Estas expresiones se llaman COMPLEMENTOS, porque en efecto sirven para completar la significación de la palabra a que se agregan; y aunque todos los modificativos hacen lo mismo, y a más, todos lo hacen declarando alguna relación particular que la idea modificada tiene con otras, se ha querido limitar aquel título a las expresiones que constan de preposición y término, o de término solo.

68. El término de los complementos es ordinariamente un sustantivo, sea solo *(Iriarte, fábulas, vitela)*, sea modificado por otras palabras *(una carta, su amigo, la oficina, la revolución de Francia, una pluma de acero)*. He aquí, pues, otra de las funciones del sustantivo, servir de término; función que, como todas las del sustantivo, puede ser también desempeñada por adjetivos sustantivados: *el orgullo de los ricos, el canto de la vecina, vestido de blanco, nada de grandioso.*

69. Pero además del sustantivo ejercen a veces esta función los adjetivos, sirviendo como de epítetos o predicados, v. gr., *se jacta de valiente, presume de hermosa, da en majadero, tienen fama de sabios, lo hizo de agradecido;* «Esta providencia, *sobre injusta*, era inútil» (Jovellanos); expresiones en que el adjetivo se refiere siempre a un sustantivo cercano, cuyo género y número determinan la forma del adjetivo. Los sustantivos adjetivados sirven asímismo de término a la manera de los adjetivos, haciendo de predicados respecto de otro sustantivo cercano; como cuando se dice que uno *aspira a rey*, o que *fué juicioso desde niño*, o que *estaba de cónsul*, o que *trabaja de carpitnero.*

70. Hay también complementos que tienen por término un adverbio de lugar o de tiempo, v. gr., *desde lejos, desde arriba, hacia abajo, por aquí, por encima, hasta luego, hasta mañana, por entonces.* Y complementos también que tienen por término un complemento, como en *saltó por sobre la mesa, se escabulló por entre los dedos;* a no ser que miremos las dos preposiciones como una preposición compuesta, que para el caso es lo mismo.

71. Los adverbios de lugar y de tiempo son los que generalmente pueden emplearse como términos. Los complementos que sirven de términos admiten más variedad de significado. «Eran ellos dos *para en uno.*» «El vestido, *para de gala,* no era decente.» * (Ver pág. 53.)

72. No debe confundirse el complemento que sirve de término, como en *saltó por sobre la mesa,* con el que sólo modifica al término, como cuando se dice que alguien escribe *sobre la revolución de Francia;* donde *Francia* forma con *de* un complemento que modifica a *la revolución,* mientras ésta, modificada por el complemento *de Francia,* forma a su vez con *sobre* un complemento que modifica al verbo *escribe.*

73. El complemento puede ser modificado por adverbios: *muy de sus amigos, demasiado a la ligera.*

CONJUNCIÓN

74. La CONJUNCIÓN sirve para ligar dos o más palabras o frases análogas, que ocupan un mismo lugar en el razonamiento, como dos sujetos de un mismo verbo *(la ciudad* y *el campo están desiertos),* dos verbos de un mismo sujeto *(los niños leen* o *escriben),* dos adjetivos de un mismo sustantivo *(mujer honesta* y *económica),* dos adverbios de un mismo verbo *(escribe bien,* aunque *despacio),* dos adverbios de un mismo adjetivo *(servicios tarde* o *mal recompensados),* dos complementos de una misma palabra *(se expresa sin dificultad* pero *con alguna afectación),* dos términos de una preposición *(baila con agilidad* y *gracia),* etc.

75. A veces una conjunción, expresa o tácita, liga muchos elementos análogos, v. gr.: «La claridad, la pureza, la precisión, la decencia, la fuerza *y* la armonía son las cualidades más esenciales del estilo»: la conjunción *y* enlaza seis sustantivos, tácita entre el primero y segundo, entre el segundo y tercero, entre el tercero y cuarto, entre el cuarto y quinto, y expresa entre el quinto y sexto; sustantivos que forman

* El predicado que sirve de término puede explicarse muchas veces por la elipsis del infinito *ser: se jacta de ser valiente; presume de ser hermosa; la providencia, sobre ser injusta, era inútil.* Pero desde que la elipsis se hace genial de la lengua, y preferible a la expresión completa, las palabras entre las cuales media contraen un vínculo natural y directo entre sí. La palabra tácita que las acercó y ligó, no se presenta ya al espíritu; no existe tácitamente; deja de haber elipsis. La elipsis pertenece entonces a los antecedentes históricos de la lengua, no a su estado actual. Además, la elipsis de *ser* no es admisible en muchos casos. Nadie diría: *lo hizo de ser agradecido; les daban el título de ser sabios; los tenían por ser inteligentes.*

otros tantos sujetos de *son,* y a que sirve de predicado la frase sustantiva adjetivada *las cualidades más esenciales del estilo.*

76. Los complementos equivalen muchas veces a los adjetivos o a los adverbios, y por consiguiente puede la conjunción enlazarlos con aquéllos o éstos *(hombre honrado y de mucho juicio; una carta bien escrita, pero en mal papel).*

77. Sirve la conjunción no sólo para ligar las partes o elementos análogos de una proposición, sino proposiciones enteras, a veces largas, v. gr.: «Se cree generalmente que Rómulo fundó a Roma; pero hay muchos que dudan hasta de la existencia de Rómulo»; «Yo pienso, luego existo». *Pero,* en el primer ejemplo, denota cierta contrariedad entre la proposición que le precede y la que le sigue; *luego* anuncia que la proposición *yo existo* es una consecuencia de la proposición *yo pienso* *.

INTERJECCIÓN

78. Finalmente, la INTERJECCIÓN es una palabra en que parece hacernos prorrumpir una súbita emoción o afecto, cortando a menudo el hilo de la oración, como *ah, eh, oh, he, hi, ay, sus, bah, zas, hola, tate, cáspita.* Señálanse con el signo !, que se pospone inmediatamente a ellas o a la palabra, frase u oración que las acompaña **.

La casa para el César fabricada
¡Ay! yace de lagartos vil morada.
(F. de Rioja.)

Ruiseñor, que volando vas,
Cantando finezas, cantando favores,
¡Oh, cuánta pena y envidia me das!
Pero no, que si hoy cantas amores,
Tú tendrás celos y tú llorarás.
(Calderón.)

¡Ah de la cárcel profunda!
El más galán caballero
Que ese centro oscuro ocupa,
Salga a ver la luz.
(Calderón.)

* Míranse comúnmente como conjunciones palabras a que no es adaptable este nombre, y que realmente son verdaderos adverbios, como se verá más adelante. Los gramáticos, en la clasificación de las palabras, no han tenido principios fijos.

** Hoy se colocan las interjecciones entre los signos ¡!; por ejemplo: ¡bravo!, ¡hola!

Son frecuentísimas, sobre todo en verso, las expresiones: «¡Ay desgraciados!» «¡Ay triste!» «¡Ay de mí!»

79. *Guay* es una interjección anticuada, que se conserva en algunos países de América para significar una sorpresa irrisoria: «¡Guay la mujer!» «¡Guay lo que dice!» Decíase y dícese *guá.*

80. Súplese a menudo la interjección antes de las palabras o frases que otras veces la acompañan: «¡Triste de mí!» «¡Pobres de vosotros!» Empléanse asimismo como interjecciones varios nombres y verbos, como *¡bravo!, ¡salve!, ¡alerta!, ¡oiga!, ¡vaya!, ¡miren!* Debe evitarse el uso irreverente que se hace de los nombres del Ser Supremo, del Salvador, de la Virgen y de los Santos, como simples interjecciones.

81. Interjecciones hay que en un sentido propio sólo sirven para llamar, avivar o espantar a ciertas especies de animales, como *arre, miz, zape, tus tus, ox,* etc. Tómanse algunas veces en sentido metafórico; véase *zape* en el «Diccionario» de la Academia.

82. Como las interjecciones son en mucho menor número que las afecciones del alma indicadas por ellas, suele emplearse en casos diversísimos una misma, y diferencian su significado la modulación de la voz, el gesto y los ademanes.

APÉNDICE

Las advertencias siguientes son de alguna importancia para la recta inteligencia y aplicación de la nomenclatura gramatical:

83. Un sustantivo con las modificaciones que lo especifican o explican forma una *frase sustantiva,* a la cual es aplicable todo lo que se dice del sustantivo: de la misma manera, un verbo con sus respectivas modificaciones forma una *frase verbal;* un adjetivo con las suyas una *frase adjetiva;* y un adverbio una *frase adverbial.*

Por ejemplo. *La última tierra de occidente* es una frase sustantiva, porque se compone del sustantivo *tierra* modificado por los adjetivos *la* y *última,* y por el complemento *de occidente. Cubiertas de bellas y olorosas flores* es una frase adjetiva, en que el adjetivo *cubiertas* es modificado por un complemento. De la misma manera, *Corría presuroso por la pradera* es una frase verbal, en que el predicado *presuroso* y el complemento *por la pradera* modifican el verbo *corría.* En fin, *Lejos de todo trato humano* es una frase adverbial, en que el adverbio *lejos* es modificado por un complemento. La primera frase puede emplearse, pues, de la misma manera que un sustantivo, haciendo de sujeto, de término, y adjetivadamente, de predicado; la segunda tiene todos los oficios del adjetivo, etc.

84. Los complementos equivalen unas veces al adjetivo, otras al adverbio; y por consiguiente forman frases adjetivas en el primer caso, y adverbiales en el segundo. En *hombre de honor,* el complemento *de honor* equivale a un adjetivo, como *honrado* o *pundonoroso.* Y en *partió contra su voluntad,* el complemento *contra su vo-*

luntad equivale al adverbio *involuntariamente.* Pero hay muchos complementos que no podrían ser reemplazados por adjetivos ni por adverbios, y que forman, por tanto, frases *complementarias* de una naturaleza especial. Por ejemplo, en *la nave surcaba las olas embravecidas por el viento,* lo que sigue a *surcaba* es una frase complementaria que no tiene ninguna analogía con el adjetivo ni con el adverbio; y lo mismo puede decirse del complemento *por el viento,* que modifica al adjetivo *embravecidas.*

85. Las palabras mudan frecuentemente de oficios, y pasan por consiguiente de una clase a otra. Ya hemos notado que el adjetivo se sustantiva y el sustantivo se adjetiva. *Algo, nada,* que son sustantivos en *algo sobra, nada falta,* puesto que hacen el oficio de sujetos, son adverbios en *el niño es algo perezoso,* donde *algo* modifica al adjetivo *perezoso,* y en *la niña no adelanta nada,* donde *nada* modifica a la frase verbal *no adelanta,* compuesta de un verbo y del adverbio negativo *no. Poco, mucho,* son sustantivos en *piden mucho* y *alcanzan poco,* puesto que significan lo pedido y lo alcanzado; son adjetivos en *mucho talento, poco dinero,* donde modifican a los sustantivos *talento* y *dinero;* y son adverbios en *su conducta es poco prudente,* donde *poco* modifica al adjetivo *prudente,* y *sus acciones se critican mucho,* en que *mucho* modifica a la frase verbal *se critican.*

Más es sustantivo cuando significa una mayor cantidad o número, sin que se le junte o se le subentienda sustantivo alguno, como en *no he menester más;* en esta misma expresión se hace adjetivo si se le junta o subentiende un sustantivo: *más papel, más tinta, más libros, más plumas* (y nótese que cuando hace el oficio de adjetivo, no varía de terminación para los diversos números o géneros); es adverbio, modificando adjetivos, verbos o adverbios, v. gr. en las expresiones *más valeroso, adelanta más, más aprisa;* y en fin, se hace muchas veces conjunción, como cuando equivaliendo a *pero* enlaza dos atributos: *el niño sabía perfectamente la lección, mas no supo decirla.* A cada paso encontramos adverbios y complementos trasformados en conjunciones, v. gr. *luego, consiguientemente, por tanto, sin embargo.*

NOTA I

CLASIFICACIÓN DE LAS PALABRAS

Por más que una clasificación esté sujeta, en gran parte, al arbitrio del clasificador, es menester que siempre se halle en relación con el objeto de la ciencia o arte a que se aplica. La Gramática tiene por objeto enseñar el recto uso de las palabras. A este uso, pues, han de referirse y acomodarse las diferentes clases de palabras, de manera que toda clase se distinga de las otras por las funciones peculiares que desempeña en el razonamiento. Esto es lo que yo he procurado en mi clasificación, y lo que no siempre me ha parecido encontrar en las otras gramáticas.

Hay además en esta materia una regla irrecusable, como dictada evidentemente por la razón, y es que los varios miembros de la clasificación no se comprendan unos a otros. ¿Qué diríamos del que en un tratado de Historia natural *dividiese* los animales en *cuadrúpedos, aves, caballos, perros, águilas y palomas?* Este es (entre otros) un grave defecto en la clasificación ordinaria. Los fundamentos que tengo para pensar así, podrán verse en varias de las notas que siguen.

Ni sería justo imputar las innovaciones de esta especie a un pueril deseo de parecer original o ingenioso. Esta es una materia en que han estado discordes los filósofos y los gramáticos desde el tiempo de Platón y Aristóteles; y sobre la cual se ha escrito y disputado tanto, que apenas ha quedado campo para lucir el ingenio, o para emitir una idea nueva.

Yo he reducido las partes de la oración a siete: Sustantivo, Adjetivo, Verbo, Adverbio, Preposición, Interjección y Conjunción; pero me ha parecido conveniente dar la denominación común de *Nombres* al sustantivo y al adjetivo, por la semejanza de sus accidentes y la frecuente trasformación de uno en otro; sin que por esto cuando enumero las más altas categorías en que se dividen las palabras, considere al Nombre como una de ellas, puesto que el Sustantivo y el Adjetivo ofrecen caracteres especiales, exclusivos e importantísimos, que diferencian al uno del otro y de todas las otras clases de palabras. En castellano, y acaso en todas las lenguas, se observa que una parte de la oración se convierte a veces en otra distinta, y mientras dura la trasformación deja de ser lo que era, y manifiesta las propiedades de la clase a que accidentalmente pasa. La clasificación de las palabras es propiamente una clasificación de oficios gramaticales.

El sustantivo es la palabra dominante: todas las otras concurren a explicarlo y determinarlo.

El adjetivo y el verbo son signos de segundo orden: ambos modifican inmediatamente al sustantivo.

El adverbio es un signo de orden inferior: modifica modificaciones.

Los adjetivos, verbos y adverbios no bastan para todas las modificaciones, mediatas o inmediatas, del sustantivo; hay otro medio destinado al mismo fin, que es el complemento. El complemento significa una relación, y presenta necesariamente el objeto en que ésta termina, llamado *término*; a veces solo, a veces precedido de una palabra a que ha dado la lengua el oficio peculiar de anunciarlo. Esta palabra es la preposición.

El complemento, por lo dicho, o consta de término solo (las más veces denotado por un sustantivo), o de preposición y término. Él es, además, o un signo de segundo orden, como el adjetivo, o un signo de orden inferior, como el adverbio.

La conjunción no tiene propiamente rango; es un vínculo entre elementos análogos; liga sustantivos con sustantivos, adjetivos con adjetivos, verbos con verbos, adverbios con adverbios, oraciones con oraciones.

La interjección, en fin, es como un verbo inconjugable, que envuelve el sujeto, y está siempre en la primera persona del presente de indicativo.

NOTA II

PROPOSICIÓN: DIFERENCIA ENTRE PREDICADO Y ATRIBUTO

El carácter peculiar del sustantivo consiste, a mi juicio, en su aptitud para servir de sujeto: el del verbo en su oficio actual de atributo. Son dos palabras que, señalando las dos partes de la proposición, se miran, por decirlo así, una a otra, y tienen una relación necesaria entre sí.

Para la Gramática no hay en la proposición más que dos partes distintas y separadas: el sujeto, a cuya cabeza está el sustantivo, y el atributo, a que preside el verbo. La división que suele hacerse de la proposición en sujeto, cópula y predicado, no tiene ni fundamento filosófico, ni aplicación práctica al arte de hablar. Carece de apoyo en la historia de las lenguas: ¿cuál es aquella en que se haya visto o se vea palabra alguna, limitada sólo a enlazar el predicado con el sujeto? El verbo que significa la existencia en abstracto no es una mera cópula: la existencia en abstracto es un atributo como otro cualquiera, y el verbo que la denota se desenvuelve en las mismas formas de persona, tiempo y modo que los otros. Se le ha llamado verbo *sustantivo*, y se ha considerado a cada uno de los otros verbos como resoluble en dos elementos, el verbo que denota la existencia en abstracto y un adjetivo variable. Pero si con esto se quiere decir que en la formación de las lenguas se ha principiado por el verbo sustantivo, el cual combinándose con adjetivos engendre los demás verbos, no sólo es falso el hecho, sino contrario al proceder natural, necesario, del espíritu humano que va siempre de lo concreto a lo abstracto. Tan absurdo me parece pensar que *Sentio* haya principiado por *sum sentiens,* como lo sería pensar que *Homo* y *Canis* hubiesen provenido de *ens humanus* y *ens caninus.*

El verbo *ser* se junta con adjetivos que lo determinan y que, ejerciendo este oficio, se refieren al mismo tiempo al sustantivo. Pero ésta no es una particularidad que distinga a *ser,* pues como se dice *es bueno, es malo,* se dice también *está ciego, está sordo, nació enfermo, murió pobre, duerme tranquilo, corre apresurado, anda triste, se muestra esforzado,* etc. El adjetivo ejerce dos funciones diversas, con respecto al sustantivo: la de especificarlo o determinarlo limitando su natural extensión, y la de explicarlo, desenvolviendo, desentrañando de su significación conocida algo que naturalmente se comprende en ella.

El adjetivo predicado, constante en su referencia al sustantivo, puede hallarse en muy diversos lugares, ya construyéndose inmediatamente con el sustantivo *(la oscura noche, el triste invierno),* ya modificando al verbo *(el día amaneció tempestuoso),* ya designando el término de un complemento *(se acreditan de valientes, tiene fama de hermosa, da en temerario).* Yo miro, pues, al predicado como una función del adjetivo, cuando refiriéndose al sustantivo sin limitar su extensión, enuncia una cualidad del objeto que éste significa. Por consiguiente hago diferencia entre predicado y atributo. El adjetivo predicado y el verbo modifican ambos a un sustantivo;

pero el segundo lo hace precisamente designando la segunda parte de la proposición, el atributo; presidiendo en él a todas las otras palabras que lo componen, y tomando las formas peculiares que corresponden a la persona y número del sujeto, y a las ideas de tiempo y de modo que conviene indicar; caracteres de que no goza el adjetivo predicado. Podrán preferirse otros términos para distinguir las dos cosas que yo llamo *predicado* y *atributo*; pero la distinción entre ambas es un hecho incontestable de la lengua. Supóngase, si se insiste en ello, que el verbo sea la cópula, más un predicado: siempre será cierto que hay diferencia entre el predicado que envuelve la cópula y el predicado que no la envuelve. A lo segundo llamo yo simplemente predicado; a lo primero, atributo. En el lenguaje ordinario se confunden ambas cosas; pero si la lengua se vale de dos medios diversos para denotar una modificación del objeto que el sustantivo designa, ¿no convendrá que cada uno de ellos tenga su denominación? En las que yo les he dado he procurado alejarme lo menos posible de la nomenclatura que está en uso.

No estará de más discutir aquí la doctrina de uno de los más eminentes filósofos de nuestra era. Mr. J. S. Mill, autor de un *Sistema de Lógica*, que es en el día una obra altamente estimada, descompone la proposición en los tres referidos elementos, sujeto, cópula y predicado.

Predicado y sujeto es, según Mr. Mill, todo lo que se requiere necesariamente para componer una proposición. Pero como la mera combinación de dos nombres no nos da a conocer si el uno es sujeto y el otro predicado, esto es, si el uno de ellos se afirma o niega del otro, es preciso que haya alguna manera o forma que lo indique, algún signo que caracterice al predicado y lo distinga de cualquiera otro género de expresión. Esto, dice Mr. Mill, se consigue algunas veces mediante una inflexión verbal, como cuando digo *El fuego arde*: la inflexión *arde* (del verbo *arder*) da a conocer que está afirmando un predicado de *el fuego*: si dijésemos *el fuego ardiente*, no expresaríamos este concepto. Pero más comúnmente lo expresamos por medio del verbo *es*, si afirmamos la predicación, o *no es*, si la negamos, como en estas proposiciones: *la azucena es olorosa, la casa no es cómoda*. (El diferente genio de las lenguas inglesa y castellana me obliga a variar los ejemplos del autor, pero estoy seguro de conservar su intención y espíritu).

Mr. Mill señala, pues, dos medios de indicar la cópula, la inflexión del verbo adjetivo o concreto que figura en la proposición, o la presencia del verbo *ser*. Que lo primero se haga *algunas veces*, es decir bien poco. Pero lo más esencial es observar que en la misma lengua inglesa, cuando se emplea el verbo *to be (ser)*, es la inflexión verbal lo que le da el oficio de cópula, no su significado radical, puesto que no podría decirse afirmativamente *Fire be burning* (el fuego ser ardiente), sino precisamente *is* (es), o, según los varios casos, *was* (era) o *will be* (será), *would be* (sería), etc. De manera que en realidad la cópula es indicada unas veces por la inflexión del verbo *to be (ser)*, y otras por la inflexión de otro verbo; es decir, en todos casos por una inflexión verbal. La inflexión verbal es, pues, en realidad lo que sirve siempre de marca a la predicación en la lengua inglesa. Y ésta es cabalmente la idea que yo doy del verbo, haciéndole por medio de sus inflexiones un signo o marca del atributo de la proposición, esto es, predicado y cópula juntamente.

Mr. Mill no admite que el verbo *ser*, cuando hace de cópula, signifique de necesidad la existencia en abstracto. ¿Y por qué? Porque este verbo no envuelve a veces el significado de existencia *real;* v. gr. en esta proposición: «El centauro es una ficción poética». Pero envuelve el significado de una existencia imaginaria, y esto basta. La imaginación da una especie de ser a lo que concibe, y lo viste de las apariencias del mundo real, que ella traslada luego al lenguaje.

Es probable que los gramáticos copiaron de la dialéctica la forma que ésta había dado a la proposición con el objeto de proporcionar un instrumento artificial de análisis para la teoría del silogismo. Convirtióse el atributo en predicado, el verbo en nombre, y por este medio se logró resolver el raciocinio en sus términos esenciales, despojados del follaje de las inflexiones, contarlos y examinar sus mutuas relaciones en cada trámite raciocinativo. Pero ese mecanismo dialéctico, facilísimo de aplicar a proposiciones sencillas como las que manejan los silogistas y en que el predicado se presenta ya desnudo, sin el trabajo previo de desenvolverlo de las formas concretas del atributo, sería dificultosísimo de manejar en la análisis de oraciones tan complejas y varias como las que ocurren a cada paso en el lenguaje ordinario, que es el que debe tener a la vista el gramático.

NOTA III

DEFINICIÓN DEL VERBO

La definición que doy aquí del verbo castellano (§ 35), formulada después de un modo más completo (§ 476), es, a mi juicio, la única que le conviene; pero es preciso tener presente que yo no miro ni al infinitivo, ni al gerundio, ni al participio como formas del verbo; sobre lo cual tendré ocasión de hacer algunas observaciones más adelante.

«*Verbo* (dice uno de nuestros más respetables gramáticos) es la parte de la oración que significa los movimientos o acciones de los seres, la impresión que éstos causan en nuestros sentidos, y algunas veces el estado de estos mismos seres, o la relación abstracta entre dos ideas.» Ésta, a mi juicio, no es una definición del verbo, sino una enumeración de las diferentes especies de verbos, según su significado; porque una definición debe mostrarnos el carácter común de todos los verbos, y lo que distinga a todos y a cada uno de ellos de las demás clases de palabras; faltando esto, no hay definición.

Además, cuando se dice, *el movimiento de la luna, el susurro de las hojas, la frialdad de la nieve, la serenidad de la atmósfera, la semejanza entre el estaño y la plata*, estas palabras *movimiento, susurro, frialdad, serenidad, semejanza*, serían, según la fórmula precedente, verbos, y de los más calificados que pudiese presentar la lengua.

Omitimos hablar de otras definiciones parecidas a ésta, porque contra todas ellas milita la misma objeción. Sin embargo, se repiten y repetirán, Dios sabe hasta cuándo, porque la Gramática está bajo el yugo de la *venerable* rutina.

Según cierto moderno filólogo, los verbos son «aquellas palabras que significan (o en otro tiempo significaron) el acto de ejecutar los movimientos materiales y (por extensión) las operaciones de los espíritus». Esta definición tiene el pequeño inconveniente de contradecirse a sí misma. Si las palabras que en otro tiempo significaron movimiento y ya no, son todavía verbos, ¿no se sigue que varios verbos no significan hoy movimiento? ¿Y qué diremos de una teoría que no se adapta a lo que es hoy la lengua, sino a lo que se supone que fué?

Sedeo, por ejemplo, significa sentarse, verdadero movimiento, y de aquí pasó a significar el estado que es la consecuencia de ese movimiento, el estar sentado: así dice nuestro erudito filólogo. Pero si es así, resulta una de dos cosas: o que *sedeo*, cuando tomó la significación de estar sentado, dejó de ser verbo, o que si todavía lo fué, hubo entonces verbos que no significan movimiento. *Yacer* ¿es o no verbo en nuestra lengua? Es verbo, según nuestro autor, porque se deriva del latino *jaceo*, estoy echado, que es el mismo verbo que *jacio*, yo echo, yo arrojo; de echar o arrojar se pasó naturalmente a estar arrojado, echado. Sea enhorabuena. De esos ejemplos y de todos los de este jaez, surge el mismo inexorable dilema; o ya no es verbo el que lo fué, o hay verbos que no significan movimiento. Ver en las palabras lo que bien o mal se supone que fueron, y no lo que son, no es hacer la gramática de una lengua, sino su historia.

Años ha no había más que un verbo, el verbo *ser;* él era el que encarnándose en todos los otros, les daba el carácter de tales. Mas, he aquí un nuevo sistema, en que *ser* no es rigurosamente verbo, porque no significa movimiento, y si se le concede ese título es en consideración a los méritos de uno de sus abuelos, que en griego significaba *ir*. ¿Qué es pues rigurosamente en el día? Es, responde en sustancia el mismo autor, una mera cópula, una conjunción, que a la verdad *parece* verbo, porque tiene todos los accidentes de tal, personas, números, tiempos y modos, y hace los mismos oficios en la oración; pero no lo sería si treinta siglos ha no hubiera significado movimiento. Así le vemos hoy recordar instintivamente su origen, y apropiarse como por derecho hereditario, cuatro tiempos enteros de la conjugación de *ir*.

Capítulo III

DIVISIÓN DE LAS PALABRAS EN PRIMITIVAS Y DERIVADAS, SIMPLES Y COMPUESTAS

86. Se llaman palabras *primitivas* las que no nacen de otras de nuestra lengua, como *hombre, árbol, virtud.*

87. *Derivadas* son las que nacen de otras de nuestras lengua, variando de terminación, como regularmente sucede, o conservando la misma terminación, pero añadiendo siempre alguna nueva idea. Así, el sustantivo *arboleda* se deriva del sustantivo *árbol;* el sustantivo *hermosura* del adjetivo *hermoso;* el sustantivo *enseñanza* del verbo *enseño;* el adjetivo *valeroso* del sustantivo *valor;* el adjetivo *amarillento* del adjetivo *amarillo;* el adjetivo *imaginable* del verbo *imagino;* el adjetivo *tardío* del adverbio *tarde;* el verbo *imagino* del sustantivo *imagen;* el verbo *hermoseo* del adjetivo *hermoso;* el verbo *pisoteo* del verbo *piso;* el verbo *acerco* del adverbio *cerca;* el adjetivo *contrario* de la preposición *contra;* el adverbio *lejos* del adjetivo plural *lejos, lejas*; el adverbio *mañana* del sustantivo *mañana,* etc.

88. En toda especie de derivaciones deben distinguirse la *inflexión, desinencia* o *terminación,* y la *raíz,* que sirve de apoyo a la terminación: así en *naturalidad, vanidad, verbosidad,* la terminación es *idad,* que se sobrepone a las raíces *natural, van, verbos,* sacadas de los adjetivos *natural, vano, verboso.* La palabra de que se forma la raíz se denomina *primitiva,* con respecto a las derivadas que nacen inmediatamente de ella, aunque ella misma se derive de otra.

89. Llámanse palabras *simples* aquellas en cuya estructura no entran dos o más palabras, cada una de las cuales se pueda usar separadamente en nuestra lengua, como *virtud, arboleda.*

90. Al contrario, aquellas en que aparecen dos o más palabras que se usan fuera de composición, ya sea que se altere la forma de alguna de las palabras concurrentes, de todas ellas o de ninguna, se llaman *compuestas.* Así, el sustantivo *tornaboda* se compone del verbo *torna* y el sustantivo *boda;* el sustantivo *vaivén* del verbo *va,* la conjunción *y* y el verbo *viene;* el adjetivo *pelirrubio* del sustantivo *pelo* y el adjetivo *rubio* (que en el compuesto se escribe con *rr* para conservar el sonido de *r* inicial); el adjetivo *alicorto* del sustantivo *ala* y el adjetivo *corto;* el verbo *bendigo* del adverbio *bien* y el verbo *digo;* el verbo *sobrepongo* de la preposición *sobre* y el verbo *pongo;* los adverbios *buenamente, malamente, doctamente, torpemente,* de los adjetivos *buena, mala, docta, torpe* y el sustantivo *mente,* que toma en tales compuestos la significación de manera o forma.

91. Las preposiciones *a, ante, con, contra, de, en, entre, para, por, sin, so, sobre, tras,* entran en la composición de muchas palabras, v. gr., *amontono,* verbo compuesto de la preposición *a* y el sustantivo *montón; anteveo,* verbo compuesto de la preposición *ante* y el verbo *veo; sochantre,* sustantivo compuesto de la preposición *so* y el sustantivo *chantre; contradigo,* verbo compuesto de la preposición *contra* y el verbo *digo,* etc.

92. Estas preposiciones se llaman *partículas compositivas separables,* por cuanto se usan también como palabras independientes (a diferencia de otras de que vamos a hablar); y la palabra a que preceden se llama *principal* o *simple,* relativamente a los compuestos que de ella se forman. Así *montón* y *veo* son los elementos principales o simples de los compuestos *amontono, anteveo.*

93. Además de las palabras cuya composición pertenece a nuestra lengua, hay otras que se miran también como compuestas, aunque no todos sus elementos o tal vez ninguno de ellos se emplee separadamente en castellano; porque fueron formadas en la lengua latina, de donde pasaron a la nuestra.

94. De estos compuestos latinos hay varios en que figura como elemento principal alguna palabra latina que no ha pasado al castellano, combinada con una de nuestras partículas compositivas separables, como vemos en *conduzca, deduzca,* formados del simple latino *duco,* que significa *guío,* y de las preposiciones *con, de.* Otros en que se combinan con palabras castellanas partículas compositivas inseparables que eran en aquella lengua dicciones independientes, v. gr. el verbo *abstengo,* compuesto de la preposición latina *abs,* y de nuestro verbo *tengo.* Otros, en que la palabra castellana se junta con una partícula que era ya inseparable en latín, como la *re* en los verbos compuestos *retengo, reclamo.* Otros, en fin, en que ambos elementos son enteramente latinos, como *introduzco, seduzco,* compuestos también del simple latino *duco,* combinado en el primero con el adverbio *intro,* y en el segundo con la partícula *se,* tan inseparable en aquella lengua como en la nuestra.

95. Las formas de las partículas compositivas son éstas: *a, ab, abs, ad, ante, anti, ben, bien, circum, circun, cis, citra, co, com, con, contra, de, des, di, dis, e, em, en, entre, equi, es, ex, estra, extra, i, im, in, infra, inte, inter, intro, mal, o, ob, par, para, per, por, pos, post, pre, preter, pro, re, red, retro, sa, satis, se, semi, sin, so, sobre, son, sor, sos, sota, soto, su, sub, subs, super, sus, tra, tran, trans, tras, ultra, vi, vice, viz, za*; como en las palabras *amovible, aparecer, abjurar, abstraer, admiro, antepongo, antipapa, bendigo, bienestar, circumpolar, circunvecino, cisalpino, citramontano, coheredero, compongo, contengo, contradigo, depongo, desdigo, dimanar, disponer, emisión, emprendo, ensillo, entreveo, equidistante, esponer* o *exponer, estravagante* o *extravagante, ilegítimo, impío, inhumano, infraescrito* o *infrascrito, inteligible, interpongo, introducir, malqueriente, omisión, obtengo, pardiez, parasol, permito, pordiosear, posponer, postliminio,* *precaución, preternatural, prometer, resuelvo, redarguyo, retrocedo, sahumar, satisfacer, separar, semicírculo, sinsabor, someto, sobrepongo, sonsaco, sorprendo, sostengo, sotaermitaño, sotoministro, supongo, subdelegado, substraer* o *sustraer, superfluo, tramontar, transubstanciación, transatlántico, trasponer, ultramontano, virrey, vicepatrono, vizconde, zabullir.*

96. Júntanse a veces dos y hasta tres partículas compositivas, como en *incompatible, predispongo, desapoderado, desapercibido.*

97. Análogas a las partículas compositivas de que hemos hablado son las que significan número; unas latinas, como *bi, tri, cuadru* (*bicorne*, lo de dos puntas o cuernos; *tricolor*, lo de tres colores; *cuadrúpedo*, lo de cuatro pies); otras griegas, como *di, tetra, penta, hexa, deca* (*disílabo*, lo de dos sílabas; *decálogo*, los diez mandamientos).

98. Así como del latín, se han tomado y se toman cada día del griego palabras compuestas, cuyos elementos no existen en nuestra lengua. Lo que debe evitarse en esta materia es el combinar elementos de diversos idiomas, porque semejante composición, cuando no está canonizada por el uso, arguye ignorancia; y si uno de los idiomas contribuyentes es el castellano, da casi siempre al compuesto un aspecto grotesco, que sólo conviene al estilo jocoso, como en las palabras *gatomaquia, chismografía.*

CAPÍTULO IV

VARIAS ESPECIES DE NOMBRES

99. Los nombres son, como hemos visto (61), sustantivos o adjetivos.

100. Divídense además en *propios* y *apelativos.*

Nombre *propio* es el que se pone a una persona o cosa individual para distinguirlas de las demás de su especie o familia, como *Italia, Roma, Orinoco, Pedro, María.*

Por el contrario, nombre *apelativo* (llamado también *general* y *genérico*) es el que conviene a todos los individuos de una clase, especie o familia, significando su naturaleza o las cualidades de que gozan, como *ciudad, río, hombre, mujer, árbol, encina, flor, jazmín, blanco, negro.*

Todo nombre propio es sustantivo; los nombres apelativos pueden ser sustantivos, como *hombre, árbol, encina;* o adjetivos, como *blanco, negro, redondo, cuadrado.* Todo nombre adjetivo es apelativo.

101. Los nombres apelativos denotan clases que se incluyen unas en otras: así, *pastor* se incluye en *hombre, hombre* en *animal, animal* en *cuerpo, cuerpo* en *cosa* o *ente;* nombres (estos dos últimos) que incluyen en su significado cuanto existe y cuanto podemos concebir. Las clases incluyentes se llaman *géneros* respecto de las clases incluídas, y las clases incluídas se llaman *especies* con respecto a las incluyentes; así, *hombre* es un género que comprende las especies *pastor, labrador, artesano, ciudadano,* y muchísimas otras; y *pastor, labrador, artesano, ciudadano,* son especies de *hombre.*

102. A veces los nombres apelativos pasan a propios por la frecuente aplicación que se hace de ellos a determinados individuos. *Virgilio, Cicerón, César,* han sido originalmente nombres apelativos, apellidos que se daban a todas las personas de ciertas familias. Lo mismo ha sucedido con los apellidos castellanos *Calderón, Meléndez,* y muchísimos otros, aun de aquellos que significando solar son precedidos de la preposición *de,* como *Quevedo, Alarcón.*

103. Los sustantivos no significan sólo objetos reales o que podamos representarnos como tales, aunque sean fabulosos o imaginarios (v. gr. *esfinge, fénix, centauro),* sino objetos también en que no podemos concebir una existencia real, porque son meramente las cualidades que atribuímos a los objetos reales, suponiéndolas separadas o independientes de ellos, v. gr. *verdor, redondez, temor, admiración.* Esta independencia no está más que en las palabras, ni consiste en otra cosa que en representarnos, por medio de sustantivos, lo mismo que originalmente nos hemos representado, ya por nombres significativos de objetos reales, como *verde, redondo,* ya por verbos, como *temo, admiro* *. Las cualidades en que nos figuramos esta independencia ficticia, puramente nominal, se llaman *abstractas,* que quiere decir separadas; y las otras, *concretas,* que es como si dijéramos inherentes, incorporadas. Los sustantivos son asimismo *concretos* o *abstractos,* según son concretas o abstractas las cualidades que nos representamos con ellos: *casa, río,* son sustantivos concretos; *altura, fluidez,* son sustantivos abstractos. Los adjetivos no pueden dividirse de este modo, porque un mismo adjetivo es aplicable ya a cosas concretas, como *verde* a *mon-*

* No parezca extraño el que digamos que los adjetivos significan objetos, porque así es verdaderamente, puesto que significan clases de objetos que se asemejan bajo algún respecto, a la manera que lo hacen los sustantivos genéricos. Si el ser adjetivo un nombre consistiese, como se dice, en significar cualidad, adjetivos serían *verdor, redondez, cualidad;* adjetivos serían *pastor, artesano.*

te, árbol, yerba, ya a cosas abstractas, como *verde* a *color, redonda* a *figura.*

104. Los sustantivos abstractos se derivan a menudo de nombres o verbos. Pero algunos no tienen sus primitivos en nuestra lengua, como *virtud,* que viene del nombre latino *vir* (varón), porque al principio se entendió por virtud *(virtus)* lo que llamamos fortaleza, como si dijéramos *varonilidad.* Hay también muchos adjetivos que se derivan de sustantivos abstractos, como *temporal, espacioso, virtuoso, gracioso, afortunado,* que se derivan de *tiempo, espacio, virtud, gracia, fortuna.*

105. Entre los sustantivos derivados son notables los *colectivos,* que significan colección o agregado de cosas de la especie significada por el primitivo, como *arboleda, caserío.* Pero hay colectivos que no se derivan de sustantivo alguno que signifique la especie, como *cabildo, congreso, ejército, clero.* Y los hay que sólo significan el número, como *millón, millar, docena.* Algunos (que se llaman por eso *colectivos indeterminados)* significan meramente agregación, como *muchedumbre, número;* o a lo más agregación de personas, como *gente.*

106. Merecen también notarse entre los derivados los *aumentativos,* que envuelven la idea de gran tamaño o de alto grado, como *librote, gigantón, mujerona, mujeronaza, feote, feísimo;* y los *diminutivos,* que significan pequeñez o poquedad, como *palomita, florecilla, riachuelo, partícula, sabidillo, bellacuelo.*

De estas y algunas otras especies de nombres, trataremos separadamente.

Capítulo V

NÚMERO DE LOS NOMBRES

107. El número singular significa unidad absoluta, v. gr.: «Existe un Dios», y unidad distributiva, v. gr.: «El hombre es un ser dotado de razón», donde *el hombre* quiere decir cada hombre, todo hombre. El singular significa también colectivamente la especie, v. gr.: «El hombre señorea la tierra».

108. El plural denota multitud, distributiva o colectivamente: «Los animales son seres organizados que viven, sienten y se mueven»: cada animal es un ser organizado que vive, siente y se mueve; el sentido es distributivo. «Los animales forman una escala inmensa, que principia en el menudísimo animalillo microscópico y termina en el hombre»: cada animal no forma esta inmensa escala, sino todos juntos; el sentido es colectivo.

El plural se forma del singular según las reglas siguientes:

109. 1ª Si el singular termina en vocal no aguda, se añade *s*, v. gr. *alma, almas; fuente, fuentes; metrópoli, metrópolis; libro, libros; tribu, tribus; blanco, blancos; blanca, blancas; verde, verdes.* Pero la *i* final no aguda, precedida de otra vocal, se convierte en *yes;* v. gr. *ay, ayes; ley, leyes; convoy, convoyes.* Esto es más bien un accidente que una irregularidad, porque proviene de una propiedad de la pronunciación castellana, es a saber, que la *i* no acentuada que se halla entre dos vocales, se hace siempre consonante: *áies, léies, convóies,* se convirtieron en *ayes, leyes, convoyes.*

110. 2ª Si el singular termina en vocal aguda, se añade *es*, v. gr. *albalá, albalaes; jabalí, jabalíes; un sí, un no, los síes, los noes; una letra te, dos tees; una o, una u, dos oes, dos úes.* Sin embargo, *mamá, papá,* tienen los plurales *mamás, papás; pie* hace *pies;* los en *é, ó, ú,* de más de una sílaba, suelen añadir sólo *s*, como *corsé, corsés; fricandó, fricandós; tisú, tisús.* De los en *í*, de más de una sílaba, se usan los plurales irregulares *bisturís, zaquizamís; maravedí* hace *maravedís, maravedíes* y *maravedises,* de los cuales es más usual el primero; y los poetas están en posesión de decir cuando les viene a cuento, *alelís, rubís.* Pero excepto en *mamá, papá* y *pie,* es siempre admisible el plural regular que se forma añadiendo *es.*

111. 3ª Los acabados en consonante añaden *es: abad, abades; útil, útiles; holgazán, holgazanes; flor, flores; mártir, mártires; raíz, raíces.* El plural *fraques* de *frac* no es una excepción, porque en todas las inflexiones se atiende, por regla general, a los sonidos, no a las letras que los representan, y para conservar el sonido que tiene la *c* en *frac* es necesario convertir esta letra en *qu.* La mutación de *z* en *c* es de mera ortografía. *

* Esta es una concesión que todavía hacemos al uso, o por mejor decir, a un abuso que no puede justificarse. Para escribir *capaces, raíces, cruces,* no es suficiente excusa la generalidad de esa práctica, una vez que la Academia misma no se paró en esta consideración al sustituir en infinidad de vocablos la *c* a la *q*, y la *j* a la *x*, escribiendo, por ejemplo, *elocuencia, ejército,* donde antes todos *eloqüencia, exército.* Ni se hable de antigüedad, pues antes del siglo XVIII se escribía frecuentemente *capazes, luzes, felizes.* Ni se apele a la etimología, que es más bien una razón a favor de la *z; luzes* nace inmediatamente de *luz;* y no parece razonable preferir la derivación remota que pocos conocen, a la derivación inmediata, que está a la vista de todos.

Las excepciones verdaderas que sufre más frecuentemente la regla tercera, son éstas:

112. 1ª *Lord* hace *lores.*

113. 2ª Los esdrújulos, como *régimen,* carecen generalmente de plural; bien que algunos dicen *regímenes.*

114. 3ª Forman el plural como el singular los en *s* no agudos, como *el martes, los martes; el paréntesis, los paréntesis;* regla que siguen también los no agudos en *x,* como *el fénix, los fénix,* y los apellidos en *z,* que no llevan acentuada la última vocal, como *el señor González, los señores González.* *

115. 4ª Los apellidos extranjeros que conservan su forma nativa, no varían en el plural: *los Canning, los Washington;* a menos que su terminación sea de las familiares al castellano, y que los pronunciemos como si fueran palabras castellanas: *los Racines, los Newtones.*

116. Es de regla que en la formación del plural no varíe de lugar el acento; pero los que dan ese número a *régimen,* no pueden menos de decir *regímenes,* porque en las dicciones castellanas que no sean de las sobreesdrújulas arriba indicadas (32), ninguna sílaba anterior a la antepenúltima recibe el acento.

117. Se ha usado el plural *fenices de fénix,* aunque sólo en verso**; y de los dos plurales *carácteres* y *caracteres* (de *carácter*) ha prevalecido el segundo; lo que extienden algunos por analogía a *cráter, crateres.*

Hay ciertos nombres compuestos en que la formación del plural está sujeta a reglas especiales: las analogías que parecen mejor establecidas son éstas:

118. 1ª Los compuestos de verbo y sustantivo plural, en los que ninguno de los dos elementos han padecido alteración, y el sustantivo plural sigue al verbo, hacen el plural como el singular: *el* y *los sacabocados, el* y *los mondadientes, el* y *los guardapiés.*

119. 2ª Los compuestos de dos nombres en singular, que no han padecido alteración, y de los cuales el uno es sustantivo y el otro un adjetivo o sustantivo adjetivado que modifica al primero, forman su plural con los plurales de ambos

* Es notable la práctica, autorizada por algunos escritores modernos, entre ellos Clemencín, de hacer en *ses* el plural de los sustantivos en *sis,* sacados de la lengua griega: *metamorfosis. metamórfoses; tesis, teses.*

** Lope de Vega.

simples, como *casaquinta, casasquintas; ricohombre, ricoshombres;* pero *padrenuestro* hace *padrenuestros; vanagloria, vanaglorias; barbacana, barbacanas; montepío, montepíos.* Exceptúanse asimismo de esta regla los apellidos de familia, como *los Montenegros, los Villarreales.*

120. 3ª En los demás compuestos se forma el plural con el del nombre en que terminan, o si no terminan en nombre, según las reglas generales: *agridulce, agridulces; boquirrubio, boquirrubios; sobresalto, sobresaltos; traspié, traspiés; vaivén, vaivenes. Hijodalgo* hace *hijosdalgo; cualquiera, cualesquiera; quienquiera, quienesquiera.*

121. Hay muchos sustantivos que carecen de número plural. Hállanse en este caso los nombres propios, v. gr. *Antonio, Beatriz, América, Venezuela, Chile.* Pero los nombres propios de regiones, reinos, provincias, toman plural, cuando de significar el todo pasan a significar sus partes: así decimos *las Américas, las Españas, las Andalucías.* Y lo mismo sucede con los nombres propios de .personas cuando, alterada su significación, se hacen verdaderamente apelativos, como *los Homeros, los Virgilios,* por los grandes poetas comparables a Homero y Virgilio; *las Mesalinas,* por las princesas disolutas, *las Venus* por las estatuas de Venus; *dos o tres Murillos* por dos o tres cuadros de Murillo; *los Césares* por los emperadores; *las Beatrices* por las mujeres que tienen el nombre de Beatriz. Apenas hay cosa que no pueda imaginarse multiplicada, y por consiguiente, apenas hay sustantivo que no admita en ciertos casos plural, cuando no sea más que para expresar nuestras imaginaciones. *

122. Entre los apelativos, carecen ordinariamente de plural los de ciencias, artes y profesiones, como *fisiología, carpintería, abogacía;* los de virtudes, vicios, pasiones especiales, como *magnanimidad, envidia, cólera, horror;* y los de las edades de la vida, como *juventud, mocedad, vejez.* Mas variando de significación lo admiten: así se dice *imprudencias* (por actos de imprudencia), *iras* (por movimientos de ira), *vanidades* (cosas de que se alimenta y en que se complace la vanidad), *horrores* (objetos de horror), *las mocedades del Cid* (los hechos del Cid cuando mozo), *metafísicas* (sutilezas).

* «¿Es posible que el señor Alcalde, por una niñería que no importa tres ardites, quiera quitar la honra a dos tan insignes estudiantes como nosotros, y juntamente a Su Majestad dos valientes soldados, que íbamos a *esas Italias* y a *esos Flandes* a romper, a destrozar, a herir y a matar a los enemigos de la santa fe católica que topáramos?» (Cervantes.)

123. Los apelativos de cosas materiales o significan verdaderos *individuos*, esto es, cosas que no pueden dividirse sin dejar de ser lo que son, como *árbol, mesa*; o significan cosas que pueden dividirse hasta el infinito, conservando siempre su naturaleza y su nombre, como *agua, vino, oro, plata*. Los de la primera clase tienen casi siempre plural, los de la segunda no suelen tenerlo sino para denotar las varias especies, calidades o procedencias; y en este sentido se dice que *España produce excelentes vinos*, que *en Inglaterra se fabrican buenos paños, las sederías de China*. Dícese asimismo *los azogues, las platas, los cobres*, para denotar los productos de varias minas, o los surtidos de estos artículos en el mercado. Hay con todo muchos nombres apelativos de cosas *divididas*, que aun sin variar de significado admiten plural, y así se dice, *los aires de la Cordillera, las aguas del Tajo*.

124. Los nombres y frases latinas que sin variar de forma han sido naturalizados en castellano, carecen de plural; como *exequátur, veto, fiat, déficit, álbum*. Dícese sin embargo *avemarías, gloriapatris, misereres*, etc.

125. Carecen de singular varios nombres propios de cordilleras, como *los Alpes, los Andes;* y de archipiélagos, como *las Baleares, las Cíclades, las Azores, las Antillas*. Se halla con todo en poetas castellanos *el Alpe*.

126. Dícese *el Pirineo* y *los Pirineos, la Alpujarra* y *las Alpujarras, el Algarbe* y *los Algarbes, Asturias es* y *las Asturias son,* sin hacer diferencia en el significado. Sería prolijo enumerar todos los caprichos del uso en los plurales de los nombres geográficos.

127. Hay también varios nombres apelativos que carecen de singular.

Los más notables son éstos:

Aborígenes.
Adentros.
Afines.
Afueras.
Albricias.
Alrededores.
Anales.
Andaderas, creederas, y varios otros derivados de verbo, terminados en *deras*, que significan la acción del verbo o el instrumento con que se ejecuta.
Andas.
Andurriales.
Angarillas.
Añicos.
Aproches, contraaproches.
Arras.
Bienes (por hacienda o patrimonio).
Calendas, nonas, idus.
Calzas.
Carnestolendas.
Cercas, lejos (términos de pintura).
Comicios.
Cortes (cuerpo legislativo).
Creces.
Credenciales.
Dimisorias.
Efemérides.
Enaguas.
Enseres.
Expensas o *espensas.*
Esponsales.

Esposas (prisiones).
Exequias.
Fasces.
Fauces.
Gafas (anteojos).
Grillos (prisiones).
Hemorroides.
Honras (exequias).
Horas (las canónicas que se rezan).
Ínfulas.
Lares.
Largas (dilaciones).
Letras (por literatura, y por provisión o despacho, como en *hombre de pocas letras, letras divinas* o *humanas, letras testimoniales, letras reales, letras pontificias*).
Maitines, laudes, vísperas, completas.
Manes.
Mientes.
Modales.
Nupcias.
Pandectas.
Parias.
Partes (cualidades intelectuales y morales de una persona).
Penates.
Pinzas.
Preces.
Tinieblas.
Trébedes.
Veras (contrario de *burlas*).
Víveres.
Zelos (en el amor).

128. *Lejos, lejas,* es adjetivo que sólo se usa en plural. Hay varios adjetivos que se sustantivan en la terminación femenina de plural, formando complementos adverbiales: *de veras, de buenas a primeras, por las buenas, a las primeras, a las claras, a oscuras, a secas, a escondidas, a hurtadillas, a sabiendas.* Este último no admite otra terminación que la femenina del plural, ni se usa jamás sino en el anterior complemento. Del adjetivo *matemático, matemática,* nace el sustantivo plural *matemáticas,* que significa colectivamente los varios ramos de esta ciencia; pero no es del todo inusitado el singular en el mismo sentido: «No hay uno de nuestros primeros institutos que no haya producido hombres célebres en el estudio de la física y de la matemática» (Jovellanos).

129. *Tenazas* y *tijeras,* en su significación primitiva carecen de singular, pero no en las secundarias y metafóricas, y así se llama *tenaza* la de los animales, y *tijera* la del coche, y se dice *hacer tenaza, ser una buena tijera.* Úsanse sin diferencia de significado *bofe* y *bofes, calzón* y *calzones, funeral* y *funerales.* Los poetas emplean a veces el singular *tiniebla.* Dícese *pulmón* y *pulmones,* designando el órgano entero, y *pulmón* denotando a cada uno de los lobos de que se compone. No es posible apuntar ni aún a la ligera todas las particularidades de la lengua, relativamente al número de los nombres *.

130. Muchos de los nombres que carecen de singular ofrecen claramente la idea de muchedumbre, como *añicos, efemérides, lares, penates*; los de cordilleras y archipiélagos; y los que significan objetos que se componen de partes dobles, v. gr. *bofes, despabiladeras, tenazas.* Y es de creer que muchos otros en que ahora no se percibe esta idea, la tuvieron originalmente; de lo que vemos ejemplos en *calendas* (cobranzas que solían hacerse en Roma el primer día del mes) y en *fauces* (originalmente quijadas).

* Se usa en Chile un *bien,* significando una finca: y *crece,* por una crecida o creciente.

131. En fin, hay varios nombres geográficos que parecen plurales, y habiendo tenido ambos números en su significado primitivo, son ahora indudablemente del singular, v. gr. *Buenos Aires, el Amazonas, el Manzanares.* Así se dice: *Buenos Aires está a las orillas del río de la Plata, y Pastos es una ciudad de la Nueva Granada;* sin que sea posible usar *están* y *son.*

De varias otras anomalías relativas a los números, hablaremos a medida que se nos ofrezca tratar de los sustantivos o adjetivos en que se encuentran.

CAPÍTULO VI

INFLEXIONES QUE SIGNIFICAN NACIÓN O PAÍS

132. En algunos de los nombres que se aplican a personas o cosas significando el lugar de su nacimiento o el país a que pertenecen, hay diferencia de terminaciones entre el sustantivo y el adjetivo: como vemos en *godo,* sustantivo, *gótico,* adjetivo; *persa,* sustantivo, *persiano, pérsico,* adjetivos; *escita,* sustantivo, *escítico,* adjetivo; *celta,* sustantivo, *céltico,* adjetivo. El sustantivo se aplica a personas e idiomas, el adjetivo a cosas: *los persas fueron vencidos por Alejandro; Zoroastro escribió en el antiguo persa, llamado Zend; la vida errante de los escitas; el traje persiano, la lengua escítica;* a diferencia de lo que sucede en los más de estos nombres, que siendo de suyo adjetivos, se sustantivan para significar o las personas o los respectivos idiomas: como *francés, italiano, griego, turco.*

133. A veces hay dos o más adjetivos para significar una misma nacionalidad o país, pero que sin embargo no pueden usarse promiscuamente uno por otro. Así, de los tres adjetivos *árabe, arábigo* y *arabesco,* el primero es el que siempre se sustantiva, significando los naturales de Arabia, de manera que pudiendo decirse el *árabe* y el *arábigo* por la lengua (aunque mejor a mi parecer, el primero), no se toleraría los *arábigos* por los *árabes,* hablándose de la nación; pero el más limitado en sus aplicaciones usuales es *arabesco,* que apenas se emplea sino como término de pintura. Algunos se aplican exclusiva u ordinariamente a lo eclesiástico; v. gr. *anglicano* por *inglés, hispalense* por *sevillano.* Otros suenan mejor como calificaciones universitarias o académicas, v. gr. *complutense por alcalaíno, matritense* por *madrileño.* Dícese el *golfo pérsico,* no el *golfo persiano.* Sustantivos hay que sólo se aplican al idioma, como *latín, romance, vascuence; romance* se adjetiva en *lenguas romances* (las derivadas de la romana o latina). Hablando de los antiguos naturales de España o de una de sus principales razas, se dice *iberos,* que, aplicado a los españoles de los tiempos modernos, es puramente poético; *ibérico* se usa siempre como adjetivo: *la península* *ibérica, las tribus ibéricas. Hispano, hispánico,* son adaptables a la España antigua y la moderna, particularmente en poesía; pero el segundo no admite otro oficio que el de adjetivo, que es también el que más de ordinario se da al primero, al paso que *español* se presta a lo antiguo y lo moderno; es el más usual en prosa, sin que por eso desdiga del verso; y no se emplea menos como sustantivo que como adjetivo *.

Presentamos estas observaciones como una muestra de la variedad de acepciones especiales que da el uso a esta especie de nombres y de la necesidad de estudiarlo; porque sólo a los poetas es permitido hasta cierto punto usar indiferentemente los que pertenecen a cada país.

CAPÍTULO VII

TERMINACIÓN FEMENINA DE LOS SUSTANTIVOS

134. Los sustantivos que significan seres vivientes, varían a menudo de terminación para significar el sexo femenino. Los ejemplos que siguen manifiestan las inflexiones más usuales:

Ciudadano, ciudadana.

Señor, señora; cantor, cantora; marqués, marquesa; león, leona.

Barón, baronesa; abad, abadesa; alcalde, alcaldesa; príncipe, princesa.

Poeta, poetisa; profeta, profetisa; sacerdote, sacerdotisa.

Emperador, emperatriz; actor, actriz; cantor, cantatriz.

Czar, czarina; cantor, cantarina; rey, reina; gallo, gallina.

* En las terminaciones de los nombres nacionales antiguos se conservan casi siempre las formas latinas con desinencias castellanas; a lo que contravienen no pocas veces los que traduciendo del francés imitan en ellos las formas francesas. A la desinencia francesa *ien* corresponden varias terminaciones en nuestra lengua: en la que no se dice, por ejemplo, *tirianos (tyriens), rodianos (rhodiens), asirianos (assyriens), tirrenianos (tyrrhéniens), atenianos (athéniens),* sino *tirios (tyrii), rodios (rhodii), asirios (assyrii), tirrenos (tyrrheni), atenienses (athenienses);* el latín da la norma; y el que vacile sobre la terminación que deba dar a un nombre de geografía antigua, saldrá fácilmente de la duda recurriendo a un diccionario latino. Hasta los nombres propios se estropean; y se ha traducido en nuestros días *la Gaule* por *la Gaula,* sin embargo de ser tan conocida y tan usual *la Galia,* y de no emplearse aquella forma sino en el apellido de ciertos personajes de la caballería andante *(Perión de Gaula, Amadís de Gaula),* sea porque en él signifique el país de Gales, no la Galia, sea por ignorancia del autor o traductor español del «Amadís».

Yérrase también en estos nombres usando la terminación *io* por *o.* En general, si el nombre propio del país tiene *i,* es porque se deriva de un apelativo que no la tiene, como se ve en *ibero, Iberia; galo, Galia; siro, Siria.* A veces el apelativo suele llevar *i* cuando el propio no la lleva, porque éste es entonces el primitivo, y el otro el derivado, como aparece en *Rodas, rodios; Tiro, tirios; Tarteso, tartesios.* Y si sucede que uno y otro llevan esta vocal, es porque ambos son derivados; como *Fenicia, fenicios,* derivaciones de *fenices,* que era el verdadero apelativo nacional, y como tal se usa todavía en castellano. Lo mismo sucede en *Macedonia* y *macedonios, Babilonia* y *babilonios.* En suma, para emplear con la debida propiedad estas terminaciones, es necesario recurrir al latín, siempre que no haya en contrario un uso fijo, conocido y que inspire suficiente confianza.

No fué, pues, una licencia poética de Alarcón llamar *lido* al habitante de Lidia, como lo fué de Arriaza llamar *iberio* al *ibero.*

135. No varían ordinariamente los en *a,* como *el patriota, la patriota; el persa, la persa; el escita, la escita; un númida, una númida*; ni los graves terminados en consonante, como *el mártir, la mártir; el virgen, la virgen*; ni por lo común los en *e,* como *intérprete, caribe, ateniense*; ni los en *i* aguda como *marroquí, guaraní*; pero varían los en *ante, ente,* como *gigante, giganta*; *elefante, elefanta; pariente, parienta*; y los en *ete, ote,* como *alcahuete, alcahueta*; *hotentote, hotentota.*

136. Los apellidos de familia no varían de terminación para los diferentes sexos; y así se dice «don Pablo Herrera», «doña Juana Hurtado», «doña Isabel Donoso».

137. En los sustantivos que significan empleos o cargos públicos, la terminación femenina se suele dar a la mujer del que los ejerce; y en este sentido se usan *presidenta, regenta, almiranta*; y si el cargo es de aquellos que pueden conferirse a mujeres, la desinencia femenina significa también o únicamente el cargo, como *reina, priora, abadesa.* Mas a veces se distingue: *la regente* es la que ejerce por sí la regencia, *la regenta* la mujer del regente.

138. El femenino de *hijodalgo, hijosdalgo,* es *hijadalgo, hijasdalgo.*

139. Hay sustantivos (aun de los terminados en *a, o,* desinencias tan fáciles de convertirse una en otra para distinguir el sexo), los cuales con una misma terminación se aplican a los varios sexos, y por lo tanto pertenecen a la clase de los comunes o a la de los epicenos; v. gr. *juez, testigo* (comunes); *abeja, hormiga, avestruz, pez, insecto, gusano* (epicenos).

140. El sustantivo epiceno a que se sigue en aposición uno de los sustantivos *macho, hembra,* se puede decir que pasa a la clase de los ambiguos, si son de diferente género los dos sustantivos. Cuando se dice, por ejemplo, *la rana macho,* tenemos en esta frase dos sustantivos: *rana,* femenino, *macho,* masculino; podremos, pues, emplearla como sustantivo ambiguo, diciendo *la rana macho es más corpulenta* o *corpulento que la hembra.* Con todo eso, los adjetivos que preceden al epiceno se conforman siempre con éste en el género; no podría decirse *el liebre macho,* ni *una gusano hembra*; bien que no faltan ejemplos de lo contrario, como *la escorpión hembra* en Fr. Luis de Granada.

141. Finalmente, hay varias especies en que los nombres peculiares de los sexos no tienen una raíz común, v. gr. *buey, toro, vaca*; *carnero, oveja*; *caballo, yegua.*

142. Cuando hay dos formas para los dos sexos, nos valemos de la masculina para designar la especie, prescindiendo del sexo; así *hombre, autor, poeta, león,* se adaptan a todos los casos en que se habla de cosas que no conciernen particularmente a la mujer o a la hembra, v. gr. «el hombre es el más digno estudio de los hombres», «no se tolera la mediocridad en los poetas», «el león habita las regiones más ardientes del Asia y del Africa». Pero esta regla no es universal, pues a veces se prefiere la forma femenina para la designación de la especie, como en *paloma, gallina, oveja.* Fuera de eso, cuando se habla de personas apareadas, lo más usual es juntar ambas formas para la designación del par: *el presidente y la presidenta, el regidor y la regidora*; bien que se dice *los padres* por el padre y la madre, *los reyes* por el rey y la reina, *los abuelos pater-*

nos o maternos por el abuelo y la abuela en una de las dos líneas; *los esposos* por el esposo y la esposa. Muchas otras observaciones pudieran hacerse sobre esta materia; pero los ejemplos anteriores darán alguna luz para facilitar el estudio del uso, que es en ella bastante vario y caprichoso.*

Capítulo VIII

TERMINACIÓN FEMENINA DE LOS ADJETIVOS

La terminación femenina de los adjetivos se forma de la masculina según las reglas siguientes:

143. 1ª Son invariables todas las vocales, menos la *o*: *un árbol indígena, una planta indígena; un hombre ilustre, una mujer ilustre; un leve soplo, una aura leve; trato baladí, conducta baladí; paño verdegay, tela verdegay; pueblo hindú, lengua hindú.*

144. 2ª Son asimismo invariables los terminados en consonante, v. gr. *cuerpo gentil, figura gentil; hombre ruin, mujer ruin; hecho singular, hazaña singular; un caballero cortés, una dama cortés; el estado feliz, la suerte feliz.*

145. 3ª Los en *o* la mudan en *a*, como *lindo, linda; atrevido, atrevida.*

Excepciones:

146. 1ª Los en *an, on, or* añaden *a;* v. gr. *holgazán, holgazana; juguetón, juguetona; traidor, traidora;* exceptuados *mayor, menor, mejor, peor, superior, inferior, exterior, interior, anterior, posterior, citerior, ulterior,* que son invariables. *Superior* añade *a*, cuando se sustantiva significando la mujer que gobierna una comunidad o corporación * *.

* Los adjetivos derivados no siempre dicen relación al sexo significado por el sustantivo de que se derivan: *ganado vacuno*, por ejemplo, comprende a los *toros y bueyes*.

¿Se podrá decir de una hermana que tiene sentimientos *fraternales?* A mí me disonaría, porque esta palabra nace de *frater*, que en latín significa el hermano varon, y no sé que el uso de la lengua castellana permita referirla a cualquiera de los dos sexos. Lo mismo digo de *fraterno* y *fraternidad*. Yo creo que estas tres palabras son análogas a las francesas *fraternel* y *fraternité*, que se refieren al sexo masculino. Además, tenemos en castellano *hermanal* y *hermandad*, que dicen relacion a varones y hembras indiferentemente.

** Los nombres en *dor, sor, tor,* derivados de verbos castellanos o latinos, como *descubridor, censor, director,* se miran generalmente como sustantivos, y tal es sin duda el carácter que domina en muchos de ellos. Todos tienen sin embargo las dos terminaciones *or, ora,* ya se empleen como sustantivos o como adjetivos, y así se dice *calamidad destructora, palabras amenazadoras.*

147. 2ª Los diminutivos en *ete* y los aumentativos en *ote* mudan la *e* en *a*, v. gr. *regordete, regordeta; feote, feota.*

148. 3ª Los adjetivos que significan nación o país, y que se sustantivan a menudo, imitan a los sustantivos en su desinencia femenina, como *español, española; danés, danesa; andaluz, andaluza.* Así, aun en el uso adjetivo de estos nombres, se dice *la lengua española, las modas francesas, la gracia andaluza, la fisonomía hotentota, la industria catalana, las playas mallorquinas.*

Capítulo IX

APÓCOPE DE LOS NOMBRES

149. Hay palabras cuya estructura material en ciertas circunstancias se altera abreviándose, y la abreviación puede ser de dos maneras, que en realidad importaría poco distinguir, si no las mencionaran generalmente los gramáticos con denominaciones diversas.

150. Si la abreviación consiste sólo en suprimir uno o más sonidos finales, se llama *apócope:* si se efectúa suprimiendo sonidos no finales, o sustituyendo un sonido menos lleno a otro, como el de la *l* al de la *ll,* o una vocal grave a la misma vocal acentuada, la dicción en que esto sucede se dice *sincoparse.*

Sufren apócope los sustantivos siguientes:

151. El nombre propio *Jesús,* cuando le sigue *Cristo*; bien que entonces los dos sustantivos suelen escribirse como uno solo: *Jesucristo.*

152. Varios nombres propios de personajes históricos españoles, cuando les sigue el *patronímico,* esto es, un nombre apelativo derivado, que significa la calidad de hijo de la persona designada por el nombre propio primitivo, como *González* (hijo de Gonzalo), *Rodríguez* o *Ruiz* (hijo de Rodrigo), *Alvarez* (hijo de Alvaro), *Martínez* (hijo de Martín), *Ordóñez* (hijo de Ordoño), *Peláez* o *Páez* (hijo de Pelayo), *Vermúdez* (hijo de Vermudo), *Sánchez* (hijo de Sancho), *Díaz* (hijo de Diego), *López* (hijo de Lope), etc. Tal era la significación de estos apelativos en lo antiguo; en el día son apellidos hereditarios.*

* No solían los antiguos juntar el nombre apocopado con el *don;* decíase *don Rodrigo Díaz, Rui Díaz.* Ciertos nombres eran bajo una misma forma propios y patronímicos, como *Gómez, García,* que se juntaban, por tanto, con el *don,* lo cual ya se sabe que solamente lo hacen los nombres propios en castellano. (Cuando *doña* significaba *dueña,* se juntaba con el apellido: *doña Rodríguez.*) Aunque Cortés no es patronímico, produce el mismo efecto que si lo fuera, cuando se habla del conquistador de México: no se apocopa su nombre sino precediendo al apellido: *Hernán Cortés.*

Cuando se designa, pues, un personaje histórico por sus nombres propio y patronímico, el primero, si es de los que admiten apócope, la sufre ordinariamente: *Alvar Fáñez, Fernán González, Per Anzúrez, Rui Díaz.* Pero, omitido el patronímico, no tiene cabida la apócope: así *Fernán* y *Hernán*, usados absolutamente para designar al conde de Castilla Fernán González o a Hernán Pérez del Pulgar, serían expresiones incorrectas; lo mismo que *Rui de Vivar, Alvar de Toledo.*

153. Sufren apócope los adjetivos que siguen:

1º *Uno, alguno, ninguno; un, algún, ningún.*

2º *Bueno, malo; buen, mal.*

3º *Primero, tercero, postrero; primer, tercer, postrer.*

4º *Grande; gran.*

5º *Santo; san.*

154. La apócope de estos adjetivos no tiene cabida sino en el número singular, y precediendo el adjetivo apocopado al sustantivo; por lo que debe precisamente usarse la forma íntegra en frases como éstas: *hombre alguno, el primero de Julio, el capítulo tercero; entre los salones de palacio no hay ninguno que no esté ruinoso.* Diráse, pues: *un célebre poeta, un poeta de los más famosos,* y *uno de los más famosos poetas.*

155. *Buen, mal, gran, san,* deben preceder inmediatamente al sustantivo: *buen caballero, mal pago, gran fiesta, San Antonio, el apóstol San Pedro.* No podría decirse: *mal, inicuo, inexcusable proceder; gran opíparo banquete.* Los demás adjetivos susceptibles de apócope consienten otro adjetivo en medio: *algún desagradable contratiempo, el primer infausto acontecimiento.* Pero cuando al adjetivo se sigue una conjunción, nunca tiene cabida la apócope: *el primero y más importante capítulo.*

156. Los adjetivos arriba dichos, excepto *primero, postrero, grande,* no consienten la apócope en el género femenino: *una buena gente, una mala conducta, la Santa Virgen, Santa Catalina de Sena.* Puede con todo decirse *un* antes de cualquier sustantivo femenino que principie por la vocal *a* acentuada: *un alma, un águila, un arpa;* lo que se extiende a *algún* y *ningún,* especialmente en verso, donde también suele decirse *un hora.*

157. No siempre que la apócope tiene cabida es indispensable hacer uso de ella. Son necesarias las apócopes *un, algún, ningún, buen, mal.* La de *primero* es necesaria en la terminación masculina, y arbitraria, aunque de poco uso, en la femenina: *el primer capítulo; la primera victoria* o *la primer victoria*. La de *tercero* y *postrero* es arbitraria en ambas terminaciones, aunque lo más usual es apocopar la masculina y no la femenina: *el tercer día, la tercera jornada, la postrera palabra*. Antes de vocal se dice comúnmente *grande*, y antes de consonante, *gran*: *grande edificio, gran templo*.

158. La excepción que establecen algunos gramáticos, pretendiendo que antes de vocal deba decirse *gran* en sentido material, y antes de consonante *grande* en sentido moral e intelectual (*un gran acopio de mercaderías, un grande pensamiento*), no la vemos comprobada por el uso: bastan para falsificarla las frases comunísimas *un gran príncipe, el gran señor, el gran visir, el Gran Capitán, el gran maestre*, etc. Acaso sería más exacto decir que *grande* antes de consonante es enfático en cualquier sentido que se tome: *una grande casa, una grande función, un grande sacrificio*. Parece un efecto natural de la énfasis dar a las palabras toda la extensión que comportan, por lo mismo que refuerza los sonidos y el acento para fijar la atención en ellas.

159. *San* no se usa sino precediendo a nombre propio de varón; por lo que no tiene cabida la apócope en *un santo anacoreta, el santo Patrón de las Españas*. Tampoco se designa con *san* sino a los que la Iglesia ha reconocido por santos bajo el Nuevo Testamento; por lo cual no decimos *San Job*, como decimos *San Pedro* y *San Pablo*, sino *el Santo Job*; aunque no falta una que otra excepción como *San Elías profeta*. Antes de estos tres nombres *Domingo, Tomás,* o *Tomé, Toribio*, se dice siempre *santo*; pero una de las Antillas se llama *San Tomás*. En *Santiago* el nombre propio y el apelativo se han hecho inseparables, sea cual fuere la persona que con él se designe.

Mencionaremos otras apócopes cuando se ofrezca hablar de los nombres que están sujetos a ellas.

Capítulo X

GÉNERO DE LOS SUSTANTIVOS

160. Para determinar el género de los sustantivos debe atenderse ya al significado, ya a la terminación.

Por razón del significado son masculinos:

161. 1º Los sustantivos que significan varón o macho o seres que nos representamos como de este sexo, v. gr. *Dios, ángel, duende, hombre, patriarca, tetrarca, monarca, león, centauro, Calígula, Rocinante, Babieca*. Y no es excepción *haca* o *jaca,* caballo pequeño, porque este sustantivo es epiceno, como *zebra, marmota, hacanea,* y sigue el género de su terminación.

162. 2º Los nombres propios de ríos, como *el Magdalena, el Sena,* y los de montes y cordilleras, v. gr. *el Etna, los Alpes, el Himalaya:* se exceptúan *la Alpujarra,* y los que han sido originalmente apelativos femeninos, como *Sierramorena, la Silla* (en Venezuela). *

163. 3º Toda palabra o expresión que sirve de nombre a sí misma: por ejemplo, analizando esta frase *las leyes de la naturaleza,* diríamos que *la naturaleza* está EMPLEADO como término de la preposición *de.* Lo cual no quita que se diga la *en,* la *por,* la *pero,* subentendiendo *preposición* o *conjunción.*

Por razón del significado son femeninos:

164. 1º Los sustantivos que significan mujer o hembra, o seres que nos representamos como de este sexo, v. gr. *Diosa, ninfa, hada, leona, Safo, Juno, Dulcinea, Zapaquilda.*

165. 2º Los nombres propios de ciudades, villas, aldeas; bien que siguen a veces el género de la terminación. Por ejemplo, *Sevilla* es necesariamente femenino, porque concurren el significado y la terminación. *Toledo,* al contrario, es ambiguo, siguiendo unas veces el género de la terminación, como en «Pasado *Toledo,* a la ribera del mismo río (Tajo), está asentada Talavera» (Mariana); «Toledo permaneció libre hasta el 19 de Diciembre, día en que *le* ocuparon los franceses» (Alcalá Galiano); otras el género de su significado, como en

«*Toda* júbilo es hoy *la* gran Toledo.»
(Huerta.)

166. *Corinto, Sagunto,* y otros nombres de ciudades antiguas, se usan casi invariablemente como femeninos, no obstante su terminación.

167. 3º Los nombres de las letras de cualquier alfabeto, como *la b, la o, la x, la delta, la ómicron.* Sin embargo, algunos hacen masculinos los nombres de las letras griegas

* No faltan autores respetables que dan el género femenino a nombres de ríos de Francia y de otros países, terminados en *a: la Sena, la Mosela, la Escalda.* Hácele así frecuentemente don Carlos Coloma. Es digno de notar que aunque se diga *el río de la Magdalena, el río de la Plata, el río de las Amazonas,* se dice con todo, *el Plata, el Amazonas, el Magdalena.* Esta segunda forma ha hecho olvidar a veces la primera: nadie dirá hoy *el río de los Manzanares,* como sin duda se dijo al principio, sino *el Manzanares,* para designar este río de la Península.

y hebreas, y *delta,* cuando significa la isla triangular que forman algunos ríos en su desembocadura, es masculino según la Academia.

Atendiendo a la terminación:

168. 1º Son comúnmente femeninos los en *a* no aguda, como *alma, lágrima.*

No son excepciones los sustantivos que su significado de varón hace masculinos, como *atalaya* y *vigía* (por las personas que atalayan), *atleta, argonauta, barba* (por el actor que hace papeles de viejo), *consueta* (por apuntador de teatro), *cura* (por el párroco), *vista* (por el de la aduana); pero sí debemos mirar como irregulares en esta parte a los ambiguos, que siguen ya el género del significado, ya el de la terminación, como *espía* (el que acecha), *guía* (el que muestra el camino), *lengua* (el que interpreta de viva voz), *maula* (el hombre artificioso o petardista); bien que indudablemente prevalece aun en éstos el género que corresponde al sexo. La *sota* de los naipes es siempre femenino, aunque tiene figura de hombre.

Son también masculinos: *cólera* (por cólera-morbo), *contra* (por la opinión contraria), *día, hermafrodita, mapa* (por carta geográfica), *planeta* y *cometa* (astros), y gran número de los acabados en *ma,* que son sustantivos de la misma terminación en griego, como *emblema, epigrama, poema, síntoma.* De manera que no debemos vacilar en hacer masculino todo nuevo sustantivo de esta terminación y origen, como *empireuma, panorama, cosmorama, diorama.* El uso, sin embargo, ha hecho ambiguos a *anatema, neuma, reuma,* y femeninos a *apostema, asma, broma, diadema, estratagema, fantasma* (cuando significa un espantajo artificial), *flema, tema* (por obstinación o porfía), y algunos otros. *Llama,* cuadrúpedo americano, es ambiguo, pero más frecuentemente masculino.

169. 2º Son asimismo femeninos los en *d,* como *vanidad, merced, red, sed, virtud;* menos *césped, ardid, almud, laúd, alud, ataúd, sud, talmud.*

170. 3º Son masculinos los que terminan en cualquiera vocal, menos *a* no aguda, o en cualquiera consonante, menos *d;* pero las excepciones son numerosas.

Nos contraeremos a indicar las más notables, siguiendo el orden de las terminaciones.

171. a) De los en *e* son femeninos los de tropos y figuras gramaticales o retóricas, v. gr. *apócope, sinécdoque* (excepto *hipérbole,* ambiguo); los nombres de líneas matemáticas, como *elipse, cicloide, tangente, secante;* los sustantivos esdrújulos en *ide,* tomados del griego, como *pirámide, clámide;* los en *ie* acentuados en vocal anterior a esta terminación, como *carie, sanie, temperie, superficie;* los terminados en *umbre,* como *lumbre, muchedumbre, pesadumbre, costumbre* (menos *alumbre*), y además:

Álsine.
Ave.
Base.
Breve y *semibreve* (notas de música).
Calle.
Carne.
Catástrofe.
Clase.
Clave (que sólo es masculino cuando significa un instrumento de música).
Cohorte.
Compage.
Consonante y *licuante* (letras).
Corambre.
Corriente.
Corte (por residencia del gobierno supremo, tribunal, comitiva o séquito).
Chinche.
Egílope.
Elatine.
Eringe.
Escorpioide.
Estacte.
Estirpe.
Estrige.
Extravagante (constitución soberana que anda fuera del código o recopilación a que corresponde).
Falange.
Falce.
Faringe.
Fase.
Fe.
Fiebre.
Frase.
Frente (facción de la cara).
Fuente.
Gente.
Hambre.
Hélice.
Hipocrene.
Hojaldre.
Hueste.
Índole.
Ingle.
Jíride.
Labe.
Landre.
Lápade.
Laringe.
Laude.
Leche.
Liebre.
Liendre.
Lite.
Llave.
Madre.
Mente.
Mole.
Muerte.
Mugre.
Nave.
Nieve.
Noche.
Nube.
Paraselene.
Parte (que sólo es masculino cuando significa aviso).
Patente (por cédula, título o despacho).
Pelitre.
Pendiente (masculino, cuando significa adorno de las orejas).
Peste.
Plebe.
Pléyade.
Podre.
Prole.
Raigambre.
Salve.
Sangre.
Sede.
Serpiente.
Sierpe.
Simiente.
Sirte.
Suerte.
Tarde.
Tingle.
Torce.
Torre.
Trabe.
Troje.
Ubre.
Urdiembre o *urdimbre.*
Vacante.
Variante.
Várice.
Veste y *sobreveste.*
*Vorágine.**

* En Chile se usan impropiamente como masculinos *chinche, hambre, pirámide*

172. b) *Ceraste*, *dote*, *estambre*, *lente*, *pringue*, *puente*, *tilde*, *tizne* y *trípode*, son ambiguos; pero *dote*, significando cierta parte del caudal de la mujer casada, es más comúnmente femenino; en *estambre*, al contrario, el género masculino es el que hoy predomina, y lo mismo en *puente* cuando significa el de un río. *Tilde*, por la virgulilla que se pone sobre una letra, es ambiguo; y cuando denota en general una cosa mínima, femenino.

173. c) *Arte* se usa generalmente como masculino en singular, y como femenino en plural: «La naturaleza con sus nativas gracias vale más que ese arte metódico y amanerado»: «La inmensa variedad de artes subalternas y auxiliares del grande arte de la agricultura» (Jovellanos): «las artes liberales», «las bellas artes», «las artes mecánicas»: «Se valió de malas artes para alcanzar lo que deseaba». Pero si se trata de un arte liberal o mecánico, admite el género femenino en singular: «La escritura fué arte poco vulgarizado o vulgarizada en la media edad».

174. d) De los en *i* son femeninos *graciadey*, *palmacristi*, *grey*, *ley*, y todos los esdrújulos originados del griego, donde terminan en *is*, como *metrópoli*.

175. e) De los en *j* no hay más femenino que *troj*.

176. f) De los en *l* son femeninos *cal*, *capital* (ciudad), *cárcel*, *col*, *cordal*, *credencial*, *hiel*, *miel*, *pastoral*, *piel*, *señal*, *vocal* (letra). *Canal* no es masculino sino significando un estrecho de mar, los caudalosos de navegación o riego, ciertos conductos naturales del cuerpo humano, y figuradamente una vía o conducto de comunicación; v. gr. *el canal de la Mancha, el canal de Languedoc, el de Maipo, el canal intestinal, el canal por donde se recibió la noticia*. *Moral* es masculino como nombre de árbol, y femenino significando la regla de vida y costumbres según la cual las acciones humanas se califican de rectas o depravadas. *Sal*, significando la de comer, es invariablemente femenino; significando ciertos compuestos químicos, hay escritores que lo hacen masculino; pero esto es cada día más raro. *Amoníaco* es sustantivo masculino, y se usa también como adjetivo de dos terminaciones, *amoníaco, amoníaca*; de manera que podemos decir *sal amoníaco* por aposición de dos sustantivos de diverso género, y *sal amoníaca* por concordancia de sustantivo y adjetivo.

177. g) De los acabados en *n* son femeninos los en *ión*, derivados de verbos castellanos o latinos, como *oración*, *devoción*, *provisión*, *precisión*, *gestión*, *reflexión*, *religión*, *rebelión*; si no es uno u otro que se forma añadiendo *ón* a la raíz del verbo castellano terminada en *í*, como *limpión* de *yo limpio*, por la misma analogía que *resbalón* de *resbalo*, *empujón* de *empujo*. Son también femeninos los en *zón*, derivados de nombre o verbo castellanos, como *ramazón*, *palazón*, *armazón*, *cargazón*: excepto los aumentativos, como *lanzón*. Son, en fin, femeninos *ación*, *clin* o *crin*, *diasén*, *imagen*, *razón*, *sartén*, *sazón*, *sien*. *Margen* es ambiguo en singular, y comúnmente femenino en plural. *Orden*, significando serie, sucesión, regularidad, disposición de las partes de un todo, es masculino, como en las frases *el orden de los asientos*, *el orden natural*, *el orden público*. Es igualmente masculino significando una división de las clases en las nomenclaturas científicas, como *el orden de los carnívoros en la clase de los mamíferos*. Pero es femenino cuando significa el sacramento de ese nombre y cualquiera de sus diferentes grados, y así se dice *la orden del subdiaconado, las órdenes mayores*. Es asimismo femenino en la significación de precepto: *una real orden, las órdenes del ministro*; y lo mismo cuando se toma por la regla o instituto de alguna comunidad o corporación, y por las mismas corporaciones, como *la orden de San Francisco, las órdenes mendicantes, las órdenes militares*. *Desorden, fin*, son hoy constantemente masculinos *.

178. h) De los en *o* son femeninos *mano, nao, testudo*. Algunos usan como del género femenino a *sínodo*: pero ya es rara esa práctica. *Quersoneso* (nombre general que daban los griegos a las penínsulas) me parece que debe tenerse por femenino: *la Quersoneso Címbrica, Táurica*, etc., y ese género le ha dado el poeta Valbuena. *Pro* es masculino en *el pro y el contra*, y en la locución familiar *buen pro te haga*; femenino en *la pro común, la pro comunal*.

179. i) De los en *r* son femeninos *bezar, bezoar, flor, labor, segur, zoster*. *Mar* es ambiguo, excepto cuando se le junta el sustantivo *Océano* o los adjetivos geográficos *Adriático, Atlántico, Mediterráneo, Báltico, Caspio, Pacífico, Negro, Blanco, Rojo, Glacial*, etc. Sus compuestos *bajamar, pleamar, estrellamar*, son femeninos. *Azúcar* es ambiguo. *Calor, color* y *sabor* no rechazan del todo el género femenino, especialmente en verso.

180. j) De los en *s* hay muchísimos femeninos que terminan en *sis*, originados de sustantivos griegos de la misma terminación y género, como *antítesis, crisis, diátesis, sintaxis, tesis*. Hay empero excepciones, como *Apocalipsis, Génesis*, constantemente masculinos, *énfasis* y *análisis*, ambiguos. Es masculino *iris* cuando no es el nombre propio de una diosa. Son femeninos *aguarrás, bilis, colapiscis, lis, litis, macis, monopastos* y *polispastos, mies, res, tos* y *venus*; y ambiguo *cutis*.

181. k) De los acabados en *u* es femenino *tribu*.

182. l) De los en *x* son femeninos *ónix* y *sardónix*. *Fénix*, antes femenino, ha pasado ya al otro género.

183. m) De los en *z* son femeninos *cerviz, cicatriz, coz, cruz, faz, haz* (por cara o superficie), *hez, hoz, lombriz, luz, matriz, nariz, nuez, paz, perdiz, pez* (significando una sustancia vegetal o mineral), *pómez, raíz, sobrepelliz, tez, vez, voz*, y todos los derivados abstractos, como *altivez, niñez, sencillez*. *Doblez* es femenino significando la cualidad abstracta de lo doble, y masculino por pliegue. *Prez* es ambiguo.

184. 4º Los plurales en *as* y *des* son generalmente femeninos; todos los otros masculinos.

185. Exceptúanse por masculinos *los afueras, los cercas* (término de pintura); por femeninos *cortes* (cuerpo legislativo), *creces, fauces, llares, pares* (placenta), *partes* (prendas intelectuales y morales de una persona), *preces, testimoniales y trébedes*; y por ambiguos *modales* y *puches*. *Fasces* o *haces*, significando los haces de segur y varas que llevaban los lictores delante de ciertos magistrados romanos, son indisputablemente masculinos: yo a lo menos no alcanzo

* Nuestros clásicos solían hacerlos femeninos, y lo mismo a *orden* en los significados en que hoy ha prevalecido el otro género.

razón alguna para que la voz latina *fasces*, que no es de uso popular, varíe de género en castellano, ni para que un haz de varas sea femenino en manos de los lictores, siendo masculino en cualesquiera otras.

186. 5º Los compuestos terminados en sustantivo singular que conserva su forma simple, siguen el género de éste, como *aguamiel, contraveneno, contrapeste, desazón, disfavor, sinrazón, sinsabor, trasluz*, *trastienda*.

187. Exceptúanse *aguachirle, aguapié*, femeninos; *guardacostas*, *guardavela* y *tapaboca*, masculinos; y a lo mismo se inclinan los otros compuestos de verbo y sustantivo, formados a la manera de estos tres, como *guardamano, pasamano, mondadientes, cortaplumas*; bien que *chotacabras, guardapuerta, guardarropa, portabandera, portacarabina, sacafilásticas, tornaboda, tornaguía, tragaluz*, son femeninos; *portaalmizcle* y *portapaz*, ambiguos.

Capítulo XI
NOMBRES NUMERALES

188. Llámanse *numerales* los nombres que significan número determinado, sea que sólo expresen esta idea o que la asocien con otra. Son de varias especies.

NUMERALES CARDINALES

189. Los *numerales cardinales* son adjetivos que significan simplemente un número determinado, como *uno, dos, tres, cuatro*, etc. Júntanse a veces dos o más de estos nombres para designar el número de que se quiere dar idea, como *diez y nueve, veinte y tres*, *trescientos ochenta y cuatro, mil novecientos cuarenta y seis, doscientos sesenta y ocho mil setecientos cincuenta y cinco*. En este último ejemplo se ve que los cardinales que preceden a *mil* denotan la multiplicación de este número, como si se dijese *doscientas sesenta y ocho veces mil*.

190. *Uno, una,* carece de plural si se limita a significar la unidad. Puede tenerlo en los casos siguientes:

1º Cuando es *artículo indefinido:* se le da este título siempre que se emplea para significar que se trata de objeto u objetos *indefinidos,* esto es, no consabidos de la persona o personas a quienes hablamos: *un hombre, una mujer, unos mercaderes, unas casas.*

2º Cuando lo hacemos sustantivo, denotando el guarismo con que se representa la unidad: *el once se compone de dos unos.*

3º Cuando significa identidad o semejanza: *el mundo siempre es uno; no todos los tiempos son unos.*

191. *Dos, tres,* y todos los otros numerales cardinales son necesariamente plurales, a menos que los hagamos sustantivos, denotando los números en abstracto, o bien empleándolos como nombres de guarismos, naipes, regimientos, batallones, etc. En estos casos los hacemos del número singular, y podemos darles plural: v. gr. *ocho es doble de cuatro; el veinte y tres se compone de un dos y un tres; el seis de infantería ligera; quedaban en la baraja tres doses.*

192. *Ambos, ambas,* es un adjetivo plural de que nos servimos para señalar juntamente dos cosas de que ya se ha hecho mención, o cuya existencia suponemos conocida, como cuando, hecha mención de dos hombres, digo: *venían ambos a caballo,* o sin mención precedente, *tengo ambas manos adormecidas.* Dícese también *entrambos,* y *ambos* o *entrambos a dos* *.

193. *Ciento* sufre apócope: *cien ducados, cien leguas.* La forma abreviada es necesaria antes de todo sustantivo, como en *cien duraznos, cien pesos,* o interviniendo solamente adjetivos, como en *cien valerosos guerreros, cien aventuradas empresas,* pero sería viciosa en cualquiera otra situación: *los*

* *Entrambos* era en lo antiguo *entre ambos: no pudieron cargar el peso entre ambos.* Creo que aun hoy debiéramos hacer esta diferencia. Dícese generalmente *ambos* o *entrambos* en sentido de *uno y otro: «ambos* o *entrambos* vivieron en el siglo XVI»; pero *ambos a dos* o *entrambos a dos,* es más propio cuando se trata de dos agentes que concurrieron a la producción de un mismo efecto: *«Ambos a dos le mataron». Ambos* o *entrambos* no es equivalente a *los dos,* sino cuando *los dos* significa copulativamente *uno y otro.* Creo que cualquiera extrañará el uso de este numeral en el pasaje siguiente de un escritor célebre: «El primero de *ambos* autores (Zamora y Cañizares), nacido en una época de corto saber y estragado gusto, halló el teatro en suma decadencia.» El uso propio es el que aparece en los ejemplos del texto y en este de don Joaquín Lorenzo Villanueva: «Quien de veras sirve a la religión y a la sociedad es el que separa de *ambas* los abusos con que las ha tiznado la ambición y la sed de oro». Otra observación hay que hacer en *ambos,* y es que en las frases negativas la negación se refiere a uno de los dos, y no al uno y al otro. *No era grande el talento en ambos,* sólo quiere decir que en uno de ellos no era grande. No es pues propio el empleo de este numeral en un escritor generalmente elegante y correcto: «No se descubrió el valor en ambos ejércitos», porque lo que se quiere decir es que uno y otro se portaron con poco valor. Y lo que se dice es que sólo se portó con valor uno de ellos. La observación abraza, por supuesto, el caso en que se trata de expresar una relación entre los dos: «No era igual en ambos el valor», quiere decir que uno tenía más y otro menos.

muertos pasaron de cien, cien de los enemigos quedaron en el campo de batalla, son expresiones incorrectas; bien que no dejan de encontrarse en distinguidos escritos modernos. Cuando precede a un cardinal, se distingue: si lo multiplica, se apocopa: *cien mil hombres;* si sólo se le añade, no sufre apócope: *ciento cincuenta y tres, ciento veinte y tres mil.*

194. *Ciento* y *mil* se usan como sustantivos colectivos, y entonces reciben ambos números: *las peras se venden a tanto el ciento; muchos cientos, muchos miles.* Con *ciento* como colectivo se forman los adjetivos compuestos *doscientos, trescientos,* etc., que tienen dos terminaciones para los géneros: *doscientos reales, cuatrocientas libras. Millón, billón, trillón,* etc. (y lo mismo *cuento,* que en el significado de millón apenas tiene ya uso), se emplean constantemente como sustantivos colectivos.

NUMERALES ORDINALES

195. Los *numerales ordinales* denotan el orden numérico: *primero, segundo, tercero, noveno, décimo, undécimo, duodécimo, vigésimo, centésimo.* Combínanse cuando es necesario, y entonces puede sustituírse a *primero, primo,* y a *tercero, tercio: trigésimo primo, cuadragésimo tercio.* Algunos otros hay que tienen también formas dobles, v. gr. *séptimo* y *seteno, noveno* y *nono, vigésimo* y *veinteno, centésimo* y *centeno.* Empléanse asimismo como ordinales los cardinales: *la ley dos, el capítulo siete, Luis catorce, el siglo diez y nueve.*

196. Con los días del mes no se junta otro ordinal que *primero,* y ésa es también la práctica más ordinaria en las citas de las leyes. En las de capítulos se usan indiferentemente desde *dos* los ordinales y los cardinales, pero suelen preferirse los cardinales, desde *trece.*

197. Con los nombres de reyes de España y de papas se prefieren constantemente los ordinales, hasta duodécimo: dícese *Benedicto catorce* y *Benedicto décimocuarto;* pero siempre *Juan veinte y dos.* Con los nombres de otros monarcas extranjeros solemos juntar los ordinales hasta *diez* u *once,* los cardinales desde *diez: Enrique cuarto* (de Francia), *Federico segundo* (de Prusia), *Luis once* o *undécimo* (de Francia), *Carlos doce* (de Suecia), *Luis catorce* (de Francia).

NUMERALES DISTRIBUTIVOS

198. No tenemos otro *numeral distributivo* que el adjetivo plural *sendos, sendas;* cuyo recto uso y significación se manifiestan en estos ejemplos: «Tenían las cuatro ninfas sendos vasos hechos a la romana» (Jorge de Montemayor); esto es, cada ninfa un vaso. «Eligiendo el duque tres soldados nadadores, mandó que con sendas zapas pasasen el foso» (Coloma); cada soldado con su zapa.

«Mirando Sancho a los del jardín tiernamente y con lágrimas, les dijo que le ayudasen en aquel trance con sendos paternostres y sendas avemarías» (Cervantes); cada uno con un paternóster y una avemaría. «El rey y la reina, vestidos de sus paños reales, fueron levantados en sendos paveses» (Mariana); el uno en un pavés y la otra en otro. «Envió (el rey moro de Córdoba) sus cartas para el rey de Galicia con dos hermosos caballos ricamente enjaezados y sendas espadas de Córdoba y de Toledo» (Conde); una de Córdoba y otra de Toledo. «Salieron de la nave seis enanos, tañendo sendas arpas» (Clemencín); cada enano una arpa. «Masanielo y su hermano iban en sendos caballos hermosísimos, enjaezados con primor y riqueza» (el duque de Rivas); Masanielo en un caballo y su hermano en otro. «Ya se hallaban todos ellos apercibidos, prontos en sendos caballos de pelea» (Martínez de la Rosa); cada uno en su caballo.

199. Yerran los que creen que *sendos* ha significado jamás *grandes* o *fuertes* o *descomunales.* No puede decirse, por ejemplo, que *un hombre dió a otro sendas bofetadas*; y *se dieron sendas bofetadas* quiere decir simplemente que cada cual dió una bofetada al otro: *sendos* no envuelve ninguna idea de cualidad o magnitud, sino de unidad distributiva. Yerran más groseramente, si cabe, los que usan este adjetivo en singular, como lo hizo un célebre escritor del tiempo de Carlos III. La Academia no ha transigido con estas corruptelas, y sería de sentir que las autorizase.*

200. Para significar la distribución numeral nos servimos casi siempre de los cardinales; v. gr. *asignáronsele cien doblones al año, o cada un año; nombróse para cada diez hombres un cabo; eligieron cada mil hombres una persona que los representase.* Se usa, pues, *cada* como adjetivo de todo número y género bajo una terminación invariable; y sólo puede juntarse con los numerales cardinales *uno, dos, tres,* etcétera, subentendiéndose casi siempre el primero. En *cada*

* No ignoro que pueden alegarse a favor de ellas bastantes ejemplos de escritores modernos, uno de ellos el P. Isla, que en materia de lenguaje no es autoridad despreciable. Este uso, sin embargo, es indudablemente moderno, y sobre adulterar el significado propio de la palabra, propende a privarnos de un elegante distributivo, que no se podría reemplazar sino por una perífrasis. El uso moderno de *sendos* ha nacido visiblemente de no haberse entendido lo que significaba este numeral en los buenos tiempos del castellano. La innovación es de aquellas que empobrecen las lenguas.

uno o *cada una* o *cada cual, uno, una* y *cual* son adjetivos sustantivados. *Cada* no se hace colectivo cuando se construye con sustantivos plurales, porque concierta con el verbo en plural, según se ve en el último ejemplo. *

201. En los siglos diez y seis y diez y siete se usaba de diverso modo este adjetivo. «Dejando en los fuertes cada dos compañías, volvió la gente a Antequera» (D. D. Hurtado de Mendoza); esto es, dos compañías en cada fuerte. «En recompensa del cargo que les quitaban, dieron (las cortes) a Juan de Velasco y a Diego López de Zuñiga cada seis mil florines: pequeño precio y satisfacción» (Mariana); seis mil florines a cada uno. «Ofreciendo Mr. de Vitry levantar dos compañías de cada ciento cincuenta caballos, tuvo maña», etc. (Coloma); cada una de ciento cincuenta caballos. «Presentaba a los clérigos cada sendas peras verdiñales» (D. D. H. de Mendoza): una de estas frutas a cada clérigo. Esta locución es desusada en el día.

NUMERALES MÚLTIPLOS

202. Llámanse *proporcionales* o *múltiplos* los numerales que significan multiplicación, v. gr. *doble* o *duplicada fuerza, triple* o *triplicado número, cuádrupla* o *cuadruplicada gente. Duplo* y *triplo* son siempre *sustantivos*; los demás son adjetivos, que en la terminación masculina pueden sustantivarse: *el doble, el cuádruplo, el décuplo, el céntuplo;* lo que no se extiende a los que acaban en *ado.*

203. Formamos también numerales múltiplos dando al respectivo cardinal la terminación *tanto,* como *cuatrotanto.* «Es verdad que el valor de esta industria empleada por los extranjeros en las lanas españolas, supera en el cuatrotanto el valor de la materia que les damos» (Jovellanos). Pero no suelen formarse estos compuestos sino con cardinales desde *tres* hasta *diez.*

NUMERALES PARTITIVOS

204. Los *numerales partitivos* significan división, v. gr. *la mitad, el tercio, el cuarto.* Comúnmente se emplean en este sentido los ordinales desde *tercero* en adelante, construídos con el sustantivo femenino *parte: la tercera* o *tercia parte, la décima parte,* etc., o sustantivados en la terminación femenina o masculina; *una tercia, un tercio* (no *una tercera, un tercero), una cuarta, un cuarto, dos décimos, tres centésimos,*

* Se hace adverbio en la frase *cada y cuando.*

etcétera; sobre lo cual notaremos: 1º que el ordinal masculino es general en su significado, mientras el femenino se aplica a determinadas cosas, como *tercia, cuarta,* de la vara; 2º que la terminación femenina es menos usada que la masculina en la aritmética decimal; y 3º que cuando el ordinal sufre alteración en su forma, se aplica también a determinadas cosas, v. gr. *sesma,* de la vara, *diezmo,* de los frutos, impuesto fiscal o eclesiástico. En la aritmética se forman partitivos de todos los cardinales, simples o compuestos, desde *once,* añadiéndoles la terminación *avo;* v. gr. *un onceavo* (1/11), *dos veinteavos* (2/20), *treinta y tres centavos* (33/100), *novecientos ochenta y tres, mil-cuatrocientos-cincuenta-y-cinco-avos* (983/1455).

NUMERALES COLECTIVOS

205. Finalmente, los *numerales colectivos* son sustantivos que representan como unidad un número determinado, v. gr. *decena, docena, veintena, centenar, millar, millón.* Ya se ha dicho que *ciento* y *mil* se suelen emplear como colectivos.

CAPÍTULO XII

NOMBRES AUMENTATIVOS Y DIMINUTIVOS

206. Las terminaciones aumentativas más frecuentes son *azo, aza; on, ona; ote, ota; ísimo, ísima;* como *gigantazo, gigantaza; señorón, señorona; grandote, grandota; dulcísimo, dulcísima.* Júntanse a veces dos terminaciones para dar más fuerza a la idea: *picaronazo, picaronaza.* De los en *ísimo, ísima,* que forman una especie particular, trataremos después separadamente.

207. Los aumentativos en *on* dejan a veces el género del sustantivo de que se forman, v. gr. *cigarrón, murallón, lanzón.*

208. Hay otras terminaciones aumentativas menos usuales, como *ricucho* (de *rico*), *vivaracho* (de *vivo*), *nubarrón* (de *nube*), *bobarrón* y *bobalicón* (de *bobo*), *mocetón* (de *mozo*), etc.

209. A las terminaciones aumentativas agregamos frecuentemente la idea de tosquedad o fealdad, como en *gigantazo, librote;* de frivolidad, como en *vivaracho;* de desprecio o burla, como en *pobretón, bobarrón.* Todas ellas son ajenas del estilo elevado, mientras envuelven estas ideas accesorias, lo que en varios sustantivos no hacen, v. gr. en *murallón, lanzón;* deponiendo a veces hasta la significación de aumento, y aun tomando la contraria, como en *anadón, islote.*

210. Las terminaciones diminutivas más frecuentes son *ejo, eja; ete, eta; ico, ica; illo, illa; ito, ita; uelo, uela,* pero no se forman siempre de un mismo modo, como se ve en los ejemplos siguientes: *florecilla, florecita* (de *flor*); *manecita* (de *mano*); *pececillo, pececito* (de *pez*); *avecica, avecilla, avecita* (de *ave*); *autorcillo, autorcito, autorzuelo* (de *autor*); *dolorcillo, dolorcito* (de *dolor*); *librejo, librito* (de *libro*); *jardinito, jardinillo, jardincito, jardincillo* (de *jardín*); *viejecico, viejecillo, viejecito, viejezuelo, vejete, vejezuelo* (de *viejo*); *cieguecillo, cieguecito, cieguezuelo, ceguezuelo* (de *ciego*); *piedrecilla, piedrecita, piedrezuela, pedrezuela* (de *piedra*); *tiernecillo, tiernecito, ternezuelo* (de *tierno*).

211. Hay otras menos frecuentes, a saber: las en *ato, ata; el, ela; éculo, écula; ículo, ícula; il; ín; ola; uco, uca; ucho, ucha; ulo, ula; úsculo, úscula* v. gr. *cervato* (de *ciervo*), *doncel* (de *don*), *damisela* (de *dama*), *molécula* (de *mole*), *retículo* (de *red*), *partícula* (de *parte*), *tamboril* (de *tambor*), *peluquín* (de *peluca*), *banderola* (de *bandera*), *casuca* y *casucha* (de *casa*), *serrucho* (de *sierra*), *glóbulo* (de *globo*), *célula* (de *celda*), *corpúsculo* (de *cuerpo*), *opúsculo* (de *obra*). Los diminutivos esdrújulos son todos de formación latina.

212. A los diminutivos agregamos junto con la idea de pequeñez, y a veces sin ella, las ideas de cariño o compasión, más propias de los en *ito,* como en *hijito, abuelito, viejecito*; o la de desprecio y burla, más acomodada a los en *ejo, ete, uelo,* como *librejo, vejete, autorzuelo.* Las de compasión o cariño no son enteramente ajenas del estilo elevado y afectuoso, pero todas ellas ocurren más a menudo en el familiar y el festivo. Son notables los diminutivos *todito, nadita,* que no alteran en manera alguna la significación de *todo* y *nada,* y sólo sirven para acomodarlos al estilo familiar.

213. Hay multitud de sustantivos que sirven para designar a los animales de tierna edad, a la manera que lo hacen *niño, muchacho, párvulo, rapaz,* respecto de la especie humana; y que podemos asociar por eso a los diminutivos, aun cuando no se formen a la manera de éstos. Así llamamos *cordero, corderillo,* la cría de la oveja; *borrego,* el cordero de uno a dos años; *potro, potrillo,* el caballo de poca edad; *potranca,* la yegua de poca edad; *chivato, chivatillo,* el cabrito que llega al año; *jabato,* el hijo pequeño de la jabalina; *lechón, lechoncillo,* el cerdo que todavía mama; *ballenato,* el hijo pequeño de la ballena; *lebrato, lebratillo,* el de la liebre; *corcino,* el de la corza; *cachorro, cachorrillo,* el hijuelo de un cuadrúpedo carnívoro; *lobato, lobatillo, lobezno,* el de la loba; *pollo,* el ave de poca edad; *ansarino,* el pollo del ánsar o ganso; *anadino, anadón,* el del ánade; *palomino,* el de la paloma; *pichón,* el de la paloma casera; *cigoñino,* el de la cigüeña; *pavipollo,* el de la pava; *aguilucho,* el del águila; *ranacuajo* o *renacuajo,* la rana pequeña o de poca edad; *viborezno,* la víbora recién nacida, etc.

214. A los mismos debemos agregar los que significan la planta tierna, como *cebollino, colino, lechuguino, porrino;* la planta de cebolla, col, lechuga, puerro, en estado de trasplantarse.

215. Varios nombres femeninos tienen diminutivos masculinos en *in,* como *espada, espadín; peluca, peluquín.*

216. En la formación de los aumentativos y diminutivos, los diptongos *ié, ué,* acentuados sobre la *é,* pasan a veces a las vocales simples *e, o,* cuando pierden el acento, como *pierna, pernaza; bueno, bonazo; ciervo, cervato; cuerpo, corpecico.* Esto sólo se verifica cuando el nombre de que se forma el aumentativo o diminutivo ha pasado anteriormente de la vocal simple al diptongo, como *pierna* (en latín *perna), bueno* (en latín *bonus), ciervo (cervus), cuerpo (corpus)*; de modo que la sílaba variable que se ha vuelto diptongo bajo la influencia del acento, recobra su primitiva simplicidad desde que deja de ser acentuada: lo que, a la verdad, ocurre mucho menos frecuentemente en éstas que en otras especies de derivaciones, como en *bondad* (de *bueno*), *fortaleza* (de *fuerte*), *dentición, dentadura, dentista* (de *diente*), *mortal, mortalidad, mortandad, mortecino, mortuorio* (de *muerte*), *poblar, población, popular, populoso* (de *pueblo*), etc.

217. En la formación de los aumentativos y diminutivos (y lo mismo en todas las otras especies de inflexiones) debe atenderse, no a las letras o caracteres, sino a los sonidos. *Peluquín,* por ejemplo, no es menos regular que *espadín,* porque en el primero a la *c* de *peluca* se sustituye *qu,* como es necesario para que subsista el sonido fuerte de la *c.* Igualmente regulares son *cieguecillo,* en que la *g* pasa a *gu* para que no se altere su sonido, y *pedacillo,* en que se muda en *c* la *z* de *pedazo,* como lo hacemos sin necesidad según la ortografía corriente.

218. Las formas diminutivas de los nombres propios son a veces bastante irregulares, como *Pepe* (de *José*), *Paco, Pancho, Paquito, Panchito* (de *Francisco*), *Manolo* (de *Manuel*), *Concha, Conchita* (de *Concepción*), *Belica* (de *Isabel*), *Perico, Perucho* (de *Pedro*), *Catana, Cata* (de *Catalina*), etc.*

APÉNDICE

DE LOS SUPERLATIVOS ABSOLUTOS

219. Los aumentativos de más uso, y los que tienen más cabida en el estilo elevado, son los llamados *superlativos,* que generalmente terminan en *ísimo, ísima;* como *grandísimo* (de *grande), blanquísimo* (de *blanco), utilísimo* (de *útil);* equivalentes a las frases *muy grande, muy blanco, muy útil,* que se llaman también superlativas.

220. Conviene observar que con los adjetivos y frases de que hablamos no se expresa el grado más alto de la cualidad significada

* En Chile, como en algunos otros países de América, se abusa de los diminutivos. Se llama *señorita,* no sólo a toda señora soltera, de cualquier tamaño y edad, sino a toda señora casada o viuda; y casi nunca se las nombra sino con los diminutivos *Pepita, Conchita,* por más ancianas y corpulentas que sean. Esta práctica debiera desterrarse, no sólo porque tiene algo de chocante y ridículo, sino porque confunde diferencias esenciales en el trato social. En el abuso de las terminaciones diminutivas hay algo de empalagoso.

por el primitivo; pues el decir, v. gr., que *César fué orador elocuentísimo* y que *aun era más elocuente Marco Tulio*, nada tiene que no sea conforme a la razón y a la gramática. Otros superlativos hay (que en nuestra lengua no son ordinariamente nombres simples sino frases), por medio de los cuales se denota el grado más alto de la cualidad respectiva, dentro de la clase que se designa, como cuando decimos que «*el último* de los reyes godos de España se llamó Rodrigo», o que «Londres es *la más populosa* ciudad de Europa», o que «las palmas son *los más elegantes* de los árboles». Estos superlativos se llaman *partitivos*, porque forman una parte o especie particular dentro de la clase o colección de seres a que se refieren. Llámanse también superlativos de *régimen*, porque *rigen*, esto es, llevan siempre, expreso o tácito, un complemento compuesto de la preposición *de* o *entre* y del nombre de la clase: «*la más populosa de* o *entre las ciudades europeas*», o (embebiendo el complemento) «*la más populosa ciudad europea*». Este régimen es lo que mejor los distingue de los superlativos *absolutos*, de que vamos a tratar.

221. En lugar de *muy* se emplean a veces otros adverbios o complementos de igual o semejante significación, como *sumamente, extremadamente, en gran manera, en extremo.* Entre ellos debe contarse *además*, que se pospone entonces: *colérico además, pensativo además*, significan lo mismo que *muy colérico, muy pensativo.*

222. Sólo de los adjetivos se pueden formar superlativos. La desinencia se forma regularmente sustituyendo a las vocales *o, e,* o añadiendo a las consonantes el final *ísimo*, que admite inflexiones de género y de número. Pero hay multitud de irregulares.

223. Consiste esta irregularidad, ya en que alteran la raíz, como *benevolentísimo* (de *benévolo*), *ardentísimo* (de *ardiente*), *fortísimo* (de *fuerte*), *fidelísimo* (de *fiel*), *antiquísimo* (de *antiguo*), *sacratísimo* (de *sagrado*), *sapientísimo* (de *sabio*), *beneficentísimo, magnificentísimo, munificentísimo* (de *benéfico, magnífico, munífico*); ya en que alteran la terminación o ambas cosas a un tiempo, como *acérrimo, celebérrimo, integérrimo, libérrimo, misérrimo, salubérrimo* (de *acre, célebre, íntegro, libre, mísero, salubre*). Los superlativos de *doble* *, *endeble, feble*, son regulares; los demás terminados en *ble* mudan este final en *bilísimo*: *amabilísimo, nobilísimo, sensibilísimo, volubilísimo.* En los acabados en *io*, si la *i* del final tiene acento, se sigue la formación regular, como en *friísimo, piísimo*; si la *i* del final carece de acento, se pierde, como en *amplísimo, limpísimo, agrísimo;* pero hay muchos que no toman la terminación superlativa, como *sombrío, tardío, vacío, lacio, temerario, vario, zafio.*

224. Los superlativos irregulares son casi todos latinos, y para

* Este adjetivo en su significado primario de *dos veces el simple*, no admite más ni menos y por consiguiente no tiene superlativo; en otras acepciones lo tiene, aunque de poquísimo uso; *un paño doblísimo, una dalia doblísima.*

algunos adjetivos hay dos formas superlativas, una regular, de formación castellana, y otra irregular, que tomamos de la lengua latina: *amiguísimo* y *amicísimo; dificilísimo* y *dificílimo; asperísimo* y *aspérrimo; pobrísimo* y *paupérrimo; fertilísimo* y *ubérrimo; friísimo* y *frigidísimo* * ; *bonísimo* y *óptimo; malísimo* y *pésimo; grandísimo* y *máximo; pequeñísimo* y *mínimo; altísimo* y *supremo* o *sumo; bajísimo* e *ínfimo*. Son también de formación latina *íntimo* (superlativo de *interno*), *próximo* (de *cercano*). Varios de estos superlativos tomados de la lengua latina se usan también como partitivos o de régimen, según veremos en su lugar.

225. Hay gran número de adjetivos que no admiten la inflexión superlativa o porque en su significado no cabe más ni menos (y en tal caso es claro que tampoco puede tener uso la frase superlativa formada con el adverbio *muy grandemente*, u otra expresión análoga), como *uno, dos, tres, primero, segundo, tercero*, y todos los numerales; *omnipotente , inmenso, inmortal; celeste y celestial; terrestre, terreno* y *terrenal; sublunar, infernal, infando, nefando, triangular, rectángulo*, etc.; o porque su estructura, según los hábitos de la lengua, no se presta a la inflexión, como en casi todos los esdrújulos en *eo, imo, ico, fero, gero, vomo;* v. gr. *momentáneo, sanguíneo, férreo, lácteo, legítimo, marítimo, selvático, exótico, satírico, empírico, político, mefítico, lógico, cáustico, colérico, mortífero, aurífero, pestífero, armígero, ignívomo;* los en *i*, como *verdegay, turquí*; los en *il*, que se aplican a sexos, edades y condiciones, v. gr. *varonil, mujeril, pueril, juvenil, senil, señoril, pastoril*; y varios otros, como *repentino, súbito, efímero, lúgubre*, etc. Algunos de los enumerados admiten a veces la inflexión en el estilo jocoso, como lo hacen los sustantivos mismos.

226. Los medios de que nos servimos para formar superlativos, no son todos de igual valor entre sí, pues unos encarecen más que otros. Cualquiera percibiría la graduación de *grandemente, extremadamente, sumamente*. Salvá observa que la inflexión tiene más fuerza que la frase; que *doctísimo*, por ejemplo, dice más que *muy docto*.

227. Hay adjetivos que no admitiendo la inflexión ni la frase, porque su significado lo resiste, modificado éste, de manera que la cualidad sea susceptible de más y menos, pueden construírse con *muy*, como cuando decimos que un hombre *es muy nulo* (tomando a *nulo* por inepto). En este caso se hallan también no pocos sustantivos cuando pasan a significación adjetiva: *muy hombre, muy mujer, muy soldado, muy filósofo, muy bachillera, muy maula, muy alhaja, muy fantasma, muy bestia*. A veces la inflexión superlativa es sólo enfática, como en *mismísimo, singularísimo*.

228. Lo que debe evitarse como una vulgaridad es la construcción de la desinencia superlativa con los adverbios *más, menos*, diciendo, v. gr. *más doctísimo, menos hermosísima*. Ni es de mucho mejor ley su construcción con *muy, tan, cuan*. Pero *mínimo, íntimo, ínfimo, próximo*, se usan a veces

* Pudiera atribuírse el superlativo *frigidísimo* a *frígido;* pero no le pertenece exclusivamente; porque *frígido* es de poco uso en prosa, al paso que *frigidísimo* se aplica a todo lo que es en alto grado frío, en todos los sentidos y estilos.

como si no fuesen superlativos, pues se dice corrientemente *la cosa más mínima, mi más íntimo amigo, a precio tan ínfimo, una casa tan próxima.*

Capítulo XIII

DE LOS PRONOMBRES

229. Llamamos PRONOMBRES los nombres que significan primera, segunda o tercera persona, ya expresen esta sola idea, ya la asocien con otra. *

PRONOMBRES PERSONALES

230. Hay pronombres de varias especies, y la primera es la de los estrictamente *personales,* que significan la idea de persona por sí sola; tales son:

Yo, primera persona de singular, masculino y femenino.
Nosotros, nosotras, primera de plural.
Tú, segunda de singular, masculino y femenino.
Vosotros, vosotras, segunda de plural.

231. Pudiera decirse que fuera de estos cuatro sustantivos, no hay nombres que de suyo signifiquen persona determinada, esto es, primera, segunda o tercera; porque de los otros, que generalmente se miran como de tercera, apenas podrá señalarse alguno que no sea capaz de tomar en ciertas circunstancias la primera o segunda. *Pueblo* es tercera persona en «A mi pueblo despojaron sus exactores y lo han dominado mujeres» (Scío); y segunda en «Pueblo mío, los que te llaman bienaventurado, esos mismos te engañan» (Scío). *Rey* es tercera persona en *El rey lo manda;* primera en *Yo el rey;* y en este ejemplo de Mariana, segunda: «¿Los reyes tenéis por santo y por honesto lo que os viene más a cuento para reinar?» Sustitúyese aquí con elegancia al personal *vosotros* el apelativo *los reyes;* lo que nuestra lengua no permite sino en el plural; no se podría decir *el rey lo mandas.* De la misma manera: «Los viejos somos regañones y descontentadizos», donde el apelativo *los viejos* lleva envuelto el personal *nosotros,* lo que no pudiera hacerse con el

* Véase la Nota IV, al fin del capítulo.

singular *yo* *. La misma indeterminación de persona se encuentra aún en los adjetivos *el* y *aquel*, que se tienen por de la tercera. Si así no fuese, no podría decirse *yo soy aquel que dije; tú eres el que trajiste* **.

232. En lugar de *yo* y de *nosotros* se dice *nos* en los despachos y provisiones de personas constituídas en alta dignidad: *Nos don N., Arzobispo de; Nos el Deán y Cabildo de.* En el primer ejemplo la pluralidad es ficticia: multiplícase la persona en señal de autoridad y poder. Pero aun cuando *nos* signifique realmente un solo individuo, en su construcción es un verdadero plural: «Nos (el Arzobispo) mandamos»; «Si alguna contrariedad pareciere en las leyes (decía el rey don Alonso XI), tenemos por bien que Nos *seamos requeridos sobre ello*» ***. No se extiende, sin embargo, la pluralidad ficticia a los sustantivos que se adjetivan haciéndose predicados de *Nos:* «Elevada la solicitud a *Nos* el Presidente de la República, hemos resuelto», etc.

233. Es frecuente en lo impreso que el escritor se designe a sí mismo en primera persona de plural: «Nos hallamos obligados a elegir éste, de los tres argumentos que propusimos» (Solís); pero entonces no se dice *nos* en lugar de *nosotros.*

234. Hay en la segunda persona pluralidad ficticia cuando se dice *vos* por *tú,* representándose como multiplicado el individuo en señal de cortesía o respeto; pero ahora no se usa este *vos* sino cuando se habla a Dios o a los Santos, o

* Se pudiera dudar de esta aserción en vista de construcciones como *Hombre, no creo que nada humano sea ajeno de mí;* donde *hombre* es en efecto primera persona. Pero este apelativo no hace aquí las veces del personal *yo;* es sólo un epíteto suyo, una modificación explicativa: manifiéstalo la puntuación misma, que presenta una pausa necesaria:

......«*Mozo,* estudié:
Hombre, seguí el aparato
De la guerra; y ya *varón,*
Las lisonjas de palacio.
Estudiante, gané nombre;
Esta cruz me honró, *soldado;*
Y *cortesano,* adquirí
Hacienda, amigos y cargos.
Viejo ya, me persuadieron
Mis canas y desengaños
A la bella retirada
Desta soledad, descanso
De cortesanas molestias,
Donde prevengo despacio
Seguro hospicio a la muerte.

(Tirso de Molina.)

** Después veremos que *él* y *el* son esencialmente una misma palabra.

*** No lo hacen así los franceses: «Le pouvoir qui nous a été confié et que nous sommes tenus d'exercer pour le bonheur de nos sujets», hubiera podido decir un rey de Francia. No han faltado escritores castellanos que imitasen esta construcción.

en composiciones dramáticas *, o en ciertas piezas oficiales, donde lo pide la ley o la costumbre. **

En los demás casos *vos* por *vosotros* es hoy puramente poético:

«Lanzad de vos el yugo vergonzoso.»
(Ercilla.)

235. El uso de *vos,* cuando significa pluralidad ficticia, no es semejante al de *nos,* pues no sólo se ponen en singular los sustantivos, sino los adjetivos que le sirven de predicados: «Acabastes, Señor, la vida con tan grande pobreza, que no *tuvistes* una sola gota de agua en la hora de vuestra muerte, y con tan gran desamparo de todas las cosas, que de vuestro mismo padre *fuistes desamparado*» (Granada).

236. *Yo* se declina por *casos,* esto es, admite variedades de forma según las diferentes relaciones en que se halla con las otras palabras de la proposición. Podemos distinguir desde luego tres casos:

Yo, sujeto: *yo soy, yo leo, yo escribo.*

Me, complemento que modifica al verbo: *me dices, me esperan.*

Mí, término de preposición: *tú no piensas en mí, trajeron una carta dirigida a mí.*

237. La forma del nombre declinable que sirve de sujeto, se llama *caso nominativo;* la forma que toma cuando sirve de complemento, *caso complementario;* y la que toma cuando sirve de término, *caso terminal.*

238. Recuérdese que los complementos son de dos especies: los unos compuestos de preposición y término, como el que modifica al verbo en *obedezco a la ley;* los otros formados por el término solo, como el que modifica al verbo en *cumplo la ley* (65 a 67). En el segundo ejemplo *la ley* es todo el complemento, en el primero no es más que una parte del complemento, el término. El caso *me* forma un complemento, y por eso lo llamo *complementario;* el caso *mí* forma solamente el término de un complemento, y por eso lo llamo *terminal.*

239. Pero la forma *me* comprende verdaderamente dos casos que es necesario distinguir: porque si bien se presenta bajo

* Si hablan en el drama personajes antiguos, es un anacronismo la pluralidad imaginaria de segunda persona, que fué desconocida en la antigüedad. Si personajes de nuestros días y de países en que la lengua nativa es la castellana, lo propio en el diálogo familiar sería *usted* o *tú.* Pero por una especie de convención tácita parece admitirse el *vos* en reemplazo del enojoso *usted.*

** El *vos* de que se hace tanto uso en Chile en el diálogo familiar, es una vulgaridad que debe evitarse, y el construírlo con el singular de los verbos una corrupción insoportable. Las formas del verbo que se han de construír con *vos* son precisamente las mismas que se construyen con *vosotros.*

una forma invariable en los pronombres personales, en los demostrativos no es así, como luego veremos. Cuando se dice *tú me amas, él me odia, ellos me ven,* yo soy el objeto amado, el objeto odiado, el objeto visto: *me* forma por sí sólo un complemento *acusativo.* Pero cuando se dice *tú me das dinero, él me ofrece favor, ellos me niegan auxilio,* la cosa dada, ofrecida, negada, es *dinero, favor, auxilio;* yo soy solamente el término en que acaba la acción del verbo, esto es, en que va a parar el dinero, el favor, el auxilio; yo no soy el objeto directo del verbo, sino sólo la persona en cuyo provecho o daño redunda el darse, ofrecerse o negarse; y *me* forma un complemento de diversa especie, llamado *dativo.*

240. Hay, pues, que distinguir cuatro casos:

NOMINATIVO, *yo.*
COMPLEMENTARIO ACUSATIVO, *me.*
COMPLEMENTARIO DATIVO, *me.*
TERMINAL, *mí.*

241. En la primera persona de plural no sólo se confunden las formas de los dos casos complementarios, como en la primera de singular, sino el caso terminal con el nominativo.

NOMINATIVO, *nosotros, nosotras.*
COMPLEMENTARIO ACUSATIVO, *nos.*
COMPLEMENTARIO DATIVO, *nos.*
TERMINAL, *nosotros, nosotras.*

Decimos, por ejemplo, *nosotros* o *nosotras somos, leemos; tú nos amas, él nos odia, ella nos ve; nos das dinero, nos ofrece favor, nos negaron auxilio; no piensas en nosotros, en nosotras; no ha venido con nosotros, con nosotras.*

Cuando en señal de dignidad se dice *nós,* ya sea que hable una persona sola o muchas, *nós* * es nominativo y terminal; *nos* (sin acento), complementario acusativo y complementario dativo.

242. La declinación de *tú* es análoga a la de *yo:*

NOMINATIVO, *tú.*
COMPLEMENTARIO ACUSATIVO, *te.*
COMPLEMENTARIO DATIVO, *te.*
TERMINAL, *ti.*

* Hoy ya no se acentúa (N. del E.).

243. La de *vosotros* es análoga a la de *nosotros:*

NOMINATIVO, *vosotros, vosotras.*
COMPLEMENTARIO ACUSATIVO, *os.*
COMPLEMENTARIO DATIVO, *os.*
TERMINAL, *vosotros, vosotras.*

Ejemplos: *tú escribes; te esperan; te dan dinero; a ti; por ti. Vosotros* o *vosotras escribís; os esperan; os dan dinero; a vosotros o vosotras; por vosotros o vosotras.*

244. Si en el nominativo se usa de *vos* en lugar de *tú,* se suprime la terminación *otros, otras,* en los casos que la tienen.

245. Los casos terminales *mí, ti,* cuando vienen después de la preposición *con,* se vuelven *migo, tigo,* y componen una sola palabra con ella: *conmigo, contigo.*

246. En lo antiguo se decía *nusco* y *connusco,* en lugar de *con nosotros, con nosotras; vusco* y *convusco,* en lugar de *con vosotros, con vosotras.*

247. Y también se decía *vos* por *os.*

PRONOMBRES POSESIVOS

248. Llámanse pronombres *posesivos* los que a la idea de persona determinada (esto es, primera, segunda o tercera) juntan la de posesión, o más bien, pertenencia. Tales son *mío, mía, míos, mías,* lo que pertenece a mí; *nuestro, nuestra, nuestros, nuestras,* lo que pertenece a nosotros, a nosotras, a nos; *tuyo, tuya, tuyos, tuyas,* lo que pertenece a ti; *vuestro, vuestra, vuestros, vuestras,* lo que pertenece a vosotros, a vosotras, a vos; *suyo, suya, suyos, suyas,* lo que pertenece a cualquiera tercera persona, sea de singular o plural.

249. Los pronombres *mío, tuyo, suyo,* sufren necesariamente apócope cuando construyéndose con el sustantivo le preceden; y la apócope es igualmente necesaria en ambos números. *Mío, mía,* pasan entonces a *mi* (sin acento); *míos, mías,* a *mis; tuyo, tuya,* a *tu* (sin acento); *tuyos, tuyas,* a *tus; suyo, suya,* a *su; suyos, suyas,* a *sus:* «Hijo *mío,* acuérdate de *mis* consejos, y dirige por ellos *tus acciones,* para que algún día hagas *tuya* la recompensa de reputación y confianza que los hombres por *su* propio interés dan siempre a la buena conducta».

250. La pluralidad ficticia se extiende a los pronombres posesivos: «Considerando en *nuestro* pensamiento que la naturaleza humana es corruptible, y que aunque Dios haya ordenado que *Nos hayamos* nacido de sangre y estirpe real, y *nos* haya constituído *rey* y *señor* de tantos pueblos, no *nos* ha eximido de la muerte», etc. (Testamento del rey don Fernando el Católico). Dícese *nos* en vez de *yo,* y *nos* en vez de *me,* y por consiguiente, *nuestro* en vez de *mi.*

«Habiendo *vos,* Señor, descubierto a los hombres tal bondad y misericordia, ¿es cosa tolerable que haya quien no *os* ame? ¿A quién ama, quien *a vos* no ama? ¿Qué beneficios agradece, quien los *vuestros* no agradece?» (Granada).

251. A semejanza de la pluralidad figurada de *nos* y *vos,* hay una tercera persona ficticia que en señal de cortesía y respeto se sustituye a la verdadera; atribuyéndose, por ejemplo, a la *majestad* del rey, a la *alteza* del príncipe, a la *excelencia* del ministro, todos los actos de estos personajes, y todas sus afecciones espirituales y corporales: *Su Majestad anda a caza; aun no se ha desayunado Su Alteza; Su Excelencia duerme.* Y si les dirigimos la palabra, combinamos la cualidad abstracta de tercera persona con la pluralidad ficticia de segunda: *Vuestra Majestad, Vuestra Alteza, Vuestra Paternidad* *. Algunos de estos títulos se han *sincopado* o abreviado en términos de haberse casi oscurecido su origen, como *Vuestra Señoría,* que ha venido a parar en *Usía,* y *vuestra merced* en *usted.*

252. Esta tercera persona ficticia tiene singular y plural: *Su Majestad, Sus Majestades; Usía, Usías; Usted, Ustedes.* Constrúyese siempre con la tercera persona del verbo; y en todo lo que se diga por medio de ella es necesario que nos representemos una tercera persona imaginaria, singular o plural, masculina o femenina, según fuere el número y sexo de la verdadera persona o personas. Dícese, pues, *Su Alteza está enfermo,* si se habla de un príncipe; *enferma,* si de una princesa; *Su Señoría decretó,* y *Sus Señorías decretaron.* Así el posesivo ordinario que se refiere a estos títulos es *su,* aun cuando se hable con las personas que los lleven: *Concédame Vuestra Majestad su gracia; lléveme usted a su casa.* Pero en el título mismo se usa *vuestra* (dirigiendo la palabra a la persona que lo lleva) ; y tanto el posesivo como los otros adjetivos que contribuyen a formar el título, se ponen siem-

* Sustituír a la segunda persona la tercera en señal de respeto, fué costumbre antiquísima del Oriente: así Jacob a Esaú en el «Génesis»: «Para hallar gracia delante de mi Señor», por *delante de ti;* y José a Faraón: «El sueño del Rey», en lugar de *tu sueño;* y Ester en el libro de su nombre a Asuero: «Si he hallado gracia delante *del rey,* y si place al *rey* conceder lo que le pido, venga *el rey* al convite que le tengo dispuesto.» Antigua es también la práctica de representar las personas bajo cualidades abstractas, y en Homero mismo encontramos: «La sagrada fuerza de Hércules» para designar simplemente a aquel héroe.

pre en la terminación femenina: *Vuestra Majestad Cesárea; Su Alteza Serenísima; Usía Ilustrísima.* Hablando con personas de alta categoría, se introduce a veces *vos* en lugar de *Vuestra Majestad, Alteza,* etc., y por consiguiente *vuestro* en lugar de *su* *.

253. A veces se emplea *su* innecesariamente, declarándose la idea de pertenencia por este pronombre posesivo y por un complemento a la vez: *Su casa de usted; su familia de ustedes.* Eso apenas tiene cabida sino en el diálogo familiar y con relación a *usted.*

PRONOMBRES DEMOSTRATIVOS

254. Pronombres *demostrativos* son aquellos de que nos servimos para mostrar los objetos señalando su situación respecto de determinada persona.

Este, esta, estos, estas, denota cercanía del objeto a la primera persona: *ese, esa, esos, esas,* cercanía del objeto a la segunda; *aquel, aquella, aquellos, aquellas,* distancia del objeto respecto de la primera y segunda persona.

255. De cada uno de los tres adjetivos precedentes sale un sustantivo acabado en *o: esto, eso, aquello. Esto* significa una cosa o conjunto de cosas que están cerca de la primera persona; *eso,* una cosa o conjunto de cosas cercanas a la segunda persona; *aquello,* una cosa o conjunto de cosas distantes de la primera persona y de la segunda. Significando bajo una misma forma, ya unidad, ya pluralidad colectiva, carecen de número plural. * *

* No puedo menos de hacer alto sobre una práctica introducida poco ha en castellano, e imitada, como tantas otras, de los idiomas extranjeros. Dícese *Su Majestad el Rey de los franceses, Su Santidad Benedicto XIV, Su Excelencia el Ministro de Estado,* en lugar de *la Majestad del Rey, la Santidad de Benedicto XIV, el Excelentísimo señor Ministro.* En Cervantes hallamos, si mal no me acuerdo, *la Majestad del Emperador Carlos V,* y *su merced de la señora Lucinda.* «Sale *Su Santidad del Papa* vestido de pontifical con doce cardenales todos vestidos de morado», dice el mismo escritor. Jovellanos escribía: «La Santidad de Clemente VIII expidió un breve». «Este breve y el de la Santidad de Paulo V», etc. Pero la práctica extranjera parece ya irrevocablemente adoptada, sin que por eso esté abolida la nuestra.

** *Esto, eso, aquello,* se miran generalmente como terceras terminaciones de los adjetivos *este, ese, aquel.* Pero es fácil probar que no hay nombre alguno de nuestra lengua que tenga más eminentemente el carácter de sustantivo: porque

1º Sirven de sujeto: *eso no debe tolerarse, aquello no me pareció bien.*

2º Sirven de término, con preposición o sin ella; *me limito a esto, no quiero pensar en eso, no entendí aquello.*

3º Son, a manera de los otros sustantivos, modificados por adjetivos y complementos: *todo esto, aquello blanco, eso de color amarillo.*

4º Estas formas demostrativas envuelven manifiestamente la idea de cosa o colección de cosas: *esto* es *esta cosa* o *colección de cosas; eso, esa cosa* o *colección de cosas.*

5º *Esto, eso, aquello,* no ejercen jamás el oficio característico del adjetivo, que es

256. Unas veces la demostración es material, y señalamos los objetos corporales en el lugar que ocupan, como en este pasaje de Quevedo: «Yo soy el desengaño; *estos* rasgones de la ropa son los tirones que dan de mí los que dicen que me quieren; y *estos* cardenales del rostro son los golpes y coces que me dan en llegando, porque vine y porque me vaya.»

257. Otras veces la demostración recae sobre el tiempo, y *este. esto,* señalan lo presente; *aquel, aquello,* lo pasado o lo futuro. Así *esta semana* es la semana en que estamos; *aquel año* es ordinariamente un año tiempo ha pasado. Así en el Evangelio el Salvador, después de anunciar las calamidades que habían de sobrevenir al pueblo judío, concluye diciendo: «¡Ay de las madres en aquellos días!»

«No os admiréis, les digo,
Que llore y que suspire
Aquel barquero pobre
Que alegre conocistes.»
(Lope.)

Aquel señala aquí la persona misma que habla, pero en un tiempo pasado lejano, como si el que habla viese y mostrase su propia imagen en un cuadro algo distante.

258. Si la demostración del lugar se verifica sobre los objetos reales, la del tiempo recae sobre los pensamientos e ideas, y admite importantes aplicaciones, como iremos notando.

259. Cuando una de las personas que conversan alude a lo que acaba ella misma de decir, lo señala con *este, esto*; cuando alude a lo que el otro interlocutor acaba de decirle, se sirve de *ese, eso*; y si el uno recuerda al otro alguna cosa que se mira mentalmente a cierta distancia, emplea los pronombres *aquel, aquello*: «Hágote saber, Sancho, que es honra de los caballeros andantes no comer en un mes, y ya que coman, sea de *aquello* que hallaren más a mano; y *esto* se te hiciera cierto si hubieras leído tantas historias como yo» (Cervantes). «No digo yo, Sancho, que sea forzoso a los caballeros andantes no comer otra cosa, sino *esas* frutas que dices» (el mismo). «Me trae por estas partes el deseo de hacer en ellas una hazaña con que he de ganar perpetuo nombre; y será tal, que con ella he de echar el sello a todo *aquello* que puede hacer famoso a un caballero. — ¿Y es de muy gran peligro *esa* hazaña?» (el mismo). Aun cuando no se habla con persona alguna determinada, *este, esto,* reproducen lo que acaba de decirse; *aquel, aquello,* otra cosa comparativamente lejana; y como siempre que se escribe, se habla en realidad con el lector, *ese, eso,* aluden entonces a las ideas que el escritor mismo acaba de comunicarle. Cuando digo, *la Europa está en paz,* hago nacer en el alma del que me oye o me está leyendo una idea que existe en la mía: la idea de la paz de Europa pertenece desde entonces al entendi-

agregarse a sustantivos, modificándolos. No se pueden formar con estas palabras construcciones análogas a las latinas *hoc templum, istud corpus, illud nemus.*

6º Fuera absurdo considerar a *esto, eso, aquello,* como adjetivos sustantivados, no pudiendo subentendérseles jamás ningún sustantivo con el cual pudieran expresamente construírse.

miento del oyente o lector lo mismo que al mío: puedo, pues, señalarla en el uno o el otro a mi arbitrio; y por consiguiente lo mismo será que añada: *Pero quién sabe cuánto durará esta paz* o *esa paz.* La primera locución es la más usual, la segunda tiene algo más expresivo, pero debe emplearse con economía, y no a todo propósito, como hacen algunos.

260. Si se trata de reproducir dos ideas comunicadas poco tiempo antes, nos servimos ordinariamente de *este* y *aquel*, o de *esto* y *aquello*: *este, esto*, muestran la idea que dista menos del momento de la palabra; *aquel, aquello*, la otra idea: «Divididos estaban caballeros y escuderos, *éstos* contándose sus trabajos, y *aquéllos* sus amores» (Cervantes). Alguna vez, sin embargo, se emplean con la misma diferencia de significado *este, esto* y *ese, eso*. Los poetas suelen también en esta doble reproducción de ideas trocar los demostrativos:

> «Yo aquel que en los pasados
> Tiempos canté las selvas y los prados,
> *Éstas,* vestidas de árboles mayores,
> *Aquéllos,* de ganados y de flores.»
>
> (Lope):

licencia que no tiene inconveniente alguno en este pasaje, porque las terminaciones genéricas de los demostrativos señalan con toda claridad el sustantivo a que cada cual se refiere.*

261. En lugar de *este, esto, ese*, eso, se solía decir *aqueste, aquesto, aquese, aqueso*; uso casi totalmente desterrado de la prosa en el día, y raro aun en verso.

262. *Ese, eso* (recobrando la fuerza de su origen latino *ipse*), significan a veces *el mismo, lo mismo*: «Eso se me da que me den ocho reales en sencillos, que una pieza de a ocho» (Cervantes). «Como yo esté harto (decía Sancho), eso me hace que sea de zanahorias que de perdices» (Cervantes).

263. Tomada fué también del latín la nota de desprecio o vilipendio que asociamos a *ese, eso*: Rioja señala así a los hipócritas:

> «Esos inmundos trágicos, atentos
> Al aplauso común, cuyas entrañas
> Son infaustos y oscuros monumentos»;

y Rivadeneira dice, hablando de sí mismo y de lo que debió a San Ignacio: «Por cuyas piadosas lágrimas y abrasadas oraciones confieso yo ser *eso* poco que *soy*».

264. En lugar de *este otro, esto otro, ese otro, eso otro*, se empleaban también los compuestos *estotro, esotro*, no enteramente anticuados. En el uso reproductivo es elegante la designación del menos cercano de dos conceptos por medio de *esotro*: «Finalmente hubieron los de Noyón de ceder al cuarto asalto, con muerte y prisión de toda la gente de guerra, dejando el más honrado ejemplo de cómo se debe defender una plaza; que aunque muchos salen de ellas entera la honra y la vida, *esotro* es lo más asegurado» (Coloma): aquí se comparan dos conceptos, el de defender una plaza a

* Nótese que *genérico* significa unas veces lo mismo que *general*, y otras lo perteneciente a lo que se llama *género* en gramática.

todo trance y el de capitular; *esotro* reproduce el primero, que es el más distante. «Hacía fuerza en el ánimo católico del rey el deseo de conservar la fe en Francia, cuyos historiadores, apasionados sin duda en este juicio, no acaban de darle otros motivos políticos; mas aunque pudo haber algunos de los que han señalado, el principal fué *esotro*» (Coloma).

265. Pero aunque *esotro* se refiere de ordinario a lo más distante, no habrá inconveniente en referirlo a la más cercana de dos ideas, cuando por la terminación genérica se da a conocer cuál de las dos se reproduce: «Donde los cuerpos deliberantes son más de uno, el mismo influjo * ha de prevalecer en todos para que no sean la gobernación y el Estado entero, *aquélla* una guerra continua y *esotro* un campo de batalla» (Alcalá Galiano). Si se sustituyese *gobierno* a *gobernación* todavía pudiera defenderse el empleo de *esotro*, porque alternando con *aquel*, no podría dudarse que este último demostrativo es al que toca la reproducción de lo más distante.

NOTA IV

PRONOMBRE

Si el nombre sustantivo, como dice una autoridad que acatamos, es el que expresa los objetos de un modo absoluto, prescindiendo de sus calidades, parece que es preciso dar este título a *yo* y *tú*, porque ciertamente señalan sus objetos de un modo tan absoluto, y con tanta prescindencia de sus calidades, como *Pedro* y *Juan*. La verdad es que en los sustantivos generales o apelativos, como *hombre, león, planta,* no se prescinde tan completamente de las cualidades del objeto como en los pronombres personales, y que aun hay sustantivos que no significan más que cualidades, como *virtud, vicio, extensión, color,* etc.

El pronombre, se dirá, tiene una cosa que lo diferencia, que es ponerse en lugar del nombre para evitar su repetición. Pero tomar el lugar y hacer el oficio del nombre, y esto no accidentalmente, sino por su naturaleza y por la constitución del lenguaje, ¿no es serlo verdaderamente?

El pronombre, a semejanza del nombre, se divide en sustantivo y adjetivo; tiene número y género como el nombre; se declina (según dicen) como el nombre; no le falta, en suma, ninguno de los oficios y caracteres de los nombres. Y si es al uso de las palabras a lo que debe referirse su clasificación, no comprendo cómo han podido colocarse el nombre y el pronombre en categorías diversas.

Ni ponerse en lugar de nombres para evitar repeticiones fastidiosas es tan peculiar del pronombre que no lo hagan a menudo los nombres apelativos. En una historia de Carlos V se dirá muchas veces *el Emperador* para no repetir el nombre propio de aquel príncipe. Por otra parte, el que habla de sí mismo dirá cien veces *yo*, y acaso no se designará una sola a sí mismo con el nombre que le pusieron sus padrinos: ¿cuál es entonces la repetición que se trata de evitar?

* Creo que hubiera sido más propio *un mismo influjo; el mismo influjo* significa el influjo de que se acaba de hablar, y no es eso lo que quiere decir el autor: en otra parte hablaré del diverso valor de las expresiones *el mismo* y *un mismo*.

Pero doy de barato que el pronombre en ciertas circunstancias o en todas presente alguna marca tan peculiar suya que no se encuentre en ninguna otra clase de palabras. Si por lo demás posee todos los caracteres esenciales del nombre, ya sustantivo, ya adjetivo, será una especie particular de sustantivo o de adjetivo, no una parte de la oración distinta de ellos. Los nombres numerales no dejan de ser nombres por el significado que los caracteriza, ni los verbos impersonales o defectivos dejan de ser verbos por las inflexiones de que carecen.

Capítulo XIV

ARTÍCULO DEFINIDO

266. Comparemos estas dos expresiones, *aquella casa que vimos, esta casa que vemos.* Si ponemos *la* en lugar de *aquella* y de *esta,* no haremos otra diferencia en el sentido, que la que proviene de faltar la indicación accesoria de distancia o de cercanía, que son propias de los pronombres *aquel* y *este.* El *la* es por consiguiente un demostrativo como *aquella* y *esta,* pero que demuestra o señala de un modo más vago, no expresando mayor o menor distancia. Este demostrativo, llamado ARTÍCULO DEFINIDO, es adjetivo, y tiene diferentes terminaciones para los varios géneros y números: *el campo, la casa, los campos, las casas.*

267. Juntando el artículo definido a un sustantivo, damos a entender que el objeto es determinado, esto es, consabido de la persona a quien hablamos, la cual, por consiguiente, oyendo el artículo, mira, por decirlo así, en su mente al objeto que se le señala. Si yo dijese: *¿qué les ha parecido a ustedes la fiesta?,* creería sin duda que al pronunciar yo estas palabras se levantaría, como por encanto, en el alma de *ustedes* la idea de cierta fiesta particular, y si así no fuera, se extrañaría la expresión. Lo mismo que si dirigiendo el dedo a una parte de mi aposento dijese, *¿qué les parece a ustedes aquella flor?* y volviendo *ustedes* la vista no acertasen a ver flor alguna. El *artículo* (con esta palabra usada absolutamente se designa el definido), el artículo, pues, señala ideas; ideas determinadas, consabidas del oyente o lector; ideas que se suponen y se señalan en el entendimiento de la persona a quien dirigimos la palabra. *

* Véase la Nota V al final del capítulo.

268. El artículo precede a sustantivos o expresiones sustantivas, v. gr. *el rey, el rey de los franceses, la presente reina de Inglaterra.*

269. Unas veces el sustantivo o frase sustantiva que lleva artículo definido, es determinado por las circunstancias, como cuando decimos «la ciudad está triste»; otras, se toma el sustantivo o frase sustantiva en toda la latitud que admite, v. gr. «la tierra no cultivada produce sólo malezas y abrojos».

270. Pudiera pensarse que cuando se toma un sustantivo en toda la extensión de su significado, no deberíamos emplear el artículo. ¿De qué *materia* determinada se trata, cuando decimos *la materia es incapaz de pensar*? Tomándose el sustantivo en toda la latitud de su significado, ¿para qué sirve el artículo? * En nuestra lengua sirve entonces para indicar que se trata de toda una clase de objetos que se supone conocida. Así *la materia*, en ese ejemplo, es *toda materia*, y mediante el artículo señala el significado general de la palabra en el entendimiento de aquellos a quienes hablamos. Si se tratase de una clase de objetos que no supusiésemos consabida, v. gr. de una especie de animales recientemente descubierta, no sería natural señalarla con el artículo definido. Diríamos, por ejemplo: «En la Nueva Holanda hay *un* animal llamado ornitorrinco, cuya estructura», etc. Para juntar el artículo definido con el nombre de una clase no consabida, sería necesario que inmediatamente la definiésemos: «El ornitorrinco, animal poco ha descubierto en la Nueva Holanda», etc.

271. Antiguamente el artículo femenino de singular era *ela* **. Díjose, pues, *ela agua, ela águila, ela arena;* y confundiéndose la *a* final del artículo con la *a* inicial del sustantivo, se pasó a decir y escribir *el agua, el águila, el arena.* De aquí proviene que usamos al parecer el artículo masculino de singular antes de sustantivos femeninos que principian por *a*. Hoy no es costumbre poner *el* por *la*, sino cuando la *a* inicial del sustantivo que inmediatamente sigue es acentuada: *el agua, el águila, el alma, el hambre, el harpa* ***. Cuando se habla de la letra *a* se dice arbitrariamente el *a*, y la *a*.

* En efecto, hay lenguas, como la inglesa, que no suelen emplear el artículo en esta significación general, y que lo omiten, por ejemplo, en expresiones parecidas a éstas: «*Hombre* es el estudio propio de *género humano*»; *The proper study of mankind is man.*

** Las formas antiguas del artículo definido adjetivo eran *el, ela, elos, elas*; como se ve en estos versos del *Alejandro*:

> «Por vengar *ela* ira olvidó lealtad.»
> «Fueron *elos* troyanos de mal viento feridos.»
> «Exían de Paraíso *elas* tres aguas sanctas.»

En la versión castellana del «Fuero Juzgo» leemos: «De las bonas costumnes nasce *ela* paz et *ela* concordia.» «Todo lo querían para sí retener *elos* príncipes».

Como nuestro *el* femenino es el antiguo *ela*, parece que deberíamos señalar la elisión del *a* escribiendo *el'alma* como en francés *l'âme* y en italiano *l'anima.*

*** En tiempo de Cervantes se decía también a veces *el* antes de sustantivos que comenzaban por *a* no acentuada: *el alegría, el arena, el acémila*; antes de adjetivos: *el alta sierra*; y más antiguamente antes de nombres que principiaban por otras vocales: *el espada.*

272. Concurriendo la preposición *a* o *de* con el artículo masculino o femenino *el*, se forma de las dos dicciones una sola: *al río, al agua, del río, del agua* *. Acostúmbrase separar la preposición del artículo, cuando éste forma parte de una denominación o apellido que se menciona como tal, o del título de una obra, v. gr. «Rodrigo Díaz de Vivar es generalmente conocido con el sobrenombre de *el Cid*», «Pocas comedias de Calderón aventajan a *El postrer duelo de España*».

273. Los demostrativos *este, ese, aquel,* se sustantivan como los otros adjetivos, y eso mismo sucede con el artículo, que toma entonces las formas *él* (con acento), *ella, ellos, ellas* (aunque no siempre, como luego veremos): «El criado que me recomendaste no se porta bien; no tengo confianza en *él*»: *él* es *el criado que me recomendaste;* «La casa es cómoda; pago seiscientos pesos de alquiler por *ella*»: *ella* es *la casa;* «Los árboles están floridos; uno de *ellos* ha sido derribado por el viento»: *ellos* reproduce *los árboles;* «Las señoras acaban de llegar; viene un caballero con *ellas*»: *ellas* se refiere a *las señoras*. Hemos visto (cap. IX) que la estructura material de varios nombres se abrevia en situaciones particulares: parece, pues, natural que miremos las formas *el, la, los las,* como abreviaciones de *él, ella, ellos, ellas,* y estas últimas como las formas primitivas del artículo**. Sin embargo, a las formas abreviadas es a las que se da con más propiedad el título de artículos.

274. Veamos ahora en qué situaciones requiere nuestra lengua que se usen las formas *sincopadas* del artículo. Para ello es necesario, o que se construya con sustantivo expreso, o que se ponga al sustantivo subentendido alguna modificación especificativa: «Alternando *el bien* con *el mal*, consuela a *los infelices la esperanza,* y hace recatados a *los dichosos el miedo*» (Coloma): dícese *el bien, el mal, la esperanza, el miedo,* sincopando el artículo, porque lo construímos con sustantivo expreso; en *los infelices, los dichosos,* se entiende *hombres,* y no se dice *ellos,* sino *los,* por causa de las especificaciones *infelices, dichosos.* «No cría *el Guadiana* peces regalados sino burdos y desabridos, muy diferentes de *los del Tajo dorado*» (Cervantes): dícese sincopando *el Guadiana, el Tajo,* porque

* Un poeta moderno acostumbra disolver el *al* cuando el nombre siguiente principia por esta sílaba: *a el alma, a el alcance*; práctica que me parece digna de imitarse para evitar la cacofonía *al al*.

**Destutt de Tracy reconoce la identidad del artículo *le* y el pronombre *il* en francés. ¿Cómo es que en castellano, donde salta a los ojos la de *él* y *el,* tienen algunos dificultad en aceptarla?

no se subentiende el sustantivo; y *los*, no *ellos*, subentendiéndoce *peces*, por causa del complemento especificativo *del Tajo dorado* *.

275. Cuando la modificación es puramente explicativa, se usa la forma íntegra del artículo, no la sincopada: «*Ellos*, fatigados de tan larga jornada, se fueron a dormir», «*Ella*, acostumbrada al regalo, no pudo sufrir largo tiempo tantas incomodidades y privaciones».

276. «Divididos estaban caballeros y escuderos, *éstos* contándose sus trabajos, *aquéllos* sus amores»: aquí se trata de reproducir dos conceptos, y por tanto se emplean dos pronombres demostrativos, que denotan más o menos distancia. «Voy a buscar a una princesa, y en *ella* al sol de la hermosura» (Cervantes): tratándose ahora de reproducir un concepto que no hay peligro de que se confunda con otro, no es preciso indicar más o menos distancia, y nos basta la vaga demostración del artículo. Obsérvese, con todo, que la variedad de las terminaciones *él, ella, ellos, ellas*, nos habilita para reproducir, no sólo con claridad sino con elegancia dos sustantivos de diferente género o número, sin indicar más o menos distancia: «Echaron de la nave al esquife un hombre cargado de cadenas, y una mujer enredada y presa en las cadenas mismas: *él* de hasta cuarenta años de edad, y *ella* de más de cincuenta; *él* brioso y despechado; *ella* melancólica y triste» (Cervantes); «Lo que levantó tu hermosura lo han derribado tus obras; por *ella* entendí que eras ángel; y por *ellas* conozco que eres mujer» (Cervantes); «Determinaron los jefes del ejército católico aguardar el socorro del País Bajo, esperando alguna buena ocasión de las que suele ofrecer el tiempo a los que saben aprovecharse *dellas* y *dél*» (Coloma).

277. Así como de los demostrativos *este, ese, aquel*, nacen los sustantivos *esto, eso, aquello*, de *él* o *el* nace el sustantivo *ello* o *lo;* empleándose la forma abreviada *lo* cuando se le sigue una modificación especificativa: «En las obras de imaginación debe mezclarse *lo* útil con *lo* agradable»; «Quiero conceder que hubo doce Pares de Francia; pero no quiero creer que hicieron todas aquellas cosas que el arzobispo Turpín escribe, porque la verdad de *ello* es que» etc. (Cervantes). «¿Qué ingenio habrá que pueda persuadir a otro que no fué verdad *lo* de la infanta Floripes y Güi de Borgoña, y

* Esta es una particularidad en que el castellano difiere de muchas otras lenguas y a que deben prestar especial atención los extranjeros. Así el *los* del ejemplo de Cervantes no podría traducirse en francés por *les*, en italiano por *i*, en inglés por *the*, etc.

lo de Fierabrás con la puente de Mantible?» (el mismo). «En *lo* de que hubo Cid no hay duda, ni menos Bernardo del Carpio» (el mismo). *Ello* o *lo* carece de plural.

Dícese *el mero necesario* y *lo meramente necesario; el verdadero sublime* y *lo verdaderamente sublime. Necesario, sublime,* en la primera construcción están usados como sustantivos, y son modificados por adjetivos. En la segunda el sustantivo es *lo,* modificado por *necesario* y *sublime,* que conservan su carácter de adjetivos y son modificados por adverbios.

278. *Este, ese, esto, eso,* y las formas íntegras del artículo definido se juntaban en lo antiguo con la preposición *de,* componiendo como una sola palabra: *deste, desta, destos, destas, desto; dese, desa, desos, desas, deso; dél, della, dellos, dellas, dello*: práctica de que ahora sólo hacen uso alguna vez los poetas.*

279. Las formas íntegras *él, ella, ellos, ellas* (no las abreviadas *el, la, los, las),* se declinan por casos. Su declinación es como sigue:

TERMINACION MASCULINA DE SINGULAR	Nominativo y terminal, *él.*
	Complementario acusativo, *le* o *lo.*
	Complementario dativo, *le.*
TERMINACION MASCULINA DE PLURAL	Nominativo y terminal, *ellos.*
	Complementario acusativo, *los,* a veces *les.*
	Complementario dativo, *les.*
TERMINACION FEMENINA DE SINGULAR	Nominativo y terminal, *ella.*
	Complementario acusativo, *la.*
	Complementario dativo, *le* o *la.*
TERMINACION FEMENINA DE PLURAL	Nominativo y terminal, *ellas.*
	Complementario acusativo, *las.*
	Complementario dativo, *les* o *las.*

Ello se declina del modo siguiente:
Nominativo y terminal, *ello.*
Complementario acusativo, *lo.*
Complementario dativo, *le.*

* Aquí parece oportuno advertir una cosa que en rigor pertenece más a la urbanidad que a la gramática: y es que las personas que se merecen alguna consideración y respeto, no deben designarse en la conversación con los desnudos representativos *él, éste, ése, aquél,* sobre todo cuando se habla con sus deudos o allegados. *¿Cómo está él?* es una pregunta incivil, dirigida a la familia de la persona de cuya salud queremos informarnos. Decir *él* en lugar de *usted* es casi un insulto. *¿Quién es éste?* indicaría que la persona así designada presentaba una apariencia poco digna de respeto. *Ése* envolvería positivamente desprecio. Es preciso en casos tales vestir, por decirlo así, el pronombre. *¿Quién es este caballero? ¿Dónde conoció usted a ese sujeto?*

EJEMPLOS: «¿Sabe usted el accidente que ha sucedido a nuestro amigo? *Él* (nominativo) salía de su casa, cuando *le* o *lo* (complementario acusativo) asaltaron unos ladrones, que se echaron sobre *él* (terminal) y *le* (complementario dativo) quitaron cuanto llevaba.»

«Se ha levantado a la orilla del mar una hermosa ciudad: *la* (complementario acusativo) adornan edificios elegantes; nada falta en *ella* (terminal) para la comodidad de la vida; *la* (complementario acusativo) visitan extranjeros de todas naciones, que *le* o *la* (complementario dativo) traen todos los productos de la industria humana; *ella* (nominativo) es en suma una maravilla para cuantos *la* (complementario acusativo) vieron veinte años ha y *la* (complementario acusativo) ven ahora.»

«Se engañan a menudo los hombres, porque no observando con atención las cosas, sucede que éstas *les* (complementario dativo) presentan falsas apariencias que *los* (complementario acusativo) deslumbran; si no juzgaran *ellos* (nominativo) con tanta precipitación, ni *los* (complementario acusativo) extraviarían tan frecuentemente las pasiones, ni veríamos tanta diversidad de opiniones entre *ellos*» (terminal).

«Creen las mujeres que los hombres *las* (complementario acusativo) aprecian particularmente por su hermosura y sus gracias; pero lo que *les* o *las* (complementario dativo) asegura para siempre una estimación verdadera, es la modestia, la sensatez, la virtud: sin estas cualidades sólo reciben *ellas* (nominativo) homenajes efímeros; y luego que la edad marchita en *ellas* (terminal) la belleza, caen en el olvido y el desprecio.»

«Se dice que el comercio extranjero civiliza, y aunque *ello* (nominativo) en general es cierto y vemos por todas partes prueba de *ello* (terminal), no debemos entender*lo* (complementario acusativo) tan absolutamente ni dar*le* (complementario dativo) una fe tan ciega, que nos descuidemos en tomar precauciones para que ese comercio no nos corrompa y degrade.»

280. Obsérvese que los casos complementarios preceden o siguen siempre inmediatamente al verbo o a ciertas palabras que se derivan del verbo y le imitan en sus construcciones (cap. XV). Cuando preceden se llaman *afijos;* cuando siguen, *enclíticos,* que quiere decir *arrimados,* porque se juntan con la palabra precedente, formando como una sola dicción. Así se dice: *me parece* o *paréceme; os agradezco* o *agradézcoos; le* o *lo traje,* y *tréjele* o *trájelo; le dije* o *la dije,* y *díjele* o *díjela, presentarles, presentándolas,* etc.

281. Se llama sentido *reflejo* aquel en que el término de un complemento que modifica al verbo se identifica con el sujeto del mismo verbo, como cuando se dice: *yo me desnudo, tú te ves al espejo, vos os pusisteis la capa:* la persona que desnuda y la persona desnudada son una misma en el primer ejemplo, como lo son en el segundo la persona que ve y la persona que es vista, y en el tercero la persona que pone y la persona a quien es puesta la capa.

282. En la primera y segunda persona los casos complementarios y terminales no varían de forma, cuando el sentido es reflejo; pero en la tercera persona varían. Las formas reflejas de esos casos para todos los géneros y números de tercera persona, son siempre *se, sí*. *Se* es complementario acusativo y dativo; *sí* terminal que se construye con todas las preposiciones, menos *con;* después de la cual se vuelve *sigo* y forma como una sola palabra con ella.

Hé aquí ejemplos:

Complementario acusativo: «El niño o la niña *se* levanta»; «Los caballeros o las señoras *se* vestían»; «Aquello *se* precipita a su ruina».

Complementario dativo: «El o ella *se* pone la capa»; «Los pueblos o las naciones *se* hacen con su industria tributario el comercio extranjero»; «Aquello *se* atraía la atención de todos».

Terminal: «Ese hombre o esa mujer no piensan en *sí*»; «Estos árboles o estas plantas no dan nada de *sí*»; «Eso pugna contra *sí*».

Terminal construído con la preposición *con*: «El padre o la madre llevó los hijos *consigo*»; «Ellos o ellas no las tienen todas *consigo*»; «Esto parece estar en contradicción *consigo* mismo».

283. Algunas veces aplicamos el terminal *sí* a objetos distintos del sujeto: «Para diferenciar a los vegetales entre *sí*, debe el botánico atender en primer lugar al desarrollo de la semilla», lo cual no tiene nada de irregular cuando el complemento a que pertenece el *sí* viene inmediatamente precedido del nombre a que este *sí* se refiere.

284. De los cuatro casos de la declinación castellana, el nominativo se llama *recto;* los otros *oblicuos*, que en el sentido reflejo toman el título de casos *reflejos*.

285. Úsase el nominativo para llamar a la segunda persona o excitar su atención, y se denomina entonces *vocativo:* «Válame Dios, y ¡qué de necedades vas, Sancho, ensartando!» (Cervantes). Mas a veces este llamamiento es una mera figura de retórica; Lupercio de Argensola, describiendo la vida del labrador, concluye así:

«Vuelve de noche a su mujer honesta,
Que lumbre, mesa y lecho le apercibe;
Y el enjambre de hijuelos le rodea.

«Fáciles cosas cena con gran fiesta,
Y el sueño sin envidia le recibe:
¡Oh Corte, oh confusión! ¿Quién te desea?»

Precede frecuentemente al vocativo una interjección, como se ve en el último ejemplo.

286. La declinación por casos es exclusivamente propia de los pronombres *yo, tú, él* (en ambos números y géneros) y *ello;* los otros nombres no la tienen, pues que su estructura material no varía, ya se empleen como nominativos, designando el sujeto, ya como complementos o términos. En este sentido los llamamos *indeclinables.*

287. Conviene advertir que caso *complementario* y *complemento* significan cosas diversas. Los casos complementarios son formas que toman los nombres declinables en ciertas especies de complementos.

288. El *complemento* acusativo (llamado también directo y objetivo) se expresa de varios modos en castellano. Si el término es un nombre indeclinable, formamos el complemento acusativo o con el término solo, o anteponiendo al término la preposición *a:* «Los insectos destruyen *la huerta*»; «La patria pide *soldados*»; «El general mandó fusilar *a los desertores*»; «El juez absolvió *al reo*».

Si el término es un nombre declinable, damos a este nombre dos formas diversas, una para cuando el complemento acusativo se expresa con el término solo, y otra para cuando se expresa con el término precedido de la preposición *a:* «*Me llaman; A mí* llaman, no a *ti*»: *me* designa por sí solo el complemento; *mí* no designa más que el término, y esto es lo que se quiere significar llamando caso complementario al primero y terminal al segundo.

Cuando decimos *los insectos destruyen la huerta, la huerta* es un complemento acusativo, porque significa la cosa destruída; pero no es un caso complementario de ninguna clase, porque *huerta* no tienen casos y bajo una forma invariable es nominativo *(la huerta florece),* complemento acusativo *(compré una huerta)* y término de varias especies de complemento *(pondré una cerca a la huerta, vamos a la huerta, los árboles de la huerta,* etc.).

289. En los nombres indeclinables el *complemento dativo* lleva siempre la preposición *a:* «Pondré una cerca *a la huerta*». Pero en los nombres declinables se forma este complemento o por medio de un caso complementario: «*Les* comuniqué la noticia», o por medio del caso terminal precedido de *a:* «*A mí* se confió el secreto».

290. Conviene también advertir que la preposición *a* no sólo se usa en acusativos y dativos, sino en muchos otros complementos. Así en «Los reos apelaron *al juzgado de alzada*», «La señora estaba sentada *a la puerta*», «El eclipse comenzó *a las tres de la tarde*», los complementos formados con la preposición *a* no son acusativos ni dativos, porque si lo fueran, podrían ser reemplazados por casos complementarios, y si, por ejemplo, se hubiese antes hablado de *la puerta,* podría decirse, reproduciendo este sustantivo: «la señora *le* o *la* estaba sentada»; *le* o *la* en el caso complementario acusativo. Como ni uno ni otro es admisible, y sólo sería lícito decir *a ella,* entendiendo *a la puerta,* es claro que en el ejemplo de que se trata no podemos mirar este complemento como acusativo ni como dativo.

291. Así como el llevar la preposición *a* no es señal de complemento acusativo o dativo, el no llevar preposición alguna tampoco es señal de complemento acusativo. En «*el lunes* llegará el vapor», *el lunes* es un complemento que carece de preposición, y que sin embargo no es acusativo, porque, si lo fuese y hubiera precedido la mención de ese lunes, sería lícito decir «*le* o *lo* llegará el vapor», sustituyendo *le* o *lo* a *el lunes.* *

NOTA V

ARTÍCULO DEFINIDO

Parece imputárseme *haberme entregado a sutilezas metafísicas para probar que el verbo es nombre y que el artículo y el pronombre personal son una misma cosa, y otras teorías semejantes.* Si es así, hay en esto un pequeño artificio oratorio; se desfiguran mis aserciones para hacerlas parecer absurdas. Por lo demás, eso de sutilezas metafísicas y de teorías, que en el lenguaje de la rutina equivale a quimeras y sueños, es un modo muy cómodo de ahorrarse el trabajo de la impugnación.

Contraigámonos al asunto de esta nota. La idea que doy del artículo definido en el capítulo XIV, me parece fundada en observaciones incontrastables, que sin metafísicas ni sutilezas manifiestan pertenecer esta palabra a la familia de los pronombres demostrativos.

El que haya leído los documentos escritos en el latín bárbaro de la media edad española, no puede menos de haber reconocido nuestro artículo en el uso que se hace del pronombre latino *ille.* Donde hoy decimos *las viñas, las casas, los molinos,* se decía *illas vineas, illas casas, illos molinos*; y las primeras formas del artículo definido en castellano fueron *ele, ela, elos, elas, elo,* como puede verse particularmente en la traducción castellana del «Fuero Juzgo», y en el antiguo poema de *Alejandro.* Según mi modo de pensar, *el, la, los, las, lo,* son formas abreviadas o sincopadas de *él, ella, ellos, ellas, ello,* usándose éstas en ciertas circunstancias y aquéllas en otras, pero con una misma significación; como sucede con los pro-

* Véase la Nota VI.

nombres posesivos *mío, tuyo, suyo*, que cuando preceden al sustantivo toman las formas abreviadas *mi, tu, su*, sin que por eso varíen de naturaleza ni de significado, como sucede con los adjetivos *bueno, malo, primero*, que anteponiéndose al sustantivo, se vuelven *buen, mal, primer*, como sucede con los adverbios *mucho, tanto, cuanto*, que según el lugar que ocupan conservan estas formas o se vuelven *muy, tan, cuan*, etc.

Los griegos usaban a menudo sus artículos como simples pronombres demostrativos. Véanse en el principio mismo de la «Ilíada» los vv. 9, 12, 36, etc.

Donde las otras lenguas romances y el inglés emplean pronombres demostrativos equivalentes a *él, ella*, etc., nosotros empleamos el artículo *el, la*, etc.: «La vegetación de la zona tórrida es más rica y variada que *la* de los otros países»; los franceses traducirían este *la* por *celle*, como los italianos por *quella*, y los ingleses por *that*. Tan estrecha es la afinidad entre el artículo y el pronombre demostrativo.

Yo no he dicho en ninguna parte que el artículo y el pronombre personal sean una misma cosa. Si se me imputase haber sostenido que el artículo era un pronombre demostrativo, o que cierto pronombre que se llama comúnmente personal era un artículo, se habría dicho la pura verdad, pero no se habría logrado dar el aspecto de absurda a una aserción que ni aun nueva es: «N'oubliez pas que *le* et *il* sont la même chose», dice Destutt de Tracy (Grammaire, chap. 3, § 8).

Hay hombres doctos que tienen por oficio característico del artículo el dar a conocer el género y número del sustantivo a que se antepone. Pero este oficio lo ejercen respecto del género todos los adjetivos de dos terminaciones, y respecto del número todos los adjetivos, sin que para ello sea necesario que se antepongan, pues lo mismo hacen posponiéndose, o refiriéndose de cualquier modo al sustantivo. *Arbol* es masculino porque concuerda con la primera terminación del adjetivo, y *selva* es femenino porque concierta con la segunda. Y si bien se mira, no es el artículo el que mejor desempeña este servicio, pues decimos *el alma, el águila, el arpa*, concertándole con sustantivos que son sin embargo femeninos, porque en el singular piden la segunda terminación de todos los otros adjetivos, como lo hace él mismo en plural. Cuando decimos *el ave voladora*, ¿qué es lo que determina el género femenino de *ave*? No el artículo *el*, sino el adjetivo *voladora*.

¿Cómo se conoce el género y número de los sustantivos de la lengua latina, que carecía de artículos? Por su concordancia con los adjetivos.

En inglés el artículo tiene una terminación invariable, sean cuales fueren el género y número de los sustantivos con que se junta; no sirve por consiguiente para determinarlos. Si se quisiera concebir un género en el artículo *the*, sería sin duda el correspondiente al sexo significado por el sustantivo a que se antepone; y si tiene número, no puede ser otro que el mismo del sustantivo. Así, en la lengua inglesa, el género y número del artículo serían determinados por el sustantivo, no los del sustantivo por el artículo.

Omito otras consideraciones.

NOTA VI

DECLINACIÓN

Es preciso distinguir dos cosas que generalmente se confunden, los *casos* y los *complementos*.

El complemento es una palabra o frase de que se sirve la lengua para modificar otra palabra o frase significando una relación que el objeto o cualidad que ésta designa, tiene con otro objeto o cualidad, a que damos el nombre de *término*, como a la palabra que lo denota.

Ya hemos dicho que el complemento puede constar o de término solo o de preposición y término.

Los casos de la declinación o presentan el objeto directamente, o lo presentan como término de una relación, sea que éste forme complemento por sí solo, o que se combine con alguna preposición para formarlo. Así en la declinación latina *dominus, domine,* son casos directos o *rectos*; el genitivo *domini* y el dativo *domino* son casos que por sí solos forman complementos, y no son nunca precedidos de preposición: el acusativo *dominum,* y el ablativo *domino,* al contrario, o forman complementos por sí solos (como en *habet dominum, caret domino*), o se combinan con varias preposiciones para formarlos. Así *erga dominum, sine domino,* son complementos; pero a nadie ha ocurrido jamás dar el título de casos a estas expresiones compuestas. En ellas el caso de *dominus* es la inflexión en *um* llamada acusativo, o la inflexión en *o* llamada ablativo.

En nuestros nombres declinables son asimismo diversas cosas el caso y el complemento. *A mí, de mí, para mí,* no son casos de *yo,* sino complementos formados con las preposiciones *a, de, para,* y con el caso *mí,* que en todas estas expresiones es uno solo; como en las latinas *erga dominum, in dominum, adversus dominum, propter dominum,* no hay más que un solo caso *dominum,* combinado con las preposiciones *erga, in, adversus, propter.*

Partiendo de este principio, se trata de saber cuántos casos tiene la declinación de *yo, tú, él, ello* (únicos nombres castellanos declinables), y cuál es el carácter y propiedad de cada caso.

¿Cuántos casos hay en la declinación de estos nombres? Cuéntense sus desinencias; pero cuéntense bien, como se cuentan las de los nombres latinos. *Yo* presenta a primera vista cuatro: *yo, me, mí, conmigo.* ¿Las miraremos como cuatro casos distintos? No; porque el considerar a *conmigo* como caso distinto de *mí,* sería lo mismo que considerar en latín a *mecum* como caso distinto del ablativo *me. Conmigo* es un accidente de *mí*; una forma particular que toma el caso *mí* cuando se le junta la preposición *con,* componiendo las dos palabras una sola.

¿No tendrá pues el pronombre *yo* más que tres casos, *yo, me, mí?* Tampoco es consecuencia legítima; porque discurriendo de la misma manera no daríamos en latín más que tres casos al plural de *sermo: sermones, sermonum, sermonibus.* Sucede en efecto en la declinación castellana lo mismo que en la latina; es a saber, el presentarse en unos nombres, bajo una misma desinencia, casos realmente distintos, que se presentan en otros nombres bajo desinencias diferentes. Decimos *Yo amo, ellos aman: yo* y *ellos* nominativo, sujeto del verbo. Decimos *Tú me amas, tú los amas*: *me* y *los*, caso que por sí solo, sin preposición alguna, significa el complemento acusativo. Decimos *tú me das dinero, tú les das dinero*: *me* y *las*, caso que por sí solo, sin preposición alguna, significa complemento dativo. Decimos, en fin, *de mí, para mí, contra mí, por mí, de ellos, para ellos, contra ellos, por ellos; mí, ellos,* caso que en castellano se junta con todas las preposiciones, cualesquiera que sean. La enumeración está completa; los nombres castellanos declinables tienen cuatro casos: el nominativo, el complementario acusativo, el complementario dativo, y en fin, un caso que nunca significa complemento por sí solo; que pide una preposición anterior, que por sí no significa más que el *término* de un complemento cualquiera; y a que por eso conviene con mucha propiedad el título de *terminal*, como a *me, les* y *los* el título de *complementarios*. La desinencia *me* es común a los dos casos complementarios acusativo y dativo; la desinencia *ellos* es común al caso nominativo y al terminal; como en latín la desinencia *domino* conviene a dos casos distintos, el dativo y el ablativo, y la desinencia *sermones*, a tres casos distintos, el nominativo, el vocativo y el acusativo.

En castellano el vocativo no es un caso especial como en latín, porque no tiene jamás una desinencia propia que lo distinga del nominativo, como la tiene muchas veces en latín: debemos pues mirarlo como una aplicación o uso particular que hacemos del nominativo.

Es preciso insistir en la diferencia de estas dos cosas, caso y complemento, porque de confundirlas proviene el no haberse dado hasta ahora una idea exacta de nuestra declinación. *Me, les, los*, son casos complementarios, casos que significan complemento por sí solos, rechazando toda preposición (como el genitivo y dativo de los nombres latinos), y precisamente uno de dos complementos o ambos, el acusativo y el dativo. Pero estos dos complementos pueden expresarse por otros medios. He dicho que el caso terminal combinado con las preposiciones se aplica a todo género de complementos, sin excepción alguna; y así es en efecto. Los mismos dos complementos de que acabo de hablar pueden ser expresados por este caso combinado con la preposición *a*: *A ellos buscaba el alguacil, no a mí; a ellos* y *a mí*, complemento acusativo. *A mí viene dirigida la carta, no a ellos; a mí, a ellos*, complemento dativo. Y con esta misma expresión *a mí, a ellos,* se pueden todavía significar otros complementos que no son el acusativo ni el dativo, como se ha explicado en su lugar.

Nuestro complementario acusativo se diferencia mucho del acusativo latino, el cual se presta a muchas y diversas especies de complementos y recibe preposiciones anteriores.

Entre nuestro complementario dativo y el dativo latino la semejanza es bastante grande.

Pero uno y otro complementario tienen una propiedad peculiar, de que carecen el acusativo y dativo latinos, y es que piden un verbo o derivado verbal a que juntarse como afijos o enclíticos.

Por último, no hay en la declinación latina caso alguno análogo al terminal nuestro, que exige precisamente una preposición anterior, y se junta con todas las preposiciones.

He creído que debíamos pintar nuestra declinación de este modo:

Nominativo: *yo, nosotros, nosotras; tú, vosotros, vosotras; él, ellos; ella, ellas; ello.*

Complementario acusativo: *me, nos; te, os; le* o *lo, los; la, las; lo.*

Complementario dativo: *me, nos; te, os; le, les; le* o *la; les* o *las; le.*

Terminal: *mí, nosotros* o *nosotras; ti, vosotros* o *vosotras; él, ellos; ella, ellas; ello.*

Complementarios acusativo y dativo para la tercera persona, refleja o recíproca: *se.* Terminal para la tercera persona refleja o recíproca: *sí.*

Formas excepcionales del caso terminal, precedido de *con: conmigo, contigo, consigo.*

Yo creo que esta exposición presenta del modo más claro y sencillo el verdadero plan de la declinación castellana, y al mismo tiempo las semejanzas y diferencias que tiene con la declinación latina. Deseoso de no desviarme de la nomenclatura admitida sino en cuanto fuese indispensable, he conservado las palabras *acusativo* y *dativo*, la primera para el complemento acusativo, y la segunda para el complemento dativo; pero tal vez sería lo mejor desterrarlas de nuestra gramática, porque en latín *acusativo* y *dativo* significan desinencias, casos; y en el sentido que les damos nosotros no denotan casos o desinencias, sino complementos.

Donde más claro se ve el prestigio falaz de las reminiscencias latinas es en la declinación que suele darse de los nombres declinables castellanos. ¿Qué es lo que quiere decirse cuando se asignan seis casos al sustantivo *flor*: nominativo *la flor*, genitivo *de la flor*, dativo *a* o *para la flor*, acusativo *la flor, a la flor*, vocativo *flor*, ablativo *con, de, en, por, sin, sobre la flor*? Yo no sé lo que quiera decirse; pero sí sé lo que esto supone; y es que en los nombres castellanos han de encontrarse, a despecho de la lengua, igual número de casos y de la misma especie que en los nombres latinos. ¿Por qué un nombre, precedido de la preposición *de*, es unas veces genitivo y otras ablativo? La razón es obvia: porque, v. gr., *de la flor* se traduce al latín unas veces por el genitivo *floris*, y otras por el ablativo *flore*, antecedido de las preposiciones *ab, de, ex*, equivalentes a la castellana *de*. ¿Por qué, cuando *a* precede al nombre, forma con él unas veces dativo y otras acusativo? Porque, v. gr., *a la mujer* corresponde unas veces el dativo latino *mulieri*, y otras el acusativo latino *mulierem*, a que también suele anteceder la preposición *ad*: no puede darse otra razón. ¿Por qué *con la flor* y *sin la flor*, que significan cosas enteramente contrarias, forman sin embargo un mismo caso? Porque en latín es una misma la desinencia del nombre después de las preposiciones *cum, sine*: y no hay más que decir. ¿Por qué no hay en nuestros nombres indeclinables tantos casos diversos como preposiciones podemos juntarles? La respuesta es obvia: porque como a todas las combinaciones castellanas de preposición y nombre no corresponden más que cuatro desinencias en los nombres latinos, la del genitivo, la del dativo, la del acusativo y la del ablativo, no puede concebirse que las combinaciones de preposición y nombre dejen de formar los mismos cuatro casos precisamente en castellano. Yo a lo menos no acierto a columbrar otra lógica en la mente de los que así han latinizado nuestra lengua, en vez de explicarla por sus hechos, sus formas, sus accidentes peculiares. ¿Por qué, en fin, los complementos forman casos cuando entran en ellos las preposiciones *a, para, con, de, en, por, sin, sobre*, y no cuando entran en ellos otras preposiciones, como *bajo, contra, entre, ante, tras*, etc.? No me es posible adivinarlo. Aquí hasta la lengua latina abandona a los latinizantes.

Nuestros nombres indeclinables no tienen verdaderamente casos; lo que hacen es servir de sujetos o de términos, y en este segundo oficio o forman complementos sin preposición alguna, o necesitan de una preposición anterior para formarlo, pero sin alterar jamás la desinencia del nominativo. Entre estos complementos debe darse una atención particular al acusativo y al dativo, por su correspondencia a los casos complementarios de los pronombres declinables.

Los latinizantes de otras lenguas van abandonando más que de paso las declinaciones latinas. Tengo a la vista la edición de 1857 de la «Gramática inglesa» de R. E. Latham, miembro de la Sociedad Real de Londres. En ella pueden verse (§ 130 y siguientes) la determinación y enumeración de los casos de la lengua inglesa, fundadas en los mismos principios y raciocinios que mi declinación. Sepan nuestros latinizantes, y santígüense, que este caballero declina el pronombre *He* del modo siguiente:

Nominativo	*He.*
Objetivo	*Him.*
Posesivo	*His.*

Y el sustantivo *father*,

Nominativo y objetivo	*Father.*
Posesivo	*Father's.*

Se ha repetido por hombres doctos que en nuestros dialectos romances las preposiciones hacen las veces de las desinencias de la declinación latina, pero hay en esto alguna exageración. Las relaciones del nombre con otros nombres o con otras palabras se significan en latín por medio de casos o por medio de complementos; en los dialectos romances sucede lo mismo: la diferencia consiste en que casi todos los nombres latinos tienen casos, y en los dialectos romances solamente unos pocos; los complementos son frecuentísimos en latín como en las lenguas romances.

Capítulo XV

DEL GÉNERO NEUTRO

292. Atendiendo a la construcción del adjetivo con el sustantivo, no hay más que dos géneros en castellano, *masculino* y *femenino;* pero atendiendo a la representación o reproducción de ideas precedentes por medio de los demostrativos, hay tres géneros: masculino, femenino y *neutro*.

Los sustantivos son generalmente reproducidos por demostrativos adjetivos, que sustantivándose toman las terminaciones correspondientes al género y número de aquéllos: «Estuve en el paseo», «en la alameda», «en los jardines», «en las ciudades vecinas», «y vi poca gente en *él*», «en *ella*», «en *ellos*», «en *ellas*». Pero hay ciertos sustantivos que no pueden representarse de este modo, y que por eso se llaman *neutros*. *

293. Primeramente, los demostrativos sustantivos se representan unos a otros. Si digo, por ejemplo, «*Eso me desagrada*», no puedo añadir: «Es preciso no pensar más en *él*», ni «en *ella*», sino «en *ello*». Así *eso*, masculino en cuanto pide la terminación masculina del adjetivo que lo modifica (*eso es bueno, eso es falso*), no es masculino ni femenino en cuanto a su reproducción o representación en el razonamiento; y por consiguiente es neutro bajo este respecto, porque *neutro* quiere decir *ni uno ni otro*, esto es, ni masculino ni femenino. Lo mismo sucede con otros varios sustantivos, como *poco, mucho, algo*, etc., que sin embargo de ser masculinos en su construcción con el adjetivo, tampoco pueden reproducirse sino por medio de sustantivos: «*Poco* tengo, pero estoy contento con *eso*»: no *con ese;* «*Mucho* me dijeron, pero apenas *lo* (no *le*) tengo presente»; «*Algo* intenta; algún día *lo* (no *le*) descubriremos»; *eso* reproduce a *poco, lo* a *mucho* y *algo*. En el discurso de esta gramática daremos a conocer otros sustantivos masculinos que en cuanto al modo de reproducirse en el razonamiento son del género neutro.

294. Ahora nos contraeremos a una clase numerosa de sustantivos, llamados *infinitivos*, que terminan todos en *ar, er, ir*, y se derivan inmediatamente de algún verbo, como *comprar* de *compro, vender* de *vendo, caer* de *caigo, existir* de *existo, morir* de *muero*. Todos ellos son neutros: «Estábamos determinados a partir, pero hubo dificultades en *ello*, y tuvimos que diferir*lo*»: *ello* y *lo* representan a *partir*. Si en lugar de un infinitivo hubiésemos empleado otro sustantivo; si hubiésemos dicho, v. gr., *estábamos determinados a la partida*, hubiéramos continuado así: *pero hubo dificultades en ella y tuvimos que diferirla*. Y si en vez de *a la partida* se hubiese dicho *al viaje*, hubiera sido menester que en la segunda proposición se dijese *en él*, y en la tercera se hubiera podido poner *diferirle* o *diferirlo*, porque el acusativo masculino de *él* es *le* o *lo*.

Decimos: «El estar tan ignorante y embrutecida una parte del pueblo consiste en la excesiva desigualdad de las fortunas», construyendo a *estar* con *el*, que es la terminación masculina del artículo adjetivo; y sin embargo, no permite la lengua reproducir este sustantivo con *le* sino con *lo*: «No podemos *atribuírlo* a otra cosa». Varíese el sujeto de la primera proposición: dígase v. gr. *el embrutecimiento de una parte del pueblo*, y se permitirá decir en la segunda *atribuírle* **

* Véase la Nota VII al final de este capítulo.

***Lo* puede ser complementario acusativo de *él* o de *ello*. Pero cuando es complementario acusativo de *ello*, no puede absolutamente convertirse en *le* como puede cuando es complementario acusativo de *él*.

295. Además, si tratamos de reproducir un conjunto de dos o más sustantivos que signifiquen cosas (no personas), podemos hacerlo muy bien por medio de sustantivos neutros, porque es propio de ellos significar, ya unidad, ya pluralidad colectiva: «¿Dónde están ahora» (dice Antonio de Nebrija) «aquellos pozos de plata que cavó Aníbal? ¿Dónde aquella fertilidad de oro? ¿Dónde aquellos mineros de piedras trasparentes? ¿Dónde aquella maravillosa naturaleza del arroyo que pasa por Tarragona, para adelgazar, pulir y blanquear el lino? Ningún rastro de *esto* se halla en nuestros tiempos». *Esto* reproduce colectivamente *aquellos pozos, aquella fertilidad, aquellos mineros, aquella maravillosa naturaleza del arroyo.* «Un solo interés, una sola acción, un solo enredo, un solo desenlace; *eso* pide, si ha de ser buena, toda composición teatral» (Moratín). *Eso* es *un solo interés, una sola acción,* etc. Y nótese que aun cuando fuesen de un solo género los sustantivos, pudiéramos reproducirlos del mismo modo: si en el primero de los ejemplos precedentes, en lugar de *aquella fertilidad de oro* y de *aquella maravillosa naturaleza del arroyo,* pusiésemos *aquel oro tan abundante* y *aquel arroyo tan maravilloso,* y si en el segundo omitiésemos *una sola acción,* no habría necesidad de variar el demostrativo *eso.* Así un conjunto de sustantivos que significan cosas, es, para la reproducción de ideas, equivalente a un sustantivo neutro; bien que podemos reproducirlos también por *ellos* o *ellas* en el género que corresponda; por *ellos* si los sustantivos reproducidos son masculinos o de diversos géneros, por *ellas* si son femeninos. «Un solo interés, una sola acción, un solo enredo, un solo desenlace, toda composición teatral *los* pide.» «Una sola pasión dominante, una completa concentración de interés, una trama hábilmente desenlazada, pocas fábulas dramáticas han acertado a *reunirlas.*»

Si se trata de reproducir ideas de personas, las de un mismo sexo son reproducidas colectivamente por el género correspondiente a él; las de sexos diversos, por el género masculino. «A la reina y a la princesa no pude ver*las.*» «Al príncipe y a la princesa no pude ver*los.*» Un conjunto de seres personales no podría ser reproducido por un sustantivo neutro.

296. Sirven asimismo los demostrativos neutros para reproducir conceptos precedentes, que no se han declarado por sustantivos, sino por verbos, o por proposiciones enteras: «El alcalde, conforme a las instrucciones que llevaba, mandó al marqués y a su hermano que desembarazasen a Córdoba: tuvo *esto* el marqués por grande injuria» (Mariana): *esto* significa *haber mandado el alcalde al marqués y a su hermano que desembarazasen a Córdoba.* «¿No has echado de ver que todas las cosas de los caballeros andantes parecen quimeras, necedades y desatinos, y que son todas hechas al revés? Y no porque sea *ello* así, sino porque entre nosotros andan siempre encantadores» (Cervantes). Es como si dijéramos: *no porque la cosa o la verdad del caso sea así, ni porque las cosas de los caballeros andantes sean hechas al revés,* etc.

297. Finalmente, empleamos los demostrativos neutros para reproducir un nombre bajo el concepto de predicado. Por ejemplo: «Le preguntó (don Quijote al primero de los galeotes) que por qué pecados iba de tan mala guisa. Él respondió que por enamorado. —

¿Por *eso* no más?, replicó don Quijote»: *eso* quiere decir *enamorado.* «Éste, señores, va a galeras por músico y cantor. — ¿Pues cómo? ¿Por musicos y cantores van también a galeras?». *Músicos y cantores* son aquí predicados del sustantivo tácito *los hombres*; y si Cervantes, en lugar de expresarlos de nuevo, se hubiera limitado a reproducirlos por medio de un demostrativo, hubiera dicho *por eso.*

298. *Lo* es el demostrativo que de ordinario representa nombres como predicados, modificando a *soy, estoy, parezco,* u otros verbos de significación análoga: «Todos se precian de patriotas; y sin embargo de que muchos *lo* parecen, ¡cuán pocos *lo* son!». *Lo* quiere decir *patriotas,* y hace a *patriotas* predicado de *muchos* y *pocos,* modificando a *parecen* y *son.* «Hermoso fué aquel día, y no *lo* fué menos la noche.» «Excesivas franquezas pueden ser perjudiciales, pero siempre *lo* será más un monopolio.» *Lo* quiere decir *hermosa, perjudicial,* reproduciendo como predicados los adjetivos *hermosa, perjudiciales,* con la variación de género y número que corresponde a los sustantivos *noche* y *monopolio.* «La Alemania está hoy cubierta de ciudades magníficas, donde antes *lo* estaba de impenetrables bosques»: *de impenetrables bosques* es un complemento que modifica a *cubierta,* representado por *lo,* que hace a este adjetivo predicado de *Alemania,* sujeto tácito de *estaba.*

299. Como un complemento puede equivaler a un adjetivo, síguese que puede ser reproducido por un demostrativo neutro, bajo el concepto de predicado: «Si esta aventura fuere de fantasmas, como me *lo* va pareciendo, ¿adónde habrá costillas que lo sufran?» (Cervantes): *me lo va pareciendo* quiere decir *me va pareciendo de fantasmas*: este complemento, reproducido por *lo,* se hace predicado de *esta aventura,* sujeto tácito de *va.*

300. Y si un adverbio puede resolverse en un complemento que equivalga a un adjetivo, podrá reproducirse de la misma manera: «Amadís fué el norte, el lucero, el sol de los valientes... Siendo pues esto así, como *lo* es, el caballero andante que más le imitare, estará más cerca de alcanzar la perfección de la caballería» (Cervantes): *lo es* quiere decir *es así, es de este modo, es tal*; predicado de *esto,* sujeto tácito del verbo *es.*

301. No se debe reproducir como predicado un nombre que sólo se halla envuelto en otra palabra: «Desistióse por entonces del ataque de Jesús-María; pero *lo* fueron otros puntos de importancia» (el duque de Rivas): *lo* quiere decir *atacados,* envuelto, escondido, por decirlo así, en *ataque.* Por la misma razón me parecería algo violenta esta frase: «No se pudieron desembarcar las mercaderías, pero *lo* fué la gente», dando a *lo* el valor de *desembarcada,* envuelto en *desembarcar* *. En los escritores de ahora dos siglos, lejos de evitarse estas reproducciones viciosas, se buscaban y se hacía gala de ellas, representando con el *lo* adjetivos que era preciso desentrañar de otras palabras en que estaban envueltos.

El *lo* representativo de predicados es el caso complementario acusativo de *ello.* **

* Creo que ni aun el participio sustantivado puede reproducirse como predicado, y que no sería correcto «Cuando se hubo desembarcado la gente, *lo* fueron las mercaderías.»

** Véase la Nota VIII.

302. Son, pues, neutros los sustantivos *esto, eso, aquello, ello* o *lo; mucho, poco, algo;* y los infinitivos de los verbos, como *cantar* de *canto, comer* de *como, partir* de *parto.* Equivale a un neutro una serie de sustantivos que significan cosas y que se reproducen colectivamente. Y damos el mismo valor a los conceptos precedentes expresados por verbos y proposiciones, y a los que se reproducen como predicados *.

NOTA VII

GÉNERO NEUTRO

Creo suficientemente probada la identidad de *él* y *el, ello* y *lo,* y no me parece que pueda disputarse el carácter sustantivo de *ello, esto, eso, aquello,* etc., reconocido ya por Clemencín. Los latinos *hoc, istud, illud,* eran verdaderos adjetivos: *hoc templum, istud nemus, ilud opus*; y cuando se usaban absolutamente en el sentido de *esto, eso, aquello,* se decían con propiedad *sustantivarse,* porque dejaban su natural oficio y tomaban accidentalmente el de sustantivos; a lo que en latín se prestaba fácilmente la tercera terminación del adjetivo. De *esto, eso, aquello,* no puede decirse que dejando el carácter de nombres que se arriman a otros (*adiectiva, quae adiiciuntur*) tomen el de nombres independientes que sirvan a los otros de apoyo o sostén (*substantia*): se usan siempre como sustantivos; y llamarlos adjetivos sustantivados sería enunciar un hecho falso.

Acerca del género neutro en castellano, conviene explicar algo más lo que dejo expuesto en la «Gramática».

De dos modos se revela el *género* en las lenguas: por la concordancia del adjetivo con el sustantivo en construcción inmediata, *lucus opacus, silva opaca, nemus opacum*; y por la reproducción o representación de ideas cercanas, como cuando, después de haber dicho *lucus* o *silva* o *nemus,* reproducimos o representamos la misma idea a poca distancia, diciendo en el primer caso *is* o *qui,* en el segundo *ea* o *quae,* en el tercero *id* o *quod.* Esta representación se hace siempre por medio de pronombres demostrativos o relativos.

La lengua inglesa, bajo el primero de estos aspectos, no tiene géneros, porque sus adjetivos no varían de terminación, cualquiera que sea el sustantivo que se les junte: *a wise king, a wise queen, a wise action.* Bajo el segundo lo tiene, porque si, mencionado un rey, una reina, una cosa, se tratase de reproducir la misma idea, sería preciso decir en el primer caso *he,* en el segundo *she,* en el tercero *it.* Debemos, pues, considerar el género bajo uno y otro punto de vista, porque la lengua puede seguir en el uno diferente rumbo que en el otro, y tan grande ser la diferencia como lo que va de no tener géneros a tenerlos.

En castellano para la concordancia del adjetivo con el sustantivo en construcción inmediata, no hay más que dos géneros, masculino

* *Lo* en la primera edad de la lengua era *elo.* En el «Alejandro» se lee:

«Alzan *elo* que sobra forte de los tauleros.»

y femenino: *árbol frondoso, lo frondoso, selva frondosa. Lo* por consiguiente es masculino bajo el respecto de que hablamos, y lo mismo debe decirse de *esto, eso, aquello, algo, nada* y demás sustantivos neutros.

Pero bajo el punto de vista de la representación de ideas cercanas, tenemos tres géneros, masculino, femenino y neutro. Después de decir *el roble, la encina,* el primero se reproduce por *él,* el segundo por *ella.* Los sustantivos *ello* o *lo, esto, eso, aquello, algo,* etc., no pueden reproducirse por *él* ni por *ella,* sino precisamente por *ello* o *lo,* o por otro sustantivo semejante. Pertenecen, pues, bajo el punto de vista de que hablamos, a un género particular, que no es masculino ni femenino. Al mismo género pertenecen los infinitivos, los conceptos significados por frases u oraciones enteras, y otros que se han enumerado en la «Gramática».

«El vivir los hombres en sociedad, no ha sido casual o arbitrario: un instinto irresistible los ha obligado a *ello*». La lengua no permitiría decir *a él*: *vivir los hombres en sociedad* se construye con *el* y es representado por *ello.* Si en lugar de *el vivir los hombres* pusiéramos *el que los hombres vivan,* sucedería lo mismo; la frase *que los hombres vivan en sociedad* se juntaría con *el* y sería representada por *ello,* y de ninguna manera por *él.* Así, cuando yo digo que ciertos sustantivos, ciertas palabras, ciertas frases son masculinas en construcción inmediata y neutras en la representación, no hago más que exponer sencillamente lo que pasa en castellano; contra lo cual no debe valer la práctica de otra lengua alguna. En latín es cierto que lo masculino y lo neutro se excluyen mutuamente, pero en nuestra lengua no lo ha querido así el uso *quem penes arbitrium est et ius et norma loquendi.*

NOTA VIII

«LO» PREDICADO

«Este *lo,* representativo de predicados, es el caso complementario acusativo de *ello*».

¿El verbo *ser* con acusativo? ¿Y por qué no? ¿Por qué cerrar los ojos a un hecho manifiesto en que no cabe disputa?

Es un principio recibido que el ser activo o neutro un verbo no depende de su significación, puesto que a un verbo neutro en una lengua corresponde muchas veces un verbo activo en otra.

Se dice que ciertos verbos son activos, porque nos figuramos en ellos cierta especie de acción en lo cual, como en otras explicaciones gramaticales, se toma el efecto por la causa. No los hacemos activos porque nos figuramos una acción que no existe; sino al contrario, nos figuramos una acción porque se construyen con acusativo, y porque este complemento es el que a menudo solemos juntar a los verbos que significan acción material.

Una cosa parecida sucede con los géneros. *Muerte,* por ejemplo, no es femenino porque nos sea natural representarnos la muerte bajo la imagen de una mujer, sino, al contrario, asociamos la idea de este sexo a la muerte, porque el sustantivo que la significa se construye con aquella forma de adjetivo que solemos juntar a los nombres de mujeres o hembras. La muerte figura como varón en las personificaciones poéticas de los griegos, porque su nombre en griego era *thanatos*, masculino.

En la formación de las lenguas, con todo, es preciso que al dar un género masculino o femenino al objeto que carecía de sexo, o un complemento de objeto paciente a un verbo que no significaba acción, sino ser o estado, ocurriese a los hombres alguna aprehensión o fantasía, que se incorporase de ese modo en el lenguaje; a la manera de lo que vemos en la lengua inglesa, donde, desde que la imaginación personaliza un ser inanimado o abstracto, le da el sexo, y por consiguiente el género, masculino o femenino, que más natural le parece. Así, en aquella lengua, la muerte personificada es constantemente varón: carácter que es sin duda el que mejor se aviene con la idea de actividad vigorosa y destructora que la imaginación le atribuye. En el *Paraíso Perdido* de Milton, *Death* y *Sin* (la muerte y el pecado) aparecen bajo sexos diferentes de los que un poeta castellano les atribuiría; aquélla, varón; éste, hembra.

Ahora, pues, ¿quién desconoce lo caprichosa que es en estas aprehensiones la imaginación? ¿Por qué no podrá ella fingirse en la existencia misma una especie de actividad? ¿No damos a *estar* un acusativo reflejo cuando decimos que uno *se está en el campo, se está escondido*? ¿No atribuyen estas frases a la existencia una sombra de acción sobre las cualidades y modo de ser? En castellano el mismo verbo *ser* admite alguna vez un acusativo reflejo; lo que no haría, si no se concibiese en su significado cierto color o apariencia de acción. La verdad es que en el origen de las lenguas romances la existencia y la actividad parecieron tan estrechamente enlazadas, que la denominación general dada a todo lo que existe o se concibe como existente fue *causa* (*cosa, chose*).

No se extrañe, pues, que *lo* sea a un mismo tiempo predicado y acusativo, cuando se dice: «Es verdaderamente feliz el que cree que *lo* es»; o «se está escondido, sólo porque gusta de *estarlo*». Éste es uno de tantos conceptos metafísicos, encarnados en el lenguaje, y que han hecho más de una vez luminosas indicaciones a la filosofía.

Sobre todo, se trata de un hecho. Explíquese como se quiera; la lengua modifica a *ser* y *estar* con la misma forma de *ello* de que se sirve para el complemento acusativo. *Lo* aparece de dos modos en la lengua; ya limitado, determinado por alguna modificación (*lo blanco, lo negro, lo de ayer, lo del siglo pasado, lo que nos agrada, lo que aborrecemos*), y entonces es indeclinable; ya absoluto, sin determinación ni limitación alguna expresa (*lo creo, lo vi, lo pensaré*), y entonces *lo* (neutro) es acusativo de *ello*. ¿Por qué se ha de mirar el *lo* absoluto que modifica a *ser* y *estar*, como algo diferente del *lo* absoluto en todas las demás circunstancias, sin excepción alguna? Aceptemos las prácticas de la lengua en su simplicidad, y no las encojamos y estiremos para ajustarlas al *lecho de Procustes* de la lengua latina.

Ni es la castellana la única que da por predicado a *ser* un acusativo neutro, que reproduce nombres precedentes. En francés *le*, acusativo de *il*, es masculino o neutro. «Connaissez-vous cet homme-là? — Oui, je *le* connais»; «No voyez-vous pas qu'il veut vous tromper? — Je ne *le* vois que trop»: *le*, masculino en la primera respuesta, no es masculino ni femenino en la segunda; es un verdadero neutro, aunque los franceses expliquen con otras palabras el hecho, porque en su lengua no se deja ver con la misma claridad que en la nuestra la diferencia entre lo masculino y lo neutro. Ahora, pues, cuando se pregunta a una mujer «êtes-vous heureuse?» y ella responde *je le suis*, ¿qué es este *le* sino un acusativo neutro? Madama de Sévigné pretendía que debía decirse *je la suis*, reprobando el uso general en cuanto al género, pero no en cuanto al acusativo. En lo primero erró, sin duda; y aunque se empeñó en introducir una práctica nueva, halló poquísimos imitadores; muestra curiosa de los extravíos en que una falsa teoría puede hacer incurrir a los mejores hablistas.

CAPÍTULO XVI

PRONOMBRES RELATIVOS, Y PRIMERAMENTE EL RELATIVO «QUE»

303. Analizando el ejemplo siguiente: «Las estrellas son otros tantos soles; éstos brillan con luz propia»; se ve que se compone de dos proposiciones: *las estrellas* es el sujeto, y *son otros tantos soles* el atributo de la primera: *éstos* (adjetivo sustantivado) es el sujeto, y *brillan con luz propia* el atributo de la segunda.

Estos reproduce el sustantivo *soles* precedente, y enlaza en cierto modo la segunda proposición con la primera; pero este enlace es flojo y débil; echamos menos una conexión más estrecha. Las enlazaremos mejor sustituyendo a *éstos* la palabra *que*: «Las estrellas son otros tantos soles *que* brillan con luz propia». *Que* tiene el mismo significado que *éstos*; es un verdadero demostrativo; pero se diferencia de los demostrativos comunes en que la lengua lo emplea con el especial objeto de ligar una proposición con otra.

304. Llámanse *relativos* los demostrativos que reproducen un concepto anterior, y sirven especialmente para enlazar una proposición con otra. El de más frecuente uso es *que*, adjetivo de todo género, número y persona. En *el navío que viene de Londres* es de género masculino, número singular y tercera persona; en *vosotras que me oís* es de género femenino, número plural y segunda persona. Debemos siempre concebir en él, no obstante su terminación invariable, el género, número y persona del sustantivo reproducido, que se llama su *antecedente*.

305. *Que* puede ser sujeto, término y complemento. En todos los ejemplos anteriores es sujeto; es complemento acusativo en *la casa que habitamos*, y término en *las plantas de que está alfombrada la ribera*.

306. La proposición de que el relativo adjetivo forma parte, especifica unas veces y otras explica. En este ejemplo: «Los muebles de que está adornada la casa que habitamos, son enteramente conformes al gusto moderno», la proposición *que habitamos* (en que se calla el sujeto *nosotros)* especifica al sustantivo *casa;* y la proposición *de que está adornada la casa,* especifica al sustantivo *muebles.* La primera depende de la segunda, y ésta de la proposición independiente *los muebles son enteramente conformes al gusto moderno.* Pero en el ejemplo siguiente: «*Ella,* que deseaba descansar, se retiró a su aposento», la proposición *que deseaba descansar* no especifica sino explica a *ella,* y por eso se dice aquí *ella* y no *la.* Sucede muchas veces que en la recitación el sentido especificativo no se distingue del explicativo, sino por la pausa que suele hacerse en el segundo, y que en la escritura señalamos con una coma. En «Las señoras, que deseaban descansar, se retiraron», el sentido es puramente explicativo: se habla de todas las señoras. Quitando la coma en la escritura, y suprimiendo la pausa en la recitación, haríamos especificativo el sentido, porque se entendería que no todas, sino algunas de las señoras, deseaban descansar, y que sólo éstas se retiraron. Si suprimiésemos *señoras,* sustantivando el artículo, diríamos en el sentido explicativo *ellas, que,* y en el especificativo, *las que.*

307. La proposición especificativa se llama *subordinada,* y la proposición de que ésta depende *subordinante.* La proposición explicativa se llama *incidente,* y la de que ésta depende *principal.* Las proposiciones incidentes son en cierto modo independientes, y así es que sin alterar en nada el sentido del anterior ejemplo, se podría decir: «Las señoras deseaban descansar y se retiraron».

308. Se llama *oración* toda proposición o conjunto de proposiciones que forma sentido completo: *de que está alfombrada la ribera* es proposición perfecta, pero no es oración.

309. Una proposición que respecto de otra es principal o subordinante, respecto de otra tercera puede ser incidente o subordinada. En este caso se halla en uno de los ejemplos anteriores la proposición *de que está adornada la casa,* subordinante respecto de *que habitamos,* y subordinada con relación a *los muebles son,* etc.

310. A veces el relativo reproduce varios sustantivos a un tiempo: «Quién quisiere saber qué tan grandes sean las adversidades y las calamidades y pobreza *que están guardadas* para los malos, lea», etc. (Granada.)

311. A veces también el relativo *que* reproduce dos antecedentes a un tiempo, y se le agregan expresiones demostrativas para dar a cada antecedente lo que le pertenece: «Adornaron la nave con flámulas y gallardetes, *que ellos* azotando el aire, y *ellas* besando las aguas, hermosísima vista hacían» (Cervantes).

312. En todos los ejemplos anteriores el relativo *que* es un adjetivo, aunque sustantivado. Mas así como de los demostrativos adjetivos *este, ese, aquel* y *él* o *el,* nacen los sustantivos neutros *esto, eso, aquello* y *ello* o *lo,* del relativo adjetivo *que* nace el sustantivo neutro *que,* semejante en la forma, pero de diferente valor, como vamos a ver.

«Esto *que* te refiero es puntualmente lo *que* pasó.» *Que* reproduce a los sustantivos neutros *esto* y *lo;* por consiguiente es también un sustantivo neutro, porque es propio de los neutros el ser representados por sustantivos de su género y no por terminaciones adjetivas. *

«Servir a Dios, de *que* depende nuestra felicidad eterna, debe ser el fin que nos propongamos en toda la conducta de nuestra vida.» El primer *que* reproduce al infinitivo *servir a Dios*; por consiguiente es neutro, porque los infinitivos lo son. En efecto, *de que* significa aquí *de esto*; sin que haya entre las dos expresiones otra diferencia que el servir la primera, y no la segunda, para ligar más estrechamente una proposición con otra.

«Llamáronla (los españoles) *isla de San Juan de Ulúa,* por haber llegado a ella el día del Bautista, y por tener su nombre el general; en *que* andaría la devoción mezclada con la lisonja» (Solís). *En que* es *en esto,* y reproduce la proposición anterior, como si se dijese que *en haberse dado aquel nombre a la isla andaría,* etc.

313. El *que* sustantivo puede, como los demostrativos *esto, eso,* etc. (95), reproducir colectivamente varios sustantivos que significan cosas. «Quitáronle los bandoleros las joyas y dineros que llevaba, que era todo lo que le quedaba en el mundo». Aquí el *que* significa *esto.* Pero podría también decirse *que eran,* y entonces el *que* significaría *esta ropa y dinero,* y sería adjetivo plural.

314. El neutro *que* tiene también, como es propio de los demostrativos de su género, el oficio de reproducir nombres precedentes bajo el concepto de predicados: «El suelo de Holanda, cruzado de innumerables canales, de estéril e ingrato *que* era, se ha convertido en un jardín continuado» (Jovellanos): es como si se dijese *de estéril e ingrato (eso era) se*

* Para que se conozca que *esto* y *lo* son aquí sustantivos (como siempre), nótese que su significado es exactamente el mismo que si dijéramos: «*estas cosas* que te refiero son puntualmente *las cosas* que pasaron.» Es propio de los neutros significar ya unidad, ya pluralidad colectiva.

ha convertido, etc., reproduciendo a *estéril e ingrato* como predicados de *él,* esto es, de *el suelo de Holanda,* sujeto tácito de *era. Eso era* y *que era* significan una misma cosa, con la sola diferencia de enlazarse estrechamente las proposiciones por medio del *que;* mientras que diciendo *eso era,* quedaría esta proposición como desencajada y formaría un verdadero paréntesis.

315. La misma construcción aparece en *don N., cónsul que fué de España en Valparaíso*; expresión que, sustituyendo un demostrativo común al relativo, se resuelve en *don N., cónsul (lo fué de España en Valparaíso)*, donde los complementos *de España, en Valparaíso,* modifican a *lo*, que representa a *cónsul*, y lo hace predicado de *él*, sujeto tácito de *fué.*

«Se me hace escrúpulo grande poner o quitar una sola sílaba que sea» (Santa Teresa): *que sea*, llenando la elipsis, es *que ello sea* o *que lo que se pone* o *se quita sea*; y apenas es necesario decir que el relativo, como el demostrativo que se le sustituye, reproduce a *una sola sílaba* bajo el concepto de predicado del sujeto ello. *

Hemos visto al neutro *que* hacer los varios oficios de sujeto, complemento, término y predicado, pero en todos ellos reproduciendo conceptos precedentes y formando un elemento de la proposición incidente o subordinada. Ahora vamos a verle ejercer una función inversa.

316. El sustantivo *que* pertenece muchas veces a la proposición subordinante y no reproduce ninguna idea precedente, sino anuncia una proposición que sigue: «*Que* la tierra se mueve alrededor del sol es cosa averiguada», es como si dijéramos; *esto, la tierra se mueve alrededor del sol, es,* etc.; toda la diferencia entre *esto* y *que* se reduce a que empleando el primero, quedarían las dos proposiciones flojamente enlazadas. Proposición subordinante, *que es una cosa averiguada;* proposición subordinada, señalada por el *que* anunciativo, *la tierra se mueve alrededor del sol. Que* es el sujeto de la proposición subordinante.

317. Otras veces este *que* sustantivo y anunciativo es complemento o término: «Los animales se diferencian de las plantas en *que* sienten y se mueven»: *en que* es *en esto; que* es término de la preposición *en.*

«Los fenómenos del universo atestiguan *que* ha sido criado

* Se ha censurado en Cervantes como un italianismo: «¿Y qué son ínsulas? ¿es alguna cosa de comer, golosazo, comilón *que tú eres*?» Pero esta construcción en nada discrepa de la de Jovellanos y Santa Teresa: ni puede decirse que sea ociosamente pleonástica, pues da cierta gracia y energía al vocativo. Más razón habría para censurar como un galicismo la traducción literal de *Malheureux que je suis!* «¡desgraciado que soy!» No porque la construcción sea viciosa de suyo, sino porque en las exclamaciones preferimos un giro diverso: «¡Desgraciado de mí!» «¡Pobres de vosotros!»

por un ser infinitamente sabio y poderoso»; *atestiguan que* es *atestiguan esto; que* es la cosa atestiguada; complemento acusativo de *atestiguan.* *

318. Pueden pues los relativos, no sólo reproducir un concepto precedente, sino anunciar un concepto subsiguiente, en lo que no se diferencian de los otros demostrativos, pues decimos: «Las cuatro partes del mundo son éstas: Europa, Asia, África y América».

319. El *que* anunciativo es neutro, y, como todos los neutros, concierta con la terminación masculina del adjetivo: «Es *falso que* le hayan preso»; «No es *justo que* le traten así». Pero lo más notable, y lo que prueba, a mi ver, demostrativamente, que nuestro género neutro existe sólo en cuanto a la representación de conceptos, y en cuanto a la concordancia se confunde con el masculino, es la construcción del *que* anunciativo con la terminación masculina del artículo: «*El que* los montes se reproducen por sí mismos», dice Jovellanos que es cosa averiguada; «Parecieron estas condiciones duras: ni valió, para hacerlas aceptar, *el que* Colón propusiese contribuír con la octava parte de los gastos» (Baralt y Díaz). En efecto, desde que el artículo, en vez de construírse con el *que*, lo reproduce, ya no decimos *él,* sino *ello.* «Se espera *que* tantos escarmientos le arredrarán, pero no hay que contar con *ello.*» Ni vale decir que el artículo se refiere, no al *que* sino a la proposición subordinada, que especifica a éste; porque siempre sale lo mismo: una proposición subordinada es masculina en su concordancia, y neutra en su reproducción, como sucede con los infinitivos.

320. Los pronombres relativos pasan a interrogativos acentuándose. «¿Qué pasajeros han llegado?»: el *qué* es aquí adjetivo y forma con *pasajeros* el sujeto de la proposición. «¿Qué ha sucedido?»: el *qué* hace de sujeto y es un sustantivo, porque envuelve el significado de *cosa* o *cosas.* «¿Qué es la filosofía?» Este *qué* tiene aquí el mismo significado, y por consiguiente es sustantivo, pero se adjetiva sirviendo de predicado a *filosofía* y de modificativo a *es.* «¿Qué noticias trajo el vapor?»: *qué,* adjetivo; *qué noticias,* complemento acusativo de *trajo.* «¿Qué aguardamos?»: *qué,* sustantivo, equivalente a *qué cosa* o *qué cosas,* y complemento acusativo de *aguardamos.* «¿A qué partido nos atenemos?»: *qué,* adje-

* Al *que* anunciativo llaman casi todas las gramáticas conjunción, porque no se ha definido con claridad y exactitud esta clase de palabras. El *que* anunciativo liga, es cierto; pero también liga el adjetivo *que*: ¿y lo llamaremos por eso conjunción? Cuando decimos *el vecindario de la ciudad, de* enlaza al sustantivo que sigue con el que precede: ¿será, pues, conjunción? Los elementos ligados por una conjunción no dependen el uno del otro; cuando decimos *hermosa, pero tonta,* ni *hermosa* depende de *tonta,* ni *tonta* de *hermosa.* Cuando se dice *existo y percibo,* sucede lo mismo. Pero cuando digo *percibo que existo,* no es así: el *que* (junto con la proposición anunciada, que lo especifica) depende de *percibo,* porque es un complemento de este verbo, de la misma manera que *de la ciudad* es un complemento de *el vecindario.*

tivo; *qué partido,* término de la preposición *a.* «¿En qué estriban nuestras esperanzas?»; *qué,* sustantivo y término de la preposición *en.*

321. La interrogación en los ejemplos anteriores es *directa,* porque la proposición interrogativa no es parte de otra. Si la hacemos sujeto, término o complemento de otra proposición, la interrogación será *indirecta,* y no la señalaremos en la escritura con el signo ?, sino sólo con el acento del pronombre. «No sabemos qué pasajeros han llegado»; «Preguntaban qué noticias traía el vapor»; «Ignoro en qué estriba su esperanza». En estos tres ejemplos la proposición interrogativa indirecta es acusativo, porque significa la cosa no sabida, preguntada, ignorada. Si dijésemos: «Qué noticias haya traído el correo es hasta ahora un misterio», la proposición interrogativa indirecta sería sujeto del verbo *es,* y si dijésemos: «Están discordes las opiniones sobre qué partido haya de tomarse», la haríamos término de la preposición *sobre.*

322. De lo dicho se sigue que un complemento puede tener por término, no sólo un sustantivo, un predicado, un adverbio, un complemento, sino también una proposición interrogativa indirecta; pero es porque las proposiciones interrogativas indirectas hacen en la oración el oficio de sustantivos.

LAS EXPRESIONES RELATIVAS *EL QUE, LO QUE*

323. Las expresiones *el que, la que, los que, las que, lo que,* se deben considerar unas veces como compuestas de dos palabras distintas, y otras como equivalentes a una sola palabra.

324. En el primer caso el artículo está sustantivado y sirve de antecedente al relativo: «Los que no moderan sus pasiones son arrastrados a lamentables precipicios»: *los* es *los hombres,* antecedente de *que* y sujeto de *son,* y se prefiere esta forma abreviada a la íntegra *ellos,* porque la proposición que sigue especifica. «Lo que agrada seduce»; *lo* (sustantivo, porque de suyo envuelve la idea de cosa o cosas) es antecedente de *que* y sujeto de *seduce: se* dice *lo,* no *ello,* por causa de la proposición especificativa que sigue. Siempre que las expresiones dichas se componen verdaderamente de dos palabras distintas, el artículo pertenece a una proposición y el relativo a otra.

325. En el segundo caso el artículo no es más que una forma del relativo, por medio de la cual se determina si es sustantivo o adjetivo, y cuál es, en cuanto adjetivo, su género y número. «La relación de las aventuras de D. Quijote de la Mancha, escrita por Miguel de Cervantes Saavedra, en la que los lectores vulgares sólo ven un asunto de entretenimiento, es un libro moral de los más notables que ha producido el ingenio humano» (Clemencín). El *la* de *la que* no hace más que dar una forma femenina y singular al *que: la* y *que* son un solo elemento gramatical, un relativo que pertenece todo entero a la proposición incidente, donde sirve de término a la preposición *en;* y el antecedente de este relativo es *la relación,* que con la frase verbal *es un libro,* etc., a la cual sirve de sujeto, compone la proposición principal. «Los reos fueron condenados al último suplicio; lo que causó un sentimiento general»; el *lo* de *lo que* no hace más que determinar el carácter sustantivo y neutro del relativo; así *lo* y *que* componen un solo elemento, que hace de sujeto en la proposición incidente, y reproduce (como suelen hacerlo los neutros) todo el concepto de la proposición principal, como si se dijese: *el haber sido condenados los reos al último suplicio causó,* etc.

326. El *que* anunciativo se junta a veces, según ya hemos notado, con la terminación masculina del artículo, como cuando dice Villanueva: «No podía yo mirar con indiferencia *el que* se infamase mi doctrina». Los dos elementos no forman entonces una palabra indivisible: el artículo adjetivo conserva su naturaleza de tal, como en el *infamar* o *la infamia*; y sin embargo, ambos pertenecen a una misma proposición, como siempre lo hacen el sustantivo y su artículo.

327. Cuando el artículo se combina con el relativo formando un elemento gramatical indivisible, deberían ambos escribirse como una sola palabra, *elque, laque,* a la manera que lo hacen los franceses en *laquel, laquelle.**

EL RELATIVO *QUIEN*

328. En lugar de las expresiones *el que, las que, los que, las que,* ya formen dos palabras o una sola, empleamos mu-

* Los artículos no hacen entonces otro oficio que el de las terminaciones en el relativo latino *qui, quae, quod*: son formas diferenciales que se ponen al principio de la palabra como las otras al fin.

Antes era rarísimo el uso de *el que, la que* en el sentido de *el cual, la cual*; a no ser en el género neutro, como en estos pasajes de Cervantes: «Temo (dijo el italiano) que por ser mis desgracias tantas y tan extraordinarias no me habéis de dar crédito alguno. *A lo que* respondió Periandro...», etc. «El capitán acudió a ver la balsa y quiso acompañarle Periandro: *de lo que* fué muy contento» (el mismo).

chas veces el sustantivo *quien, quienes,* cuando el relativo se refiere a persona o cosa personificada: «La culpa no fué tuya, sino de quien te aconsejaba: este *quien* quiere decir *la persona que,* y es un relativo que lleva en sí mismo su antecedente. «Fuimos a saludar al gobernador de la plaza, para quien traíamos carta de recomendación»: *para quien* es *para el que,* y su antecedente es *el gobernador;* el *quien* no lleva, pues, envuelto su antecedente, que está en la proposición principal.

329. El uso moderno del relativo *quien* es algo diferente del que vemos en los escritores castellanos hasta después de la edad de Cervantes y Lope de Vega: «Quiérote mostrar las maravillas que este transparente alcázar solapa, de *quien* yo soy alcaide y guarda mayor perpetuo, porque soy el mismo Montesinos, de *quien* la cueva toma nombre» (Cervantes). El uso del día autoriza el segundo de estos *quien,* porque se refiere a persona; pero no el primero, porque le falta esa circunstancia. «Podéis bautizar vuestros sonetos y ponerles el nombre que quisiéredes, ahijándolos al preste Juan de las Indias o al Emperador de Trapisonda, de *quien* hay noticia que fueron famosos poetas» (Cervantes). Hoy diríamos *de quienes,* porque damos a *quien* dos terminaciones, singular y plural, como a veces lo hizo Cervantes: «Ves allí, Sancho, donde se descubren treinta o pocos más desaforados gigantes, con *quienes*», etc.

330. *Quien,* sin embargo, no se limita hoy tan estrictamente a personas, que no se refiera algunas veces a cosas, cuando en éstas hay cierto color de personificación, por ligero que sea. Así no tienen nada de repugnante para nuestros oídos ni estos versos de Rioja:

> «A ti, Roma, a quien queda el nombre apenas,
> Y a ti, a quien no valieron justas leyes,
> Fábrica de Minerva, sabia Atenas»,

ni aquellos en que dice Ercilla, hablando de la codicia:

> «Ésta fue quien halló los apartados
> Indios de las antárticas regiones.» *

331. Cuando *quien* no lleva en sí mismo su antecedente, no

* Nos parece demasiado severo don Vicente Salvá, cuando encuentra alguna afectación de arcaísmo en *las sabias academias por quienes* de Jovellanos. Es natural y frecuente personificar las corporaciones: a cada paso oímos, *la nación a quien; el tribunal de quien; el congreso para quien,* etc.

Sería también, a nuestro juicio, una delicadeza excesiva la que extrañase el *quien* de estos pasajes de Jovellanos y de Alcalá Galiano: «¿No es éste el progreso natural de todo cultivo, de toda plantación, de toda buena industria? ¿No es siempre el consumo *quien* los provoca, y el interés *quien* los determina y los aumenta?» ¿La ambición, más o menos acompañada de talento y ciencia, de arrojo noble o de loca osadía, es *quien* hace las pujas y en el remate se queda con la presa.»

puede ser sujeto de una proposición especificativa: no se podría pues decir: *el hombre quien vino.* Sirve sí a menudo de sujeto en las proposiciones explicativas: «Esta conducta (de Gonzalo de Córdoba) fué la que en la batalla de Albuhera le granjeó la alabanza del general; *quien,* dando al ejército las gracias de la victoria, aplaudió principalmente a Gonzalo; cuyas hazañas, decía, había distinguido por la pompa y lucimiento de sus armas» (Quintana).

332. Cuando lleva envuelto su antecedente, pertenece parte a una proposición, y parte a otra:

«Las virtudes son severas,
Y la verdad es amarga:
Quien te la dice te estima,
Y *quien* te adula te agravia.»
(Meléndez.)

De los dos elementos de *quien,* el antecedente es sujeto de *estima* y *agravia,* y el relativo es sujeto de *dice* y *adula.*

333. *Quien* se hace interrogativo acentuándose. Equivale entonces a *qué persona,* y puede ser sujeto, predicado o término: «¿*Quién* ha venido?», «¿*Quién* era aquella señora?», «¿A *quién* llaman?», «¿Con *quiénes* estaban?» La interrogación puede ser también indirecta: «No sabemos *quién* ha venido», «Se preguntó *quién* era la señora».

EL RELATIVO POSESIVO *CUYO*

334. *Cuyo,* pronombre adjetivo, que es a un tiempo posesivo y relativo, equivale a *de que* o *de quien,* en el sentido de posesión o pertenencia; como *suyo* equivale a *de él, de ella, de ellos, de ellas, de ello:* «El árbol, cuyo fruto comimos; a cuya sombra estábamos sentados; cuyos ramos nos defendían del sol; cuyas flores perfumaban el aire»; «Lo más alto a cuya consecución nos es dado aspirar».

335. Hácese interrogativo acentuándose: «¿Cúyo es aquel hermoso edificio?»; «¿Cúyos eran los versos que se recitaron en la clase?»

336. Esta práctica es extremadamente limitada, ya porque *cuyo* debe referirse a personas, y ya porque (según el uso corriente) sólo tiene cabida en predicados que modifiquen el verbo *ser,* como en los ejemplos anteriores. No creo que sean aceptables en el día las construcciones: «¿Cúyo buque ha naufragado?», «¿Cúya casa habitas?», «¿A cúya protección te acoges?», sin embargo de recomendarlas su precisión y sencillez, y la autoridad de nuestros clásicos.

«Tu dulce habla ¿en cúya oreja suena?»
(Garcilaso).

«¿A cúyo servicio está (un hijo) más obligado que al del padre que le engendró?» (Granada).

337. *Cúyo* se emplea asimismo en interrogaciones indirectas: «Entre la cena le preguntó don Rafael que cúyo hijo era» (Cervantes). Esta es una regla general para todas las palabras interrogativas, por lo que no la repetiremos sino cuando haya algo especial que notar.

Capítulo XVII

LOS DEMOSTRATIVOS «TAL», «TANTO», Y LOS RELATIVOS «CUAL», «CUANTO»

338. Entre los pronombres demostrativos debemos contar a *tal* y a *tanto.* El primero es de una sola terminación para ambos géneros.

339. *Tal* significa lo mismo que *semejante,* y *tanto* lo mismo que *igual,* refiriéndose uno y otro a lo que precede, o a lo que inmediatamente sigue: la demostración de *tal* recae sobre la cualidad, y la de *tanto* sobre la cantidad o el número.

«En llegando este lenguaje al vulgo de los soldados, como los *tales* de ordinario no miran más adelante que a su provecho, comenzaron a pensar», etc. (Coloma): *los tales* quiere decir *los hombres semejantes a éstos, de esta cualidad, de esta clase.*

«Ella (doña Violante, reina de Castilla) no estaba muy segura; en *tanta* manera pervierte todos los derechos la execrable codicia de reinar» (Mariana): *en tanta manera* quiere decir *en una manera igual a esto que acaba de decirse*: en la inseguridad de la reina se da la medida de la manera en que la codicia de reinar pervierte los derechos.

«A ruegos del rey de Castilla le envió (el de Aragón) diez galeras de socorro con el vicealmirante Mateo Mercero; y dende a algunos días le socorrió de otras *tantas* con el capitán Jaime Escrivá, ambos caballeros valencianos» (Mariana): *tantas* significa *iguales en número a las antedichas.*

340. *Tal* y *tanto* son asimismo sustantivos neutros, como *esto, eso* y *aquello;* y carecen entonces de plural.

«Para destruír alguna ciudad o provincia no hay *tal* como sembrarla de pecados y vicios» (Rivadeneira): *no hay cosa tal*; la demostración recae sobre lo que va inmediatamente a decirse.

«Hizo el rey de Francia que debajo de juramento le prometiese (Beltrán de Got, después Clemente V) poner en ejecución las cosas siguientes: que condenaría y anatematizaría la memoria de Bonifacio octavo; que restituiría en su dignidad cardenalicia a Pedro y a Jacobo de Casa-Colona, que por Bonifacio fueron privados del capelo; que le concedería los diezmos de las iglesias por cinco años; y conforme a esto otras cosas feas y abominables para la dignidad pontifical; pero *tanto* puede el deseo de mandar» (Mariana): *tanto* es *cosas iguales a éstas*.

341. Solemos a veces indicar bajo la imagen de semejanza o de igualdad el concepto de identidad que es propio de los demostrativos *este, ese, aquel;* pero con cierta énfasis sobre la cualidad o sobre la cantidad o número de las cosas.

«La salutación que el mejor maestro enseñóles a sus favorecidos, fué que cuando entrasen en alguna casa dijesen, paz sea en esta casa; y otras muchas veces les dijo, mi paz os doy, mi paz os dejo, paz sea con vosotros, bien como joya y prenda de *tal* mano» (Cervantes): de *tal mano* es *de aquella mano*, de una mano divina. «El campo quedó por los escitas; los muertos llegaron a doscientos mil; muchos los prisioneros, y entre ellos el rey Bayaceto, espanto poco antes de *tantas* naciones» (Mariana): esto es, *de aquel gran número de naciones*.

«¡Quién pudiera pintar el gran contento,
El alborozo de una y otra parte,
El ordenado alarde, el movimiento,
El ronco estruendo del furioso Marte,
Tanta bandera descogida al viento,
Tanto pendón, divisa y estandarte,
Trompas, clarines, voces, apellidos,
Relinchos de caballos y bufidos!»

(Ercilla).

Como si dijera *aquel gran número de banderas, pendones*, etc.; ejemplo notable por la énfasis de muchedumbre que va envuelta en el singular de *tanto*; sin embargo de que ordinariamente la demostración del singular de este adjetivo recae sobre la cantidad continua, y la del plural sobre el número.

«Cuando el cuadrillero *tal* oyó, túvole por hombre falto de seso» (Cervantes). «Estoy (dijo Sancho) por descubrirme, y ver en qué parte estamos. — No hagas *tal*, respondió don Quijote» (el mismo). *Tal* en estos dos ejemplos es sustantivo, y significa propiamente *tal cosa, semejante cosa*; pero se toma en el mismo concepto de identidad que significaríamos diciendo, *esto oyó, no hagas eso*; bien que indicando algo de notable en el hecho o dicho.*

* Es de notar que aun el adjetivo *semejante* se emplea no pocas veces en el sentido de identidad: *no conozco a semejante hombre, no he oído semejante cosa.*

«Hablando con Sancho le dijo (la duquesa): Advertid, Sancho amigo, que doña Rodríguez es muy moza y que aquellas tocas más las trae por autoridad que por los años. — Malos sean los que me quedan por vivir, dijo Sancho, si lo dije por *tanto*» (Cervantes). *Por tanto es por eso.*

342. *Tal,* significando identidad, se junta a menudo con el artículo: «*El tal* caballo ni come, ni duerme, ni gasta herraduras» (Cervantes). *El tal* es *este de que se trata.*

«Mire, señor, dijo Sancho, que aquí no hay encanto ni cosa que lo valga; que yo he visto por entre las verjas una uña de un león verdadero; y saco por ella que *el tal* león, cuya debe ser *la tal* uña, es mayor que una montaña» (Cervantes): *el tal* es *este,* y la *tal, esta.*

«¿Qué dijera el señor Amadís si *lo tal oyera?*» (Cervantes): *si eso oyera.*

343. *Cual* no se diferencia de *tal,* ni *cuanto* de *tanto,* sino en que son relativos, esto es, en que sirven para enlazar proposiciones.

«Algunos malsines, hombres malos, *cuales* tienen muchos los palacios, afirmaban al rey que la reina su mujer era bastarda, y que con aquel casamiento se afeaba la majestad real» (Mariana): si ponemos *tales* por *cuales,* la proposición incidente formará un paréntesis flojamente enlazado con la proposición principal; pero el sentido será el mismo.

344. *Tal* y *cual* se contraponen a menudo: «*Tal* suele ser la muerte, *cual* ha sido la vida»; hay en este ejemplo un elemento repetido: *semejante la muerte, semejante la vida;* esta repetición es el medio de que se vale la lengua para expresar la semejanza recíproca de las dos cosas comparadas.

345. Hemos visto que *tal* puede equivaler a *este; cual* toma el mismo sentido de identidad, equivaliendo a *que:* «Ofreció Gomerón que a su vuelta entregaría el castillo, dejando entre tanto órdenes secretas, *cuales* se verán a su tiempo» (Coloma). *Cuales* tiene aquí el sentido de *que,* bien que con cierta énfasis sobre la calidad de aquellas órdenes. Pero lo más ordinario, en este sentido de identidad, es combinar el artículo definido con *cual,* como antes vimos que se combinaba con *tal.* Desaparece entonces la énfasis, y *el cual, lo cual,* se hacen enteramente sinónimos de *que.*

«Hay otra gloria mayor, que es la que llaman esencial, *la cual* consiste en la visión y posesión del mismo Dios» (Granada). «Pidió

Cortés a sus capitanes que discurriesen sobre la materia, encomendando a Dios la resolución; *lo cual* encargó muy particularmente a fray Bartolomé de Olmedo» (Solís).

346. Tenemos por consiguiente dos modos de variar la forma del relativo *que*, adaptándola a los diversos géneros y números: el primero, de que hemos hablado arriba (§ 325 a 327), consiste en anteponer el artículo; el segundo, en combinar el artículo con el relativo de cualidad.*

347. La construcción de *cual* con el artículo, desconocida, si no me engaño, en castellano antes del siglo (XIV), se hizo después muy socorrida, y por la facilidad con que se presta al enlace de las proposiciones distinguiendo el género y número de los antecedentes, dio lugar a aquellos interminables períodos que después se hicieron de moda, llenando páginas enteras, con tanta fatiga de la atención y del aliento.

348. *Cuanto* tampoco se diferencia de *tanto* sino en que, como relativo, sirve para enlazar proposiciones. Además de emplearse como adjetivo bajo diferentes formas, que se aplican a los varios géneros y números, se usa como sustantivo neutro bajo la forma *cuanto*.

«*Cuanto* contento encierra
Cantar su herida el sano,
Y en la patria su cárcel el cautivo,
Y entre la paz la guerra,
Tanto en cantar mi libertad recibo.»
(Lope).

Es como si se dijera *igual contento encierra... igual contento recibo.* «Accedióse a todo *cuanto* el pueblo exigía»; a *todas las cosas, cosas iguales el pueblo exigía.* «Cuanto pidió, tanto obtuvo»: *iguales cosas pidió, iguales obtuvo.* En los dos últimos ejemplos, *cuanto* es sustantivo neutro, como sus antecedentes *todo* y *tanto.*

349. La contraposición de *cuanto* a *tanto* es frecuente, y en ella la repetición de un elemento sustancialmente idéntico es el medio de que se vale la lengua para indicar la igualdad de las dos cosas entre sí, como contraponiendo *tal* y *cual* se indica la semejanza recíproca. La contraposición de los puros demostrativos a los relativos, por la que repitiéndose un mismo elemento bajo dos formas, se indica una relación recíproca, es frecuente en castellano, como iremos viendo; y no lo ha sido menos en las lenguas madres latina y griega.

* En la época más antigua de la lengua se dijo *cual* donde hoy decimos *el cual.*

«Non la entendió nadi esta so cabalgada,
Fuera Dios, a *cual* solo non se encubre nada.»
(Berceo.)

«Envióli el blago, fust de grant santidat,
Sobre *cual* se sofria con la grant cansedat.»
(Berceo.)

350. *Cuanto* lleva a veces envuelto su antecedente: «*Cuantos* entraron en la nave perecieron», esto es, *tantos hombres cuantos.* Pero lo más notable en el uso de este adjetivo es el posponérsele a menudo el antecedente: «A despecho de la misma envidia y de *cuantos* magos vió Persia, ha de poner su nombre en el templo de la inmortalidad» (Cervantes). *De tantos mayos cuantos vió Persia* hubiera sido el orden natural. La involución del antecedente es frecuentísima en el sustantivo: «*Cuanto* se le dijo fué en vano»; desenvolviendo el antecedente diríamos *tanto cuanto* o *todo cuanto,* expresiones equivalentes a *todo lo que.*

351. *Cual* y *cuanto* se usan como interrogativos acentuándose: «¿*Cuál* de estos dos edificios te parece mejor?»; «¿*Cuántos* buques han sido tomados al enemigo?»; «¿*Cuál* es más, resucitar a un muerto o matar a un gigante?»; «¿*Cuánto* falta para terminar la obra?». *Cuál* y *cuánto* son sustantivos en estos dos últimos ejemplos.

CAPÍTULO XVIII

DE LOS SUSTANTIVOS NEUTROS

352. Además de los demostrativos *esto, eso, aquello, ello* o *lo, tal, tanto, que, cual* y *cuanto,* y de los infinitivos, como *cantar, vender, partir,* hay otros varios sustantivos neutros, significativos los unos de cantidad, como *todo, mucho, más, menos, demasiado, bastante, asaz, harto, poco,* y destinados los otros a expresar ciertos conceptos generales, como *algo, nada, nonada, uno, otro, al.*

353. Como la forma de algunos de estos sustantivos los expone a ser equivocados con los adjetivos de que provienen, y como bajo esta misma forma pasan frecuentemente a las funciones adverbial y conjuntiva, es necesaria alguna atención para distinguir sus varios oficios (§ 85). Su uso propio aparecerá suficientemente en los ejemplos.

354. «*Todo* nos habla de Dios: en *todo* resplandece su poder y sabiduría.» «No pretendas ser juez, si no tienes fuerza para romper por *todo* y castigar la maldad.» «Dios *lo* ha criado y *lo* conserva *todo.*» Es visto que *todo,* sustantivo, significa *toda cosa* o *todas las cosas*; siendo de notar que cuando sirve de complemento acusativo le agregamos *lo*, que es otro neutro en complemento acusativo.

355. «*Mucho* se espera de su prudencia.» «Unos tienen *más* y otros *menos*; pero nadie cree tener *demasiado*, ni *bastante*.» «*Harto* os he dicho; pensadlo.»

356. *Asaz* significa bastante porción, bastante número: «Don Quijote se le ofreció con *asaz* de discretas y comedidas razones» (Cervantes).

357. «*Algo* ha sucedido que ignoramos.» «*Nada* veo que puede causarnos inquietud.» *Algo* es *alguna cosa* o *algunas cosas: nada, ninguna cosa.*

358. *Nonada* es también lo mismo que *ninguna cosa*. «Tenía que decir muy poco o *nonada*» (Santa Teresa). *

359. «La suma de todo lo que enseña Machiavello acerca de la simulación del príncipe, se cifra en formar un perfectísimo hipócrita, que diga *uno* y haga *otro*» (Rivadeneira): *una cosa* y *otra cosa* **.

360. *Al*, apenas usado en el día, es adjetivo en *lo al* (lo otro, lo demás, lo restante): *lo* es el único sustantivo con que podemos construírlo, y por consiguiente carece de plural. Es sustantivo neutro en estos ejemplos:

«Ellas (las yeguas de los arrieros yangüeses) que tenían más ganas de pacer que de *al*» (Cervantes); esto es, de otra cosa. «Non vos lo digo porque os acuitedes ni mostredes mal talante; que el mío non es de *al*, que de serviros» (Cervantes). Clemencín, cuya autoridad en punto a corrección de lenguaje es de las más respetables, no ha tenido escrúpulo de usar esta voz: «La hermosura y atractivos de las andaluzas en *al* consisten que en lo blanco de la tez y en lo rubio de los cabellos».

* Antiguamente *nada* significaba siempre *cosa*: *nada* no es más que un residuo de la expresión *cosa nada*, cosa nacida, cosa criada, cosa existente. De aquí el usarse en muchos casos en que no envuelve negación: «¿Piensa usted que ese hombre sirve para nada?», esto es, para alguna cosa. De aquí también el emplearse con otras palabras negativas sin destruir la negación: «Ese hombre no sirve para nada», es decir, para cosa alguna. Y si tiene por sí solo el sentido negativo precediendo al verbo, no vemos en esto sino lo mismo que sucede con otras expresiones indudablemente positivas; así *en mi vida le he visto*, es lo mismo que *no le he visto en mi vida*. De suerte que *nada* no llegó a revestirse de la significación negativa sino por un efecto de la frecuencia con que se le empleaba en proposiciones negativas, donde la negación no era significada por esta palabra, sino por otras a que estaba asociada. La misma suerte ha corrido *nadie*, antiguamente *nadi*, que provino de *nado*, nacido, existente, como *otri* de *otro*. *Nonada* sí que significaba de suyo ninguna cosa, porque era la negación de *nada*, esto es, de *cosa*: «De *nonada* crió Dios el mundo» (Hugo Celso).

Yaqué significaba lo mismo que nuestro *algo*:

«Con la mi vejezuela enviéle yaqué.»
(Arcipreste de Hita.)

Yacuanto era otro sustantivo neutro de igual significado, nacido del adjetivo *yacuanto, yacuanta* (alguno, alguna).

** El antiguo epiceno *otri* (otra persona) tuvo con el neutro *otro* (otra cosa) la misma analogía que *alguien* con *algo*, y *nadie* con *nada*.

361. Es raro en los más de los sustantivos neutros construírse con artículo; pero lo hacen a menudo los infinitivos, y no sólo con los artículos definido e indefinido, sino con otros adjetivos; y entonces o conservan su carácter, construyéndose como el verbo de que provienen, v. gr. *el comer manjares exquisitos, el levantarse temprano, el hablar bien,* «aquel acabar su libro con la promesa de aquella inacabable aventura», como dice Cervantes; o se vuelven sustantivos ordinarios, dejando las construcciones verbales: *el vivir mío* (en vez de *el vivir yo), el murmurar de las fuentes* (en lugar de *el murmurar las fuentes).* Varios infinitivos toman plural en este caso, como *placeres, dares y tomares, pareceres, cantares,* etc.

362. El anunciativo *que* es otro de los neutros que se construyen a menudo con el artículo, según lo dicho arriba (§ 319).

363. Ni son los infinitivos los únicos neutros que deponen el carácter de tales. Así *todo,* significando el conjunto de todas las partes, es reproducido por *él* y *le* o *lo*: «No vemos más que una mínima parte *del gran todo*: cuanto alcanzamos a percibir en *él,* es como un átomo en la universalidad de las cosas creadas». «El *todo* es mayor que cualquiera de las partes que *le* o *lo* componen.»

364. *Nonada* con el artículo indefinido toma el género femenino; *una nonada* es locución hiperbólica para significar una cosa mínima. Dábasele también plural: «Calle, abuela, y sepa que todas las cosas que me oye son nonadas» (Cervantes).

365. *Nada,* significando la inexistencia de todo, toma el artículo femenino: «Es difícil concebir la nada». Con el artículo indefinido significa una cosa de ínfimo valor, y es ambiguo; pues aunque se dice corrientemente *una nada,* no creo que Samaniego se expresase mal en aquellos versos:

«El apetito ciego,
¡A cuántos precipita,
Que por lograr *un nada*
Un todo sacrifican!»

Capítulo XIX

DE LOS ADVERBIOS

Los adverbios se dividen por su significación en varias clases:

366. Adverbios de *lugar: cerca, lejos, enfrente, detrás, arriba, encima, abajo, debajo, dentro, fuera, afuera,* etc.

367. Adverbios de *tiempo: antes, después, luego, despacio* *, *apriesa* o *aprisa, aun, todavía, siempre, nunca, jamás*, etc.

368. Adverbios de *modo: bien, mal, apenas, recio* (reciamente), *paso* (en voz baja), *bajo* (lo mismo), *quedo* (blandamente, con tiento, sin hacer ruido), *alto* (en voz alta), *buenamente, fácilmente, justamente*, y casi todos los adverbios en *mente*.

369. Los adverbios de esta terminación son frases sustantivas adverbializadas; o si se quiere complementos en que se calla la preposición; que para el caso es lo mismo. *Justamente, sabiamente*, quiere decir, *de una manera justa, de una manera sabia*: *mente* en estas frases significa manera o forma.

370. Cuando se juntan dos o más adverbios en *mente* ligados por conjunción expresa o tácita, pierden todos la terminación, menos el último: *temeraria y locamente; clara, concisa y correctamente; salieron las aldeanas graciosa pero modestamente vestidas*. Diríase de la misma manera *tan graciosa cuanto*, o *tan graciosa como*, o *más graciosa que modestamente*.

371. Adverbios de *cantidad: mucho, poco, harto, bastante, además***, *demasiado, más, menos, algo, nada*, etc., a los cuales podemos añadir *totalmente, enteramente, casi, mitad, medio****, y otros.

372. Adverbios de *afirmación: ciertamente, verdaderamente*, etc.

373. Adverbios de *negación: no, tampoco, nada, nunca, jamás*****, etc.

* En Chile suele confundirse viciosamente *despacio*, adverbio de tiempo, con *paso, quedo*, adverbios de modo. *Hablar despacio* es hablar lentamente: *hablar paso* es hablar en voz baja. No se oponen hablar en voz alta y despacio.

** *Además* es adverbio de cantidad en dos sentidos:

1º Significa agregación, juntándosele frecuentemente la conjunción *y*: «Estaba retirado, *y además* enfermo». «Le alojó en su casa, *y además* cuidó de sus aumentos». Otras veces en esta misma acepción se le junta un complemento con *de*: «*Además de* aquella noble porción de juventud que consagra una parte de la subsistencia de sus familias y el sosiego de sus floridos años al árido y tedioso estudio que debe conducirla a los empleos civiles y eclesiásticos, ¿cuál es la vocación que llama al ejército y a la armada tantos ilustres jóvenes?» (Jovellanos). De aquí las frases conjuntivas *además de esto, además de lo dicho*, o simplemente *además*.

2º Encarece la significación de los adjetivos a que se pospone, haciéndolos superlativos: «Estaba pensativo *además*» (§ 221). Hoy decimos en el mismo sentido *por demás*.

*** *Mitad* es naturalmente sustantivo: «Fue adjudicada a los parientes la *mitad* de los bienes»; «Se había colocado una estatua en *mitad* de la plaza». Y forma un complemento sin preposición o un adverbio en «La sirena era una especie de ninfa marina, *mitad* mujer y *mitad pez*».

«La isla es mitad francesa;
La otra mitad, española.»
(Iriarte.)

Medio es adjetivo en *medio pan, media docena*; sustantivo en *elegir un medio, valerse de malos medios*; y adverbio en *medio dormido, medio despierta*. En Chile se emplea mal el adjetivo por el adverbio, diciendo, por ejemplo: «la niña salió media desnuda», «quedaron medios muertos».

**** *Jamás* no es de suyo negativo. Su significación primitiva y propia es *en tiempo*

374. Adverbios de *duda*: *acaso, talvez, quizá* o *quizás*, etc.

375. Algunos adverbios pospuestos hacen el mismo oficio que las preposiciones, formando complementos, como en *cuesta arriba, río abajo, tierra adentro, mar afuera, meses antes, días después, años atrás, camino adelante*. «El cielo, conmovido de mi desgracia, avivó el viento y llevó el barco, sin impelerle los remos, el mar adentro» (Cervantes).

376. Varios de los adverbios de cantidad no son otra cosa que sustantivos neutros adverbializados: «Agradecemos *mucho* las honras que se nos hacen»; «*Harto* le hemos aconsejado; pero él se cura *poco* de consejos»: «Es en sus determinaciones *algo* imprudente, y a veces *nada* cuerdo» *. También se usan a menudo como adverbios de cantidad las frases sustantivas *un poco, un tanto, algún tanto*, y otras: «Turbéme algún tanto» (Cervantes).

377. Otros adverbios hay que son originalmente adjetivos o complementos con preposición: v. gr. *alto, bajo, recio, claro, quedo* (originalmente adjetivos): *apenas* **, *acaso, despacio* (de espacio), *encima, enfrente, amenudo*, *abajo, adentro, afuera* (complementos).

378. Es notable la síncopa de *mucho* cuando modifica adjetivos, adverbios o complementos, precediéndolos. Dícese *me esfuerzo mucho, mucho siento*; y *está muy enfermo, muy arrepentido, muy cerca, muy lejos, muy a la vista, muy en peligro*. Subentendiéndose la palabra modificada, es necesaria la forma íntegra: *está enfermo, y mucho; fueron aplaudidos, pero no mucho*.

379. *Recientemente* se apocopa en *recién* antes de participios; *un país recién poblado, un niño recién nacido, los recién llegados* ***.

380. Hay asimismo gran número de adverbios *demostrativos*, cuyo significado se resuelve en complementos a que sirve de término alguno de los pronombres *este, ese, aquel*, combinado con un nombre de lugar, tiempo, cantidad o modo.

381. Adverbios demostrativos de *lugar*: *aquí* (en este lugar),

alguno, en cualquier tiempo. Ha sucedido con este adverbio lo que con *nadie* y *nada*: a fuerza de emplearse en frases negativas, donde la negación no es suya, sino de otras palabras, llegó a significarla por sí solo. De decir, por ejemplo, *no le veré jamás* (en tiempo alguno), se pasó a decir *jamás* (en ningún tiempo) *le veré*. Pero *jamás* conserva su significado positivo en ciertos giros, como «¿Le has visto jamás?»; «Castígueme el cielo, si jamás he pensado engañarte»; «Los justos gozarán de la presencia de Dios por siempre jamás».

* Dudo que se halle en el mismo caso *todo*, y que se le pueda emplear en el significado de *totalmente* o *del todo*, y me inclino a creer que Jovellanos cometió inadvertidamente un galicismo, cuando dijo: «Se redujo el espectáculo a chocarrerías y danzas *todo* profanas».

** Vemos disuelto el complemento en las frases *a malas penas, a duras penas*: «A malas penas acabó de entender la Argüello que los dos se quedaban en casa, cuando», etc. (Cervantes).

*** Ocurre la misma apócope antes de algunos adjetivos que asumen un sentido participial: «Se embarcaron todos los bastimentos con cuatro personas de las *recién libres*» (Cervantes), *recién libertadas*.

Es una corrupción emplear esta apócope con verbos, como hacen algunos diciendo, v. gr., *recién habíamos llegado; recién estaba yo despierto; recién se descubrió el Nuevo Mundo cuando*, etc. En este último ejemplo hay además la impropiedad de emplear a *recientemente* en el significado de *apenas*.

ahí (en ese lugar), *allí* (en aquel lugar), *acá* (a este lugar), *allá* (a ese o aquel lugar), *acullá* (en aquel lugar, ordinariamente en contraposición a otros lugares ya indicados).

«Me hallo muy bien *aquí.*» «Mira que corres peligro *ahí.*» «Ya había salido usted de Londres cuando yo estuve *allí.*» «Venid *acá.* — *Allá* vamos.» «Meses hace que no veo mi quinta; hoy me propongo ir *allá.*» «Aquí se juega, allí se canta, *acullá* se baila.» Tal es el valor que regularmente solemos dar a estos adverbios, sin que por eso dejen algunas veces de aplicarse al movimiento los en *i*, como *acá* y *allá* a la situación: «Ven *aquí.*» «Creo que no faltan por *allá* inquietudes y turbulencias como desgraciadamente las tenemos por *acá.*» «*Allá* en Turquía, donde la voluntad de un hombre es la ley suprema, pudieran tolerarse tantos desafueros y atropellamientos.»

382. Algunos confunden los dos adverbios *ahí* y *allí*: es necesario tener presente que el primero no es el propio sino cuando se resuelve en el demostrativo *ese*; de lo que proviene que señalemos muy bien con él lo que inmediatamente precede en el razonamiento. Así, después de referir las desgracias acarreadas a una persona por su mala conducta, se diría: «Ved ahí a lo que conducen las pasiones cuando la razón no las enfrena». *Ved aquí* no sería tan propio.

383. Los adverbios de lugar se trasladan frecuentemente a la idea de tiempo: «*Allá* en tiempo del rey Vamba». Nada más común en las narraciones que *aquí* o *allí* en el significado de *en este* o *en aquel momento.*

384. Otros adverbios demostrativos de lugar son *aquende* (del lado de acá), *allende* (del lado de allá). *Aquende, allende,* se emplean también como preposiciones: *allende el mar, allende el río.* *

385. Adverbios demostrativos de *tiempo: ahora* (en esta hora, al presente); *hoy* (en este día en que estamos hablando); *mañana* (en el día siguiente al de hoy); *pasado ma-*

* *Aquende* es anticuado. *Allende* (a la manera de otros adverbios de lugar) se usa como término de complemento: *países de allende; en allende. Allende de* es una expresión arcaica que significa *además de.*

Eran adverbios demostrativos de lugar *hi, ende* o *end; hi* era lo mismo que *allí; ende, de allí;* y metafóricamente se referían, no sólo a lugar, sino a cosa.

> «La casa ante el velo, esa avien por coro:
> Hi ofrecien cabro e ternero e toro.»
> (Berceo.)

Allí, en ella, ofrecían.

> «La obra del escudo vos sabré bien contar:
> Hi era dibujada la tierra e la mar.»
> *(el Alejandro.)*

Allí, en él, estaba dibujada.

> «Fueron a poca hora dos omes *hi venidos.*»
> (Berceo.)

Venidos a aquel lugar

ñana (en el día siguiente al de mañana); *ayer* (en el día anterior al de hoy); *anteayer* (en el día anterior al de ayer); *anoche* (en la noche anterior al día de hoy); *entonces* (en aquel tiempo), etc.

386. Adverbio demostrativo de *cantidad: tanto.* Es el sustantivo neutro adverbializado; y antes de los adjetivos, adverbios o complementos se apocopa: *Tanto habían crecido los ríos, tan grandes fueron las avenidas, tan tiernamente le amo; tan de corazón lo deseo.* Dícese *grandes fueron las avenidas, y tanto que,* etc., dejando de apocopar a *tanto,* porque se le subentiende el adjetivo *grandes.* Si en este mismo ejemplo quisiésemos colocar el verbo entre el adverbio y el adjetivo, sería necesaria también la forma íntegra: *tanto fueron grandes las avenidas, que* etc., porque la modificación del adverbio no caería ya directamente sobre el adjetivo sino sobre la frase verbal *fueron grandes.*

387. Adverbios demostrativos de *cualidad* o *modo: tal, sí, así.*

388. *Tal* es, bajo esta sola forma, adjetivo de singular, sustantivo neutro y adverbio. He aquí un ejemplo del último de esos tres oficios: «Hizo el postrer acto de esta tragedia madama de Gomerón, saliendo ella y dos hijas suyas niñas en busca del conde, y pidiéndole arrodillada a sus pies la vida de sus hijos: el conde le respondió entonces pocas palabras: *tal* que hubo de volverse algo consolada» (Coloma): *tal* es aquí *de tal modo.*

389. *Sí*, llamado adverbio afirmativo, lo es realmente, pero sólo por un efecto de su significado modal. *Sí* y *así* son una misma palabra *. Cuando uno pregunta *¿has estado en el campo?* y otro

«Roma es lugar señalado, e es el Papa *ende* Apostólico e Obispo, e usa más morar *hi*, que en otro lugar» (Partidas). *Ende* es *de allí, de Roma; hi* significa *allí, en Roma.*

«De niñez facia ella fechos muy convenientes:
Eran maravilladas *ende* todas las gentes.»
(Berceo.)

Maravillados de ellos, de ello.

«Partió bien la ganancia a toda derechura
E non quiso *ende* parte.»
(el Alejandro.)

Parte de ella

Es de sentir que hayan desaparecido de la lengua estos demostrativos, equivalentes al *y* y al *en* de los franceses; por su falta nos vemos obligados a emplear con tanta frecuencia las expresiones *a él, a ello, en él, en ello, de él, de ello,* o a omitir la demostración con detrimento de la claridad.

Usábase también el complemento conjuntivo *por ende* (por eso).

Dende significaba de allí, desde allí, y pasando de la significación de lugar a la de tiempo, de entonces, desde entonces. Algunos lo confunden con la preposición *desde*; pero en los dos ejemplos que siguen se ve claramente la fuerza propia de la preposición y la del adverbio: «Pues que más quieres tú que comenzar *desde* agora a ser bien aventurado?» (Granada); «*Dende* a pocos días se juntaron otra vez» (Diego H. de Mendoza). La frecuencia con que se encuentra *dende* por *desde* en libros antiguos, proviene sin duda de la incuria de los impresores, pero da a conocer que el vulgo confundía ya estas dos palabras como todavía lo hace.

* No hay entre ellas más diferencia original que entre *este* y *aqueste, ese* y *aquese.*

responde *sí*, hay una elipsis, que se llenaría diciendo *así es*, y en efecto respondemos muchas veces afirmativamente con las expresiones *así es la verdad, así es.*

390. A veces al *sí* de la respuesta se agregan uno o más elementos de la pregunta, con las variedades que pide la transición de una persona a otra: «¿No has visto tú representar alguna comedia, donde se introducen reyes, emperadores, pontífices, caballeros, damas y otros diversos personajes? — *Sí he visto*» (Cervantes). Lo que se extiende aun a oraciones que no tienen la relación de pregunta y respuesta: «Sobre todo le encargó que llevase alforjas: él dijo que *sí llevaría*» (Cervantes).

391. Habiéndose dado al *sí* este valor afirmativo, fué natural intercalarlo en las proposiciones para reforzar la afirmación, haciendo recaer la énfasis sobre la palabra a que lo posponemos: «*Ahora sí* has dado, Sancho, en el punto que puede y debe mudarme de mi determinado intento» (Cervantes). «*Vuestra merced sí* que es escudero fiel y legal» (Cervantes). «*Entonces sí* que andaban las simples y hermosas zagalejas de valle en valle y de otero en otero» (Cervantes). Hay en estas locuciones un contraste tácito: *ahora sí, antes no; vuestra merced sí, otros no; entonces sí, en otro tiempo no.* El *que,* al parecer redundante, de los dos últimos ejemplos, se encuentra en muchas otras expresiones aseverativas: *ciertamente que, por cierto que, sin duda que, vive Dios que, pardiez que, a fe que,* etc.; y proviene de una elipsis: «ahora sí *puede decirse* que»; «entonces sí *sucedía* que»; «ciertamente *parece* que»; o más bien, de que damos a una expresión aseverativa o a un juramento como *a fe, a fe mía, vive Dios, pardiez,* el mismo valor que si se dijera *juro, afirmo.**.

392. Hay otro *sí que,* usado como conjunción:

«*Sí que* hay quien tiene la hinchazón por mérito.»
(Iriarte).

Como si dijera, *en efecto, hay quien tiene,* etc. «Los ejercicios honestos y agradables antes aprovechan que dañan; *sí que* no siempre se está en los templos; no siempre se ocupan los oratorios; no siempre se asiste a los negocios, por calificados que sean; horas hay de recreación donde el afligido espíritu descanse; para este efecto se plantan las arboledas, se allanan las cuestas, y se cultivan con curiosidad los jardines» (Cervantes).

393. Dase a veces a la frase conjuntiva *sí que* un sentido irónico: «Es muy fundada la queja vulgar de que nuestra revolución no presenta ningún hombre extraordinario en ninguna línea: sí que los habrá, como no sea en escabeche, después de cerca de tres siglos de un mortífero despotismo» (Puigblanch).

La sílaba *a* o *aqu* es en estos vocablos una partícula prepositiva, como en los anticuados *atal* y *atanto,* por *tal* y *tanto.*

* «Para mi santiguada, que si yo fuera camino con ellos, que nunca les fiara la bota» (Cervantes). Duplícase el *que* en este ejemplo; y *para* se usa en el sentido de *por.* Semejante uso de *para* no creo que después de los primeros tiempos de la lengua tuviese cabida sino en este u otros juramentos. «Callen la boca, y váyanse con Dios; si no, *por mi santiguada* que arroje el bodegón por la ventana», dijo también Cervantes. En *pardiez* está apocopada la preposición *para,* y encubierto el nombre de la Divinidad.

394. A los adverbios demostrativos corresponden adverbios relativos de la misma significación, pero destinados exclusivamente al enlace de las proposiciones; tales son: *donde* (antes *do*, y más antiguamente *o*), adverbio relativo de lugar: *cuando*, de tiempo; *cual*, *como*, de modo; *cuanto*, de cantidad. «Cada día se van desfalleciendo las fuerzas de nuestro corazón, donde está el contento de nuestros apetitos» (Granada). «El día que se ejecutó la sentencia, se fue Cortés a Zempoala, donde le asaltaron varios pensamientos» (Solís): aquí *donde* tiene por antecedente un nombre de lugar. Reproduce también adverbios y complementos: *allí donde, a la falda de los cerros, donde.* Pero puede asimismo llevar envuelto el antecedente: «Donde falta la libertad, todo falta»: *allí donde.* Y este antecedente envuelto puede ser término de una proposición expresa (ordinariamente *a, hacia, hasta, de, en, para, por*): «Era tanta la devoción de San Francisco de Borja, que le aconteció en Valencia ir acompañando al Santísimo Sacramento desde la parroquia de San Lorenzo hasta cerca *de do* está ahora edificado el monasterio de frailes jerónimos» (Rivadeneira): *cerca de allí do, cerca del lugar do.*

395. La forma *do* es hoy permitida en verso; *o* (por *donde*) es enteramente anticuado.

396. *Donde* entra como elemento en los adverbios compuestos *adonde, endonde, dedonde, pordonde*; los cuales es necesario distinguir de las frases en que *donde* lleva envuelto su antecedente, que es el término de la preposición. Por ejemplo: «Estaba emboscado el enemigo en la selva adonde nos encaminábamos»: *selva* es el antecedente de *adonde;* como si dijéramos *en la selva a la cual*, sería *selva* el antecedente de *la cual.* «Nos acercábamos a donde estaba emboscado el enemigo»: aquí es al contrario; hay un antecedente envuelto, y podríamos expresarlo diciendo *nos acercábamos al lugar donde.* *

397. Pero *adonde* puede también, como el simple, llevar en sí su antecedente: «Si vuelves presto *de adonde* pienso enviarte, presto se acabará mi pena» (Cervantes): *del lugar adonde.*

398. *Adonde* usado por *donde* es un arcaísmo que debe evitarse.

* Debe indicarse esta diferencia en la escritura: *adonde* (escrito como una sola dicción) equivale al adverbio latino *quo*; *a donde*, a la frase latina *illuc ubi, ad locum ubi.*

Dícese *adonde* con movimiento, y *donde* sin él: *el lugar adonde nos encaminamos, donde residimos.**

399. *Dedonde* es una sola palabra ** en este pasaje de Cervantes: «Corrimos una borrasca, que nos duró cerca de cuarenta horas, al cabo de las cuales dimos en esta isla dedonde hoy salimos». Se divide en dos palabras distintas cuando decimos, por ejemplo: «Salió de donde estaba escondido», esto es, *del paraje donde.* El antecedente envuelto es el término de la preposición *de.*

400. La misma diferencia se verifica en *pordonde,* que es una sola palabra*** en «La ciudad pordonde transitábamos», y dos palabras distintas en «Transitábamos por donde nos pareció menos denso el gentío», esto es, *por el paraje donde.*

401. *Cuando* puede también llevar envuelto su antecedente: «Los gobiernos, cuando no se les ponen trabas, abusan de su poder»: *entonces cuando, en el tiempo cuando;* frases que nos parecen ya extrañas a fuerza de embeberse tan a menudo el antecedente en el relativo. Y puede asimismo este antecedente envuelto servir de término a una preposición expresa: «Deja tus pretensiones para cuando sean más favorables las circunstancias»: *para el tiempo cuando, para el tiempo en que.*

402. Si es un nombre sustantivo o sustantivado el antecedente expreso, se prefiere generalmente a este adverbio el complemento *en que*: «La estación en que suelo trasladarme al campo»; «El año en que nació el Salvador no es el mismo en que principia la era cristiana».

403. Nótese también que rara vez precede a *cuando* otra preposición que *para*; con las demás se prefiere el anunciativo *que*: «Tomo mis disposiciones para cuando llegue la muerte»: *aguardo a que; desde que,* etc. Pero en las oraciones interrogativas es al contrario: «¿A cuándo aguardas?», «¿Desde cuándo estás en Chile?», «¿Hasta cuándo abusarás de nuestra paciencia?»

404. *Como* es de frecuentísimo uso, y lleva muchas veces envuelto su antecedente: «Portóse noblemente, *como* lo habían hecho sus antepasados»: *noblemente* es aquí el antecedente

* Nótese que *do* y *donde* significaban en tiempos no muy antiguos *de donde.* Todavía leemos en fray Luis de León: «La luz do el saber llueve», esto es. el astro de donde baja o es influído a los hombres el saber: expresión que Hermosilla tachó injustamente de absurda, siendo sólo arcaica. En el mismo error cayó Clemencín criticando *la causa do naciste* en la canción de Grisóstomo, porque, según dice, el efecto no nace *en,* sino *de* la causa; como si este *do* no significase aquí eso mismo. «Aquellos donde venimos», esto es, aquellos de donde, de quienes descendemos, dice un romance que por el lenguaje no parece anterior al siglo XVI. «No hay pueblo ninguno *donde* no salgan comidos y bebidos» (Cervantes). Y el mismo fray Luis de León:

«Cielo *do* no se parte
Espesa y fría niebla eternamente.»

** Equivalente a la latina *unde.*

*** Equivalente al adverbio latino *qua.*

de *como*. «Las letras humanas honran y engrandecen al caballero, *como* las mitras a los obispos, o *como* las garnachas a los jurisconsultos» (Cervantes): *como* lleva en sí su antecedente; *así como, del modo como*.

De la idea de modo ha pasado *como* a significar varios otros conceptos, cuales son los de causa, sucesión inmediata, condición: «*Como* el tiempo amenazaba lluvia, nos volvimos a casa»; «*Como* nos vieron» o «*así como* nos vieron, se llegaron a saludarnos»; «*Como* tenga yo salud, lo demás no me importa».

405. *Cual,* adverbio relativo de modo, equivalente a *como,* es poco usado, excepto en las comparaciones poéticas.*

406. *Cuanto* se apocopa de la misma manera y en las mismas combinaciones que *tanto:* «Cuanto son más apetecidas las cosas tanto es más mezclado de inquietudes y sinsabores su goce»; «Caballo tan extremado por sus obras, cuan desdichado por su suerte» (Cervantes). Modernamente, con todo, es rara la apócope de este adverbio, a menos de usarse como interrogativo o exclamatorio, acentuándose. En Cervantes mismo encontramos: «Aquellos tan honestos cuanto bien declarados pensamientos».

El adverbio *cuanto* lleva muchas veces envuelto su antecedente: «Fueron las ventajas alcanzadas por el enemigo rápidas, *cuanto* decisivas»; «Rogaba *cuan* encarecidamente podía»; «En toda la casa, *cuan* grande era, no había una sola pieza habitable». En construcciones parecidas a la de estos dos últimos ejemplos se pospone a *cuan* la palabra que, adoptándose otro giro, hubiera sido calificada por el antecedente *tan: tan encarecidamente como podía; tan grande*

* De dos modos se usa *cual* en las comparaciones: como adjetivo y como adverbio. Como adjetivo: Los españoles y los araucanos embisten unos con otros, dice Ercilla:

> «*Cuales* contrarias aguas a toparse
> Van con rauda corriente sonorosa.»

Como adverbio: Un incendio, dice el duque de Rivas,

> «Alza hasta el alto cielo remolinos,
> Con luz siniestra iluminando valles,
> Y selvas, y apartados caseríos,
> Y en las lejanas cumbres desiguales
> Reflejando del último horizonte,
> *Cual* suelen encendidos los volcanes.»

Puede ser uno u otro en este pasaje de don J. J. de Mora:

> «Don Suero a nadie daña,
> Mas, *cual* visión extraña,
> Que horror secreto y repugnancia inspira,
> La faz del hombre mira.»

Cual, adjetivo, sería representado en latín por *qualis;* adverbio, por *ut* o *velut.*

como era. La transposición es elegante, y hace necesaria la apócope.

407. Todos estos adverbios relativos se contraponen frecuentemente a los demostrativos análogos: «*Allí* florecen las artes, *donde* las leyes aseguran las personas y las propiedades»; «*Cuando* no se respeta la ley, cuando la violación de los derechos del más humilde ciudadano no excita la alarma y la indignación universal, *entonces* puede decirse que las instituciones liberales contienen un principio de disolución que las mina y corroe»; «*Como* es la vida, *así* es casi siempre la muerte»; «*Tanto* es más estimada la recompensa, *cuanto* es más difícil obtenerla». Y en todas estas contraposiciones se repite bajo las dos formas demostrativa y relativa un mismo concepto: *allí, allí; entonces, entonces; así, así; igualmente, igualmente;* y por medio de la repetición se indica la reciprocidad.

408. *Mientras* es una preposición que tiene regularmente por término un demostrativo neutro: *mientras esto, mientras tanto, mientras que;* a veces un sustantivo cualquiera: *mientras la cena.* Si se calla el *que,* la preposición envolviendo el relativo, toma el significado y oficio de *cuando,* y se hace, por tanto, adverbio relativo: «*Mientras* yo trabajaba, tú te divertías». No es raro en el día, aunque lo tengo por una novedad en la lengua, que se use *mientras* sin término alguno expreso, y sin que introduzca proposición subordinada; haciéndose un adverbio meramente demostrativo, equivalente a *entretanto.*

> «Rabiará dos o tres días,
> Pero queda luego sano;
> Él siempre gana. — ¿Y si, mientras,
> Sucediere algún fracaso?»
> (M. de la Rosa).

409. *Pues,* preposición que sólo puede tener por término el anunciativo *que* *: «*Pues que* vemos a la patria amenazada de tantos peligros, justo es que nos apresuremos a socorrerla». «*Pues* el buen Sancho es gracioso y donairoso, desde aquí le confirmo por discreto» (Cervantes). *Pues* en este último ejemplo lleva embebido el *que,* y toma el carácter de adverbio relativo, equivalente a la frase *supuesto que.* Pero sucede a veces que envuelve no sólo el *que* sino la proposición subordinada que debería seguir a éste, y que se calla porque

* Nuestro *pues* se deriva de la preposición latina *post.*

acabando de enunciarse es fácil subentenderla: «¿Tantas razones no os convencen? Apelemos pues a los hechos»; *apelemos pues* (que tantas razones no os convencen) *a los hechos*. *Pues* significa en este caso una relación entre dos proposiciones independientes, de las cuales la primera es el fundamento o premisa lógica de la segunda; y de preposición o adverbio relativo que era, se convierte en conjunción.

410. El *si* condicional es siempre un adverbio relativo equivalente también a la expresión *supuesto que* o *dado que*, tomada en el sentido de condición: «*Si* deseamos cumplir con nuestras obligaciones, debemos ante todo conocerlas». Este *si* puede ser término de la preposición *por:* «Se reforzaron los castillos *por si* los atacaba el enemigo».

411. Los adverbios relativos se hacen interrogativos acentuándose.

«¿*Dónde* son por aquí los palacios de la sin par princesa doña Dulcinea del Toboso?» (Cervantes).

«¿*Cuándo* será que pueda
Libre de esta prisión volar al cielo?»
(Fr. Luis de León).

«¡*Cómo* se van las horas,
Y tras ellas los días,
Y los floridos años
De nuestra frágil vida!»
(Meléndez).

«¡Ay! ¡*cuánto* me engañaba!
¡Ay! ¡*cuán* diferente era,
Y *cuán* de otra manera*
Lo que en tu falso pecho se escondía!»
(Garcilaso).

412. Los dos últimos ejemplos manifiestan que en las exclamaciones tienen estos adverbios las mismas formas que en las interrogaciones.

413. «Mira hasta *dónde* se extiende la malicia de los encantadores y la ojeriza que me tienen» (Cervantes): interrogación o exclamación indirecta.

* Injustamente, en mi humilde opinión, censuró Hermosilla como ociosamente pleonástico el tercero de estos versos, que tan sentidamente exprime el dolor de Salicio por la inconstancia de Galatea. Dudo que a nadie parezcan más expresivos aquellos acumulados pleonasmos de Homero que el mismo escritor llama bellísimos:

«Pero Aquiles pretende *sobre todos*
Los otros ser, a todos dominarlos,
Sobre todos mandar, y como jefe
Dictar leyes a todos.»

414. El *si* interrogativo convierte el significado de condición en el de incertidumbre o curiosidad: «¿Si tendrá buen éxito la empresa?»; «¿Si tantas experiencias desgraciadas le habrán hecho conocer su error?». El uso de este adverbio es frecuente en la interrogación indirecta: «Mirando a todas partes por ver si descubría algún castillo o alguna majada de pastores, vió una venta», etc. (Cervantes).

415. El *sí*, adverbio demostrativo de modo, el *si*, adverbio relativo de condición, y el *si*, adverbio interrogativo, tienen entre sí la misma afinidad, y forman la misma escala que *tanto, cuanto* y *cuánto*: los demostrativos tienen regularmente relativos análogos, que pasan a interrogativos acentuándose; pero no acentuamos el *si* interrogativo por la necesidad de distinguirlo del demostrativo: bien que, a mi parecer, en el primero se apoya un poco más la voz que en el condicional.

Puede notarse la correspondencia de los tres *síes* en este pasaje de Cervantes: «¡Ay Dios! *¿Si* será posible que he ya hallado lugar que sirva de sepultura a la pesada carga de este cuerpo que tan contra mi voluntad sostengo? *Sí* será, *si* la soledad de estas selvas no me miente»: correspondencia enteramente análoga a la de *aquí, donde* y *dónde* en esta variación del ejemplo: «*¿Dónde* tendrá al fin sepultura la pesada carga de este cuerpo? *Aquí* la tendrá sin duda, *donde* la soledad de estas selvas me la ofrece».

416. El *si*, adverbio condicional, lleva casi siempre envuelto su antecedente, que por tanto existe sólo en el entendimiento, y pudiera representarse por el adverbio demostrativo *así*: «Te perdonaré si te enmiendas»: *te perdonaré así, de este modo, con esta condición, si te enmiendas.* Cállase el antecedente *así* y el relativo lo envuelve.*

APÉNDICE

ADVERBIOS SUPERLATIVOS Y DIMINUTIVOS

417. Además de los adverbios que son superlativos o diminutivos porque se forman con adjetivos que tienen este o aquel carácter como *poquísimo, poquito, quedito, tantico, bellísimamente, bonitamente*, los hay que toman de suyo las correspondientes inflexiones, como *lejísimos, lejillos, cerquita, arribita, despacito*; que apenas se usan fuera del estilo familiar.

* Sutileza metafísica, dirán algunos. Pero estos señores no desconocerán en muchos giros de nuestra lengua la influencia latina. La construcción *así... si*, no sería pues más que la latina *sic... si*, cual aparece en estos versos de Horacio:

Sic ignovisse putato
Me tibi, *si* cenas hodie mecum.

CAPÍTULO XX

DERIVADOS VERBALES

418. Llamo *derivados verbales* ciertas especies de nombres y de adverbios que se derivan inmediatamente de algún verbo y que le imitan en el modo de construírse con otras palabras. No hay más derivados verbales que el *infinitivo*, el *participio* y el *gerundio*. *

INFINITIVO

419. El *infinitivo* es un derivado verbal sustantivo, que termina constantemente en *ar, er,* o *ir: así* de *compro* sale *comprar, de vendo, vender, de parto, partir.*

420. Aseméjase en su significación a los sustantivos abstractos. *Temer* y *temor,* por ejemplo, expresan una misma idea; como *comprar* y *compra, correr* y *carrera, ir* e *ida, venir* y *venida.* El infinitivo conserva el significado del verbo, despojado de las indicaciones de número y persona: si denota atributo, no es el del sujeto de la proposición; y si da algún indicio de tiempo, lo hace de otra manera que el verbo, como luego veremos.

421. El infinitivo ejerce todos los oficios del sustantivo, sirviendo ya de sujeto, ya de predicado, ya de complemento, ya de término. «Cosa muy agria parece a los malos comprar bienes futuros con daños presentes» (Granada): el sujeto es *comprar,* especificado por los dos complementos *bienes futuros* y *con daños presentes.* «El reino de Dios no es comer ni beber, sino *paz* y *justicia*» (Granada): *comer* y *beber* predicados, que modifican al verbo *es* no de otra manera que lo son *paz* y *justicia,* ligados a los dos precedentes por la conjunción *sino*: el sujeto es *el reino de Dios.*

> «Quiero imitar al pueblo en el vestido,
> En las costumbres sólo a los mejores.»
> (Rioja).

Imitar, modificado por las palabras que siguen, es complemento acusativo de *quiero*: «Los mal intencionados tomaron las armas para echar a los buenos de la villa» (Coloma): *echar,* término de la preposición *para.*

422. Finalmente, aunque el infinitivo, mientras conserva el ca-

* Véase la Nota IX.

rácter de tal, se construya con adjetivos precedentes a la manera de los sustantivos ordinarios, como antes (§ 361 a 365) se ha observado, en todas sus otras construcciones imita al verbo de que se deriva. Las construcciones características del verbo y que sólo le son comunes con los derivados verbales, consisten en llevar sujeto, complemento acusativo y afijos o enclíticos; v. g., «Informado el general de estar ya a poca distancia los enemigos, mandó reforzar las avanzadas»; *enemigos* es el sujeto de *estar*, como lo sería de *estaban* si se dijese *de que los enemigos estaban a poca distancia*; y *las avanzadas* es complemento acusativo de *reforzar*, como lo sería de *reforzó* si se sustituyese este verbo a la expresión *mandó reforzar*. Pónganse otros sustantivos en lugar de los infinitivos, y será preciso variar la construcción: «Sabiendo el general *la aproximación de los enemigos*, ordenó el *refuerzo de las avanzadas*»; y si antes se hubiese hablado de avanzadas, se diría *mandó reforzarlas*. Diferénciase asimismo el infinitivo de los otros sustantivos en que se construye con adverbios: «Para administrar *bien los intereses* de la sociedad, es preciso conocerlos *perfectamente*»: sustitúyase a los infinitivos otra especie de sustantivos, y diremos: «Para *la buena administración de* los intereses sociales, es necesario *el conocimiento perfecto de ellos*»: *bien* pasa a *bueno*; *los intereses* a *de los intereses*, *los* a *de ellos* y *perfectamente* a *perfecto*, porque no es propio de los sustantivos que no son derivados verbales el construírse con adverbios o complementos acusativos ni con afijos o enclíticos.

423. Con todo, el construírse con adverbios no es propiedad tan peculiar del infinitivo entre los nombres sustantivos, que no lo hagan de cuando en cuando otros nombres de la misma clase, que nacen de verbos, y conservan su significación en abstracto: «Su *residencia lejos* de la patria»; «Mi *detención allí*».

424. El infinitivo en estas construcciones verbales participa de la naturaleza del verbo: «Estar ya a poca distancia los enemigos» es una forma abstracta que damos a la proposición «estaban ya a poca distancia los enemigos»; y en esta forma abstracta el infinitivo es a un mismo tiempo sustantivo y atributo; pero sólo es atributo de su peculiar sujeto *(los enemigos)*, no precisamente del sujeto de la proposición.

425. La proposición transformada así deja de serlo en cuanto pierde su relación de tiempo con el acto de la palabra, como es propio de todas las proposiciones en castellano. El infinitivo, a la verdad, significa presente o futuro, pero no, como el verbo, respecto del momento en que se habla, sino respecto del verbo a que está asociado en la proposición: presente, como en *le veo salir, le vi salir, le veré salir*, porque el salir coexiste con el ver; futuro, como en *pienso salir, pensé salir, pensaré salir*, porque el salir es necesariamente posterior al pensar; y por estos ejemplos se manifiesta que el denotar unas veces presente y otras futuro depende de la significación del verbo a que se refiere.

426. Nos valemos del infinitivo para designar el verbo de que se deriva: así *amar*, aunque no es verbo, es el nombre con que señalamos al verbo *amo, amas, ama*, prescindiendo de sus formas particulares de persona, número, etc.

PARTICIPIO

427. El participio es un derivado verbal adjetivo, que tiene variedad de terminaciones para los números y géneros; las cuales son siempre en *o, a, os, as,* y comúnmente en *ado, ada, ados, adas,* o *ido, ida, idos, idas.* Así de los verbos *compro, vendo, parto, pongo, escribo,* salen los participios que figuran en estos ejemplos: *fué comprado el jardín, tengo vendida la casa; los terrenos comprados, las heredades vendidas, partida entre los hijos la hacienda, puestos en almoneda los bienes, escritas las declaraciones.*

428. El significado del verbo experimenta a menudo en el participio adjetivo una inversión notable. *Una casa,* término de complemento acusativo en *edificar una casa,* se hace sustantivo del participio en *una casa edificada; edificar* representa una acción, *edificada* una cualidad producida por ella: en otros términos, *edificar* tiene un sentido activo, *edificada* un sentido pasivo.

429. Sucede también que el que era sujeto del verbo pasa a complemento del participio con la preposición *por* o *de: yo edifico una casa, una casa es edificada por mí; todos entienden eso, eso es entendido de todos.*

430. Las construcciones en que el verbo tiene un complemento acusativo, se llaman *activas.* Si este complemento pasa a sujeto, y el participio que se deriva del mismo verbo invierte su significado y concierta con el sujeto, la construcción es *pasiva. Los circunstantes oyeron el discurso,* construcción activa; *El discurso fué oído por los circunstantes,* construcción pasiva.

431. El participio, si invierte el significado del verbo, no puede construírse como él, sino en cuanto esa inversión lo permita. No admite, pues, como el infinitivo, el sujeto de su verbo, ni complemento alguno acusativo. Pero conserva el complemento dativo: «*Os* entregaron la carta»; «*Os* fué entregada la carta». «Reveláron*me* el secreto»; «Fué*me* revelado el secreto». Los afijos y enclíticos, según se ve en estos ejemplos, no van con el participio adjetivo, sino con el verbo de la proposición.

432. Hay participios adjetivos en que no se invierte la acción del verbo; de manera que siendo pasivos por su forma, por su significado no lo son. Deponen, pues, la significación pasiva, y pueden llamarse *deponentes* *. *Nacido, nacida, muerto, muerta,* son participios deponentes, porque decimos *nacida la niña, muertos los padres,* siendo la *niña* la que nació y *los padres* los que murieron. Los verbos que, como *nacer, morir,* y otros muchos, no se prestan regularmente a la inversión pasiva, no pueden tener sino participios deponentes.

433. Pero aunque el verbo admita la inversión pasiva, puede suceder que el participio en ciertas circunstancias la deponga. Comparando estas dos oraciones: *yo agradecí tus beneficios* y *tus beneficios fueron agradecidos por mí,* se echa de ver que en *agradecidos* se invierte el significado de *agradecer*: la primera construcción es activa; la segunda pasiva. Pero cuando se dice *yo quedé muy agradecido a tus beneficios,* no hay tal inversión: el *agradecido* soy yo, es decir, la persona misma que agradece.

434. El participio se sustantiva cuando se construye con el verbo *haber,* y entonces no sólo toma el significado de su verbo, sin invertirlo, sino que además admite todas sus construcciones de cualquiera especie que sean; y así se dice: «*Les* he referido el suceso y no *me lo* han creído; *habráles* parecido inverosímil». *Les* en la primera proposición es un dativo afijo; *me* en la segunda dativo, y *lo* acusativo, ambos afijos; y en la tercera *les* dativo enclítico. Todos estos casos complementarios van con el verbo, y no con el participio, sin embargo de ser modificaciones del participio y no del verbo, cuyo significado radical es siempre uno mismo.

435. Díjose antiguamente *he leída tu carta, he comprados algunos libros,* de la misma manera que hoy se dice *tengo leída tu carta, tengo comprados algunos libros*; cosa sumamente natural, supuesto que *haber* significaba, como hoy significa, lo mismo que *tener*.

436. Pero hace ya siglos que el participio combinado con las varias inflexiones de *haber,* lleva una terminación invariable, que es la masculina de singular: «*He visto* una bella comedia», «*Habíamos experimentado* grandes contratiempos», «*Hubieras evitado* muchas pesadumbres, si *hubieses reprimido* la mala conducta de tus hijos».

437. De esta manera se hizo el participio independiente del acusativo, y combinándose con las inflexiones de *haber* sirvió solamente para dar nuevas formas a la conjugación de los otros verbos. Fué entonces natural que se usase sin acusativo alguno, como en *he comido, han escrito;* y que se diese participio aun a verbos que no llevan acusativo, sino en cir-

* Así se llaman en latín los verbos y participios que siendo pasivos en la forma, no lo son en el significado, como *orior, ortus,*

cunstancias excepcionales, o nunca, como *ser, permanecer:* «Habrías *sido* feliz, si hubieses *permanecido* en tu patria».

438. Reconoceremos, pues, dos especies de participio: el que para diferenciarlo llamaremos participio adjetivo, y el participio sustantivado, que es el que se emplea con el verbo *haber*. Este segundo es en grado eminente un participio, porque participa de la naturaleza verbal, acomodándose a todas las construcciones del verbo de que nace. *

439. Conviene atender a las relaciones de tiempo indicadas por el participio, ya adjetivo, ya sustantivado. Generalmente significa anterioridad al tiempo del verbo con el cual se construye, cualquiera que sea la relación de tiempo en que se halle este verbo respecto del acto de la palabra, es decir, respecto del momnto en que lo proferimos. Por ejemplo: «El palacio está destruído» indica que el hecho de destrucción ha sido anterior al momento en que esto se dice; pero es porque se construye con *está*, que coexiste con ese momento; al paso que «El palacio estará destruído antes de poco» señala el hecho de la destrucción como anterior a cierta época futura, porque *estará* significa futuro. De la misma manera, «El palacio, cuando yo lo visité, estaba destruído», hace mirar ese hecho como anterior a una época ya pasada, porque *estaba* denota una época coexistente con el tiempo de mi visita, que es cosa pasada.

440. Cuando el participio adjetivo se junta con el verbo *ser*, no es así: el participio significa entonces coexistencia con la época significada por este verbo. Así en *la casa es edificada*, el hecho de edificar es presente; en *será edificada*, futuro, y en *fué edificada*, pretérito.

441. El participio se sustantiva algunas veces combinándose con las varias inflexiones del verbo *tener*, mas para ello se necesita que envuelva una significación pasiva, y que haya un acusativo tácito indeterminado a que mentalmente se refiera; porque, si lo hubiese expreso, concertaría con él como otro cualquiera adjetivo. Cuando se dice, v. g., «Les tengo escrito largamente sobre esa materia», sin expresar la cosa o cosas escritas, se suple mentalmente *lo que era menester, lo que convenía*, o cosa semejante. De que se sigue que no es admisible esta especie de participio sustantivado, cuando el verbo de que nace el participio no suele regir acusativo, o por lo menos no lo pide en las circunstancias del caso. No podría, pues, decirse «Tengo sido cónsul en Hamburgo» o «Tenían adolecido de la epidemia reinante» o «El enfermo tiene comido con apetito». El participio combinado con inflexiones del verbo *tener*, y sustantivado del modo dicho, no es el participio sustantivado propiamente tal, que combinado con inflexiones de *haber*, nunca se toma en sentido pasivo, y admite todas las construcciones de su verbo, sin excepción alguna; al paso que el participio combinado con el verbo *tener* y sustantivado del modo dicho, no sufre otras que las de dativo y las demás que son compatibles con la inversión de su significado, como se ve en el primer ejemplo.

* Véase la Nota X.

GERUNDIO

442. El *gerundio* es un derivado verbal que hace el oficio de adverbio, y termina siempre en *ando, endo,* como *comprando* de *comprar, vendiendo* de *vender, partiendo* de *partir;* terminaciones que los participios no toman nunca.

443. Su significado es como el del infinitivo, por cuanto representa la acción del verbo en abstracto; pero su oficio es diverso, por cuanto modifica al verbo de la misma manera que lo hacen los adverbios y complementos, significando un modo, una condición, una causa, una circunstancia. «*Andando* los caballeros lo más de su vida por florestas y despoblados, su más ordinaria comida sería de viandas rústicas»: el primer miembro de esta frase indica la causa de lo que se dice en el segundo, de la misma manera que un complemento lo haría: «La más ordinaria comida de los caballeros era de viandas rústicas, por la costumbre que tenían de andar», etc. *Andando* tiene sujeto, *los caballeros,* que es el mismo que daríamos a su verbo, diciendo: *Los caballeros andaban lo más de su vida,* etc.

«Los cabreros, *tendiendo* por el suelo unas pieles de ovejas, aderezaron su rústica cena». *Tendiendo* lleva el acusativo *unas pieles de ovejas.*

«*Faltándoles* absolutamente los víveres, se rindieron a discreción». El gerundio, además de construírse con un sujeto peculiar suyo, *los víveres,* es modificado por un adverbio y por un caso complementario dativo; exactamente como lo sería el verbo de que nace si dijéramos: *Faltáronles absolutamente los víveres.*

444. Sirve, pues, el gerundio para dar a una proposición la forma y oficio de adverbio. Participa de la naturaleza del verbo, sin serlo verdaderamente, porque, si bien significa un atributo de la proposición que en cierto modo lleva envuelta, no significa el atributo de la proposición expresa en que figura. En el ejemplo anterior el sujeto es *ellos,* subentendido; y todas las palabras expresas, incluso el mismo gerundio, componen el atributo de la verdadera proposición: el gerundio modifica la frase verbal *tuvieron que rendirse a discreción,* denotando una circunstancia, una causa.

445. El gerundio puede ser término de la preposición *en:* «en amaneciendo, saldré».

446. El tiempo significado por el gerundio coexiste con el del verbo a que se refiere, o es inmediatamente anterior a él. Así en los ejemplos precedentes, el *andar los caballeros por despoblado* coexiste con el *ser su comida de viandas rústicas,* y el *tender las pieles* precede inmediatamente al *aderezar la cena.* Esto último es lo que siempre sucede cuando el gerundio es término de la preposición *en.**

* Existe una práctica que se va haciendo harto común, y que me parece una de las degradaciones que deslucen el castellano moderno. Consiste en dar al gerundio un significado de tiempo que no es propio de este derivado verbal. En un escritor altamente estimable leemos: «Las tropas se hicieron fuertes en un convento, *teniendo* pronto que rendirse, después de una inútil aunque vigorosa resistencia». El *tener que rendirse es,* por la naturaleza de la construcción, anterior, o coexistente, a lo menos respecto del *hacerse fuertes,* debiendo ser al revés. El orden natural de estas acciones

447. Los gerundios toman a veces la inflexión y significado de diminutivos: *corriendito, callandito.* Dejan entonces el carácter de derivados verbales, y se hacen simples adverbios, que no admiten las construcciones peculiares del verbo.

NOTA IX

DE LOS DERIVADOS VERBALES

Yo limito este título a las palabras solas que, derivándose del verbo, le imitan en sus construcciones peculiares, lo que consiste: 1º En ser modificados por adverbios; 2º En llevar afijos o enclíticos; 3º En regir acusativos, si el verbo de que se derivan es activo. Así *amante, leyente,* no son derivados verbales, ni por consiguiente participios. En *patiens frigus et inediam,* consideraban los gramáticos latinos a *patiens* como participio, y en *patiens frigoris et inediae* como un adjetivo ordinario, despojado de su carácter participal, en que *participaba* de la naturaleza del verbo. El llamado participio de presente, o participio activo, no goza nunca de esa participación; no es participio.

Dícese que ciertamente no todos, ni la mayor parte de los verbos tienen participios activos, pero que algunos lo tienen; v. gr. *aspirante, perteneciente,* pues se dice *aspirante a empleos,* como *tú aspiras a empleos; perteneciente al Estado,* como *eso pertenece al Estado.* Pero ya queda explicado cuáles son las especies de régimen o de construcciones que caracterizan al verbo, y por consiguiente a los derivados verbales. El supuesto participio se construye con adverbios, y lleva complementos formados con la preposición *a,* como muchísimos otros adjetivos: *sumamente útil, verdaderamente virtuoso, vecino a mi casa, cercano a la plaza, adyacente a España, provechoso a la salud, pernicioso a las costumbres, accesible a todos, impenetrable a la lluvia,* etc. Construcciones de que gozan muchas palabras que no son verbos, no daban bastante motivo para calificar de participio activo al que así se llama. Ni alcanzo cómo verbos que no son activos, v. gr. *aspira* y *pertenece,* puedan producir participios activos.

Los que llamo derivados verbales son, a mi juicio, medios de que se sirve la lengua para desnudar al verbo de los accidentes de número, persona, tiempo y modo, y darle en la oración el oficio de sustantivo, adjetivo o adverbio. Pero al mismo tiempo que de esta manera lo transforma, le conserva sus construcciones; es decir, le da complementos acusativos, le agrega afijos o enclíticos, lo modifica con adverbios y hasta puede ponerle sujeto. «El amar el hombre a sus semejantes» es lo mismo que «El amor del hombre a sus semejantes»; tan sustantivo es *amar* como *amor*: lo único que los diferencia es que el primero se construye exactamente como el verbo de que se deriva, y el segundo no.

En la Gramática se ha manifestado que el infinitivo tiene todos

y la propiedad del gerundio exigían más bien: *Haciéndose fuertes en un convento, tuvieron pronto que rendirse.* No es a propósito el gerundio para significar consecuencias o efectos, sino las ideas contrarias.

los oficios del sustantivo, sirviendo ya de sujeto, ya de predicado, ya de término o de complemento. Participa, es verdad, de la naturaleza del verbo conservando sus construcciones, inclusa la de sujeto. Pero eso no quita al infinitivo el carácter de sustantivo, puesto que siempre hace el oficio de tal; ni le da el de verbo, una vez que no puede ser nunca la palabra dominante del atributo de la proposición, ni sugiere, como el verbo, ideas de persona y número, y si denota tiempo no es (como el verbo lo hace) con relación al momento en que se habla, al acto de la palabra, que es el significado propio de *tiempo* en gramática.

Si se opone que este raciocinio se funda en la definición que yo doy del verbo, y que, desechada ésta, el argumento va por tierra, contestaré que no creo cosa fácil definir el verbo de manera que lo diferenciemos del sustantivo, sin que por el mismo hecho lo diferenciemos del infinitivo. Hágase la prueba. ¿Se hará consistir la naturaleza del verbo en significar la existencia, pasión, estado, movimiento de los objetos? Las palabras *hurto, robo, amor, enfermedad, salud*, y sobre todo esas mismas palabras *existencia, acción, pasión*, etc., serán verbos. ¿Añadiremos, por vía de diferencia, que el verbo tiene inflexiones de persona, número y tiempo? El infinitivo no las tiene. Pero suponiendo posible la definición, sería necesario decir entonces que el infinitivo es un verbo que participa de la naturaleza del sustantivo, porque es de todo punto incontestable que, aun llevando construcciones propias del verbo, ejerce todos los oficios de sustantivo, sin exceptuar uno solo. ¿Sobre qué rodaría, pues, la disputa? Unos dirían: el infinitivo es un sustantivo que participa de la naturaleza del verbo; y otros: el infinitivo es un verbo que participa de la naturaleza del sustantivo: cuestión de palabras. Y sin embargo, no del todo insignificante. Adoptando la segunda expresión, despojaríamos al verbo de lo que más eminentemente le distingue, que es señalar el atributo de la proposición, dominar en él, mirar cara a cara, si se me permite decirlo así, al sujeto de la proposición, y reflejarlo.

Yo no sé si alude a mi modo de pensar sobre el infinitivo la imputación que una grave autoridad hace a algunos de haberse empeñado en probar que *el verbo es nombre*: si así es, se ha falseado mi aserción. Yo me he limitado a sostener que el infinitivo es nombre, y no verbo; en lo que evidentemente supongo que el nombre y el verbo son partes distintas de la oración.

Ni es tan nueva la idea que doy del infinitivo para que haya debido causar extrañeza. Véase la cita de Prisciano en el Prólogo. «¿Qué es pues el infinitivo?», pregunta Condillac: «No puede ser otra cosa», responde, «que un nombre sustantivo». «El infinitivo», dice Destutt de Tracy, «no es, por decirlo así, un modo del verbo; es un verdadero sustantivo». El distinguido filósofo español Don Tomás García Luna es de la misma opinión. «*Compadecer es propio de las almas tiernas: perdonar las injurias es virtud enseñada a los hombres por el Evangelio*. Las acciones de compadecer y perdonar se consideran aquí en sí mismas como seres reales: están en el mismo caso que los sustantivos abstractos». «El infinitivo (dice otro célebre filósofo español, el Presbítero Don Jaime Balmes) es como la raíz del verbo... y más bien parece un nombre *sustantivo* indeclinable». Después de ilustrar esta idea con varios ejemplos, concluye así: «De lo cual se sigue que el infinitivo es un nombre indeclinable... Tiene siempre la forma sustantiva, sea cual fuere su significado». No cito más que las autoridades que tengo a la mano.

Ni me valgo de *sutilezas metafísicas* para enunciar este concepto, sino de los hechos, de las prácticas constantes de la lengua (Gramática, § 421). Por lo demás, explicaciones demasiado abstractas para lectores imberbes, o ciegamente preocupados a favor de lo que *imberbes didicere*, las hay, sin duda, en algunas otras partes de esta gramática: ni era fácil evitarlas, tratándose de rastrear el hilo, a veces sutilísimo, de las analogías que dirigen el uso de la lengua.

NOTA X

PARTICIPIO

En las ediciones anteriores llamé participio *sustantivo* al que ahora con mejor acuerdo llamo participio *sustantivado*. La diferencia parecerá de poco momento. Creo, sin embargo, más adecuada la segunda denominación por las razones que paso a exponer.

El participio sustantivado supone, a mi juicio, un acusativo latente con el cual concierta y que pudiera representarse por el infinitivo de su verbo. Duro parecerá tal vez, y hasta absurdo, que cuando se dice *yo he compuesto una oda* se diga mentalmente *yo he compuesto componer una oda*; mas aquí el infinitivo ofende porque no se necesita para la inteligencia de la frase. Lo mismo sería si se dijera *yo he padecido padecer. Yo he padecido padecimientos graves* chocaría menos; y *yo he padecido penas graves* se aceptaría sin dificultad. Pero ¿qué hacen en estas construcciones los acusativos *padecimientos* y *penas*, sino desarrollar el significado radical del infinitivo *padecer*? Decíase en construcciones latinas activas *Vivo vitam*: «Faciam ut mei memineris dum vitam vivas» (Plauto); «Qui vitam beatam vivere volet, philosophetur oportet» (Quintiliano); de las cuales nacen obviamente las construcciones pasivas *vita vivitur, vita beata vivitur*, en que *vita* no hace más que paliar a *vivere*. Obsérvese que los latinos combinaban frecuentemente su participio pasivo con el verbo *habere*, diciendo, v. gr., «Clodii animum perspectum habeo», «Habeo absolutum suave epos», etc.; y de aquí a sustantivar este participio, diciendo, por ejemplo, *Dictum habeo*, no había más que un paso. Si, según Prisciano, en *pugnatum est* se subentiende el nominativo *pugnare* que concierta con *est*, ¿por qué no podría subentenderse este mismo *pugnare* en acusativo para concertarlo con el participio en *pugnatum habeo*? La transición es obvia y fácil.

De construcciones análogas a éstas pueden verse muchos ejemplos en la *Minerva* del Brocense (lib. 3, cap. 3), y se encuentran también no pocas en escritores castellanos (véase el Apéndice I al capítulo XXXIX de esta Gramática). Sabido es lo comunes que ellas eran en griego: «Et Graecis quidem familiare est omnibus verbis seu transitivis, seu absolutis, seu passivis, seu deponentibus, nomina substantiva ab iisdem deducta in accusativo casu subjicere» *. *Vi-*

* Guillermo Budé en sus *Comentarios* sobre la lengua griega, citado por el Brocense.

niendo vendré, llorando lloré y otras locuciones semejantes de la Vulgata y de los Setenta, no corresponden palabra por palabra a las respectivas frases hebraicas, que serían más fielmente representadas por las castellanas *venir vendré* y *llorar lloró*.

Yo confieso que la explicación precedente es de aquellas a que puede darse con alguna justicia el título de sutilezas metafísicas. Pero concédaseme a lo menos que el principio en que ella se funda es conocido de antiguo y ha sido sostenido por filólogos de primer orden. Si él enlaza varios hechos a primera vista inconexos (como los notados en los §§ 787 a 801), y se manifiesta en procederes análogos de otras lenguas, ¿será justo tratarlo con el desdén magistral que algunos muestran a todo lo que para ellos es nuevo?

CAPÍTULO XXI

MODOS DEL VERBO

448. Sabemos ya que en las inflexiones del verbo influyen tres causas: la persona y número del sujeto y el tiempo del atributo (§ 38): hay otra más, que es el significado radical de la palabra o frase a que el verbo está o puede estar subordinado; la cual es frecuentemente otro verbo.

449. Comparando estas dos oraciones: *sé que tus intereses prosperan*, y *dudo que tus intereses prosperen*, se ve que en ellas todo es idéntico, menos el significado radical del verbo subordinante: *prosperan* depende de *sé*, y *prosperen* depende de *dudo*; en otros términos, *sé* rige *prosperan* y *dudo* rige *prosperen*.

450. Llámanse MODOS las inflexiones del verbo en cuanto provienen de la influencia o régimen de una palabra o frase a que esté o pueda estar subordinado.

451. Dícese *a que esté* o *pueda estar*, porque en muchos casos no aparece palabra o frase alguna que ejerza esta influencia sobre el verbo; pero aun entonces hay una idea que lo domina, y que pudiera representarse por una proposición subordinante. Así en *Tus intereses prosperan* se concibe, sin que sea menester expresarlo, *sé, digo, afirmo que tus intereses prosperan*, y cuando enunciamos un deseo diciendo *La fortuna te sea propicia*, se entiende *deseo que la fortuna*, etc. Sólo parece haber una excepción, que señalaremos después.

Lo dicho nos proporciona un medio seguro de distinguir y clasificar los diferentes Modos. Por punto general,

452. Las inflexiones verbales que son regidas por una palabra o frase dada en circunstancias iguales o que sólo varían en cuanto a las ideas de persona, número y tiempo, pertenecen a un Modo idéntico.

Por ejemplo,

Sé que tus intereses prosperan,
Sé que tus intereses prosperaron,
Sabemos que tus intereses prosperarán,
Supe que tus intereses prosperaban,
Sabíamos que tus intereses prosperarían.

Es manifiesto que las cinco formas simples *prosperan, prosperaron, prosperarán, prosperaban* y *prosperarían*, pertenecen a un Modo mismo: este Modo es el que los gramáticos llaman INDICATIVO. Otro tanto, por supuesto, debe decirse de las formas que sólo difieren de las procedentes en persona o número, como *prospero, prosperas, prosperabas, prosperarás*, etc.

De la misma manera,

Me parece que llueve,
Me parece que anoche llovió,
Me parece que mañana lloverá,
Anoche me pareció que llovía,
Ayer me pareció que hoy llovería.

Diremos, pues, que *parecer* rige el Modo indicativo.

Pongamos otro ejemplo en el verbo *prever*. Como lo que se prevé no puede menos de ser posterior al acto de la previsión, sólo cabe decir, en un sentido propio,

Preveo que el congreso desechará el proyecto de ley,
Preví que el congreso desecharía, etc.

Por consiguiente, *desechará* y *desecharía* son formas indicativas.

Pasemos al verbo *dudar*.

Dudo que continúen todavía las negociaciones.
Dudé que continuasen o continuaran todavía las negociaciones.

No cabe decir, *dudo que continúan*, ni *dudo que continuaron*, ni *dudo que continuarán*, ni *dudé que continuaban*, ni *dudé que continuarían*; sino *dudo que continúen, dudo* o *dudé que continuasen* o *continuaran*. Por consiguiente, las formas *continúen* y *continuasen* o *continuaran* no son indicativas: ellas pertenecen a otro Modo distinto, que es el que los gramáticos llaman SUBJUNTIVO, porque figuran a menudo en proposiciones subjuntas, esto es, subordinadas. Nosotros le llamaremos, por la variedad de sus aplicaciones, SUBJUNTIVO COMÚN, para distinguirle de otro subjuntivo de carácter peculiar y de mucho más limitado uso, de que después hablaremos.

453. Sobre la forma en *ría (compraría, vendería, partiría)* hay variedad de opiniones. Pero si por una parte aparece su identidad de Modo con las formas que todos reconocen por indicativas, puesto que influyen en ella las mismas circunstancias que en éstas, y por otra su diversidad de Modo respecto de las formas que todos reconocen por subjuntivas, puesto que los antecedentes que rigen a éstas no la rigen a ella, no veo cómo pueda disputarse que al primero de estos Modos es al que verdaderamente pertenece.*

* Se dirá que esto resulta del criterio que hemos adoptado para la clasificación de los Modos. Pero señálese otro medio de clasificación que dé diferente resultado. Se puede decir, es verdad, *dudábamos si continuarían por algún tiempo más las negociaciones*. Pero el adverbio dubitativo *si* que tiene un régimen peculiar, introduce

454. Siendo el régimen lo que verdaderamente distingue los Modos, sólo por él podemos clasificarlos y definirlos.

455. Formas INDICATIVAS o de modo INDICATIVO se llaman las que son o pueden ser regidas por los verbos *saber, afirmar,* no precedidos de negación.

456. Se dice *no precedidos de negación,* porque sucede a menudo que la negación hace variar el régimen de la frase subordinante: «No creo que tus intereses *peligren* o *peligran*» (subjuntivo común), o «No creí que tus intereses *peligrarían*» (indicativo). Indiferencia de Modos que en vez de desmentir, confirma el carácter indicativo de la forma en *ría.**

457. El subjuntivo común tiene un carácter que lo diferencia de todo otro Modo, y es que subordinándose o pudiéndose subordinar a palabras o frases que expresan *mandato, ruego, consejo, permisión,* en una palabra, *deseo* (y lo mismo las ideas contrarias, como *disuasión, desaprobación, prohibición*), significa la cosa *mandada, rogada, aconsejada, permitida,* en una palabra, *deseada* (y la cosa *disuadida, desaprobada, prohibida,* etc.).

Quiero,
Deseo,
Ruego,
Te encargo, } que estudies el Derecho.
Permito,
Te aconsejo,
Te prohibo,
Ojalá,

Quise,
Deseé,
Te rogué,
Te encargué, } que estudiases o estudiaras el Derecho.
Permití,
Te aconsejé,
Te prohibí,
Ojalá,

458. *Peligren tus intereses, pero sálvese tu vida,* vale tanto como decir *Consiento que peligren tus intereses, pero deseo que se salve tu vida.*

aquí una diferencia importante. Así es que en *se duda que continúen las negociaciones,* sustituyendo *si* a *que,* decimos *dudo si continuarán* por el régimen indicativo del adverbio; podemos pues decir por la misma causa: «Se dudaba *si continuarían*». Aquí sí que son idénticas las circunstancias influyentes, puesto que sólo varía la idea de tiempo. Lo que parecía, pues, una objeción, es una nueva confirmación de que *continuarán* y *continuarían* pertenecen a un Modo idéntico.

* Otras objeciones podrán hacerse a lo que yo establezco sobre la forma en *ría*: pero me lisonjeo de que en el capítulo XXVIII, que trata del significado de los tiempos, se verán convertidas en nuevas pruebas del valor indicativo de esta forma.

459. Llamamos SUBJUNTIVAS COMUNES o del Modo SUBJUNTIVO COMÚN las formas que se subordinan o pueden subordinarse a los verbos *dudar, desear.*

460. El Modo indicativo sirve para los juicios afirmativos o negativos, sea de la persona que habla sea de otra persona indicada en la proposición de que dependa el verbo.

«Vives tranquilo en esa morada solitaria adonde no llegan las agitaciones que amargan aquí nuestra existencia.» Los indicativos *vives, llegan, amargan,* expresan tres juicios de la persona que habla; el primero y tercero afirmativos, el segundo negativo.

«Todos te reputan feliz, porque creen que tienes los medios de serlo.» *Reputan* y *creen* expresan dos juicios de la persona que habla; *tienes,* expresa el juicio de los que creen.

461. En estos ejemplos se ve que el indicativo se presta lo mismo a las proposiciones independientes que a las subordinadas.

462. Piden de ordinario el subjuntivo común las palabras o frases subordinadas que denotan incertidumbre o duda, o alguna emoción del ánimo, aun de aquellas que indirectamente afirman el objeto o causa que la ocasiona, v. gr.:

«Dudamos que vivas contento, aunque todo contribuye a que lo estés.» *Dudamos,* forma indicativa que afirma la operación mental de dudar; *vivas,* forma del subjuntivo común, que presenta como dudoso el vivir contento; *contribuye,* forma indicativa, que afirma la contribución; y *estés,* forma del subjuntivo común, que sigue presentando como dudoso el estar contento.

«Me alegro de que goces de tan buena salud.» «Sienten mucho tus amigos que te resuelvas a expatriarte.» Es claro que se afirma indirectamente que gozas de salud, y que te resuelves a expatriarte, porque estos hechos son los que producen la alegría y el sentimiento; y sin embargo, no tiene cabida el indicativo sino el subjuntivo común *goces, resuelvas,* porque en estos casos y en otros análogos prevalece sobre la regla que asigna el indicativo a los juicios, la que pide el subjuntivo común para las emociones del ánimo.

463. A esta influencia de las emociones puede referirse el uso notabilísimo que hacemos de las formas subjuntivas comunes en los juramentos y aseveraciones enérgicas. «Por Dios, que no se *lleven* el asno, si bien viniesen por él cuantos aguadores hay en el mundo» (Cervantes). «¿Bandoleritos a estas horas? Para mi santiguada, que ellos nos *pongan* como nuevos» (Cervantes). *Lleven* y *pongan* están en lugar de los indicativos *llevarán* y *pondrán,* que también pueden usarse.

464. Una de las emociones o afectos que más a menudo ocurre expresar, es el deseo de un hecho positivo o negativo; y cuando el que desea es la persona que habla, se puede omitir la proposición subordinante *yo deseo que, yo desearía* *que,* poniendo la subordinada en alguna de las formas subjuntivas comunes, que se llaman entonces *optativas:*

> ...Cuando oprima
> Nuestro cuerpo la tierra, diga alguno:
> Blanda le sea, al derramarla encima.

Diga es *deseo que diga,* y *sea, deseo que sea.*

Son formas OPTATIVAS o del Modo OPTATIVO las subjuntivas comunes que se emplean en proposiciones independientes para significar el deseo de un hecho positivo o negativo; positivo, como en el ejemplo anterior; negativo, como en: «Nada te arredre de tu honrado propósito»; «Pluguiese a Dios que no te hubieras dejado llevar de tan perniciosos consejos».

465. Las solas proposiciones subordinadas en que caben formas optativas son las que dependen del verbo *decir* u otro verbo o frase verbal equivalente: «La dijeron que *entrase*»; «Le hice señas que *viniese*»; porque en estas proposiciones no es significado el deseo sino por la inflexión del verbo en la proposición subordinada; pero en realidad lo que hace la inflexión verbal es dar a la expresión subordinante el significado de mandato o deseo.

466. Las formas optativas reciben una inflexión especial, cuando la persona a quien hablamos es la que debe cumplir el deseo, y lo que se desea se supone depender de su voluntad, y se expresa por una proposición que no contiene palabra negativa. *Diga,* por ejemplo, pasa entonces a *dí,* y *sea* a *sé.* «*Dí* lo que se te pregunta»; «*Sé* hombre de bien». Las formas optativas se llaman entonces *imperativas;* y de lo que acabamos de decir se colige: 1º que en nuestra lengua las formas imperativas no pueden ser sino de segunda persona, singular o plural; 2º que las formas imperativas no se construyen con palabras negativas, como *no, nada, tampoco, nadie, ninguno,* etc.; y 3º que cuando lo que se desea no es un hecho que dependa de la voluntad de la segunda persona, se emplea la forma optativa ordinaria. Decimos pues con la forma imperativa *sé hombre honrado,* y con la optativa: «Permítalo Dios», «No murmures», «Nunca faltes a la verdad», «A nadie ofendas», «Seas feliz»; bien que en este último ejemplo se permitiría alguna vez decir *sé,* sobre todo en poesía, por una especie de ficción que atribuye a la voluntad lo que realmente no depende de ella.

467. El imperativo, por tanto, es una forma particular del Modo optativo, que jamás tiene cabida sino en proposiciones independientes. Si lo admitimos como un Modo especial, será preciso reconocer que no cabe en la definición de las Modos, cual la hemos dado arriba (§ 450), puesto que ni se subordina ni puede subordinarse jamás a expresión alguna; y ésta es la excepción a que allí mismo aludimos (§ 451). Pero me parece preferible considerar a *di, ven, hablad, escribid*, como abreviaciones de *quiero que digas, deseo que vengas, que habléis, que escribáis*; y en esto no hago más que adoptar un concepto expresado por la Real Academia y por varios filólogos nacionales y extranjeros. El es, pues, como la raíz del Modo optativo, cuyas formas toma prestadas a menudo. Así es que si queremos reproducir en tiempo pasado esos imperativos *hablad, escribid*, decimos: «Me mandó que hablase», «Nos rogó que escribiésemos», o cosa semejante.

468. Hay varias formas que los gramáticos han reducido al subjuntivo, y aun con más fundamento que las subjuntivas comunes, si cabe, porque se emplean, no sólo a menudo sino constantemente, en proposiciones subordinadas. Tal es la forma en *are, ere, iere*, como *cantare* (de *cantar*), *trajere* (de *traer*), *partiere* (de *partir*). Sin embargo, no puede decirse *dudo que ella cantare*, sino *dudo que ella cante*; ni *deseo que ustedes leyeren*, sino *deseo que ustedes lean*; ni *salvárele Dios*, sino *sálvele Dios*. Es propio de esta forma simple (y de la compuesta que nace de ella: *hubiere cantado, hubiere traído, hubiere partido*) el significar siempre una condición o hipótesis, y principalmente cuando de ésta depende el ejecutarse un mandato, un deseo, o el declarar un juicio: *Si alguno llamare a la puerta, le abrirás; si llegaren a tiempo, hazme el favor de recibirlos; si alguien tal pensare, se engaña, y si lo hubiere dicho, ha mentido*. En ninguno de estos ejemplos se puede emplear forma alguna subjuntiva de las antes enumeradas. Por tanto,

469. Es preciso reconocer dos subjuntivos diversos: el que llamamos *común*, porque se extiende a una gran variedad de casos, y el de que ahora tratamos, al que por su constante significado de condición o hipótesis damos el nombre de HIPOTÉTICO.

470. Este Modo es peculiar de la conjugación castellana pues no lo hubo en latín, ni lo hay en ninguno de los otros dialectos romances; y sólo tiene dos formas propias suyas, la simple (*cantare, trajere, partiere*), y la compuesta que nace de ella (*hubiere cantado, hubiere traído, hubiere partido*).*

* Estas formas introducen en la conjugación castellana algunos embarazos y dificultades de que yo hubiera podido desentenderme siguiendo el ejemplo de otros; pero el uso que se ha hecho de las ediciones anteriores de esta «Gramática» para dar ciertas reglas sobre la materia, aunque pocas veces con la exactitud y precisión necesarias, me hace creer que mis trabajos en esta parte no han sido del todo infructuosos, y me alienta ahora a dilucidarlos y mejorarlos en lo posible.

Para que se aprecie lo que ello importa, obsérvese que en muy estimables escritores se confunden a veces la forma en *ase, ara, ese, era*, del subjuntivo común, con la en *ere, are*, del hipotético, diciendo, por ejemplo: *Si alguien llamase, le abrirás; Si llegase a tiempo, le convidaré*. La diferencia que yo en este punto señalo, no depende de ninguna teoría, porque es la práctica de los mejores tiempos de la lengua, y la ordinaria entre los que hablan y escriben correctamente en el día.

Podemos dar a los lectores menos instruídos una regla que los preservará de caer en una confusión de Modos y tiempos, que va cundiendo, sobre todo entre los americanos:

«Siempre que a la forma en *ase, ese* vemos que consiente la lengua sustituir la forma

471. Para subvenir a la escasez de formas propias de este Modo, apelamos a los otros dos Modos, indicativo y subjuntivo común.

472. Si la proposición subordinada que expresa la hipótesis, viene regida por el adverbio condicional *si*, puede sustituirse el indicativo al hipotético, y prestarle los tiempos de que carece. Por ejemplo:

«Si alguien *llamare* o *llama* a la puerta, le abrirás.» No es admisible el subjuntivo *llame*.

«Se nos previno que si alguien *llamaba* a la puerta, le abriésemos.» Es admisible el subjuntivo *llamase* o *llamara*.

«Si alguien *hubiere* o *ha llegado* de la ciudad, le preguntarás qué hay de nuevo.» No es admisible el subjuntivo *haya llegado*.

«Encargóme que si alguien *había llegado* de la ciudad, le preguntase qué noticias corrían.» Puede decirse *hubiese* o *hubiera llegado*.

473. Mas cuando la condición no es regida por el *si* condicional, no tiene cabida el indicativo sino el subjuntivo común.

«En caso que alguien *llamare* o *llame*...» No puede emplearse el indicativo *llama*.

«Estad apercibidos para lo que *sobreviniere o sobrevenga*.» Podría decirse *sobrevendrá*, pero no en sentido hipotético, porque con esta forma daríamos a entender que ha de sobrevenir algún hecho.

«Se nos previno que estuviésemos apercibidos para lo que *sobreviniese* o *sobreviniera*.» No puede decirse ni *sobrevenía*, ni *sobrevendría*, sino en un sentido positivo, no condicional.

474. De manera que en la condición precedida de *si*, el indicativo y el subjuntivo común se confunden después de una expresión subordinante que signifique tiempo absolutamente pasado. La frase *se nos ha prevenido* no tiene este carácter, porque supone subsistente el imperio de la prevención; y de aquí es que su régimen puede ser como el del presente o como el del pretérito: «Se nos ha prevenido que si alguien *llegare* o *llega*, o que si alguien *llegaba, llegase* o *llegara*».* Pero si la condición no es precedida de *si*, se excluye siempre el indicativo.

475. Tenemos, pues, dos modos enteramente distintos: el *indicativo* y el *subjuntivo;* pero este último se subdivide en *subjuntivo común* y *subjuntivo hipotético*. El subjuntivo común presta sus formas a un cuarto Modo, el *optativo*, y el *optativo* tiene una forma particular en que se llama *imperativo*.

en *are, ere* (acerca de lo cual no cabe error en los que tengan por lengua nativa la castellana), podemos estar seguros de que esta segunda es la forma propia.»

* Lo mismo se extiende *mutatis mutandis* al pretérito y ante-presente de los demás verbos: «Se *ha construído* un dique de piedra que *ataje* las avenidas del río»; «Se *construyó* un dique de piedra que *atajase* o *atajara*», etc.; «pero las grandes lluvias del último invierno lo han destruído». En el primer caso es admisible, aunque no tan propio, *atajase* o *atajara;* en el segundo caso no cabe decir sino *atajase* o *atajara*.

476. Podemos ahora completar la definición del verbo castellano diciendo que es una clase de palabras que significan el atributo de la proposición, indicando juntamente la persona y número del sujeto, el tiempo y Modo del atributo. *

NOTA XI

MODOS DEL VERBO

Para que la distribución de los tiempos en modos no penda del puro capricho de los gramáticos, y preste alguna utilidad práctica, debe atenderse principalmente al *régimen,* que sin duda fué la consideración que tuvieron presente los que primero clasificaron de esta manera los tiempos. Formas verbales que sólo difieren entre sí en cuanto significan diferentes relaciones de tiempo y que son *regidas* por unas mismas palabras, pertenecen a un mismo *Modo.* Por ejemplo, los mismos verbos que rigen el futuro de indicativo, rigen variado el tiempo, la forma en *ría (amaría, leería, partiría)*; pues si por medio del simple futuro decimos *promete que vendrá, aseguro que iré, estamos ciertos de que nada nos faltará,* trasladando el presente al pasado es menester que digamos: *prometió que vendría, aseguré que iría, estábamos ciertos de que nada nos faltaría.* Lo propio de esta forma es afirmar una cosa como futura respecto de una cosa *pasada,* como *posterior* a una cosa *pretérita;* y esto es lo que significa la denominación que le doy de *pos-pretérito,* colocándola en el indicativo porque afirma y porque es regida de los mismos verbos que rigen el futuro de indicativo.

Hay gramáticos (y son en el día los más) que la colocan en el indicativo, pero la llaman *condicional,* en lo que también se yerra, porque *de suyo* no significa la consecuencia de una condición (que es lo que se quiere decir llamándola *condicional*), y cuando así lo hace, es en virtud de una metáfora. La relación de pretérito que ella naturalmente envuelve, redunda entonces, y se hace el signo de una negación implícita, como sucede en otras formas verbales. Véase lo que digo sobre este y otros usos metafóricos de los tiempos en la Gramática (número 685 y siguientes).

Guiado por los mismos principios he introducido un nuevo Modo: el *subjuntivo hipotético,* que conviene con el subjuntivo común en adaptarse a las proposiciones subordinadas. Y aun es más exclusivamente propio de ellas que el subjuntivo común, pues éste en varios casos y sobre todo cuando toma el sentido optativo, tiene cabida en proposiciones independientes.

Los caracteres del Modo hipotético, que no permiten confundirle con ningún otro, y en especial con el subjuntivo común, son muy señalados. Hélos aquí:

1. *Siempre* significa condición: ningún otro modo lo hace sino accidentalmente. Ni significa la consecuencia de la condición, como el llamado condicional, sino la condición misma.

* Véase la Nota XI.

2. No viene *nunca,* como ya he dicho, sino en proposiciones subordinadas.

3. No recibe *jamás,* como el subjuntivo común, el sentido optativo.

4. No es regido de verbos que rigen necesariamente el subjuntivo común. Así, verbos que por significar *duda, temor, deseo,* rigen el subjuntivo común, no rigen las formas que son propias del subjuntivo hipotético. Se dice *dudo, temo, deseo,* que *venga* (no *viniere*).

Sobre los casos en que puede o debe ser subrogado o suplido por formas del indicativo o del subjuntivo común, no creo necesario repetir lo que he dicho en los número 658 y siguientes, que recomiendo particularmente a los lectores despreocupados.

Capítulo XXII

ESTRUCTURA DE LA ORACIÓN

477. Habiéndose dado a conocer, aunque de un modo general, los varios elementos de que se compone la oración, es ya tiempo de manifestar el orden y dependencia en que los colocamos, que es lo que se llama *Sintaxis.*

478. La palabra dominante en la oración es el sustantivo sujeto, a que se refiere el verbo atribuyéndole alguna cualidad, acción, ser o estado. Y en torno al sustantivo sujeto o al verbo se colocan todas las otras palabras, las cuales, explicándose o especificándose unas a otras, miran, como a sus peculiares últimos puntos de relación, las unas al sustantivo sujeto, las otras al verbo.

479. El sustantivo, sea sujeto, término o predicado, puede ser modificado:

1º Por adjetivos o por sustantivos adjetivados: *el hombre honrado, la dama duende.*

2º Por complementos: *las orillas del Maipo, la sin par Dulcinea.*

3º Por proposiciones: *aquel gran bulto que allí se ve; la persona a quien vimos ayer en el paseo; la campiña por donde transitábamos.*

480. El adjetivo es modificado:

1º Por adverbios: *muy prudente, demasiado astuto.*

2º Por complementos: *abundante de frutos, liberal con sus amigos, sobresaliente en el ingenio.*

3º Por proposiciones: *severo en sus costumbres, como lo habían sido sus padres.*

481. El adverbio es modificado:

1º Por otros adverbios: *muy bien, algo tarde.*

2º Por complementos: *cerca del río, encima de la cama, dentro de la selva.*

3º Por proposiciones: *allí sólo florecen las artes, donde se les proponen recompensas* *.

482. Los complementos son modificados:

1º Por adverbios: *muy a propósito; bien de mañana.* «Es *muy de caballeros andantes* el dormir en los páramos y desiertos, y lo tienen a mucha ventura» (Cervantes).

2º Por proposiciones: *sin luz como estaba el aposento.*

483. El verbo es modificado:

1º Por predicados: *es virtuosa, es mujer de talento, vive retirada, la creo feliz.*

2º Por adverbios: *habla bien, escribe mal, nos acostamos tarde, se levantan temprano, conversábamos agradablemente.*

3º Por complementos: *va al campo, está en la ciudad, volverá por mar, ha engañado a sus amigos, le aborrecen, te darán el empleo, deseo que escribas, cuento con que corresponderá a mi confianza:* (el neutro *que* es complemento acusativo en el penúltimo ejemplo, y término de la preposición *con* en el último, anunciando en ambos la proposición que lo especifica).

4º Por proposiciones: *cuando el cuadrillero tal oyó, túvole por hombre falto de juicio:* (la proposición subordinada precede aquí a la subordinante; como sucede a menudo si el relativo lleva en sí mismo su antecedente. (§ 328, 329, 332, 350, 394, 395, 401, etc.).

Tal es en general la estructura de la oración. Las excepciones son raras y tendremos ocasión de notarlas.

* La proposición subordinada *donde se les*, etc., modifica al adverbio *allí*. Suprimido este adverbio, lo envolvería el relativo *donde*, y la proposición subordinada modificaría directamente al verbo *florecen*.

Capítulo XXIII

DE LA CONJUGACIÓN

484. Vamos ahora a tratar de la manera de formar las inflexiones de los verbos, o de *conjugarlos.* Comprendemos en la conjugación, además de las formas que pertenecen propiamente al verbo, los infinitivos, participios y gerundios.

485. Las inflexiones del verbo se distribuyen desde luego en *Modos,* que relativamente a la conjugación se reducen a tres, a saber: el indicativo, el subjuntivo y el imperativo.

486. En el subjuntivo de la conjugación se comprenden todas las formas propias del subjuntivo común y del subjuntivo hipotético. Ya se ha dicho que el imperativo no es más que una forma del Modo optativo, y la única propia de este Modo, que suple las otras por medio del subjuntivo común.

487. En cada Modo las inflexiones se distribuyen por *Tiempos* *. Los del indicativo son: *Presente, Pretérito, Futuro, Co-pretérito, Pos-pretérito.* El imperativo no tiene más que *Futuro.* Las formas de cada tiempo se distribuyen por números, las de cada número por personas.

488. Los pretéritos se llaman comúnmente *pretéritos perfectos;* los co-pretéritos, *pretéritos imperfectos;* y al pos-pretérito se han dado diferentes denominaciones por los gramáticos.

489. Los verbos se diferencian mucho unos de otros en su conjugación, y estas variedades tienen una conexión constante con la desinencia del infinitivo. Se llama *primera conjugación* la de los verbos cuyo infinitivo es en *ar,* como *amar, cantar; segunda,* la de aquellos cuyo infinitivo es en *er,* como *temer, vender;* y *tercera,* la de los verbos cuyo infinitivo es en *ir,* como *partir, subir.*

490. Los verbos relativamente al modo de conjugarlos se dividen en *regulares* e *irregulares.* Regulares son los que forman todas sus variaciones como el verbo que les sirve de modelo o tipo. *Irregulares,* por el contrario, son aquellos que en ciertas variaciones se desvían del verbo modelo.

* Aquí se trata sólo de los tiempos *simples.* De los compuestos (que propiamente no pertenecen a la conjugación material) hablaremos más adelante.

491. En las variaciones del verbo se distinguen, como en las de todas las otras palabras, raíz y terminación. En las del verbo hay dos raíces: una que lo es de todas las inflexiones, tanto suyas como de los derivados verbales, menos la dèl futuro y pos-pretérito de indicativo; y otra que lo es del futuro y pos-pretérito de indicativo. La primera es el infinitivo, quitada su desinencia característica *ar, er, ir;* la segunda es el infinitivo entero; llamaremos a la primera *raíz general,* y a la segunda *raíz especial.* Así en el verbo *amo, amas,* la raíz general es *am,* y la especial *amar. Raíz,* usado absolutamente, significa la raíz general.

492. Terminación, inflexión o desinencia es lo que se añade a la raíz: así en el co-pretérito de indicativo de *amo, amas,* las terminaciones son *aba, abas,* etc., que unidas a la raíz general *am,* componen las formas *am-aba, am-abas,* etc.; y en el futuro de indicativo del mismo verbo las terminaciones son *é, ás, á,* ètc.; que agregadas a la raíz especial *amar,* componen las formas *amar-é, amar-ás, amar-á,* etc.

493. Cada conjugación tiene ciertas inflexiones peculiares en los tiempos que nacen de la raíz general, pero en los que nacen de la raíz especial, que, como hemos dicho, son el futuro y el pos-pretérito de indicativo, todos los verbos regulares son absolutamente uniformes; por lo que podemos decir que en estos tiempos hay una sola conjugación. *

494. Nótese que el presente de subjuntivo pertenece propiamente al subjuntivo común; el futuro, al subjuntivo hipotético; el pretérito, unas veces al uno, otras al otro.

495. Sea el tipo de la primera conjugación *amar,* el de la segunda *temer,* el de la tercera *subir.*

PRIMERA CONJUGACIÓN

AMAR

INDICATIVO

Presente, *Am-o, as, a, amos, áis, an.*
Pretérito, *Am-é, aste, ó, amos, asteis, aron.*
Futuro, *Amar-é, ás, á, emos, éis, án.*
Co-pretérito, *Am-aba, abas, aba, ábamos, abais, aban.*
Pos-pretérito, *Amar-ía, ías, ía, íamos, íais, ían.*

* Esta doble raíz aparece con evidencia en todos los verbos castellanos regulares e irregulares, y recuerda un hecho histórico de nuestro idioma. Modificando éste lige-

SUBJUNTIVO

Presente, *Am-e, es, e, emos, éis, en.*
Pretérito, *Am-ase,* o *ara, ases* o *aras, ase* o *ara, ásemos* o *áramos, aseis* o *arais, asen* o *aran.*
Futuro, *Am-are, ares, are, áremos, areis, aren.*

IMPERATIVO

Am-a, ad.

DERIVADOS VERBALES

Infinitivo, *Am-ar.* Participio, *Am-ado.* Gerundio, *Am-ando.*

SEGUNDA CONJUGACIÓN

TEMER

INDICATIVO

Presente, *Tem-o, es, e, emos, éis, en.*
Pretérito, *Tem-í, iste, ió, imos, isteis, ieron.*
Futuro, *Temer-é, ás, á, emos, éis, án.*
Co-pretérito, *Tem-ía, ías, ía, íamos, íais, ían.*
Pos-pretérito, *Temer-ía, ías, ía, íamos, íais, ían.*

SUBJUNTIVO

Presente, *Tem-a, as, a, amos, áis, an.*
Pretérito, *Tem-iese* o *iera, ieses* o *ieras, iese* o *iera, iésemos* o *iéramos, ieseis* o *ierais, iesen* o *ieran.*
Futuro, *Tem-iere, ieres, iere, iéremos, iereis, ieren.*

ramente las inflexiones latinas en los tiempos pertenecientes a la raíz general, abandonó a la lengua madre en el futuro de indicativo, y creó además un pos-pretérito, tiempo desconocido en latín. Sirvióse para ello del infinitivo, combinándolo con el presente y co-pretérito de indicativo de *haber*: *compraré* es *comprar hé; compraría, comprar hía* o *comprar había.* Así es que solían separarse a menudo los dos elementos: «*Casarme hé* con ella, encerraréla, haréla a mis mañas» (Cervantes). «Si Dios no concediese a algunos las prosperidades que le piden, *parecerles hía* que no estaba el darlas en su mano» (Rivadeneira). «Si me quisiésedes bien, *holgaros híades* de mi partida, porque voy al Padre» (Granada). La resolución del pos-pretérito es anticuada; pero la del futuro no sonaría mal en verso.
Los otros dialectos romances han seguido el mismo camino que el nuestro en la formación de sus futuros y pos-pretéritos de indicativo.

IMPERATIVO

Tem-e, ed.

DERIVADOS VERBALES

Infinitivo, *Tem-er*. Participio, *Tem-ido*. Gerundio, *Tem-iendo*.

TERCERA CONJUGACIÓN

SUBIR

INDICATIVO

Presente, *Sub-o, es, e, imos, ís, en.*
Pretérito, *Sub-í, iste, ió, imos, isteis, ieron.*
Futuro, *Subir-é, ás, á, emos, éis, án.*
Co-pretérito, *Sub-ía, ías, ía, íamos, íais, ían.*
Pos-pretérito, *Subir-ía, ías, ía, íamos, íais, ían.*

SUBJUNTIVO

Presente, *Sub-a, as, a, amos, áis, an.*
Pretérito, *Sub-iese* o *iera, ieses* o *ieras, iese* o *iera, iésemos* o *iéramos, ieseis* o *ierais, iesen* o *ieran.*
Futuro, *Sub-iere, ieres, iere, iéremos, iereis, ieren.*

IMPERATIVO

Sub-e, id.

DERIVADOS VERBALES

Infinitivo, *Sub-ir*. Participio, *Sub-ido*. Gerundio, *Sub-iendo*.

496. Comparando entre sí estos tres tipos, se echa de ver: 1º que tomando por raíz el infinitivo entero, hay dos tiempos que se forman de modo idéntico en todas las conjugaciones regulares, a saber, el futuro y el pos-pretérito de indicativo: *amar, amar-é, amar-ía;*

temer, temer-é, temer-ía; subir, subir-é, subir-ía; 2º que la segunda y la tercera conjugación se reducen casi a una sola (no tomando en cuenta el futuro y el pos-pretérito de indicativo); pues que sólo se diferencian en las terminaciones siguientes:

Indicativo, presente, *Tem-emos, éis, Sub-imos, ís.*

Imperativo, *Tem-ed, Sub-id.*

Infinitivo, *Tem-er, sub-ir.**

CAPÍTULO XXIV

VERBOS IRREGULARES

497. Para calificar a un verbo de regular o irregular no debe atenderse a las letras con que se escribe sino a los sonidos con que se pronuncia. Como conjugamos con el oído, no con la vista, no hay ninguna irregularidad en las variaciones de letras que son necesarias para que no se alteren los sonidos.

Por ejemplo, el verbo *aplacar* no deja de ser regular porque muda la *c* radical en *qu*, en todas las formas cuya terminación es *e* o principia por *e*, como en *aplaqué, aplaque, aplaques, aplaquemos*; pues para conservar el sonido fuerte de la *c* antes de las vocales *e, i*, es necesario, escribiendo, convertirla en *qu*. Por una razón semejante no es irregular el verbo *mecer*, cuando muda la *c* de la raíz en *z* para conservar el sonido suave de la *c* (yo *mezo*, él *meza*); ni el verbo *delinquir* mudando la *qu* en *c* (*delinco, delinca*), por no permitir el uso actual que se escriba jamás *qu* sino antes de las vocales *e, i*; ni el verbo *pagar* tomando una *u* muda cuando la terminación es *e* o principia por *e* (*pagué, pague, pagues, paguemos*), por cuanto la ortografía corriente pide esta *u* muda antes de las vocales *e, i*,

* Es preciso advertir a los niños chilenos que no deben decir *ís* por *éis*, como lo hace la plebe, pronunciando, v. gr., *juguís* por *juguéis*, *tenís* por *tenéis*, ni *imos* por *emos* en el presente de indicativo de la segunda conjugación: v. gr. *tenimos* por *tenemos*.

Se les ejercitará particularmente en conjugar ciertos verbos en que la gente no educada, y aun la que lo es, suele cometer faltas graves. Dénseles, por ejemplo, a conjugar: 1º verbos de la primera conjugación en *iar*, que muchos conjugan mal, v. gr. *yo copeo, tú copeas, yo agraveo, tu agravéas*, como si el infinitivo fuese en *ear;* 2º verbos de la primera conjugación en *ear*, cuyo pretérito de indicativo se corrompe, diciéndose, por ejemplo, *yo pasié* por *yo pasee*, como si el infinitivo fuese *pasiar*; 3º verbos cuya raíz termine en vocal: sus co-pretéritos de indicativo suelen acentuarse mal, pronunciándose, v. gr. *poséia* en vez de *poseía*.

para conservar el sonido de la *g*; ni el verbo *seguir* perdiendo la *u* muda cuando la terminación es en *o*, *a*, o principia por *a* (*sigo*, *siga*, *sigamos*), por cuanto no es permitido poner jamás la *u* muda sino antes de las vocales *e*, *i* *.

498. No contaremos tampoco entre las irregularidades algunas leves alteraciones que se observan uniformemente en sus casos, y deben considerarse más bien como accidentes de la conjugación regular.

499. La primera es la conversión de la vocal *i* en la consonante *y*, cuando aquella vocal carece de acento, y viene a encontrarse en medio de otras dos vocales. Así en la conjugación de *caer* tenemos las formas estrictamente regulares *caí*, *caía*, donde la *i* es aguda, y las formas *cayera*, *cayeras*, etc., donde dicha vocal se convierte en *y* por no tener acento, y hallarse entre las vocales *a*, *e*. Esto es lo mismo que sucede en la formación del plural de los nombres terminados en *i* no aguda (*rey*, *reyes*, *convoy*, *convoyes*).

500. La segunda es la supresión de la *i* no aguda con que principian ciertas terminaciones (v. gr. *ió*, *iera*, *iere*); supresión necesaria cuando dicha *i* sigue a la consonante *ll* o *ñ*, en que termina la raíz, como sucede en los verbos cuyo infinitivo es en *llir*, *ñer*, *ñir*. Así de *bullir*, *tañer*, *reñir*, salen *bullía*, *tañía*, *reñía*, con *i* aguda, y por el contrario, *bullo*, *tañeron*, *riñendo*, sin *i* porque en las terminaciones estrictamente regulares *ió*, *ieron*, *iendo*, no es acentuada la *i* **.

501. Los verbos compuestos toman ordinariamente las irregularidades de los simples; pero relativamente a la conjugación no miramos como compuestos sino a los verbos en cuyo infinitivo aparece el del simple sin la menor alteración, precediendo alguna de las partículas compositivas enumeradas en el capítulo III. Prescindiremos pues del significado, y sólo atenderemos a la estructura material. Así, en lo que atañe al mecanismo de la conjugación, que es de lo que ahora tratamos, *convertir* no es compuesto de *verter*, y por el contrario, *impedir* lo es de *pedir* ***.

502. Cuando en las listas que daremos de los verbos irregulares se ponen los compuestos y no el simple, deberá inferirse que éste

* *Sigo*, *siga*, son inflexiones irregulares, pero no porque suprimen la letra muda *u*, sino porque cambian el sonido *e* de la raíz en *i*.

** Algunos extienden la misma regla a los verbos en *chir*, de los cuales no conozco otros que *henchir* y *rehenchir*, pero son bastante comunes, no sólo *hinchió*, en que la supresión de la *i* pudiera hacer que se equivocase a *henchir* con *hinchar*, sino *hinchieron*, *hinchiera*, etc.

*** *Impedir* viene del latino *impedire*, que no es compuesto de *petere* (pedir) sino de *pes*, *pedis* (el pie). Por el contrario, *competir* no es, en castellano, compuesto de *pedir*, aunque viene de *competere*, que en latín lo era de *petere*. En el asunto presente la estructura material es la consideración que importa.

no sufre las irregularidades de los otros. Pero si se pone el simple, se colegirá que se conforman con él sus compuestos, a menos que se advierta lo contrario.

Tratemos ya de las analogías que se observan en las irregularidades o *anomalías* de los verbos, pues en este punto no es enteramente caprichosa la lengua.

503. Cuando una forma experimenta una alteración radical, casi siempre sucede que hay otras formas que la experimentan del mismo modo, y que tienen, por tanto, cierta afinidad o simpatía con la primera y entre sí *.

504. Hay seis órdenes o grupos de formas *afines*.

Los cinco primeros no tienen cabida sino en los tiempos que nacen de la raíz general.

El primer orden (peculiar de la segunda y tercera conjugación) comprende aquellas formas en que se sigue a la raíz una de las vocales *a, o;* que son la primera persona de singular del presente de indicativo, y todo el presente de subjuntivo. Así el verbo *traer,* cuya raíz es *tra,* la muda en *traig* para las formas de este orden: *traig-o, traig-a, as, a, amos, áis, an.*

El segundo comprende aquellas formas en que la última vocal de la raíz tiene acento; que son la primera, segunda y tercera persona de singular y la tercera de plural de los presentes de indicativo y subjuntivo, y el singular del imperativo. Así *contender,* cuya raíz es *contend,* la muda en *contiend* para las formas de este orden: *contiend-o, es, e, en; contiend-a, as, a, an; contiend-e tú.*

El tercero (peculiar de la tercera conjugación) comprende aquellas formas en que no se sigue a la raíz una *i* acentuada; que son la primera, segunda y tercera persona de singular y la tercera de plural del presente de indicativo; las terceras personas del pretérito de indicativo; todo el subjuntivo; el singular del imperativo, y el gerundio. Tomemos por ejemplo a *concebir.* Este verbo es regular en todas las formas en que se sigue a la raíz una *i* acentuada: *conceb-imos, conceb-ís; conceb-í, conceb-iste, conceb-imos, conceb-isteis; conceb-ía, ías,* etc.; *conceb-id; conceb-ir, conceb-ido;* y es irregular en todas las otras, mudando la raíz *conceb* en *concib: concib-o, es, e, en; concib-ió, ieron; concib-a, as, a, amos, áis, an; concib-iese* o *iera, ieses* o *ieras,* etc.; *concib-iere, ieres,* etc.; *concib-e tú; concib-iendo.*

* Aunque consideramos como esencial el estudio de las afinidades de las formas verbales, el preceptor, si lo cree conveniente, podrá no exigirlo a los alumnos de limitada inteligencia; sustituyendo a él un continuado ejercicio de los verbos irregulares de cada clase, según sus respectivos modelos.

El cuarto (peculiar de la tercera conjugación y de verbos cuya raíz termina en vocal, como *argüir)* comprende aquellas formas en que se sigue a la raíz una de las vocales llenas *a, e, o,* que son solamente la primera, segunda y tercera persona de singular, y la tercera de plural, del presente de indicativo, todo el presente de subjuntivo, y el singular del imperativo. Así *argüir,* cuya raíz es *argu,* la muda en *arguy* para este grupo de formas afines: *arguy-o, es, e, en; arguy-a, as, a, amos, áis, an; arguy-e tú.* Encuéntrase a la verdad esta consonante *y* en otras formas, como *arguyeron, arguyera, arguyendo;* pero en ellas no es más que un accidente de la conjugación regular, que pide se convierta la *i* no aguda que se halla entre dos vocales, en la consonante *y,* subsistiendo sin alteración la raíz: *arguyeron* (por *argu-ieron), argu-yera* (por *argu-iera),* etc.

El quinto orden o grupo de formas afines comprende los pretéritos de indicativo y subjuntivo, y el futuro de subjuntivo. Así *andar,* cuya raíz es *and,* la muda en *anduv* para todas las formas de este orden. Pero los verbos irregulares que lo son en él, no sólo alteran la raíz sino las terminaciones, formándolas siempre de un mismo modo, cualquiera que sea la conjugación a que pertenezcan. Así *andar* hace *anduv-e, anduv-iste, anduv-o, imos, isteis, ieron; anduv-iese* o *iera, ieses* o *ieras,* etc.; *anduv-iere, ieres,* etc.; *caber* hace *cup-e, cup-iste, cup-o, imos, isteis, ieron; cup-iese* o *iera,* etc.; *cup-iere,* etc.; y *venir* hace *vin-e, vin-iste, vin-o, vin-imos, isteis, ieron, vin-iese* o *iera,* etc., *vin-iere,* etc. Sólo en esos verbos dejan de ser agudas la primera y tercera persona de singular del pretérito de indicativo. Están además sujetos a un accidente peculiar, y es que cuando la raíz de estas formas termina en *j,* el diptongo *ié* de la terminación pierde la *i: traj-eron, traj-era, traj-ere,* no *traj-ieron, traj-iera,* etc., sin embargo de que en los otros verbos no es así, pues decimos *tej-ieron* de *tejer, cruj-ieron* de *crujir.*

Finalmente, el sexto orden de formas afines comprende los futuros y pos-pretéritos de indicativo, cuya raíz, según hemos dicho, es el infinitivo entero. Así *caber* muda esta raíz en *cabr* para todas las formas de este orden, y en lugar de *caber-é, ás,* etc., hace *cabr-é, ás,* etc.

Alterada la raíz en una de las formas pertenecientes a cualquiera de estos órdenes, los verbos que son irregulares en él experimentan una alteración igual en las otras formas del mismo, y tienen por consiguiente una raíz peculiar e irregular en todas ellas.

505. Hay formas que pertenecen a grupos diversos, como v. gr. la primera persona de singular del presente de indicativo, comprendida en los cuatro primeros. Cuando sucede, pues, que un verbo irregular lo es en dos o más grupos, podría dudarse a cuál de las raíces irregulares concurrentes debe darse la preferencia. Para salir de la duda hay una regla cómoda, que es preferir las raíces concurrentes por el orden de la numeración anterior. Así la raíz del primer grupo excluye a cualquiera otra que concurra con ella; la raíz del segundo a la del tercero, etc. Exceptúase la raíz del quinto grupo, que excluye a la del tercero, cuando concurre con ella. *

506. Sólo resta advertir: 1º que la mayor parte de las irregularidades pertenecen a la raíz: las pertenecientes a las terminaciones son raras, y se indicarán cuando ocurran.

Y 2º que de las irregularidades de los participios se tratará por separado.

507. Los verbos irregulares, o lo son en una sola familia o grupo de formas afines, o en varios.

PRIMERA CLASE DE VERBOS IRREGULARES

508. La primera clase de verbos irregulares comprende los que solamente lo son en el primer grupo de formas afines, a saber:

509. 1º Todos los terminados en *acer, ecer, ocer,* como *nacer, florecer, conocer,* los cuales tienen, además de las dos raíces regulares, una irregular que termina en *azc, ezc, ozc.*

Ejemplo, NACER.

Indicativo, presente, *Nazc-o.*
Subjuntivo, presente, *Nazca, as, a, amos, áis, an.*

510. Exceptúanse *hacer* y *cocer,* que pertenecen a otras listas de irregulares. Sobre *empecer* se ha dudado; pero es seguro que se ha conjugado siempre *empezco, empezca,* etc. «Guisada cosa es e derecha, que el juicio que fuere dado contra alguno, non empezca a otro» (l. 20, tít. 22, Partida III). «Suele este señor traer guardados a los suyos como un vaso de vidrio en su vasera, para que nada les empezca» (Granada, *Medit.*, cap. XXVIII). «Pero pues de aquel encantamento

* Véase la Nota XII al fin del capítulo.

me libré, quiero creer que no ha de haber otro alguno que me empezca» (Cervantes, *Quijote*, Segunda Parte, capítulo XXXII). Por lo demás, parece que este verbo, como otros de la misma terminación que no se aplican a seres racionales, sino a casos o hechos, puede sólo conjugarse en las terceras personas de singular y plural y en los derivados verbales. *

511. 2º *Lucir (luzc-o), asir (asg-o), caer (caig-o),* y lo mismo sus compuestos, como *deslucir, desasir, recaer.*

512. *Yacer* se conjuga hoy *yazc-o* o *jazg-o,* y por consiguiente *yazc-a, as,* etc., o *yazg-a, as,* etc. **

SEGUNDA CLASE DE VERBOS IRREGULARES

513. A esta clase pertenecen los que solamente lo son en el segundo grupo de formas afines. Su irregularidad consiste en alterar la vocal acentuada de la raíz, convirtiendo la vocal *e,* y alguna vez la vocal *i,* en el diptongo *ié;* la vocal *o,* y alguna vez la vocal *u,* en el diptongo *ué.* De *acertar,* por ejemplo, debiera salir *yo acert-o,* de *adquirir, yo adquir-o,* de *volar, yo vol-o,* de *jugar, yo jug-o;* y salen *yo acierto, yo adquiero, yo vuelo, yo juego* ***.

Hay pues en estos verbos, además de las dos raíces regulares, una anómala en que la vocal acentuada de la raíz se convierte en diptongo.

Son irregulares de esta clase:

514. 1º Los que mudan la *e* radical acentuada en *ié.*

Ejemplo, ACERTAR.

Indicativo, presente, *Aciert-o, as, a, an.*
Subjuntivo, presente, *Aciert-e, es, e, en.*
Imperativo, *Aciert-a.*

Sufren esta irregularidad los de la lista siguiente:

Acertar.	*Apacentar.*	*Ascender.*
Acrecentar.	*Apernar.*	*Atravesar.*
Adestrar.	*Apretar.*	*Aventar.*
Alentar.	*Arrendar.*	*Calentar.*

* *Mecer* es regular en el día: Lope de Vega y otros lo conjugaban como irregular de esta primera clase: *mezco, mezca.*

** Este verbo pertenece hoy a la primera clase, pues se dice *yací, yaciste,* etc.; *yaceré, yacerás,* etc.; *yaciese* o *yaciera, yacieses* o *yacieras,* etc.; *yaciere, yacieres,* etc.; pero en lo antiguo era mucho más irregular, como después veremos.

*** Esta especie de anomalía de los verbos se debe a la influencia del acento, sobre la cual se ha dicho lo bastante en el capítulo XII, 216. La conversión de la vocal simple en diptongo, bajo el acento, era aun más frecuente en lo antiguo, pues solía decirse *cuende* por *conde, huebra* por *obra,* etc.

Cegar.
Cerner.
Cerrar.
Cimentar.
Comenzar.
Concertar.
Confesar.
Decentar.
Defender.
Dentar.
Derrengar.
Descender.
Desmembrar.
Despernar.
Despertar o *dispertar.*
Dezmar.
Emendar o *enmendar.*
Empedrar.
Empezar.
Encender.
Encomendar.
Encubertar.
Enhestar.
Ensangrentar.
Escarmentar.
Estercar
Estregar.
Fregar.
Gobernar.
Heder.
Helar.
Herrar.
Incensar.
Infernar.
Invernar.
Manifestar.
Merendar.
Nevar.
Pensar.
Perder.
Quebrar.
Recomendar.
Regar.
Remendar.
Reventar.
Sarmentar.
Segar.
Sembrar.
Serrar.
Temblar.
Trascender.
Tropezar.

515. *Aterrar,* echar a tierra, y los demás compuestos de *tierra, desterrar, enterrar, soterrar,* pertenecen a esta primera especie de irregulares de la segunda clase; pero *aterrar,* causar terror, es enteramente regular.

516. *Atestar,* henchir, pertenece a la misma especie, pero significando atestiguar, no sufre irregularidad alguna.

517. En los mejores gramáticos falta entre los verbos irregulares *discernir,* que indudablemente lo es. Su infinitivo era antiguamente *discerner;* y de aquí proviene que, sin embargo de haber pasado a la tercera conjugación, siguió conjugándose como el simple *cerner*; y pertenece, como éste, a la segunda clase de irregulares, siendo por tanto el único verbo de la tercera conjugación que se halla en este caso, prescindiendo de *concernir,* que pertenece a los defectivos.

518. *Errar* muda la *e* en *ye*; *yerro, yerras,* etc.

519. *Hender* es irregular como *acertar*; pero no le imita *prehender,* forma antigua de *prender,* que muchos conservan en *aprehender, comprehender, reprehender,* aunque comúnmente se pronuncian y debieran escribirse sin *he,* excepto *aprehender* (coger, asir, y metafóricamente concebir la idea de una cosa), para distinguirlo de *aprender* (adquirir conocimientos estudiando): de cualquier modo que se pronuncien, son enteramente regulares. *

520. *Mentar* es irregular como *acertar;* no le imitan sus compuestos *comentar, dementar,* ni *paramentar,* derivado de *paramento.*

521. *Negar* tiene la misma irregularidad, y le siguen sus compuestos, pero no *anegar,* que sólo aparentemente lo es. **

522. *Pensar* es irregular de la misma especie; sus compuestos *compensar, recompensar,* etc., no le imitan.

523. *Plegar* pertenece a la misma especie de irregulares. Su compuesto *desplegar* se conjuga yo *desplego,* o yo *despliego,* y lo mismo

* *Prehender* no es en realidad compuesto de *hender (findere),* sino verbo simple *(prehendere* o *prendere).*

** Los americanos solemos hacerlo irregular de esta especie, *yo aniego, tú aniegas,* y aun hemos formado el sustantivo *aniego* (inundación); pero en los escritores peninsulares no he visto otras formas que las regulares *anego, anegas* *replegarse*; pero *replegar*, volver a plegar, se conjuga como el simple.

524. *Sentar* y *asentarse* son irregulares de la misma especie. *Presentar* no es compuesto de *sentar*, sino derivado de *presente*, y su conjugación es enteramente regular, como la de su compuesto *representar*.

525. *Tender* es irregular de la misma especie; y le imitan sus compuestos, a excepción de *pretender*, cuya conjugación es regular.

526. *Tentar* también pertenece a esta especie de irregulares. Sus compuestos *contentar, detentar, intentar*, no le siguen; ni tampoco *atentar*, cuando significa intentar un delito, cometer un atentado; pero en su significado de tentar o ir tentando, imita al simple. *Desatentar* es irregular.

527. *Verter* y *reverter* lo son igualmente; pero no debe confundirse a *reverter* (volver a verter o rebosar) con *revertir* (volver un derecho o cosa incorporal a la persona que lo tenía primero).

528. 2º Los que mudan la *o* radical aguda en *ué*.

Ejemplo, VOLAR.

Indicativo, presente, *Vuel-o, as, a, an.*
Subjuntivo, presente, *Vuel-e, es, e, en.*
Imperativo, *Vuel-a.*

Sufren esta irregularidad los de la lista siguiente:

Agorar.	*Emporcar.*	*Probar.*
Almorzar.	*Enclocarse* o *encoclarse.*	*Recordar.*
Amolar.	*Encontrar.*	*Regoldar.*
Aporcar.	*Encorar.*	*Renovar.*
Avergonzar.	*Encordar.*	*Rescontrar.*
Cocer.	*Encovar.*	*Rodar.*
Colgar.	*Engrosar.*	*Soldar.*
Concordar.	*Ensalmorar.*	*Soler.*
Contar.	*Entortar.*	*Soltar.*
Costar.	*Forzar.*	*Solver.*
Degollar.	*Holgar.*	*Soñar.*
Denostar.	*Hollar.*	*Torcer.*
Descollar.	*Llover.*	*Tostar.*
Descornar.	*Moler.*	*Trascordarse.*
Desflocar.	*Morder.*	*Trocar.*
Desvergonzarse.	*Mostrar.*	*Volar.*
Discordar.	*Mover.*	*Volcar.*
Doler.	*Poblar.*	*Volver.*

529. *Acordar* es irregular de esta especie en todos sus significados, menos en el de poner acorde un instrumento.

530. *Aforar*, en el significado de dar fueros a una población, es regular; en ningún otro lo es. *Desaforar* es irregular.

531. *Apostar*, en el significado de colocar gente o tropa en un sitio o puesto, es regular; en el de hacer apuestas se conjuga como *volar*.

532. *Colar* es irregular, y le imitan sus verdaderos compuestos como *trascolar*, pero no los aparentes, que vienen de *cola* en sus dos significados: *descolar* (quitar la cola o rabo), *encolar* (untar o pegar con cola).

533. *Derrocar* hace *derroco* o *derrueco*.

534. *Follar* y *afollar*, en el significado de soplar con fuelle, o dar a alguna cosa la forma de fuelle, son irregulares; *follar*, formar en hojas, no lo es.

535. *Moblar* y *amoblar* se conjugan como *volar*. Pero hoy se usan en el mismo sentido *mueblar* y *amueblar*, que llevan en todas sus formas y derivados el diptongo *ué*, y son por consiguiente regulares. *

536. *Oler* muda la *o* en *hue*.

537. *Rogar* es irregular; ninguno de sus compuestos le imita.

538. *Solar* es irregular; sus compuestos le imitan, incluyéndose en ellos *consolar*, que sólo aparentemente lo es.

539. *Sonar* se conjuga como *volar*, y le siguen sus compuestos; pero los de *persona* son regulares, como *apersonarse*. *Consonar*, según don Vicente Salvá, también lo es. Yo preferiría *consueno*, como lo hacen generalmente los americanos; y lo mismo digo de *asueno*. El erudito Francisco Cascales, en el prólogo de sus Cartas filológicas, se expresa así: «Con esto *consuena* lo que dice San Isidoro». *Asuenan* ha dicho también don Tomás Antonio Sánchez (*Colección de poesías*, t. I, pág. 224).

540. *Tronar* es anómalo. Sus compuestos aparentes *entronar, destronar,* lo son verdaderamente de *trono*, y no sufren irregularidad alguna.

541. 3º *Adquirir, inquirir,* que mudan la *i* radical acentuada en *ié*.

542. 4º *Jugar,* que muda la *u* en *ué*. No lo siguen sus compuestos aparentes *conjugar, enjugar*.

TERCERA CLASE DE VERBOS IRREGULARES

543. Los verbos irregulares de la tercera clase lo son solamente en la tercera familia de formas afines. Su anomalía consiste en mudar la *e* de la última sílaba de la raíz en *i* o la *o* en *u*. Deben pues reconocerse en ellos tres raíces, las dos regulares y la que en la última sílaba de la raíz sustituye a una vocal llena una débil.

Ejemplo, Concebir.

Indicativo, presente, *Concib-o, es, e, en*. Pretérito, *Concib-ió, ieron*.

* Hay cierta propensión a introducir el diptongo *ié, ué*, que constituye la irregularidad, en todas las inflexiones verbales y en el infinitivo, participio y gerundio; convirtiendo, por ejemplo, a *dezmar, adestrar, amoblar*, en *diezmar, adiestrar, amueblar*, que se conjugan como *amar*, sin irregularidad alguna.

La Real Academia reconoce ambas formas, pero prefiere *diezmar, adiestrar, amueblar*. Reconoce asimismo *dezmero* y *diezmero;* y conserva sin alteración *dezmable, dezmeño, dezmería*. De *adiestrar* conserva también los derivados *adestrador, adestramiento*.

Subjuntivo, presente, *Concib-a, as,* etc. Pretérito, *Concib-iese* o *iera, ieses* o *ieras,* etc. Futuro, *Concib-iere, ieres,* etc.
Imperativo, *Concib-e.*
Gerundio, *Concib-iendo.* *

544. 1º De estos verbos irregulares los unos mudan en *i* la *e* radical de la última sílaba. Tales son:

Ceñir.	*Estreñir.*	*Reñir.*
Colegir.	*Gemir.*	*Repetir.*
Competir.	*Henchir.*	*Seguir.*
Concebir.	*Heñir.*	*Servir.*
Constreñir.	*Medir.*	*Teñir.*
Derretir.	*Pedir.*	*Vestir.*
Elegir.	*Regir.*	
Embestir.	*Rendir.*	

545. *Impedir* y *expedir,* aunque sólo aparentemente compuestos de *pedir,* le imitan en su anomalía.

546. *Reteñir,* sea que signifique volver a teñir, o lo mismo que *retiñir,* se conjuga como *teñir,* aunque en este segundo significado no sea verdaderamente compuesto de *teñir,* sino de *tañer.*

547. Esta familia de formas afines está sujeta a un accidente y es que en los verbos en *eír,* siempre que a la raíz anómala en *i* se sigue alguno de los diptongos *ió, ié,* se pierde la *i* del diptongo. De *reír,* v. gr., debiera salir (imitando a *concebir) riió, riiera,* o (convirtiendo en *y* la segunda *i) riyó, riyera,* como en efecto no ha mucho tiempo se hacía; pero hoy se dice, perdida la segunda *i, rió, riera.*

Ejemplo, REÍR.

Indicativo, presente, *Rí-o, es, e, en,* Pretérito, *Ri-ó, eron.*
Subjuntivo, presente, *Rí-a, as,* etc. Pretérito, *Ri-ese* o *era, ese* o *eras,* etc. Futuro, *Ri-ere, eres,* etc.
Imperativo *Rí-e.*
Gerundio, *Ri-endo* **.

Los verbos en que tiene cabida este accidente son *desleír, engreír, freír, reír, sonreír.*

548. 2º Pertenecen a esta clase de verbos *podrir* y *repodrir,* que mudan la *o* radical en *u.*

* De las dos raíces *conceb, concib,* la última es la original *(concipere).* La elección entre ellas depende de la eufonía. Pareció algo dura la sucesión de dos sílabas de vocal débil, *concibir,* y sonó mejor *concebir.*

Esta causa de anomalía obraba antiguamente en muchos más verbos que ahora. Decíase (y aun dicen en algunas partes, no sólo el vulgo, sino ciertas familias que conservan tradicionalmente la antigua pronunciación), *recebir, escrebir,* etc., y todos estos verbos se conjugaban como *concebir.*

** Pudiera dudarse si la *i* que se pierde pertenece a la raíz o a la terminación, pero se conoce que pertenece a la terminación, porque la *i* subsistente no forma diptongo con la vocal que sigue: *rió* es disílabo; *riera, riendo,* trisílabos.

Indicativo, presente, *Pudr-o, es, e, en,* Pretérito. *Pudr-ió, ieron.*
Subjuntivo, presente, *Pudr-a, as,* etc. Pretérito, *Pudr-iese* o *iera. ieses* o *ieras,* etc. Futuro, *Pudr-iere, ieres,* etc.
Imperativo, *Pudr-e.*
Gerundio, *Pudr-iendo* *.

En la acepción metafórica de consumirse interiormente disimulando un sentimiento, se dice *repudrirse,* verbo enteramente regular.

CUARTA CLASE DE VERBOS IRREGULARES

549. La anomalía de esta clase consiste en añadir a la raíz general (que termina en vocal) la consonante *y.*

A la cuarta clase de verbos irregulares, que comprende los que lo son solamente en la cuarta familia de formas afines, pertenecen todos los que hacen el infinitivo en *uír* (sonando la *u),* como *argüir, concluír, atribuír.*

Ejemplo, ARGÜÍR.

Indicativo, presente, *Arguy-o, es, e, en.*
Subjuntivo, presente, *Arguy-a, as,* etc.
Imperativo, *Arguy-e.*

En todos estos verbos hay tres raíces: las dos regulares en *u, uír,* y la irregular en *uy,* que los caracteriza.

550. Ya se ha notado que no son formas irregulares aquellas en que el diptongo *ió, ié,* de la terminación, se vuelve *yo, ye,* por la regla general de convertirse en *y* la *i* no acentuada que se halla entre dos vocales, como en *arguyó, arguyese, arguyendo.*

QUINTA CLASE DE VERBOS IRREGULARES

551. No hay otros verbos pertenecientes a la quinta clase de irregulares, que *andar* y *desandar,* los cuales lo son en la quinta familia de formas, que comprende todas las personas de los pretéritos de indicativo y subjuntivo **, y del

* Algunos quieren que se diga en el co-pretérito de indicativo *pudría, pudrías,* etc., para distinguirlo del pos-pretérito de *poder;* esto pudiera tolerarse; pero carecen de toda razón los que por decirse en el pretérito *pudrió, pudrieron,* dicen también *pudrí, pudriste, pudrimos, pudristeis.* No decimos *durmí, murí,* aunque digamos *durmió, murió.*

** Esta simpatía es heredada de la lengua madre, en que las formas verbales de que se derivan nuestros pretéritos de indicativo y subjuntivo y nuestro futuro de subjuntivo tenían igual afinidad entre sí.

No parece haber fundamento para creer que *anduve* es una contracción de *andar hube.* Los antiguos dijeron en el pretérito perfecto, *andido,* y a veces *andudo* por *anduvo,* y *andidieron* por *anduvieron,* como puede verse en los glosarios del Poema del Cid, de los poemas de Berceo, de *el Alejandro* y del *Fuero Juzgo.* De *andidieron* y todavía más de *andudieron* pudo pasarse fácilmente a *anduvieron.*

futuro de subjuntivo. Los demás verbos que son irregulares en este grupo de formas afines, pertenecen a otras clases.

Las tres raíces de *andar* son las regulares *and, andar,* y la irregular *anduv.*

SEXTA CLASE DE VERBOS IRREGULARES

Habiendo hablado de los verbos irregulares que lo son en una sola familia de formas, se sigue hablar de aquellos que lo son en varias.

552. A la sexta clase de verbos irregulares pertenecen solamente *oír* y sus compuestos, que lo son a un tiempo en los órdenes primero y cuarto de formas afines.

Se pueden considerar en *oír* cuatro raíces: la general *o;* la especial *oír; oig* para el primer orden de formas, *oy* para las del cuarto que no están comprendidas en el primero.

Indicativo, presente, *Oig-o, oy-es, oy-e, oy-en.*
Subjuntivo, presente, *Oig-a, oig-as,* etc.
Imperativo, *Oy-e.*

553. En *oyó, oyeron, oyeran,* etc., la raíz es *o*: la *i* de los diptongos *ió, ié,* que pertenecen a la terminación, se convierte en *y* por carecer de acento y hallarse entre dos vocales.

554. En tiempos no muy antiguos de la lengua se decía *yo oyo, yo oya, tú oyas,* etc., de manera que *oír* era irregular de la cuarta clase, como *argüir.*

SÉPTIMA CLASE DE VERBOS IRREGULARES

555. La séptima clase de verbos irregulares comprende los que lo son en el primero y quinto orden de formas afines.

A la séptima clase de verbos irregulares pertenecen:

556. 1º Todos los acabados en *ducir,* los cuales en la primera familia mudan el *duc* radical (*c* suave) en *duzc* (*c* fuerte), y en la quinta lo mudan en *duj;* de manera que podemos concebir en ellos cuatro raíces: la general en *duc* (*c* suave), la especial en *ducir,* la irregular en *duzc* (*c* fuerte) para el primer orden de formas afines, y la irregular en *duj* para el quinto.

Ejemplo, TRADUCIR.

Indicativo, presente, *Traduzc-o.* Pretérito, *Traduj-e, iste, o, imos, isteis, eron.*
Subjuntivo, presente, *Traduzc-a, as,* etc. Pretérito, *Traduj-ese* o *era, eses* o *eras,* etc., Futuro, *Traduj-ere, eres,* etc.

557. 2º *Traer* y sus compuestos, que en la primera familia mudan la radical *tra* en *traig*, y en la quinta la mudan en *traj*, teniendo por consiguiente cuatro raíces, las dos regulares *tra*, *traer*, y las irregulares *traig*, *traj*.

Indicativo, presente, *Traig-o*. Pretérito, *Traj-e, iste, o, imos, isteis, eron*. Subjuntivo, presente, *Traig-a, as*, etc. Pretérito, *Traj-ese* o *era, eses* o *eras*, etc. Futuro, *Traj-ere, eres*, etc.

558. No hace mucho tiempo que los verbos en *ducir* se conjugaban en las formas de la primera familia con la raíz *duzg* (*conduzgo, conduzga*); como *traer* y sus compuestos con la raíz *tray* en las mismas formas (*trayo, traya*) y además con la raíz *truj* en las formas de la quinta (*truje, trujese, trujera, trujere*). La plebe suele todavía conjugar así estos verbos.

559. 3º El verbo *placer*, que en la primera familia se conjuga con la raíz irregular *plazc* (*c* fuerte) o *plazg*, en todas las demás inflexiones es regular; pero también hace la tercera de singular del presente de subjuntivo, *plega* o *plegue*, y las terceras personas de singular de la quinta familia, *plugo, pluguiese* o *pluguiera, pluguiere*.

560. *Plugo* se encuentra pocas veces en obras modernas; *plega* o *plegue, pluguiese, pluguiera*, y *pluguiere*, apenas se usan sino como *optativas* o *hipotéticas; plega al cielo, pluguiese a Dios, si a Dios pluguiere*.

561. La conjugación de este verbo ha sufrido vicisitudes notables. En lo antiguo se conjugaba solamente en las terceras personas de singular y pertenecía a la séptima clase de irregulares, con las raíces *pleg* para la primera familia y *plug* (más antiguamente *plog*) para la quinta.

Indicativo, pretérito, *Plug-o*.

Subjuntivo, presente, *Pleg-a*. Pretérito, *Plugu-iese* o *iera*. Futuro, *Plugu-iere*.

Posteriormente se ha usado en otras inflexiones que las de tercera persona de singular; pero la Real Academia no ha sancionado esta práctica.

Lo más notable ha sido la conversión de *plega* en *plegue*, como si el verbo pasase de la segunda conjugación a la primera, lo que ha dado motivo a que figure en algunos diccionarios el verbo imaginario *plegar*, que dicen significa *placer* o *agradar*, y de cuya existencia no se podría dar otra prueba que este mismo solitario *plegue*, corrupción de *plega*, pues el *plegaos* que se encuentra en el «Quijote», y acaso en otros libros, y se ha traído por los cabellos a *plegar*, acentuándolo sobre la *a*, no es otra cosa que *plégaos* (plázcaos, agrádeos), compuesto, como se ve, del genuino subjuntivo *plega* y el enclítico *os*. *

* Véase la nota de Clemencín, sobre *A Dios prazga*, «Quijote», tomo I, página 223, corregida en las *Erratas*.

Que *plega* es presente de subjuntivo de *placer*, lo había ya reconocido la Academia en su glosario del «Fuero Juzgo», y se ve a las claras en este pasaje de «Amadís», libro III, cap. I: «Como quier que dello les *pese* o *plega*, todos ternán por bien lo que el Rey façe, e vos, Señora, queréis».

562. Los compuestos *aplazco, complazco, desplazco,* pertenecen enteramente a la primera clase de irregulares.

563. El verbo *yacer* se conjugaba como de la séptima clase, con las raíces irregulares *yag,* para la primera familia, *yog* para la quinta.

Indicativo, presente, *Yag-o*. Pretérito, *Yogu-e* o *Yogu-i, Yogu-iste, Yog-o, Yogu-imos, Yogu-istes, Yogu-ieron.*

Subjuntivo, presente, *Yag-a, as,* etc. Pretérito, *Yogu-iese* o *iera, ieses* o *ieras,* etc. Futuro, *Yogu-iere, ieres,* etc.

Por inadvertencia han atribuído algunos las formas de la quinta familia a un verbo imaginario, *yoguer* o *yoguir,* que no ha existido jamás en la lengua, pues en tal caso encontraríamos alguna vez el co-pretérito *yoguía,* el pos-pretérito *yoguería* o *yoguiría,* etc. *

OCTAVA CLASE DE VERBOS IRREGULARES

564. En la octava clase de los verbos irregulares concurre la anomalía de la primera familia de formas afines con la de la sexta. *Salir,* por ejemplo, además de la raíz general *sal,* tiene las irregulares *salg* para la primera familia, y *saldr* para la sexta.

Indicativo, presente, *Salg-o.* Futuro, *Saldr-é, ás,* etc. Pos-pretérito, *Saldr-ía, ías,* etc.

Subjuntivo, presente, *Salg-a, as,* etc.

Este verbo es además irregular en cuanto carece de terminación en el imperativo singular, *sal.*

No hay en la octava clase otros verbos simples que *valer* y *salir*[76, IV], que en sus irregularidades son enteramente semejantes, salvo que el imperativo singular del primero es *val* o *vale*; pero *val* es algo anticuado. Imítanlos sus respectivos compuestos, excepto en el imperativo, que comúnmente es regular: *sobresale tú, preválete.*

NOVENA CLASE DE VERBOS IRREGULARES

565. La novena clase de verbos irregulares comprende aquellos que lo son en el segundo y tercer orden de formas afines. El orden segundo comprende todo el singular y la tercera persona del plural de los presentes de indicativo y subjuntivo, y además el singular del imperativo. El tercero comprende todo el singular y la tercera persona de plural

* Véase la Nota XIII al fin del capítulo.

del presente de indicativo, las terceras personas del pretérito de indicativo, todo el subjuntivo, el singular del imperativo y el gerundio. Hay pues varias formas que pertenecen a los dos órdenes, y en ellas la anomalía del segundo prevalece sobre la del tercero.

566. Pertenecen a la novena clase: 1º los irregulares que en la segunda familia de formas mudan la *e* de la última sílaba radical en *ié,* y en las formas de la tercera familia que no le son comunes con la segunda, la mudan en *i;* pudiendo, por tanto, considerarse en ellos cuatro raíces, las dos regulares, la irregular que en su última sílaba lleva el diptongo *ié,* y la irregular que lleva en dicha sílaba la sola vocal *i.*

Ejemplo, ADVERTIR.

Indicativo, presente, *Adviert-o, es, e, en.* Pretérito, *Advirt-ió, ieron.*

Subjuntivo, presente, *Adviert-a, adviert-as, adviert-a, advirt-amos, advirt-áis, adviert-an.* Pretérito, *Advirt-iese* o *iera, ieses* o *ieras,* etc. Futuro, *Advirt-iere, ieres,* etc.

Imperativo, *Adviert-e.*

Gerundio, *Advirt-iendo.*

Tienen estas irregularidades los verbos cuyo infinitivo termina en *ferir, gerir* o *vertir,* y además *arrepentirse, herir, hervir, mentir, requerir* y *sentir,* con sus respectivos compuestos.

567. Pertenecen a esta novena clase: 2º los irregulares que en la segunda familia de formas afines mudan la *o* radical en *ué,* y en las formas de la tercera familia que no le son comunes con la segunda la mudan en *u;* pudiendo, por tanto, considerarse en ellos cuatro raíces, las dos regulares, la irregular en *ué,* y la irregular en *u.*

Ejemplo, DORMIR.

Indicativo, presente, *Duerm-o, es, e, en.* Pretérito, *Durm-ió, ieron.*

Subjuntivo, presente, *Duerm-a, duerm-as, duerm-a, durm-amos, durm-áis, duerm-an.* Pretérito, *Durm-iese* o *iera, ieses* o *ieras,* etc. Futuro, *Durm-iere, ieres,* etc.

Imperativo, *Duerm-e.*

Gerundio, *Durm-iendo.*

Los únicos verbos simples que padecen estas irregularidades, son *dormir* y *morir.* *

* Verbos hubo en lo antiguo que combinaban las anomalías de la primera y segunda familia con las de la sexta: por ejemplo, *toller,* que hacía *tuelgo, tuelles, tuelle, tuellen; toldré, toldrás,* etc.; *toldría, toldrías,* etc.; *tuelga, tuelgas, tuelga, tolgamos, tolgáis, tuelgan,* etc.; clase de irregulares que no creo tenga ningún representante en el lenguaje moderno.

DÉCIMA CLASE DE VERBOS IRREGULARES

568. Componen la décima clase de verbos irregulares los que combinan la anomalía de la primera familia con las de la quinta y sexta.

Tienen por consiguiente cuatro raíces: la irregular para las formas de la primera familia; una irregular para las de la quinta; otra irregular para las de la sexta, y la general para las formas restantes.

Pertenecen a la décima clase, primeramente *caber* y *saber*.

Las cuatro raíces de *caber* son *cab, quep, cup* y *cabr.*

Indicativo, presente, *Quep-o.* Pretérito, *Cup-e, iste, o, imos, isteis, ieron.* Futuro, *Cabr-é, ás,* etc. Pos-pretérito, *Cabr-ía, ías,* etc.

Subjuntivo, *Quep-a, as,* etc. Pretérito, *Cup-iese* o *iera, ieses* o *ieras,* etc. Futuro, *Cup-iere, ieres,* etc.

Las cuatro raíces de *saber* son *sab, sep, sup, sabr;* pero este verbo tiene una irregularidad peculiar en la primera persona de singular del presente de indicativo, *yo sé.*

569. 2º *Hacer* y sus compuestos, que tienen las cuatro raíces *hag* (*g* suave), *hac, hic* (*c* suave), *har.*

Indicativo, presente, *Hag-o.* Pretérito, *Hic-e, hic-iste, hiz-o, hic-imos, hic-isteis, hic-ieron.* Futuro, *Har-é, ás, etc.* Pos-pretérito, *Har-ía, ías,* etc.

Subjuntivo, presente, *Hag-a, as,* etc. Pretérito, *Hic-iese* o *iera, ieses* o *ieras,* etc. Futuro, *Hic-iere, ieres.*

El singular del imperativo es *haz. Satisfacer* imita las irregularidades de *hacer;* pero en el singular del imperativo se dice *satisfaz* o *satisface,* y en el pretérito y futuro del subjuntivo la raíz es *satisfac* o *satisfic* (*c* suave).

570. 3º *Poner* y sus compuestos, que tienen las cuatro raíces *pon, pong, pus, pondr.*

Indicativo, presente, *Pong-o.* Pretérito, *Pus-e, iste, o, imos, isteis, ieron.* Futuro, *Pondr-é, ás,* etc. Pos-pretérito, *Pondr-ía, ías,* etc.

Subjuntivo, *Pong-a, as,* etc. Pretérito, *Pus-iese* o *iera, ieses* o *ieras,* etc. Futuro, *Pus-iere, ieres,* etc.

En el singular del imperativo se dice *pon, compón, depón,* etcétera.

UNDÉCIMA CLASE DE VERBOS IRREGULARES

571. Los verbos irregulares de la undécima clase combinan las anomalías de la segunda familia de formas con las de la quinta y sexta.

572. 1º *Querer* tiene en la segunda familia de formas la raíz *quier*, en la quinta la raíz *quis*, en la sexta la raíz *querr*, y en las restantes la raíz general *quer*.

Indicativo, presente, *Quier-o, es, e, en*. Pretérito, *Quis-e, iste, o, imos, isteis, ieron*. Futuro, *Querr-é, ás,* etc. Pos-pretérito, *Querr-ía, ías,* etc.
Subjuntivo, presente, *Quier-a, as, a, an*. Pretérito, *Quis-iese* o *iera, ieses* o *ieras,* etc. Futuro, *Quis-iere, ieres,* etc.
Imperativo, *Quier-e*.

573. 2º *Poder* tiene en la segunda familia la raíz *pued*, en la quinta *pud*, en la sexta *podr*, y en las restantes la general *pod*.

Indicativo, presente, *Pued-o, es, e, en*. Pretérito, *Pud-e, iste, o, imos, isteis, ieron*. Futuro, *Podr-é, ás,* etc. Pos-pretérito, *Podr-ía, ías,* etc.
Subjuntivo, presente, *Pued-a, as, a, an*. Pretérito, *Pud-iese* o *iera, ieses* o *ieras,* etc. Futuro, *Pud-iere, ieres,* etc.

Tiene además en el gerundio la irregularidad peculiar *pudiendo*. Su significado no se presta al imperativo.

DUODÉCIMA CLASE DE VERBOS IRREGULARES

574. La duodécima clase combina las irregularidades de la primera, segunda, quinta y sexta familias de formas afines.

575. *Tener, venir,* y sus respectivos compuestos tienen cinco raíces; *teng* y *veng,* para las formas de la primera familia; *tien, vien,* para las formas de la segunda que no le son comunes con la primera; *tuv, vin,* para los pretéritos de indicativo y subjuntivo, y para el futuro del subjuntivo; *tendr, vendr,* para el futuro y pos-pretérito de indicativo; y para las otras la regular *ten, ven*.

Ejemplo, TENER.

Indicativo, presente, *Teng-o, tien-es, e, en*. Pretérito, *Tuv-e, iste, o, imos, isteis, ieron*. Futuro, *Tendr-é, ás,* etc. Pos-pretérito, *Tendr-ía, ías,* etc.
Subjuntivo, presente, *Teng-a, as,* etc. Pretérito, *Tuv-iese* o *iera, ieses* o *ieras,* etc. Futuro, *Tuv-iere, ieres,* etc.

Pero en el singular del imperativo hacen *ten, ven,* y el gerundio de *venir* es *viniendo*.

Son poco usados los imperativos *convén, contravén; subvenir* en la mayor parte de sus formas es de muy poco uso.

CLASE DÉCIMATERCIA DE VERBOS IRREGULARES

576. Finalmente, la clase décimatercia combina las irregularidades de la primera, tercera, quinta y sexta familias.

577. Sólo pertenecen a ella *decir* y algunos de sus compuestos. En el primero podemos concebir cinco raíces: *dig* para las formas de la primera familia; *dic* (*c* suave) para las de la tercera que no le son comunes con la primera o la quinta; *dij* para los pretéritos de indicativo y subjuntivo y para el futuro de subjuntivo; *dir* para el futuro y pospretérito de indicativo, y la regular *dec* (*c* suave) para las inflexiones restantes.

Indicativo, presente, *Dig-o, dic-es, e, en.* Pretérito, *Dij-e, iste, o, imos, isteis, eron.* Futuro, *Dir-é, ás,* etc. Pos-pretérito. *Dir-ía, ías,* etc.

Subjuntivo, presente, *Dig-a, as,* etc. Pretérito, *Dij-ese* o *era, eses* o *eras,* etc. Futuro, *Dij-ere, eres,* etc.

Gerundio, *Dic-iendo.*

El imperativo singular es *di.*

578. Los compuestos *contradecir, desdecir* y *predecir* hacen el imperativo singular *contradice, desdice, predice,* y en lo demás se conjugan como el simple. *Bendecir* y *maldecir* hacen *bendice, maldice,* en el imperativo singular, y además son regulares en las formas de la sexta familia: *bendecir-é, ás,* etc., *maldecir-é, ás,* etc., *bendecir-ía, ías,* etc., *maldecir-ía, ías,* etc.

VERBOS IRREGULARES SUELTOS

Trataremos ahora de algunos verbos que por sus peculiares irregularidades no pueden reducirse a ninguna de las clases precedentes.

579. *Dar* es monosílabo, y por consiguiente agudo en la primera, segunda, tercera persona de singular y tercera de plural de los presentes de indicativo y subjuntivo y en el número singular del imperativo. Muda, además, de conjugación en ambos pretéritos y en el futuro de subjuntivo. En el futuro, co-pretérito y pos-pretérito de indicativo, en el plural del imperativo y en el gerundio, es perfectamente regular.

Indicativo, presente, *Doy, das, da, damos, dais, dan.* Pretérito, *D-i, iste, ió,* etc.

Subjuntivo, presente, *Dé, des, dé, demos, deis, den.* Pretérito, *D-iese* o *iera, ieses* o *ieras,* etc. Futuro. *D-iere, ieres,* etc.

Imperativo, *da, dad.*

580. *Estar* tiene la raíz *estuv* para las formas de la quinta familia, y es además irregular en los presentes de indicativo y subjuntivo y en el singular del imperativo.

Indicativo, presente, *Estoy, estás, está, estamos, estáis, están.* Pretérito, *Estuv-e, iste, o, imos, isteis, ieron.*

Subjuntivo, presente, *Esté, estés, esté, estemos, estéis, estén.* Pretérito, *Estuv-iese* o *iera, ieses* o *ieras,* etc. Futuro, *Estuv-iere, ieres,* etcétera.

Imperativo, *está, estad.* *

581. *Haber* es irregular en la quinta y sexta familia de formas afines, teniendo para la primera la raíz *hub,* y para la segunda la raíz *habr.* Es además irregular en los presentes y en el singular del imperativo.

Indicativo, presente, *He, has, ha, hemos* o *habemos, habéis, han.* Pretérito, *Hub-e, iste, o, imos, isteis, ieron.* Futuro, *Habr-é, ás,* etc. Pos-pretérito, *Habr-ía, ías,* etc.

Subjuntivo, presente, *Haya, as,* etc. Pretérito, *Hub-iese* o *iera, ieses* o *ieras,* etc. Futuro. *Hub-iere, ieres,* etc.

Imperativo, *He, habed.*

En lugar de *ha* se dice *hay* en ciertos casos que se designarán oportunamente.

(a). El imperativo es poco usado. *He* se emplea con adverbios y complementos de lugar y complementos acusativos: *He aquí, he ahí*:

«Hélo, hélo por do viene
El infante vengador,
Caballero a la jineta
En caballo corredor.»

Nada más común en los romances viejos. Lo más notable es que *he* tiene el valor de singular y de plural: sea que se hable a muchas personas o a una, se dice con igual propiedad HE AQUÍ; lo que parece dar a esta forma el carácter de interjección.

582. *Ir.*

Indicativo, presente, *Voy, vas, va, vamos, vais, van.* Pretérito (el mismo del verbo *ser*). Co-pretérito, *iba, ibas,* etc.

Subjuntivo, presente, *Vaya, vayas, vaya, vayamos, vayáis, vayan.* Pretérito y futuro (los de *ser*).

Imperativo, *Vé, id.*

Gerundio, *Yendo.*

* Los presentes en *dar, estar,* son irregulares, no sólo porque las formas *doy, estoy,* presentan una terminación anómala, sino porque el acento se halla sobre la terminación en todas las personas: lo que en *dar* proviene de no tener vocal ninguna la raíz, y lo mismo pudiera decirse de *estar,* porque la *e* radical es como si no lo fuese, sirviendo sólo para dar un apoyo a la *s,* letra que seguida de consonante no puede hallarse al principio de ninguna dicción castellana. No parece

En el presente de subjuntivo tiene bastante uso la síncopa *vamos, vais:* «Os suplico con todo encarecimiento que os vais y me dejéis» (Cervantes). En el modo optativo no se dice nunca *vayamos,* sino *vamos.*

583. *Ser.*

Indicativo, presente, *Soy, eres, es, somos, sois, son.* Pretérito, *Fui, fuiste, fue, fuimos, fuisteis, fueron.* Co-pretérito, *Era, eres,* etc.

Subjuntivo, presente, *Sea, seas,* etc. Pretérito, *Fuese* o *fuera, fueses* o *fueras,* etc. Futuro, *Fuere, fueres,* etc.

Imperativo, *Sé, sed.*

En todas las demás formas es perfectamente regular. *

584. *Ver.*

Indicativo, presente, *Veo, ves, ve, vemos, veis, ven.* Co-pretérito, *Veía, veías,* etc.

Subjuntivo, presente, *Vea, veas,* etc.

585. En el co-pretérito se usaba mucho *vía, vías,* etc., formas que hoy sólo se permiten a los poetas.

586. Imitan a *ver* sus compuestos *antever, prever, rever. Proveer,* que según lo dicho arriba (§ 501, 502), no debe mirarse, en lo que toca a la conjugación, como compuesto de *ver,* es perfectamente regular en la suya.

NOTA XII

VERBOS IRREGULARES

Yo dudo que alguna de las lenguas romances sea tan regular, por decirlo así, en las irregularidades de sus verbos, como la castellana; lo que depende principalmente de aquella curiosa afinidad que en ella se observa entre las varias formas del verbo y de los derivados verbales; formándose de todas ellas diferentes grupos o familias, en cada una de las cuales la alteración radical de una forma se comunica a las otras del mismo grupo o familia. De esto nos había ya dado ejemplo la lengua latina, cuyos pretéritos perfectos y pluscuamperfectos, de indicativo y subjuntivo, tienen tan estrecha conexión entre sí, por lo tocante a la alteración de la raíz, que en estos cuatro tiempos todas las cuatro conjugaciones se reducen a un tipo idéntico, y componen verdaderamente una sola. Y aun sucede en castellano que diferentes causas de anomalía

haber fundamento para creer que *estuve* es una contracción de *estar hube.* Díjose antiguamente *estido* y *estudo* por *estuvo,* como se puede ver en los glosarios de Sánchez.

* Este verbo se deriva en unas formas del latino *sum,* y en otras del latino *sedeo,* de que nacieron, además de las que hoy se usan, las anticuadas *seo* (soy), *sees* (eres), *seia* o *seie* (era), etc. Decíase en el infinitivo *seer* y en las formas de la sexta familia *seeré, seería* o *seerie. Ser* (de *sedere,* estar sentado) se aplicó a las cualidades esenciales y permanentes: *estar* (de *stare,* estar en pie), a las accidentales y transitorias. De aquí la diferencia entre v. gr. *ser pálido* y *estar pálido, ser húmeda una casa* y *estar húmeda;* diferencia delicada, y sin embargo de uso universal y uniforme en todos los países castellanos.

concurren muchas veces en un mismo verbo, y en ciertas formas afectadas por más de una de ellas se prefiere una raíz a otra, según ciertas reglas generales; resultando de las causas simples y de las combinaciones de causas trece clases de verbos irregulares en que es muy notable la consecuencia que guarda la lengua, y la regularidad, como he dicho antes, de sus mismas irregularidades. No era dable desenvolver estas analogías, sin entrar en pormenores embarazosos para los principiantes: conjugando éstos cierto número de verbos de cada clase, según el respectivo modelo, no habrán menester más para familiarizarse con la conjugación de todos ellos. Pero desentrañar el mecanismo de la lengua algo más allá de lo que puede ser necesario para la práctica, no es materia que deba considerarse como ajena de la Gramática.

NOTA XIII

SOBRE EL VERBO IMAGINARIO YOGUER o YOGUIR

Se imaginó este verbo para referir a él las inflexiones *yoguiese, yoguiera, yoguiere,* y otras, pertenecientes todas a la quinta familia o grupo de formas afines, según la clasificación del capítulo XXIV. No se tuvo presente que en estas formas sufre alteraciones notables la raíz de ciertos verbos; ni ocurrió que como de *caber* se dijo *cupiese, cupiera,* de *saber, supiese, supiera, de hacer, hiciese, hiciera, de placer, pluguiese, pluguiera,* no era extraño que de *yacer* se hubiese dicho *yoguiese, yoguiera*; lo que hubiera podido confirmarse reflexionando que si hubiese existido *yoguer* o *yoguir*, se encontraría alguna vez en los libros antiguos este infinitivo, o el gerundio, *yoguiendo*, o el participio *yoguido*, o el futuro *yogueré* o *yoguiré*, o el co-pretérito *yoguía* o cualquiera otra de las inflexiones que no corresponden a la sobredicha familia o grupo; lo que de seguro no podrá probarse con un solo ejemplo auténtico. Pero aun sin este gasto de observación y raciocinio bastaba consultar los glosarios de Don Tomás Antonio Sánchez para desilusionarse de semejante verbo.

Placer se conjugaba antiguamente con *o* en lugar de *u* en la quinta familia; decíase *plogo, ploguiese, ploguiera,* etc.

> Plogo a mío Cid porque creció en la yantar.
> (Cid, 304).
>
> Fuésedes mi huésped si vos ploguiese, señor!
> (Ib., 2046).

La paridad entre *placer* y *yacer* por lo tocante a estas formas irregulares, no puede ser más cabal. *Placer, yacer; plogo, yogo; ploguiese, yoguiese;* etc.

Supongamos que por ignorancia de estas formas desusadas de *placer*, hubiese alguien tenido la ocurrencia de atribuírlas a un verbo *ploguer* o *ploguir*; no es otra cosa la que ha sucedido a los que imaginaron el infinitivo *yoguer* o *yoguir*, para que fuese la raíz de las formas desusadas de *yacer*.

Esto manifiesta la importancia práctica de la análisis de que se trata en la nota precedente. Y en comprobación de lo mismo nos ofrece otro ejemplo el verbo *placer*, que en la primera familia de formas afines tuvo y tiene el subjuntivo *plega*, para el cual inventaron los lexicógrafos el infinitivo *plegar* (en el significado de placer o agradar), por no haberles ocurrido que *placer* y *plega* eran análogas a *yacer* y *yaga, hacer* y *haga, caber* y *quepa.* Pero aquí a lo menos pudo deslumbrarlos la inflexión *plegue*, corrupción moderna de *plega*.

No estará de más notar que hubo en el castellano antiguo un verbo *yogar*, derivado del latino *jocare* (jugar, folgar); pero su conjugación, que era perfectamente regular, no tenía nada de común con la de *yacer*; como lo prueba Cervantes: «El diablo hizo que yogásemos juntos». Obsérvese también que el antiguo *iogar* se pronunciaba *jogar* (con el sonido de nuestra *j*), como *ioglar* (joglar, juglar), *juego* (juego), etc., a no ser en el significado especial en que lo usa Cervantes, que es el mismo de *yacer* en los títulos 1º y 2º de la Parte IV, y en la ley 7, título 5, libro III del «Fuero Juzgo».

Capítulo XXV

VERBOS DEFECTIVOS

587. Llámanse verbos *defectivos* los que carecen de algunas formas, como *abolir,* que sólo se emplea en aquellas en que la terminación es *i* o principia por *i;* dejando de usarse, por consiguiente, en las tres personas de singular y en la tercera de plural del presente de indicativo, en todo el presente de subjuntivo, y en el imperativo de singular. No se comprenden en el número de los verbos defectivos los que regularmente sólo admiten las terceras personas de singular, llamados *unipersonales* o *impersonales.* De éstos se tratará después.

588. Hay varios verbos defectivos de la tercera conjugación, que, a semejanza de *abolir,* están reducidos a las terminaciones en *i* o que principian por *i*. Tales son *arrecirse, aterirse, empedernir, colorir, garantir, manir* y algunos otros. Ni todas las terminaciones que principian por *i* pueden usarse cuando esta *i* hace parte de un diptongo; pues aunque el oído no extraña *abolió, aboliese,* le chocarían sin duda *aterió, ateriese.*

589. *Blandir* era defectivo en las mismas formas que *abolir;* pero modernamente han empezado a usarse *blande, blanden.*

590. No estoy seguro de que deba contarse a *erguir* entre los verbos defectivos, y me inclino a creer que su conjugación es en todo como la de *advertir*, perteneciendo, por consiguiente, a la novena clase de los irregulares; salvo que el diptongo inicial *ie* se vuelve *ye*.

Indicativo, presente, *Yerg-o, yergu-es, e, en*. Pretérito, *Irgu-ió, ieron*.

Subjuntivo, presente, *Yerg-a, as, a, irg-amos, áis, yerg-an*. Pretérito, *Irgu-iese* o *iera*, etc. Futuro, *Irgu-iere*, etc.

Imperativo, *Yergu-e*.

Gerundio, *Irgu-iendo*.

Algunas de estas formas se encuentran en poesías castellanas del siglo XVII.

591. Así como las formas que faltan a *blandir, garantir,* se suplen con las de *blandear, garantizar,* que son completos, las que faltan a otros verbos defectivos se suplen a veces tomándolas de la segunda conjugación con un infinitivo en *ecer: empedernezco, empederneces, empedernece, empedernimos, empedernís, empedernecen.* *

592. Ésta era en lo antiguo una clase particular de irregulares: las inflexiones en *i* o que principian por *i*, cuando esta *i* no hace parte de un diptongo, se tomaban del infinitivo en *ir*; las otras de un infinitivo en *ecer*: *escarnezco, escarneces, escarnece, escarnimos, escarnís, escarnecen; escarní, escarniste, escarneció, escarnimos, escarnisteis, escarnecieron; escarneciendo, escarnido,* etc. **

Pero ha sucedido que del infinitivo en *ecer* se sacaron luego todas las formas del verbo, aun las que antes salían del infinitivo en *ir*, que se hicieron por consiguiente anticuadas: así en lugar de *escarnimos, escarnido,* no se dice hoy sino *escarnecemos, escarnecido.*

593. *Raer* no se usa en la primera familia de formas afines. Encuéntrase, con todo, en buenos escritores el presente de subjuntivo *raya:* «Manda el juez que suba un barbero al tablado y que con una navaja le *raya* la cabeza sin dejarle cabello en ella (Malón de Chaide).

594. *Roer* es enteramente desusado en la primera persona de singular del presente de indicativo; y en el presente de subjuntivo se conjuga, según don Vicente Salvá, *roa, roas,* etcétera, o *roya, royas,* etc. Pero su compuesto *corroer* no admite otro presente de subjuntivo que *corroa, corroas,* etc.

595. *Loar* e *incoar* no se usan en la primera persona de

* Muchos escritores americanos han usado las formas *garanto, garanta,* que no han tenido aceptación hasta ahora.

** Esta conjugación es análoga a la de los verbos italianos *finire, riverire,* etc.

singular del presente de indicativo. *Reponer,* por *responder,* sólo se usa en la quinta familia de formas: *Repus-e, iste,* etc.

596. La Academia cuenta entre los defectivos a *concernir,* que, según ella, no se usa sino en las terceras personas *concierne, conciernen, concernía, concernían,* y en el gerundio *concerniendo*; pero tal vez no disonaran el pretérito de indicativo *concernió, concernieron*; ni el presente, pretérito y futuro de subjuntivo *concierna, conciernan, concerniese* o *concerniera, concerniesen* o *concernieran, concerniere, concernieren.* Este verbo en las inflexiones que admite debe sin duda imitar a *discernir.*

597. *Soler* se conjuga como irregular de la segunda familia, mudando la *o* radical en *ué;* pero no tiene más tiempos de uso corriente que *suelo, sueles,* etc., *solía, solías,* etc. El pretérito, *solí, soliste,* y los derivados verbales *soliendo, solido,* apenas se usan: las demás formas son enteramente desusadas.

CAPÍTULO XXVI

DE LOS PARTICIPIOS IRREGULARES

598. Ordinariamente el participio sustantivado no se diferencia, por lo tocante a su estructura material, de la terminación masculina de singular del participio adjetivo; de manera que siendo regular el primero, lo es consiguientemente el segundo, y si el participio sustantivado es anómalo, el participio adjetivo también lo es, y de la misma manera. En los verbos de la lista siguiente son irregulares los dos.

INFINITIVO	PARTICIPIO SUSTANTIVO Y ADJETIVO
Abrir.	*Abierto.*
Cubrir.	*Cubierto.*
Decir.	*Dicho.*
Escribir, y todos los terminados en *scribir.*	*Escrito, inscrito, proscrito,* etc.
Hacer.	*Hecho.*
Imprimir.	*Impreso.*
Morir.	*Muerto.*
Poner.	*Puesto.*
Satisfacer.	*Satisfecho.*
Solver.	*Suelto.*
Ver.	*Visto.*
Volver.	*Vuelto.*

Sus compuestos tienen ordinariamente la misma irregularidad, como *descubierto* (de *descubrir), disuelto* (de *disolver).*

599. Pero *bendecir* y *maldecir*, aunque compuestos de *decir*, son regulares en los participios: *él ha bendecido, ellos fueron maldecidos. Bendito, maldito,* son meros adjetivos *(el bendito apóstol, aquella generación maldita)*, excepto en las exclamaciones: «*¡Bendita sea* su misericordia!» «*¡Malditos sean* los traidores que han vendido a su patria!» Pero aun en este caso es más elegante y poética la terminación regular.

600. Verbos hay que tienen dos formas para los participios, una regular y otra anómala:

Freír.	*Freído o frito.*
Matar.	*Matado o muerto.*
Prender.	*Prendido o preso.*
Proveer.	*Proveído o provisto.*
Romper.	*Rompido o roto.*

601. Cuando hay dos formas para los participios, la una regular y la otra anómala, pueden no emplearse indistintamente. *Freído* y *frito* se emplean ambos como participio sustantivo (*han freído* o *han frito los huevos*), y como participio adjetivo (*los huevos han sido freídos* o *fritos*); pero con otros verbos que *haber* o *ser*, es mejor la segunda forma (*están fritos*).

602. Si *matar* significa *dar muerte,* el participio sustantivado y adjetivo es *muerto;* si lastimar, *matado;* pero para denotar el suicidio, es necesario decir *se ha matado;* porque *se ha muerto* pertenece a *morirse.*

603. *Prender,* por aprehender o encarcelar, hace *preso;* bien que en el participio sustantivado, y con el verbo *ser,* no es enteramente desusada la terminación regular: *los han prendido, fueron prendidos.* Pero en otras significaciones debe siempre decirse *prendido (la planta, el incendio ha prendido; el pañuelo no estaba bien prendido).* En los compuestos no hay más que la forma regular, *aprendido, comprendido,* etc.

604. Según Salvá, se prefiere *provisto* para la provisión de empleos *(se ha provisto el canonicato);* pero se dice: «El Gobierno ha proveído» (mejor que *provisto)* «lo necesario para la seguridad del país», y «La plaza estaba provista» (mejor que *proveída)* «de municiones».

605. *Roto* es en todos casos mejor que *rompido;* bien que en las frases en que el verbo *romper* no admite complemento acusativo parece preferible *rompido: ha rompido en dicterios, ha rompido con su amigo, ha rompido con todo.*

606. *Absorber,* en el significado de *embeber,* tiene el participio regular *absorbido.* Pero el uso prefiere en algunos casos el adjetivo *absorto:* «Quedaron *absortos* al oír semejante impostura».

607. Son rigurosamente adjetivos *abstracto, acepto, confuso, enjuto, expreso, expulso,* y otros muchos, que parecen tener afinidad con los participios, pero que no lo son: no puede decirse, por ejemplo, que «el gobierno ha expulso a los extranjeros sospechosos», ni que «unas cosas están confusas con otras», ni que «un pueblo fué converso a la fe cristiana», o que «los misioneros le habían converso», sino *expelido, confundidas, convertido.* Lo que no quita que los poetas por una especie de arcaísmo o latinismo usen a veces como participios a *expreso, opreso, excluyo,* y otros. A lo más que llegan en prosa algunos de ellos, como *expreso, incluso, enjuto,* es a construírse con *estar.*

CAPÍTULO XXVII

ARCAÍSMOS EN LA CONJUGACIÓN

608. Es del todo anticuada la terminación *ades* por *áis, edes* por *éis, ides* por *ís,* en las segundas personas de plural: *amades, veredes, partides*; excepto en las del co-pretérito y pos-pretérito de indicativo, *estábades, veríades,* y en la del pretérito y futuro de subjuntivo, *estuviésedes, estuviérades, viéredes*; formas de mucho uso en los escritores del tiempo de Granada y Cervantes, y no del todo desechadas todavía en el lenguaje poético.

609. La terminación de la segunda persona de plural del pretérito de indicativo no fué jamás en *tedes* sino en *tes*: *amastes, vistes, partistes.* Las terminaciones *amástedes, temístedes,* son imaginarias, sugeridas sin duda por la aparente analogía de los otros tiempos. Erró, pues, el que pensando imitar el lenguaje antiguo, dijo en cierto romance:

> «En los dos primeros años
> Me *dístedes* por respuesta
> Que érades niña en cabello».

610. Esta terminación *tes* del pretérito (segunda persona de plural) es todavía un arcaísmo admisible en verso, y así la han empleado Meléndez y otros. El hacer a *contastes, subistes,* segunda persona del singular, es un provincialismo que no debe imitarse, porque confunde los dos números del pretérito contra la costumbre antigua y genuina, sin que de ello resulte otra conveniencia que la de facilitar en algunos casos la rima, o llenar la medida del verso.

611. Las irregularidades en la primera, tercera y quinta familia de formas afines son tanto más numerosas, y más parecidas a los orígenes latinos, cuanto más remota es la edad de los escritores. Decíase, por ejemplo, en la conjugación de *tañer,* yo *tango,* yo *tanga,* yo *tanje,* escrito con *x;* en la de *escribir,* yo *escripse,* tú *escripsiste,* él *escripso;* en la de *ceñir,* yo *cinje,* tú *cinjiste;* él *cinjo,* escritos con *c;* en *veer* o *ver,* yo *vide,* tú *vidiste,* él *vido.* Decíase además, *nasqui* por *nasque* o *nací; nasquieste* por *naquieste* o *naciste; dissi* por *dixe* o *dije,* etc.

612. En el co-pretérito y pos-pretérito era frecuente *íe* por *ía*: *sedíe* o *seíe,* por ejemplo, en lugar de *sedía, seía* o *era; seerie* por *seería, sería.*

613. En la sexta familia desaparecía a veces la *e* característica del infinitivo de la segunda conjugación; *yazré* por *yaceré. Debré* por *deberé* nos es enteramente inadmisible. *Doldré* por *doleré* (a semejanza de *valdré* por *valeré*) es provincialismo de Chile.

614. Ocurre en nuestros clásicos la apócope de la *d* en el plural del imperativo: «*Mirá,* Señora, que agradecéis muy poco a Dios las grandes mercedes que os ha hecho» (Espejo de príncipes y caballeros, citado por Clemencín).

«*Andá,* señor, que estáis muy mal criado» (Cervantes).

«Azarque dio una gran voz,
Diciendo *abrí* esas ventanas;
Los que me lloráis, oídme;
Abrieron, y así les habla.»

(Romance citado por Clemencín).

Hoy subsiste y aun es necesaria esta apócope antes del enclítico *os*: *guardaos, teneos;* pero el verbo *ir* requiere *idos.*

615. Usábase también antiguamente y subsistía en el lenguaje de nuestros clásicos, la anteposición de la *l* del enclítico a la *d* final del imperativo, diciendo, v. gr., *miralde* por *miradle, tenelde* por *tenedle.*

«Pues no soy yo tan feo,
Que ayer me vi, mas no como me veo,
En un caldero de agua, que de un pozo
Sacó para regar mi casa un mozo,
Y dije: «¿Esto desprecia Zapaquilda?
¡Oh celos, oh impiedad, oh amor, reñilda!»

(Lope).

616. Solían también convertirse en *ll* la *r* final del infinitivo y la *l* del enclítico, diciendo, v. gr., *sentillo* por *sentirlo.*

«Es un crudo linaje de tormento
Para matar a aquel que está sediento,
Mostralle el agua por que está muriendo,
De la cual el cuitado juntamente
La claridad contempla, el ruido siente;
Mas cuando llega ya para *bebella*,
Gran espacio se halla lejos della.»
(Garcilaso).

En el día es sólo permitida a los poetas esta práctica.

CAPÍTULO XXVIII

SIGNIFICADO DE LOS TIEMPOS

617. El verbo castellano tiene formas simples y formas compuestas, significativas de tiempo. Las simples son meras inflexiones del verbo, como *leo, lea, leyera.* Las compuestas son frases en que está construído el participio sustantivado del verbo con cada una de las formas simples de *haber,* como *he leído, habías leído, hubieras leído;* el infinitivo del verbo con cada una de las formas simples de *haber,* mediando entre ambos elementos la preposición *de,* como *he de leer, habías de leer, hubieran de leer;* o el gerundio del verbo con una de las formas simples de *estar,* v. gr. *estoy leyendo, estaría leyendo, estuviésemos leyendo. Haber* y *estar* se llaman, por el uso que se hace de ellos en estas frases, verbos *auxiliares.*

618. En las formas compuestas no se pueden juntar dos participios; no sería pues buen castellano: «Él ha habido salido»; «Ella había habido escrito». Pero se pueden juntar dos gerundios: «Estando yo vistiéndome, oí que tocaban a fuego».

619. Las formas compuestas en que entra el gerundio no presentan ninguna dificultad, porque expresan el mismo tiempo que la forma simple del auxiliar: *yo estoy temiendo*, significa el mismo tiempo que *yo temo.* Hay a la verdad diferencia entre *estoy temiendo* y *temo*; la primera expresión significa un estado habitual o una duración algo larga (*está siempre escribiendo, estuvo toda la noche escribiendo*); pero ésta no es una diferencia de tiempo, en el sentido que dan a esta palabra los gramáticos, porque la época del temor, v. gr., es siempre un puro pretérito respecto del momento en que se habla, sea que se diga *temí* o *estuve temiendo.*

620. Antes de todo se debe advertir que cada forma del verbo suele tener, además de su valor propio y fundamental, otros diferentes en que se convierte el primero según ciertas reglas generales. Distinguimos, pues, en las formas del verbo un significado *fundamental* de que se derivan otros dos, el *secundario* y el *metafórico*.

621. Vamos a tratar primeramente de los tiempos simples: en seguida hablaremos de los compuestos en que entra el participio sustantivado, que son los más usuales, y puede decirse que pertenecen a la conjugación lógica del verbo y la completan; y daremos fin con una breve idea de los tiempos compuestos en que entra el infinitivo. Los designaremos todos por medio de los del verbo *cantar*. *

SIGNIFICADO FUNDAMENTAL DE LOS TIEMPOS SIMPLES DEL INDICATIVO

622. *Canto,* presente. Significa la coexistencia del atributo con el momento en que proferimos el verbo.

623. Esta relación de coexistencia no consiste en que las dos duraciones principien y acaben a un tiempo; basta que el acto de la palabra, el momento en que se pronuncia el verbo, coincida con un momento cualquiera de la duración del atributo, la cual, por consiguiente, puede haber comenzado largo tiempo antes, y continuar largo tiempo después. Por eso el presente es la forma que se emplea para expresar las verdades eternas o de una duración indefinida: «Madrid está a las orillas del Manzanares»; «La tierra gira alrededor del sol»; «El cuadrado de la hipotenusa es igual a la suma de los cuadrados de los catetos».

624. *Canté,* pretérito. Significa la anterioridad del atributo al acto de la palabra.

625. Nótese que en unos verbos el atributo, por el hecho de haber llegado a su perfección, expira, y en otros, sin embargo, subsiste durando: a los primeros llamo *desinentes*, y a los segundos *permanentes*. *Nacer, morir,* son verbos desinentes, porque luego que uno nace o muere, deja de nacer o de morir; pero *ser, ver, oír,* son verbos permanentes, porque sin embargo de que la existencia, la visión o la audición sea desde el principio perfecta, puede seguir durando gran tiempo.

626. El pretérito de los verbos desinentes significa siempre la anterioridad de toda la duración del atributo al acto de la palabra, como se ve por estos ejemplos: «Se edificó una casa»; «La nave fondeó a las tres de la tarde». Mas en los verbos permanentes sucede a veces que el pretérito denota la anterioridad de aquel solo instante en que el atributo ha llegado a su perfección: «Dijo Dios: Sea la luz, y la luz fue»: *fue* vale lo mismo que *principió a tener una existencia perfecta*. Es frecuente en castellano este significado del pretérito de los verbos permanentes, precediéndoles las expre-

* Véase la Nota XIV.

siones *luego que, apenas,* y otras de valor semejante. «Luego que se edificó la casa me mudé a ella»: el último instante de la edificación precedió al primero de la mudanza, porque el verbo *edificar* es desinente. «Luego que vimos la costa nos dirigimos a ella»: no todo el tiempo en que estuvimos viendo la costa, sino sólo el primer momento de verla, se supone haber precedido a la acción de dirigirnos a ella; porque la acción de ver es de aquellas que, perfectas, continúan durando.

627. *Cantaré,* futuro. Significa la posterioridad del atributo al acto de la palabra.

628. *Cantaba,* co-pretérito. Significa la coexistencia del atributo con una cosa pasada.

629. En esta forma el atributo es, respecto de la cosa pasada con la cual coexiste, lo mismo que el presente respecto del momento en que se habla, es decir, que la duración de la cosa pasada con que se le compara puede no ser más que una parte de la suya. «Cuando llegaste llovía»: la lluvia coexistió en una parte de su duración con tu llegada, que es una cosa pretérita: pero puede haber durado largo tiempo antes de ella, y haber seguido durante largo tiempo después, y durar todavía cuando hablo.

630. Poniendo al co-pretérito en relación con el pretérito, ¿se pueden expresar con él, no sólo las cosas que todavía subsisten, sino las verdades de duración indefinida o eterna? ¿Y no será impropio decir: «Copérnico probó que la tierra giraba alrededor del sol»? Si es exacta la idea que acabo de dar del co-pretérito, la expresión es perfectamente correcta. Podría tolerarse *gira,* mas entonces no veríamos por entre la mente de Copérnico el giro eterno de la tierra, como el sentido lo pide.

631. Compáranse a veces dos co-pretéritos, y entonces es incierto cuál de los dos abrace al otro: «Cuando tú recorrías la Francia, estaba yo en Italia».

632. En las narraciones el co-pretérito pone a la vista los adjuntos y circunstancias, y presenta, por decirlo así, la decoración del drama: «Llegaron en estas pláticas al pie de una alta montaña, que casi como peñón tajado estaba sola entre otras muchas que la rodeaban; corría por su falda un manso arroyuelo, y hacíase por toda su redondez un prado tan verde y vicioso, que daba contento a los ojos que le miraban; había allí muchos árboles silvestres, y algunas plantas y flores que hacían el lugar apacible. Este sitio escogió el caballero de la Triste Figura, y en viéndole comenzó a decir en voz alta», etc. (Cervantes).

633. Análogo es a este uso del co-pretérito el de aplicarse a significar acciones repetidas o habituales, que se refieren a una época pretérita que se supone conocida. «Pelé ricas alfombras; ajé sábanas de Holanda; alumbréme con candeleros de plata; almorzaba en la cama; levantábame a las once; comía a las doce; a las dos sesteaba en el estrado», etc. (Cervantes).

634. *Cantaría,* pos-pretérito. Significa que el atributo es posterior a una cosa pretérita: «Los profetas anunciaron que el Salvador del mundo nacería de una virgen»: el nacer es posterior al anuncio, que es cosa pasada (§§ 452 a 455).

SIGNIFICADO FUNDAMENTAL DE LOS TIEMPOS COMPUESTOS DEL INDICATIVO

635. El indicativo tiene cinco formas compuestas, en que el participio sustantivado se combina con las cinco formas simples del indicativo de *haber: he cantado, hube cantado, habré cantado, había cantado, habría cantado.* En ellas, como en todas las que se componen con el participio sustantivado, el tiempo significado por la forma compuesta es anterior al tiempo del auxiliar. Por consiguiente, *he cantado* es un *ante-presente, hube cantado* un *ante-pretérito, habré cantado* un *ante-futuro, había cantado* un *ante-co-pretérito,* y *habría cantado* un *ante-pos-pretérito.*

636. El ante-presente se ha llamado *pretérito perfecto,* añadiéndosele varias calificaciones para distinguirle del pretérito simple *(canté).* Al ante-pretérito unos le llaman *pretérito perfecto* y otros *pretérito pluscuamperfecto,* agregándole también varios títulos para distinguir a *hube cantado* de *canté* o de *había cantado.* El ante-pos-pretérito ha sido apellidado de varios modos, como el pos-pretérito.

637. La nomenclatura de que yo me sirvo tiene dos ventajas. En primer lugar, las palabras de que se compone el tiempo del verbo indican el nombre que debe dársele: en *habría cantado,* por ejemplo, el participio denota que el nombre del tiempo debe principiar por la partícula *ante,* y siendo el tiempo del auxiliar un *pos-pretérito,* debemos añadir a dicha partícula estos dos elementos: *habría cantado* será pues un *ante-pos-pretérito.* Y en segundo lugar, cada denominación así formada es una breve fórmula, que, como veremos, determina con toda exactitud el significado de la forma compuesta.

638. *He cantado,* ante-presente.

639. Comparando estas dos proposiciones: «Roma se hizo señora del mundo» y «La Inglaterra se ha hecho señora del mar», se percibe con claridad lo que distingue al pretérito del ante-presente. En la segunda se indica que aun dura el señorío del mar; en la primera el señorío del mundo se representa como una cosa que ya pasó. La forma compuesta tiene pues relación con algo que todavía existe.

Se dirá propiamente. «Él *estuvo ayer* en la ciudad, pero se *ha vuelto hoy* al campo». Se dice que una persona *ha muerto* cuando aun tenemos delante vestigios recientes de la existencia difunta; cuando aquellos a quienes hablamos están creyendo que esa persona vive; en una palabra, siempre que va envuelta en el verbo alguna relación a lo presente. En circunstancias diversas se dice *murió* *. «Cervantes estuvo cautivo en Argel»; se trata de la persona física, que es cosa totalmente pasada. «Cervantes ha sido universalmente admirado»; se trata del escritor, que vive y vivirá eternamente en sus obras. «He vivido muchos años en Inglaterra», dirá propiamente el que todavía vive allí, o el que alude a este hecho como una circunstancia notable en su vida. «Grecia produjo grandes oradores y poetas»; se habla de la Grecia antigua. «La España ha producido grandes hombres»; se habla de la España considerada como una en todas las épocas de su existencia. Si se determinase una época ya pasada no sería propio el ante-presente: «La España produjo grandes hombres en los reinados de Carlos I y Felipe II».

Véase lo dicho en el número 474.

640. *Hube cantado,* ante-pretérito. Significa que el atributo es inmediatamente anterior a otra cosa que tiene relación de anterioridad con el momento en que hablo. «Cuando *hubo amanecido, salí»:* el amanecer se representa como inmediatamente anterior al salir, que es cosa pasada respecto del momento en que se habla.

641. Pero ¿por qué como *inmediatamente* anterior? ¿De dónde proviene que empleando esta forma *hubo amanecido,* damos a entender que fue ninguno o brevísimo el intervalo entre los dos atributos?

Proviene, a mi juicio, de que el verbo auxiliar *haber* es de la clase de los permanentes. *Cuando hubo amanecido,* denota el primer momento de la existencia perfecta de haber amanecido, como lo hace el pretérito de los verbos permanentes, precedido de *cuando, luego que, apenas,* etc., según lo dicho arriba (§ 624).

642. *Luego que amaneció salí* y *cuando hubo amanecido salí,* son expresiones equivalentes: la sucesión inmediata que en la primera se significa por *luego que,* en la segunda se indica por el ante-pretérito. Cuando se dice: «*Luego que hubo amanecido salí*», se emplean dos signos para la declaración de una misma idea, y por tanto se comete un pleonasmo, pero autorizado, como muchísimos otros, por el uso.

643. Es muy raro el uso del ante-pretérito no precedido de *apenas, cuando, luego que, no bien,* u otra expresión semejante: «En aquel momento de salir a luz el «Lazarillo de Tormes» *hubo nacido* una clase de composiciones, que prontamente debía hacerse muy popular: la novela llamada picaresca» (Aribau). *Hubo nacido* está usado en lugar de *nació;* pero con cierta diferencia más fácil de sentir que de explicar. Yo diría que *hubo nacido* hace ver el nacimiento como inmediatamente anterior al momento que se designa; *nació,* como coexistente con él; de que se sigue que la primera forma representa la acción como más acabada y perfecta, y tiene algo de más expresivo.

644. Hay circunstancias varias en que el ante-pretérito, usado sin el requisito que se expresa en la regla, daría una fuerza particular al verbo. «Casi hube creído que su conducta era franca y leal; pero al fin se quitó la máscara». «Encontró muchas y graves dificultades

* En latín era desconocido el ante-presente: *cantavi* significa a la vez *canté* y *he cantado.*

en su empresa, pero a fuerza de constancia las hubo superado todas». *Creí* y *superó* dirían sustancialmente lo mismo; pero tal vez con menos encarecimiento.

645. *Habré cantado,* ante-futuro. Significa que el atributo es anterior a una cosa que respecto del momento en que se habla, es futura. «Procura verme pasados algunos días: quizá te habré buscado acomodo» (Isla): el buscar (que significa *hallar)* es anterior al procurar, que se presenta como cosa futura. «Apenas habréis comido tres o cuatro moyos de sal, cuando ya os veréis músico corriente y moliente en todo género de guitarra» (Cervantes): aquí es el comer anterior al ver, que es cosa futura respecto del momento en que se profiere el verbo. No es esencial para la propiedad de este tiempo el que los dos atributos que se comparan se consideren ambos como futuros respecto del acto de la palabra. Lo más común es que así sea, pero hay circunstancias en que sucede lo contrario. Una persona que ha salido de su patria largo tiempo ha, y que no espera volver a ella en algunos años, podrá decir muy bien: «Cuando vuelva a mi país, habrá cambiado sin duda el orden de cosas que allí dejé»; y podría decirlo ignorando completamente si al tiempo que lo dice está todavía por verificarse el cambio. Su pronóstico recae sobre el número total de los años que han corrido desde su salida o desde las últimas noticias, y el de los que presume que tardará su vuelta. Se envía por un facultativo que asista a una persona moribunda: el que va en su busca, podrá muy bien decirse a sí mismo en el camino: «Antes que llegue el facultativo habrá fallecido el paciente»; sin que para decirlo deba suponer que no ha sobrevenido aún el fallecimiento. Como estas hipótesis pueden imaginarse no pocas. De los dos términos que se comparan por la forma *habré cantado,* el uno es siempre un futuro; el otro puede serlo o no en el pensamiento del que habla. Lo que no puede faltar nunca es la idea de anterioridad a un futuro.

646. *Había cantado,* ante-co-pretérito. Significa que el atributo es anterior a otra cosa que tiene la relación de anterioridad respecto del momento en que se habla, pero mediando entre las dos cosas un intervalo indefinido. «Los israelitas desobedecieron al Señor, que los había sacado de la tierra de Egipto»; el sacar es anterior al desobedecer, pretérito; pero nada indica que la sucesión entre las dos cosas fuese tan rápida que no mediase un intervalo más o menos largo.

647. La causa de esta diferencia entre *hube cantado* y *había cantado* está en el elemento de coexistencia de la segunda forma. Para comprenderlo, podemos concebir en el anterior ejemplo tres cosas: *sacar, haber sacado* y *desobedecer*. El fin del *sacar* es necesariamente el principio del *haber sacado*. Y como *había sacado* es un co-pretérito de la frase verbal *haber sacado*, que podemos considerar como un verbo simple (§ 83), el *desobedecer* se representa como coexistente con una parte cualquiera de la duración de *haber sacado* (§§ 628 a 633), y por consiguiente es indeterminado el intervalo entre el *sacar* y el *desobedecer*.

«Cuando llegué a la playa, no se veía ya la escuadra»: el no verse coexiste en una parte de su duración con la llegada, de manera que pudo haber principiado más o menos tiempo antes de ella, pues tal es la fuerza del co-pretérito *no se veía* (§§ 628 a 633). No verse ya y haber desaparecido es una misma cosa. Si pongo, pues, *había desaparecido* en lugar de *no se veía ya*, el haber desaparecido coexistiría con la llegada, pero de tal manera, que pueda haber durado más o menos tiempo antes de ésta.

648. *Habría cantado*, ante-pos-pretérito. Significa la anterioridad del atributo a una cosa que se presenta como futura respecto de otra cosa que es anterior al momento en que se habla. «Díjome que procurase verle pasados algunos días; que quizá me habría hallado acomodo»: *hallar*, anterior a *procurar; procurar*, posterior a *decir; decir*, pretérito.

649. Se ve por lo que precede que ciertas formas del verbo representan relaciones de tiempo simples; otras dobles; otras, triples.

650. Se ve también por lo dicho que cada una de las denominaciones de los tiempos es una fórmula analítica que descompone el significado del tiempo en una, dos o más de las relaciones elementales de coexistencia, anterioridad y posterioridad, presentándolas en el mismo orden en que se conciben, que de ningún modo es arbitrario. *Habré cantado* y *cantaría* significan ambos un tiempo compuesto de las dos relaciones de anterioridad y posterioridad; pero *habré cantado* significa anterioridad a una cosa que se mira como posterior al acto de la palabra; *cantaría*, posterioridad a un cosa que se mira como anterior a ese acto. La última de las relaciones elementales tiene siempre por término el acto de la palabra, el momento de proferirse el verbo.

SIGNIFICADO DE LOS TIEMPOS SIMPLES Y COMPUESTOS DEL SUBJUNTIVO COMÚN

651. El subjuntivo común tiene la particularidad de representar con una misma forma el presente y el futuro *: de lo cual resulta que expresa también con una misma forma, aunque materialmente doble, el co-pretérito y el pos-pretérito.

652. Además, la forma que sirve para el co-pretérito y el pos-pretérito, sirve asimismo para el mero pretérito.

* La misma identificación del presente con el futuro, de la co-existencia con la posterioridad, se observa en el subjuntivo latino, y creo que en el de todas las lenguas romances.

653. En el subjuntivo común no hay más que dos formas simples correspondientes a las cinco del indicativo: *cante*, presente y futuro; *cantase* o *cantara*, pretérito, co-pretérito y pos-pretérito.

Y si tal es el plan de las formas simples, parece que, según lo arriba dicho (§ 635), el de las formas compuestas debería ser éste: *haya cantado*, ante-presente y ante-futuro; *hubiese* o *hubiera cantado*, ante-pretérito, ante-co-pretérito y ante-pos-pretérito. Pero el subjuntivo castellano no admite ante-pretérito.

654. La razón es obvia. En el indicativo se hace diferencia entre el ante-pretérito y el ante-co-pretérito, porque hay una forma peculiar para el primero: si no la hubiese, sucedería lo que en el indicativo latino: una misma forma se aplicaría a todos los casos en que se comparan dos hechos pasados sucesivos, y dejando indefinido el intervalo entre ellos, sería en rigor un ante-co-pretérito (§ 646).

Todo aparecerá claramente en el paralelo que sigue entre el indicativo y el subjuntivo común.

Hable, presente. «Paréceme que alguien *habla* en el cuarto vecino». — «No percibo que *hable* nadie en el cuarto vecino».

Llegue, futuro. «Es seguro que *llegará* mañana el correo». — «Es dudoso que *llegue* mañana el correo».

Fundase o *fundara*, pretérito. «Muchos historiadores afirman que Rómulo *fundó* a Roma». — «Hoy no se tiene por un hecho auténtico que Rómulo *fundase* o *fundara* a Roma».

Hablase o *hablara*, co-pretérito. «Parecióme que *hablaban* en el cuarto vecino». — «No percibí que nadie *hablase* o *hablara* en el cuarto vecino».

Llegase o *llegara*, pos-pretérito. «Se anunciaba que al día siguiente *llegaría* la tropa». — «Por improbable se tenía que al día siguiente *llegase* o *llegara* la tropa».

Haya pasado, ante-presente. «Bien se echa de ver que *ha pasado* por aquí un ejército». — «No se echa de ver que *haya pasado* por aquí un ejército».

Haya ejecutado, ante-futuro. «Puedes estar cierto de que para cuando vuelvas se *habrá ejecutado* tu encargo». — «Puede ser que para cuando vuelvas se *haya ejecutado* tu encargo».

Hubiese o *hubiera pasado*, ante-co-pretérito. «Bien se echaba de ver que *había pasado* por allí un ejército». — «No se echaba de ver que *hubiese* o *hubiera* pasado por allí un ejército».

Hubiese o *hubiera ejecutado*, ante-pos-pretérito. «Te prometieron que para cuando volvieses se *habría ejecutado* tu encargo». — «Procurábamos que para cuando volvieras se *hubiese* o *hubiera ejecutado* tu encargo».

«A solo un hombre dejaron libre para que desatase a los demás, después que ellos *hubiesen traspuesto* la montaña» (Cervantes): el *trasponer* es anterior al *desatar*, que es cosa futura respecto del *dejar*, que relativamente al momento en que se habla es cosa pasada.

«Prefirió permanecer en Guadix, con ánimo resuelto de acometer a la hueste enemiga, cuando los rigores y fatigas del asedio *hubiesen quebrantado* sus fuerzas» (Martínez de la Rosa): el *quebrantar* es aquí anterior al *acometer*, que es futuro respecto de *preferir*, pretérito.

655. Los ejemplos anteriores manifiestan que el co-pretérito o pos-pretérito del subjuntivo común, y por consiguiente, el ante-co-pretérito o ante-pos-pretérito, tienen dos formas cuya elección parece arbitraria. Creo, sin embargo, que, en general, es de mucho más frecuente uso la primera, *cantase, hubiese cantado.*

656. Sucede también a menudo que empleamos el mero futuro cuando por las relaciones de tiempo pudiera tener cabida el ante-futuro, y preferimos también el pos-pretérito, cuando el ante-pos-pretérito pudiera parecer oportuno. «Estamos aguardando a que *se levante* (se haya levantado) el bloqueo para poner nuestros equipajes a bordo»; «Estábamos aguardando a que *se levantase* (se hubiese levantado) el bloqueo», etc. Omitimos en ambos casos una relación de anterioridad (la de *levantarse* al *poner).*

657. ¿Podría emplearse el ante-presente *haya cantado* como mero pretérito? ¿Podría decirse, v. gr., «Es dudoso que Marco Antonio *haya sido* un hombre tan disoluto y abandonado como Cicerón le pinta»? Creo que el uso tolera esta práctica, por opuesta que parezca a la correspondencia que he manifestado entre el subjuntivo común y el indicativo, según la cual, diciéndose en el segundo de estos modos: *Es indudable que M. A. fue* o *era,* no *ha sido,* en el segundo debería decirse: *Es dudoso que M. A. fuese* o *fuera,* no *haya sido.*

SIGNIFICADO DE LOS TIEMPOS SIMPLES Y COMPUESTOS DEL SUBJUNTIVO HIPOTÉTICO

658. El subjuntivo hipotético no tiene más que una forma simple, *cantare,* ni, por lo tanto, más que una forma compuesta, *hubiere cantado,* exclusivamente suya: las otras las toma del subjuntivo común y del indicativo. *

659. *Cantare* es presente y futuro, y *hubiere cantado,* ante-presente y ante-futuro.

Fuere, presente. «No sabemos quién *sea* esa buena señora que decís: mostrádnosla; que si ella *fuere* de tanta hermosura como significáis, de buena gana y sin apremio alguno confesaremos la ver-

* No hay en latín, en francés ni en italiano forma alguna de verbo que corresponda exclusivamente a nuestro modo hipotético.

dad» (Cervantes). *Sea* y *fuere* designan un mismo tiempo en diversos modos, y el segundo presenta como una hipótesis la hermosura presente de la señora: ni a *sea* se puede sustituír *fuere*, ni a *fuere, sea.*

Diere, futuro.

«Si el cielo *diere* fuerzas para tanto,
Cantaré aquí, y escribiré entre flores
De Tirsis y Damón el dulce canto.»
(Valbuena).

Dé no se puede sustituír a *diere*, como no se podría sustituír *diere* a *dé*, variando así el ejemplo:

«Pido al cielo que fuerzas para tanto
Me *dé*, y escribiré sobre estas flores
De Tirsis y Damón el dulce canto.»

La acción de dar se refiere en ambos giros al futuro, y por tanto lo que diferencia las dos formas es únicamente el modo.

660. Cuando la hipótesis no es anunciada por el condicional *si*, es siempre posible la sustitución del subjuntivo común al hipotético (§§ 471 a 474): «Mostrádnosla; que con tal que ella *sea* de tanta hermosura como significáis...»

«Como el cielo *dé* fuerzas para tanto,
Cantaré aquí...»

«En lo que *tocare* a defender mi persona, no tendré mucha cuenta con esas leyes, pues las divinas y humanas permiten que cada uno se defienda de quien *quisiere* agraviarle» (Cervantes). Pudo decirse *toque* y *quiera* en lugar de *tocare* y *quisiere.*

«Fabio, las esperanzas cortesanas
Prisiones son do el ambicioso muere,
Y donde al más astuto nacen canas.
Y el que no las *limare* o las *rompiere*,
Ni el nombre de varón ha merecido,
Ni subir al honor que *pretendiere.*»
(Rioja).

Se pudiera, permitiéndolo el metro, haber empleado, en lugar de estas formas en *are, iere,* las del subjuntivo común, *lime, rompa, pretenda.*

661. Hace pues una diferencia importante y esencial (§§ 471 a 474) la circunstancia de expresarse la hipótesis por el condicional *si* o por otro medio; en el primer caso el modo hipotético excluye el subjuntivo común, en el segundo son admisibles ambas formas.

662. Lo dicho de *cantare* y *cante* se aplica en todo a *hubiere cantado* y *haya cantado:* «Si *hubiere llegado ya* el correo», ante-presente; «Si *para fines de la semana hubiere llegado* el correo», ante-futuro. Y no es posible sustituír *haya llegado,* porque la hipótesis es anunciada por el condicional *si.* Anunciándola de otro modo, tendría cabida la sustitución: «Dado caso que *haya llegado ya,* o que *para fines de la semana haya llegado*...».

663. Hemos visto que después del condicional *si* no pueden usarse en presente o futuro, ante-presente o ante-futuro, las formas del subjuntivo común; y precisamente en este caso, no en otro, es cuando el hipotético puede tomar prestadas al indicativo las formas correspondientes, es a saber, el presente *canto,* y el ante-presente *he cantado.* Pero lo más digno de notar es que el indicativo en este uso hipotético asume de tal manera el carácter de subjuntivo, que su presente se hace aplicable con igual propiedad al futuro, y su ante-presente al ante-futuro.

«Mostrádnosla; que si ella *es* de tanta hermosura, de buena gana confesaremos», etc.: *es* conserva su significado de presente.

> «Si el cielo me *da fuerzas* para tanto
> Cantaré aquí», etc.

Da es evidentemente un futuro. «Ignoro cuál será mi suerte; pero si no te *sucede* a ti el chasco pesado que me pronosticas, no será ciertamente por no haber hecho de tu parte cuantas diligencias son necesarias» (Moratín). «Allí tomará vuestra merced la derecha de Cartagena, donde se podrá embarcar con la buena ventura, y si *hay* viento próspero, en poco menos de nueve años se podrá estar a vista de la gran laguna Meótides» (Cervantes). Habrían sido igualmente propios *sucediere* y *hubiere*; pero sólo poniendo en lugar de *si* otra expresión condicional, serían admisibles *suceda* y *haya*: «Dado caso que no te *suceda* a ti...» «Y como *haya* viento próspero...» Y verificada esta sustitución, no tendría ya cabida el indicativo.

664. Determinado el uso de *canto,* lo queda por el mismo hecho el de *he cantado,* en el modo hipotético: «*Si ha venido* ya nuestro amigo, convidadle»; «*Si* para fines de la semana *ha venido* del campo nuestro amigo, le hospedaremos en casa». Puede decirse en el mismo sentido *hubiere,* pero no *haya,* a menos de sustituír otra expresión condicional: «*dado que haya venido,* le convidaremos».

665. El hipotético carece de co-pretérito, y consiguientemente de ante-co-pretérito, que exclusivamente le pertenezcan; pero suple estos tiempos por medio del subjuntivo común o del indicativo. Y supuesto que en todo subjuntivo se confunde la relación de coexistencia con la de posterioridad, los co-pretéritos *cantase, cantara, cantaba,* podrán usarse como pos-pretéritos en el subjuntivo hipotético, y los ante-co-pretéritos *hubiese* o *hubiera* o *había cantado*, como ante-pos-pretéritos. Cuando la hipótesis es anunciada por el condicional *si*, todas estas formas son igualmente aceptables; pero en el caso contrario no lo son las indicativas.

Bastará para demostrarlo variar los ejemplos precedentes, haciéndolos depender de un verbo en pretérito.

«Dije que *si* no te *sucediese* o *sucediera* o *sucedía* el chasco pesado que tú me pronosticabas, no sería...»

«Previniéronle que en Cartagena se podría su merced embarcar con la buena ventura, y que *si hubiese, hubiera* o *había* viento próspero, se podría estar...»

«Las dos son huérfanas; su padre, amigo nuestro, nos dejó encargada al tiempo de su muerte la educación de entrambas: y previno que *si*, andando el tiempo, *queríamos* casarnos con ellas, desde luego aprobaba y bendecía esta unión» (Moratín). *Quisiésemos* o *quisiéramos* hubiera expresado lo mismo, y con igual propiedad que *queríamos*. Elimínese el *si* poniendo en su lugar *dado que*, y no será admisible *queríamos*.

Terminaré lo relativo al modo hipotético haciendo dos o tres observaciones que contribuirán a poner en claro el sistema de la conjugación castellana.

666. El subjuntivo común es un modo que admite gran variedad de usos; pues, como antes se ha dicho, asocia al atributo la idea de incertidumbre o duda, y lo pinta como causa u objeto de las emociones del alma; de que procede el aplicarse a expresar por sí solo el deseo y el convertirse en optativo. Adáptase también frecuentemente a la idea de condición o hipótesis, y entonces es cuando concurre con el modo hipotético, que unas veces excluye la forma común, y otras se usa promiscuamente con ella, según las reglas que dejamos expuestas. *

667. Pero ni el subjuntivo común, ni el hipotético, se prestan a todo género de hipótesis. Lo que se presenta como condición es a menudo una premisa que se supone alegada o concedida, y de que se saca lógicamente una consecuencia; y cuando así sucede, las formas indicativas son las que naturalmente se emplean. «Si la virtud *es* una de las cosas más excelentes que hay en el cielo y en la tierra, y más dignas de ser amadas y estimadas, gran lástima es ver a los hombres tan ajenos de este conocimiento y tan alejados de

* Es falsísima la idea que han dado de nuestro subjuntivo casi todas las gramáticas castellanas llamando a *cante*, presente, a *cantare*, futuro, y considerando por tanto la forma compuesta *haya cantado* como un pretérito perfecto, es decir, como un puro pretérito, y la forma *hubiere cantado*, como un futuro perfecto, esto es, como un mero ante-futuro. *Cante* y *cantare* son presentes y futuros; *haya cantado* y *hubiere cantado*, ante-presentes y ante-futuros; en el subjuntivo, sea común o hipotético, no se hace diferencia entre la relación de coexistencia y la de posterioridad, por lo que toca a su expresión gramatical, y éste es un principio en que conviene el castellano con el latín y con los otros dialectos romances, y aun con lenguas de muy diverso tipo, como es la inglesa. Aplicando este principio a mi nomenclatura, podemos formularlo diciendo que, en el subjuntivo, *Presente=Futuro*, *Co=pos*.

Atendiendo a la mera forma material y exterior de la conjugación, he llamado a *cante*, presente, a *cantase* o *cantara*, pretérito, a *cantare*, futuro, etc.; denominaciones abreviadas, que no formulan completamente el verdadero significado de los tiempos.

este bien» (Granada). «Si un filósofo epicúreo *confesó* y *probó* eficacísimamente la existencia de Dios, y la alteza y soberanía de sus perfecciones admirables, ¿qué será razón que confiese la filosofía cristiana?» (el mismo). El modo hipotético no tiene semejante carácter, antes bien se adapta a las condiciones y suposiciones de que depende un anuncio, prevención o precepto; por lo que se contrapone a menudo al futuro de indicativo y al optativo, como se puede ver en los ejemplos con que se ha manifestado su oficio.

668. También es preciso distinguir de las oraciones condicionales en que los tiempos del verbo no salen de su significado natural, aquellas otras en que damos a la forma verbal un sentido implícitamente negativo, y de las cuales se tratará más adelante.

SIGNIFICADOS SECUNDARIOS DE LOS TIEMPOS DEL INDICATIVO

669. Del significado propio y fundamental de las formas indicativas (§ 622, etc.) se derivan los secundarios, por medio de ciertas trasformaciones sujetas a una ley constante.

670. Uno de ellos es peculiar de las formas que envuelven relación de coexistencia (presente, co-pretérito, ante-presente, ante-co-pretérito), y consiste en prestar sus formas al subjuntivo hipotético, precedido del condicional *si*. Entonces, además de su valor primitivo, admite otro, en que el presente pasa a futuro, y *co* a *pos:* el presente *canto* se hace futuro, el co-pretérito *cantaba,* pos-pretérito, el ante-presente *he cantado,* ante-futuro, y el ante-co-pretérito *había cantado,* ante-pos-pretérito. Queda ya explicado suficientemente este oficio del indicativo en lo que se ha dicho sobre el subjuntivo hipotético.

671. Otro uso secundario del indicativo, a que se prestan las formas que envuelven relación de coexistencia, y no otras, y que tiene mucha semejanza con el anterior, es aquel en que se declara con ellas el objeto de una percepción, creencia o aserción; como lo manifiestan los ejemplos:

«Yo percibo que mi pluma se envejece.»
«Yo percibí que mi pluma se envejecía.»
«Veo que le han partido por medio del cuerpo.»
«Vi que le habían partido por medio del cuerpo.»

En estos ejemplos no hay nada notable: *envejece* es presente, *envejecía,* co-pretérito, *han partido,* ante-presente, *habían partido,* ante-co-pretérito. Introduzcamos ahora una relación de posterioridad.

Canto, futuro. «Cuando percibas que mi pluma se *envejece*» (dice el arzobispo de Granada a Gil Blas), «cuando notes que se *baja* mi estilo, no dejes de advertírmelo: de nuevo te lo encargo, no te detengas un momento en avisarme cuando observes que se *debilita* mi cabeza». *Se envejece, se baja, se debilita,* no son aquí presentes respecto del momento en que habla el arzobispo, sino respecto del percibir, notar, observar, que en la mente del arzobispo son futuros: estas formas significan por consiguiente tiempo futuro respecto del momento en que se habla.

672. «¡Cuántas veces verás en el discurso de la vida que las personas en quienes has colocado tu confianza, te traicionan!» *Traicionan* no es aquí presente sino respecto de la acción de ver, futura.

673. *Cantaba,* pos-pretérito. Traspongamos el primero de los anteriores ejemplos, haciéndolo depender de un verbo en pretérito: «Díjome el arzobispo que cuando percibiese que su pluma se *envejecía,* cuando notase que se *bajaba* su estilo, cuando observase que se *debilitaba* su cabeza, no me detuviese en advertírselo». Es visto que subsiste la misma relación de coexistencia que antes entre el envejecerse y el percibir, entre el bajarse y el notar, entre el debilitarse y el observar; pero el percibir, el notar y el observar son ahora pos-pretéritos, porque significan acciones futuras respecto del decir, que con respecto al momento en que se habla es cosa pasada. Luego los co-pretéritos de indicativo tienen aquí el valor de pos-pretéritos.

674. *He cantado,* ante-futuro. «Con este bálsamo no hay que temer a la muerte; y así cuando vieres que en alguna batalla me *han partido* por medio del cuerpo», etc. (Cervantes). *Han partido* no es aquí un ante-presente respecto del momento en que se habla, sino respecto de la visión de Sancho, la cual en la mente del que habla es cosa futura; de que se sigue que el ante-presente de indicativo tiene aquí el valor de ante-futuro.

675. *Había cantado,* ante-pos-pretérito. Hagamos que el ejemplo anterior dependa de un verbo en pretérito: «Prevínole que cuando viese que en alguna batalla le *habían partido* por medio del cuerpo», etc. *Habían partido* conserva la misma relación que antes con la visión de Sancho; y como ésta es un pos-pretérito, pues significa cosa futura respecto del prevenir, es evidente que el ante-co-pretérito de indicativo tiene aquí el valor de ante-pos-pretérito.

Otro ejemplo: «Le mandó que le aguardase tres días, y que si al cabo de ellos no hubiese vuelto, tuviese por cierto que Dios *había sido servido* de que en aquella peligrosa aventura se acabase su vida». El servirse Dios es cosa pasada respecto del tener por cierto, que es un pos-pretérito: luego el ante-co-pretérito de indicativo tiene aquí el valor de ante-pos-pretérito. *

676. Los ejemplos precedentes manifiestan la armonía que deben guardar entre sí las formas verbales. Fijémonos en el último.

Mandó, pretérito.

Aguardase supone ese pretérito, porque significa posterioridad a cosa pasada (§§ 653, 654).

Hubiese vuelto, ante-pos-pretérito (§§ 653, 654), significa una condición que ha de verificarse antes de cierta época (al cabo de los tres días), la cual se presenta como posterior al mandato, que es cosa pasada: supone, pues, un pos-pretérito *(aguardase),* como

* Este uso secundario del indicativo no es de la lengua castellana sola sino de todos los dialectos romances y del idioma inglés.

aguardase supone un pretérito *(mandó)*: precediendo *manda* y *aguarde*, sería menester *hubiere vuelto*, ante-futuro, a que podría sustituírse con la misma fuerza *ha vuelto* (§ 663).

Tuviese por cierto, pos-pretérito, supone a *mandó*: si precediese *mande*, sería preciso *tenga*.

Había sido, ante-co-pretérito, en el significado secundario de ante-pos-pretérito, supone un pos-pretérito (*tuviese por cierto*), como éste supone un pretérito *(mandó)*: precediendo *manda* y *tenga*, sería menester *ha sido*, ante-presente en el significado secundario de ante-futuro.

Maravillosa es por cierto esta armonía de las formas verbales, sujeta a un sistema regular y constante: y no lo es menos la complicación y sutileza de las relaciones que nos guían, como por una especie de instinto, en el uso que de ellas hacemos.

USO DE LOS TIEMPOS OPTATIVOS

677. El optativo no sirve sólo para la expresión de un verdadero deseo: empleámoslo también en el sentido de condición o hipótesis, y de concesión o permisión.

678. Si el verbo, no precedido de negación, está en segunda persona, y el atributo depende de la voluntad de esa misma persona, empleamos el imperativo.

«Ven y reposa en el materno seno
De la antigua Romúlea.»
(Rioja).

«Cortad, pues, si ha de ser de esa manera
Esta vieja garganta la primera.»
(Ercilla).

El imperativo es necesariamente futuro. Se ha creído que era presente, porque *ven* es *quiero* o *mando que vengas*, y *quiero* o *mando* es presente. Pero no se trata aquí del tiempo del verbo envuelto *querer* o *mandar*, sino del tiempo en que se considera la acción del verbo expreso *venir*. De otra manera sería preciso decir que *ven* pertenece al modo indicativo, como *quiero* y *mando*.

679. Como el hacerse uno sabedor de lo que se le cuenta es una cosa, en cierto modo, independiente de la voluntad y un efecto necesario, no es extraño que en lugar del imperativo *sabe, sabed*, pueda emplearse alguna vez el presente (entonces futuro) de subjuntivo: «*Sepáis* que aunque tengo tan pocos años como los vuestros, tengo más experiencia de mundo, que ellos prometen» (Cervantes)

680. El imperativo no sólo exprime el mandato, como parece darlo a entender su nombre, sino el ruego, y aun la súplica más postrada y sumisa: «Señor Dios mío, que tuviste por bien criarme a tu imagen y semejanza, hinche este seno que tú criaste, pues lo criaste para ti: mi parte sea, Dios mío, en la tierra de los vivientes: no me des, Señor, en este mundo descanso ni riqueza; todo me lo guarda para allá» (Granada). En este ejemplo se ve, no sólo que el imperativo *(hinche, guarda)* se presta al ruego, sino que precediendo negación, o estando el verbo en otra persona que la segunda, es necesario suplirlo con otras formas optativas: *sea, des*.

681. El imperativo tiene dos formas: *canta*, futuro, *habed cantado*, ante-futuro. «En amaneciendo *id* al mercado, y para cuando yo vuelva, *habedme aderezado* la comida».

682. No hay segunda persona de singular en el ante-futuro imperativo: y aun la de plural es de ninguno o poquísimo uso. Súplese esta falta por el imperativo de *tener*, construído con el participio adjetivo cuando verdaderamente lo hay (§§ 432, 433): «Tenme preparado el desayuno»; «Tenedme barrida la alcoba».

683. Tanto en el futuro como en el ante-futuro se puede sustituír el indicativo al imperativo, pero sólo para expresar una orden que se supone será obedecida sin falta: «*Iréis* al mercado», «Me *habréis aderezado* la comida».

Este uso del indicativo se extiende a las terceras personas: *irá usted, irán ellos*, por *vaya usted, vayan ellos*, y a las oraciones negativas: «No tomarás el nombre de tu Dios en vano; no matarás; no hurtarás».

684. En todos los casos a que no conviene el imperativo, se pueden emplear como optativas las formas del subjuntivo común.

«Vienen a caballo sobre tres cananeas remendadas que no hay más que ver. — Hacaneas querrás decir, Sancho. — Poca diferencia hay, respondió Sancho, de cananeas a hacaneas: pero *vengan* sobre lo que vinieren, ellas vienen las más galanas señoras», etc. (Cervantes). *Vengan*, presente optativo, en el sentido de concesión.

«En el teatro del mundo
Todos son representantes:
Cuál hace un rey soberano,
Cuál un príncipe o un grande
A quien obedecen todos;
Y aquel punto, aquel instante
Que dura el papel, es dueño
De todas las voluntades.
Acábase la comedia,
Y como el papel se acabe,
La muerte en el vestüario
A todos los deja iguales.
Dígalo el mundo, pues tiene
Tantos ejemplos delante:
Dígalo quien era ayer
Hermano de un condestable,
De un conde de Guimaráns
Cuñado, y deudo por sangre
De otros muchos caballeros,
Todos nobles y leales,
Y muertos a manos todos
De la envidia, monstruo infame.»

Diga, futuro optativo.

«El gobernador de la plaza era de opinión que, viniese o no el socorro, era necesario rendirse». En este ejemplo, el *viniese* es una suposición, y puede ser co-pretérito o pos-pretérito, según el modo de considerar la venida, esto es, según se figura en la mente del gobernador un socorro que ya viene o que ha de venir.

«Mañana, haya venido o no el socorro, ha de capitular la plaza». *Haya venido* es ante-presente o ante-futuro, según el modo de considerarse la venida: si se habla de una venida anterior al momento presente, es ante-presente; si de una venida anterior a mañana, es ante-futuro.

Hagamos depender el ejemplo anterior de un verbo en pretérito. «Creíase que al día siguiente, hubiese o no venido el socorro, había de capitular la plaza»: *hubiese venido* es ante-co-pretérito o ante-pos-pretérito, según se considere la venida, o como anterior a la creencia, que es cosa pasada, o como anterior al día siguiente, que es un futuro con respecto a la creencia, esto es, un pos-pretérito.

SIGNIFICADO METAFÓRICO DE LOS TIEMOS

685. La relación de coexistencia tiene sobre las otras la ventaja de hacer más vivas las representaciones mentales: ella está asociada con las percepciones actuales, mientras que los pretéritos y los futuros lo están con los actos de la memoria, que ve de lejos y como entre sombras lo pasado, o del raciocinio, que vislumbra dudosamente el porvenir.

686. Si sustituímos, pues, la relación de coexistencia a la de anterioridad, expresaremos con más viveza los recuerdos, y daremos más animación y energía a las narraciones, como lo vemos a menudo en el lenguaje de los historiadores, novelistas y poetas. Entonces el pretérito y co-pretérito se traspondrán al presente, el pos-pretérito al futuro, el ante-pretérito y el ante-co-pretérito al ante-presente, y el ante-pos-pretérito al ante-futuro.

«Quitóse Robinsón la máscara que traía puesta, y miró al salvaje con semblante afable y humano; y entonces éste, deponiendo todo recelo, corrió hacia su bienhechor, humillóse, besó la tierra, le tomó un pie, y lo puso sobre su propio cuello, como para prometerle que sería su esclavo». Aquí todo es propio y natural, nada más. Pero el tono lánguido del recuerdo pasará al tono expresivo de la percepción, si se sustituyen a los pretéritos los respectivos presentes *quita, mira, corre, humilla, besa, toma, pone;* al co-pretérito *traía* el presente *trae;* y al pos-pretérito *sería* el futuro *será.*

«Al echar de ver que su fementido amante se había hecho a la vela, y la había dejado sola y desamparada en aquella playa desierta, no pudo la infeliz reprimir su dolor». Dígase *se ha hecho, la ha dejado, no puede*; y la narración tomará otro color.

687. «Echó mano a la espada, y con ella desnuda acudió furioso a donde le llamaba su honor. Siente otra espada desnuda, que hace resistencia a la suya. Ya se avanza, ya se retira. Sigue al que se defiende, y de repente cesa la defensa, y sucede al ruido el más profundo silencio. Busca a tientas al que parecía huír y no le encuentra», etc. (Isla). En este pasaje se ve que unas veces el verbo subordinado experimenta la misma trasformación que el subordinante, como en *hace, defiende*, y otras veces sucede al contrario, como en *parecía*. Hay aquí como una disonancia, por decirlo así, entre los dos verbos subordinado y subordinante, pero autorizada por los escritores más elegantes, así castellanos como latinos.

688. La relación de coexistencia puede también emplearse metafóricamente por la de posterioridad, para dar más viveza y color a la concepción de las cosas futuras, y para significar la necesidad de un hecho futuro, y la firmeza de nuestras determinaciones. Dícese, por ejemplo, anunciando simplemente una cosa: «El baile dará principio a las ocho»; pero si queremos exprimir la certidumbre del hecho, sustituiremos el presente al futuro: «El baile da principio a las ocho»; «Mañana voy al campo; «El mes que viene hay un eclipse de sol». Y así como el futuro se significa en estos casos por el presente, el pos-pretérito se trasforma en co-pretérito: «Yo *iba* ayer al campo, pero amanecí indispuesto, y tuve que diferir la partida»; *iba*, significa, no la ida real, sino la determinación fija de ir, como si se dijese: *estaba dispuesto que yo iría*.

689. La relación de posterioridad se emplea metafóricamente para significar la consecuencia lógica, la probabilidad, la conjetura. Las formas *cantaré, cantaría, habré cantado, habría cantado*, pierden así su valor temporal en cuanto a la relación de que hablamos: el futuro pasa a presente y el pos-pretérito a pretérito o co-pretérito; el ante-futuro se convierte en ante-presente, y el ante-pos-pretérito en ante-co-pretérito. Parecerá entonces que hay en el verbo una relación de posterioridad que no cuadra con el sentido de la frase, pero realmente no habrá en ella elemento alguno impropio ni ocioso; habrá sólo una metáfora. El verbo se despojará de aquella fuerza de aseveración que caracteriza a las formas del indicativo, y en vez de afirmar una cosa como sabida por nuestra propia experiencia o por testimonios fidedignos, la presentará, mediante la imagen de lo futuro, como una deducción o conjetura nuestra, a que no prestamos entera confianza.

Si alguien nos pregunta *qué hora es*, podemos responder: *son las cuatro* o *serán las cuatro*, expresando *son* y *serán* un mismo tiempo, que es el momento en que proferimos la respuesta; pero *son* denotará certidumbre, y *serán* cálculo, raciocinio, conjetura.

«Tiene su manía en predicar, y el pueblo le oye con gusto: *habrá* en esto su poco de vanidad» (Isla). *Habrá* quiere decir *sospecho que hay, es probable que haya*.

«*Tendría* el prelado unos sesenta y nueve años» (Isla). *Tendría* por *tenía* da un tono de conjetura a la proposición.

«Cara más hipócrita no la *habrás visto* en tu vida» (Isla). *Habrás visto* da a la aserción el carácter de mera probabilidad que le conviene.

«Todavía se descubría en sus facciones que en su mocedad *habría hecho* puntear a sus rejas bastantes guitarras» (Isla). *Habría hecho* por *había hecho* da el punteo de las guitarras como una presunción verosímil.

690. Usamos de esta misma trasposición para significar sorpresa o maravilla: «¿Será posible que Gil Blas, juguete hasta aquí de la fortuna, haya podido inspiraros sentimientos...?» (Isla). Encarecemos la admiración, expresándonos como si dudáramos de aquello mismo de que en realidad estamos persuadidos.

691. En las oraciones interrogativas es frecuente esta trasposición del presente al futuro: «¿Quién habrá traído la noticia?» «¿Si estará ahora nuestro amigo en su casa?» El amartelado caballero de la Mancha dice en cierto soliloquio estas o semejantes razones: «¡Ay, mi señora Dulcinea del Toboso! ¿qué fará agora la vuestra grandeza?».

692. Es propiedad del pretérito sugerir una idea de negación, relativa al presente. Decir que una cosa *fue* es insinuar que no *es* *. Y de aquí el sentido de negación indirecta o implícita que las oraciones condicionales y las optativas toman a menudo en castellano y en muchas otras lenguas por medio de una relación de anterioridad, superflua para el tiempo. Cuando decimos: «Si él tiene poderosos valedores, conseguirá sin duda el empleo», el tener poderosos valedores es una hipótesis sobre la cual afirmamos la consecución del empleo, pero sin afirmar ni negar la hipótesis, o más bien, dando a entender que no la consideramos inverosímil. Mas otra cosa sería si en lugar de *tiene* pusiésemos *tuviese* o *tuviera,* y en lugar de *conseguirá, conseguiría;* pues introduciendo una relación de anterioridad insinuaríamos que la persona de que se trata no tiene o no tendrá valedores poderosos, y por tanto no alcanzará el empleo. Una vez que la sustitución no hace variar la idea de tiempo, pues el tener es como antes un presente o futuro hipotético, y el conseguir un futuro, es visto que la relación de anterioridad que sobra para el tiempo, se hace signo de la negación implícita.

* «Yo, señora, una hija bella
Tuve... ¡qué bien *tuve* he dicho!
Que aunque vive no la tengo,
Pues sin morir la he perdido.»

(Calderón.)

...«Filium unicum adolescentulum
Habeo... ah! quid dixi habere me? Immo *habui.*

(Terencio.)

693. *(a)* Veamos ahora el uso del verbo en las oraciones condicionales que la llevan. Para evitar circunlocuciones, llamaremos *hipótesis* aquel miembro de la oración que la significa, y que regularmente principia por el *si* condicional o por otra expresión equivalente, y *apódosis* el otro miembro, que significa el efecto o consecuencia de la condición. En el ejemplo anterior, *si tuviese poderosos valedores* es la *hipótesis,* y *conseguiría sin duda el empleo,* la *apódosis.*

694. Regla 1ª Las oraciones condicionales de negación implícita forman un modo aparte en que el presente y el futuro se identifican como en el subjuntivo; y no hay más que dos tiempos: presente (que comprende el futuro) y pretérito.

695. 2ª En la hipótesis el presente toma las formas *cantase, cantara;* el pretérito, las formas *hubiese cantado, hubiera cantado.* En la apódosis el presente toma las formas *cantara, cantaría,* y alguna vez *cantaba;* el pretérito, las formas *hubiera cantado, habría cantado,* y a veces *había cantado.*

...«La muerte le *diera*
Con mis manos, si *pudiera.*»
(Calderón).

El sentido es claramente de negación implícita: *no puedo y por eso no le doy la muerte.* El tiempo verdadero es en ambos miembros presente. El *diera* de la apódosis es convertible en *daría,* y el *pudiera* de la hipótesis en *pudiese.*

«Si estos pensamientos caballerescos *no me llevasen* tras sí todos los sentidos, *no habría* cosa que yo no hiciese, ni curiosidad que no saliese de mis manos» (Cervantes). Dase a entender claramente que los pensamientos caballerescos me *llevan* tras sí los sentidos, y que por eso *hay* cosas que no hago y curiosidades que no salen de mis manos. Como los verbos llevan negación, el sentido implícito, que contradice al expreso, es positivo. Ambos verbos hacen relación al presente: *habría* pudiera convertirse en *hubiera* y *llevasen* en *llevaran.*

«Mucho perdisteis conmigo,
Pues si *fuerais* noble vos,
No *hablárades,* vive Dios,
Tan mal de vuestro enemigo».
(Calderón).

Equivale a decir *no sois noble y por eso habláis mal.* El sentido es de presente. *Fuerais* es convertible en *fueseis* y *hablárades* en *hablaríades.*

«Si los hombres no *creyesen* la eternidad de las penas del infierno, no era mucho que descuidasen de redimirlas con la penitencia» (Granada). Los hombres *creen* y por eso *es* mucho. *Creyesen* es convertible en *creyeran* y *era* en *fuera* o *sería.* Este uso del copretérito de indicativo no ocurre a menudo; pero usado con oportunidad es enfático y elegante.

«¡Señor don Quijote! ¡ah señor don Quijote! ¿Qué quieres, Sancho hermano? respondió don Quijote, con el mismo tono afeminado y doliente que Sancho. Querría, si fuere posible, respondió Sancho, que vuestra merced me diese dos tragos de aquella bebida del Feo Blas. Pues a tenerla yo aquí, desgraciado yo, ¿qué nos *faltaba?*» (Cervantes). Obsérvese que el sentido de la proposición interrogativa es negativo; *¿qué nos falta?* es una manera de decir que *nada nos falta.* Hay, pues, en el *qué nos faltaba* dos negaciones implícitas, la de la estructura interrogativa, y la de la anterioridad metafórica, que es una negación de negación, y hace positivo el sentido. La oración por consiguiente insinúa que, como no la tengo aquí, nos falta algo, nos falta lo necesario. Obsérvese también que la hipótesis es declarada en este ejemplo por un complemento de mucho uso en las oraciones condicionales, sobre todo las de negación implícita: *a tenerla yo* es lo mismo que *si yo la tuviese* o *tuviera.* El sentido es de presente, y en lugar de *faltaba* hubiera podido decirse (aunque, a mi juicio, con menos vigor y elegancia) *faltaría* o *faltara.*

> «Si llevado no *hubiera* en ese día
> La encantada loriga el caballero,
> Vida y combate allí *acabado había*;
> Pero valióle el bien templado acero.»
> (Anónimo).

El sentido es de pretérito: pudo decirse *hubiese* en lugar de *hubiera, hubiera* o *habría* en lugar de *había*; y pudo también expresarse la hipótesis por medio del complemento *a no haber llevado.*

696. 3ª Es muy común en nuestros buenos autores emplear por las formas compuestas las simples, cuando se habla de cosa pasada en el sentido de negación implícita: «Esta noticia me desazonó tanto, como si *estuviera* enamorado de veras» (Isla). Rigorosamente debió ser *hubiera* o *hubiese estado.* Obsérvese que se calla, después de *como,* la apódosis *me habría* o *me hubiera desazonado,* porque el contexto la suple.

«Si no *fuera* socorrido en aquella cuita de un sabio, grande amigo suyo, lo pasara muy mal el pobre caballero» (Cervantes). *Fuera* y *pasara* en lugar de *hubiera sido* y *hubiera pasado.*

697. 4ª En los verbos dependientes de la apódosis o de la hipótesis es preciso ver si el significado de ellos forma parte del concepto condicional o no: en el primer caso toman la anterioridad metafórica; en el segundo no la toman, y se ponen en los modos y tiempos que el sentido demanda.

Así en aquel ejemplo de Cervantes: «Si estos pensamientos caballerescos», etc., se emplean *hiciesen* y *saliesen* en el sentido de presente, porque a estos verbos los afecta el sentido condicional, como que contribuye a manifestar los efectos de la hipótesis. Al contrario de lo que sucede en este pasaje de Jovellanos: «Sería muy árida y enojosa la descripción de este castillo, si detenido yo en las formas de sus piedras, desechase las reflexiones que *despiertan*». El verbo *despiertan* no sufre trasposición alguna, porque su significado es independiente de la hipótesis.

698. 5ª En los verbos dependientes de la apódosis o de la hipótesis y afectados por el sentido condicional, se debe atender a las consideraciones que influirían en la elección de las formas modales, si no hubiese negación implícita. Los ejemplos que siguen manifestarán la importancia de esta regla:

«¿Quién creyera que en esta humana forma
Y así en estos despojos pastoriles
Estaba oculto un Dios?» (Jáuregui).

Quién creyera es *nadie creyera* por el valor de la estructura interrogativa. Cállase además después de *quién* la hipótesis *que me viese,* indicada por el contexto. Despejada la anterioridad metafórica tendríamos: «Nadie (que me *vea) creerá* que en esta forma *está* oculto un Dios»; donde *está* tiene el valor de futuro, como subordinado a *creer* (§ 672). Pero como en proposiciones subordinadas a *no creer, no pensar, no decir,* y otros actos negativos del entendimiento o de la palabra, se emplean el indicativo o el subjuntivo indistintamente, se pueden ahora emplear con igual propiedad *está* o *esté.* Restablecida, pues, la negación implícita, diríamos sin interrogación: «Nadie (que me *viese) creyera* o *creería* que *estaba, estuviese* o *estuviera*». El verbo subordinado *está* o *esté* experimenta la misma trasformación que el subordinante *creerá,* porque el estar oculto se mira, según la intención del poeta, por entre la creencia del espectador, y por consiguiente lo afecta la hipótesis. No es, a la verdad, necesaria esta última trasformación, pero es graciosa y elegante. La interrogación no hace más que sustituír *quién* a *nadie.*

«Es verdad que no todos los señores de esta aldea, si se hallasen en el mismo caso de usted, procederían con tanta honradez y cristiandad: antes bien sólo pensarían en Antonia por medios tan nobles y legítimos cuando la experiencia les hubiese enseñado que no la *podían* conseguir por otros más viles y bastardos» (Isla). Quiere decir que no se hallan, ni proceden, ni piensan, ni la experiencia les ha enseñado, ni pueden. Dícese *podían* en indicativo, porque despejada la negación implícita resultaría: «Sólo entonces pensarán honradamente, cuando la experiencia les *haya* enseñado que de otro modo no *pueden*».

699. 6ª Si el verbo de la apódosis depende de una proposición que rija forzosamente subjuntivo, admite tanto la forma en *se* como la forma en *ra* del subjuntivo, y desecha las formas indicativas: «Dudo que los otros señores de esta aldea, si se hallasen en el caso de usted, *procediesen* o *procedieran* tan honradamente»; es inadmisible *procederían.*

Pero si la apódosis depende de un verbo que rija indicativo o subjuntivo, admite la forma en *se,* junto con las otras que son propias de ella: «A fe que si me conociese, que * me *ayunase*» (Cervantes). Ya hemos visto que las frases aseverativas como *a fe,* rigen a menudo el subjuntivo por un idiotismo de la lengua (§ 463).

Pero no por eso desechan el indicativo, que es, por el contrario, su régimen natural, aunque no el más elegante. El *ayunase* del ejemplo es, por consiguiente, muy castizo; bien que pudiera sustituírse correctamente *ayunaría.*

700 *(b)* Empleamos también la anterioridad metafórica, no ya para insinuar negación, sino para expresar modestamente lo que de otra manera parecería tal vez aventurado o presuntuoso, como dando a entender que no tenemos por cierto aquello mismo de que en realidad estamos persuadidos.

* Obsérvese el pleonasmo del *que.*

«Si tú vives y yo vivo, *bien podría* ser que antes de seis días *ganase* yo tal reino, que *tuviese* otros a él adherentes, que *viniesen* de molde para coronarte por rey de uno de ellos. Y no lo tengas a mucho; que cosas y casos acontecen, por modos tan nunca vistos ni pensados, que con facilidad te *podría* dar aun más de lo que te prometo» (Cervantes). Si se dijese *bien puede ser,* y *gane* y *tenga,* y *venga* y *podré darte,* el sentido sería sustancialmente el mismo, pero la negación implícita da a la sentencia un tono de moderación y de buena crianza. En casos como éste, puede no haber trasposición de tiempos en la hipótesis, y así es efectivamente en el ejemplo anterior *(vives, vivo);* al revés de lo que sucede por lo común en las oraciones condicionales, en las que, o se trasponen ambos miembros o ninguno.

701. *(c)* Pasemos al uso de la anterioridad metafórica en las oraciones optativas. El pretérito que sobra para el tiempo indica en ellas que tenemos por imposible o por inverosímil aquello mismo que parecemos desear o conceder.

Cualquiera percibirá la diferencia entre *plega* y *pluguiera.* «*Plega* a Dios que sus fatigas sean recompensadas», sólo puede decirse cuando se abriga alguna esperanza de que se logrará la recompensa. Pero «*Pluguiera* a Dios que aun viviese», no puede decirse sino de una persona que se supone ha muerto.

En este sentido optativo de negación implícita el co-pretérito refiere los deseos a tiempo presente o futuro, y el ante-co-pretérito a tiempo pasado.

«¡*Fuese* ya mañana, y *estuviésemos* en la batalla, porque todos vieran cómo vuestra locura castigada sería» (Amadís).

«Vosotros, invernales meses, que agora estáis escondidos, ¡*viniésedes* a trocar vuestras noches por estos prolijos días!» (Tragicomedia de Celestina). *Venid* significaría que era posible la venida. Y si en lugar de *viniésedes* se dijera *hubiésedes venido,* y en lugar de *estáis, estábades,* y en vez de *estos, aquellos,* se haría considerar la venida, no sólo como imposible, sino como relativa a tiempo pasado.

«¡Quién me *diese* ahora que me *creyeseis,* y que con oídos atentos me *escuchaseis;* y que como buen juez, según lo alegado y probado, *sentenciaseis!*» (Granada). *Ojalá me sea dado que me creáis* y *me escuchéis* y *sentenciéis* expresaría meramente el deseo; la trasposición al pretérito presenta su consecución como difícil e inverosímil. Refiriendo el mismo pensamiento a una época pasada se diría: «Quién me *hubiese* o *hubiera dado...*»

702. *(d)* Pero es también cosa frecuente en el optativo usar la forma simple por la compuesta, cuando la segunda por referirse a tiempo pasado hubiera sido la más propia.

«¡Oh engañosa mujer Celestina! *dejárasme* acabar de morir, y *no tornaras* a vivificar mi esperanza!», se dice en la misma Tragicomedia en un pasaje donde el sentido pedía *hubiérasme dejado* y *no hubieras tornado.*

703. *(e)* Damos a veces a la oración optativa una estructura condicional valiéndonos de los verbos *querer, desear,* etc.; y empleamos entonces la negación implícita para expresar nuestros deseos con urbanidad y modestia.

«Señor caballero, me dijo en voz baja luego que acabamos de comer: *quisiera* hablar con usted a solas» (Isla). Este *quisiera* es condicional de negación implícita; pero se calla la hipótesis, que se expresa en el ejemplo siguiente: «Señor don Quijote, *querría*, si fuese posible, que vuestra merced me diese dos tragos», etc. *Quiero que vuestra merced me dé* hubiera expresado, no un ruego, sino casi un absoluto mandato.

FORMAS COMPUESTAS CON EL AUXILIAR *HABER*, LA PREPOSICIÓN *DE* Y EL INFINITIVO

704. *Haber de* significa necesidad, deber: «El buen ciudadano ha de obedecer a las leyes». Pero solemos emplear esta frase con el solo objeto de significar un futuro: «Mañana han de principiar las elecciones». Y entonces significamos siempre con ella una época posterior a la del auxiliar; de manera que si *haber* está en presente, la frase significa simplemente futuro: si *haber* está en pretérito o co-pretérito, la frase significa pos-pretérito; si en futuro, pos-futuro, etc. Así en «Se esperaba que las elecciones habían de principiar al día siguiente», *habían de principiar* equivale a *principiarían*. Y en «Reuniéndose el día primero de Marzo los electores, habrán de verificarse las elecciones el domingo siguiente», *habrán de verificarse* representará las elecciones como posteriores a la reunión, que es un futuro.

705. Como todas estas formas *he de cantar, había de cantar*, etc., envuelven una relación de posterioridad, son susceptibles del sentido metafórico en que con ella se da sólo un tono raciocinativo o conjetural a la sentencia. «Él *hubo de estar* entonces ausente», representa la ausencia en pretérito, pero insinuando que no lo afirmamos con seguridad, sino que tenemos alguna razón para pensar así.

706. Damos también a estas formas el sentido de negación implícita, según las reglas que dejamos expuestas para la anterioridad metafórica: «La sociedad *sería* un nombre vano, si los infractores de las leyes no *hubiesen de ser* castigados».

707. Empléase a menudo el verbo *deber* como auxiliar en formas compuestas equivalentes a las anteriores. «Poco menos de un cuarto de legua *debíamos de haber andado*», dice Cervantes: esto es, *habíamos de haber andado, discurro que habíamos andado*. La ausencia o presencia de la preposición hace variar mucho el sentido: «Él debe de pensar que le engañan», significa *es probable que piensa:* «Debéis pensar en lo que os importa, y no perder el tiempo en frivolidades», quiere decir que vuestra obligación es hacerlo así.

FORMAS COMPUESTAS EN QUE ENTRA EL AUXILIAR *TENER*

708. En lugar del auxiliar *haber* combinado con el participio sustantivado, se usan también, aunque mucho menos frecuentemente, formas compuestas en que el verbo *tener* hace el oficio de auxiliar, y se combina con el participio adjetivo : *Tengo, tuve, tendré, tenía, tendría, escrita la carta.* El significado temporal de estas frases se ajusta a las mismas reglas que las que se componen con *haber*. El verbo *tener* lleva comúnmente en ellas un complemento acusativo a cuyo término sirve de predicado el participio. Pero este acusativo es a veces tácito e indeterminado (§ 441).

709. Úsase la misma sustitución de *tener* a *haber* en formas compuestas del auxiliar, la preposición *de*, y un infinitivo: *tengo de salir;* frase en que se indica una determinación decidida de la voluntad, una resolución.

710. Cuando se antepone el infinitivo al auxiliar, se puede omitir la preposición, especialmente en verso: *tengo de salir, de salir tengo,* o simplemente *salir tengo.*

INFINITIVOS Y GERUNDIOS COMPUESTOS

711. Los *infinitivos compuestos* se forman con el infinitivo de *haber* y el participio sustantivado de los otros verbos: *haber amado, haber tenido.*

Y supuesto que el infinitivo simple denota presente o futuro respecto de la época designada por el verbo a que en la oración lo referimos, el infinitivo compuesto deberá tener el valor de pretérito o de ante-futuro respecto de la misma época.

«*Tenemos, tuvimos, tendremos* noticias de *haberse ganado* la victoria». Aquí el ganar la victoria es anterior al *tener.* «En vano *espera, esperaba, esperará haber dado* fin a tan larga obra antes de la muerte». El dar fin se representa como anterior a la muerte, que es un futuro respecto de la esperanza.

712. Solemos, sin embargo, en casos semejantes contentarnos con el infinitivo simple. Así en el ejemplo anterior se diría muy bien *da rfin,* refiriendo esta acción a la esperanza directamente, sin el intermedio de la muerte.

713. Los *gerundios compuestos* se forman con el gerundio del auxiliar *haber* y el participio sustantivado: *habiendo cantado, habiendo escrito.*

Y supuesto que el gerundio simple significa coexistencia o por lo menos inmediata anterioridad a la época designada por el verbo a que lo referimos, es preciso que el gerundio compuesto signifique anterioridad más o menos remota respecto de la misma época. «Habiendo quedado desierta la ciudad, se tomaron providencias para repoblarla».

714. *Tener* se sustituye también a *haber* en los infinitivos y gerundios compuestos: «Es necesario *tenerlo* todo *aperci-*

bido para resistir la invasión»; «*Teniendo* ya *preparado* mi viaje, hube de diferirlo por el mal estado de los caminos».

APÉNDICE

OBSERVACIONES SOBRE EL USO DE LOS TIEMPOS

Vamos a notar algunos usos excepcionales de los tiempos.

716. *Canté* parece emplearse a veces no como simple pretérito sino como un ante-presente.

«Presa en estrecho lazo
La codorniz sencilla,
Daba quejas al aire
Ya tarde arrepentida.
¡Ay de mí, miserable,
Infeliz avecilla,
Que antes cantaba libre,
Y ya lloro cautiva!
Perdí mi nido amado,
Perdí en él mis delicias;
Al fin *perdílo* todo,
Pues que *perdí* la vida.»

(Samaniego).

Este uso del pretérito es metafórico. La pérdida que acaba de suceder se pinta así consumada, absoluta, irreparable; y la prueba evidente de este sentido traslaticio, es el último verso, en que el pretérito se extiende a significar, no ya una pérdida que ha sucedido, sino una que va a suceder, pero inminente, inevitable.

717. Hay una especie particular de oraciones condicionadas de negación implícita, que es bastante enérgica, aunque de poco uso fuera del estilo familiar. «Si da un paso más, se precipita», es una fórmula narrativa en que insinuamos que no ha sucedido lo uno ni lo otro; pero, trasportándonos en la imaginación al lugar y al tiempo del hecho, nos expresamos como si actualmente estuviésemos viendo la persona que camina hacia el precipicio.

Estos ejemplos manifiestan que además de las trasposiciones metafóricas de que hemos hablado antes, y que se pueden considerar como pertenecientes a la conjugación general, hay otras accidentales, aunque fundadas no menos que las primeras en el valor natural y primitivo de los tiempos. Sería prolijo, o por mejor decir, imposible, enumerarlas todas.

718. Algunas veces también, sin que haya metáfora alguna, se usa el pretérito por el ante-presente, sobre todo en poesía. En estos versos, por ejemplo:

«Más triunfos, más coronas dio al prudente
Que supo retirarse, la fortuna,
Que al que esperó obstinada y locamente.»

(Rioja)

parecería más propio *da* o *ha dado*. *Da* presentaría esta máxima como una verdad moral de todos tiempos; *ha dado* nos la haría ver como confirmada por una experiencia constante hasta ahora: dio es un elegante arcaísmo, en que la lengua castellana restablece el valor de la forma latina original *(dedit)*, que abrazaba los dos significados de pretérito y de ante-presente. Es particularmente apropiado al estilo poético:

«¿Cuándo no *fue* inconstante la fortuna?»

Sería más conforme a la propiedad de los tiempos el presente *es* o el ante-presente *ha sido*. Pero es más poético el latinismo *fue*.

719. En otra parte (§ 643) se ha notado la énfasis de que es susceptible en ciertas ocasiones el ante-pretérito de indicativo, usado como pretérito.

720. No se ha contado entre los usos de la forma en *ra (cantara, temiera)*, el de ante-co-pretérito de indicativo, tan frecuente en Mariana y otros escritores clásicos castellanos, y tan de moda en el día, aunque desde fines del siglo XVII había desaparecido de la lengua. Yo miro este empleo de la forma en *ra* como un arcaísmo que debe evitarse, porque tiende a producir confusión. *Cantara* tiene ya en el lenguaje moderno demasiadas acepciones para que se le añada otra más. Lo peor es el abuso que se hace de este arcaísmo, empleando la forma *cantara*, no sólo en el sentido de *había cantado*, sino en el de *canté, cantaba* y *he cantado*. *

721. En varias provincias de Hispano-América se hace un uso impropio de la forma en *se (cantase, hubiese cantado)* en la apódosis de las oraciones condicionales que llevan negación implícita. Dícese, por ejemplo, «Yo te *hubiese* escrito, si hubiera tenido ocasión», en lugar de *yo te hubiera* o *te habría escrito*. Esta corrupción es comunísima en las repúblicas australes, y debe cuidadosamente evitarse. **

* Si se quiere resucitar este antiguo ante-co-pretérito, consérvesele a lo menos el carácter de tal, que es el que tiene en este ejemplo de Mariana: «Los de Gaeta, con una salida que hicieron, ganaron los reales de los aragoneses, y saquearon el bagaje, que era muy rico, por estar allí las recámaras de los príncipes: las compañías que *quedaran* allí de guarnición fueron presas»: *quedaran* por *habían quedado*. No se imite la arbitrariedad licenciosa con que Meléndez desfiguró su significado, como se ve en los pasajes que voy a copiar:

«Astrea lo ordenó, mi alegre frente
De torvo ceño oscureció inclemente,
Y de lúgubres ropas me *vistiera*.»

Debió decir *vistió*. Se puso *vistiera* porque proporcionaba un final de verso y una rima fácil.

«¿Qué se *hiciera* de tus timbres?
¿De la sangre derramada
De tus valerosos hijos.
Cuál fruto, dime, *sacaras?*»

Debió decirse *se ha hecho, has sacado*, o por el latinismo de que hablábamos poco ha *se hizo, sacaste*.

«Un tiempo fué cuando apenas
En lo interior de su casa,
Como deidad, la matrona
A sus deudos se *mostrara*.»

¡Quién no percibe que la forma imperiosamente demandada por el sentido es *mostraba?*

** No faltan escritores peninsulares que practiquen hoy día lo mismo. De don Salvador Bermúdez de Castro se pudieran citar no pocos ejemplos parecidos a éste: «Si al menos hubiera tenido (el confidente de don Juan de Austria) la cordura del silencio, *hubiese* conservado la vida, mientras llegaba la hora de desmoronar la fortuna del privado».

722. Hay otra que consiste en dar a la forma en *se (cantase, hubiese cantado)* el valor de la forma en *re (cantare, hubiere cantado)*. Esta es mucho peor que la precedente, y va cundiendo bastante aun en el lenguaje de escritores generalmente castizos y correctos. No puede usarse el pretérito de subjuntivo, sino cuando envuelve una relación verdadera o metafórica de anterioridad; sería pues un solecismo: «Si *hubiese* comedia esta noche, iré a verla»; expresándose un mero futuro, el tiempo propio es *si hubiere* o (adoptando el uso secundario del indicativo) *si hay*. Ni puede usarse el ante-co-pretérito de subjuntivo sino cuando con él se significan dos relaciones de anterioridad, ambas verdaderas o una de ellas metafórica; no sería pues tolerable: «Mañana, si *hubiese* llegado el gobernador, iremos a saludarle»; porque el tiempo de la llegada es un ante-futuro, que sólo se expresaría correctamente con *hubiere* o *ha llegado*. *

NOTA XIV

SIGNIFICADO DE LOS TIEMPOS

Mi explicación de los tiempos ha parecido a varias personas una innovación caprichosa de la nomenclatura recibida. Si así fuera, merecería justísimamente la censura de insignificante. Pero no es así. Yo me propuse que la denominación de cada tiempo indicase su significación de una manera clara y precisa. Las formas verbales, o expresan una relación simple de coexistencia, anterioridad o posterioridad, respecto del acto de la palabra, esto es, respecto del momento en que se profiere el verbo, o expresan combinaciones de dos o más de estas mismas relaciones; y el nombre que doy a cada forma denota esa misma simplicidad o composición. Cuando la relación es una, la expreso con las palabras *presente, pretérito, futuro*. Si la relación es doble, antepongo a estas mismas palabras una de las partículas *co, ante, pos,* que significan respectivamente *coexistencia, anterioridad, posterioridad*. Así la denominación *co-pretérito* significa coexistencia con una época que se mira en tiempo pasado, y *ante-futuro* denota anterioridad a una época que se mira en tiempo futuro.

Las relaciones elementales no se mezclan confusamente en el significado de los tiempos, sino que se enlazan sucesivamente una a otra; y mi nomenclatura indica no sólo la composición sino el sucesivo enlace de los elementos. Así ante-futuro y pos-pretérito constan de unas mismas relaciones: pero ante-futuro significa anterioridad a un futuro, y pos-pretérito posterioridad a un pretérito, siendo siempre el acto de la palabra el punto final en que termina la serie de relaciones, cualquiera que sea su número. De esta manera cada denominación es una fórmula precisa en que se indica el número, la especie y el orden de las relaciones elementales signifi-

* Don V. Salvá censura con mucha justicia aquel pasaje de Jovellanos: «Igual recurso tendrán los artistas, cuando las partes con quienes *hubiesen tratado* no les cumplieren las condiciones estipuladas». Era preciso decir *hayan* o *hubieren tratado*. Pero el mismo Salvá me parece haber caído en una inadvertencia proponiendo, para corregir la frase, que se sustituya *cumpliesen* a *cumplieren*, sin tocar lo demás. Mientras subsista *tendrán*, no se puede decir correctamente sino *hayan* o *hubieren*, *cumplan* o *cumplieren;* bien que en este último verbo puede hacerse uso, si se quiere, del ante-futuro *hayan* o *hubieren cumplido*, en lugar del simple futuro.

cadas por la inflexión verbal; y la nomenclatura toda forma un completo sistema analítico que pone a la vista todo el artificio de la conjugación castellana. Las denominaciones de que se sirve la Química para denotar la composición de las sustancias materiales, no son tan claras ni ofrecen tantas indicaciones a la vez. Mi nomenclatura de los tiempos, además de analizar su significado fundamental, se aplica al secundario y metafórico según ciertas modificaciones del primero, sujetas a reglas constantes en que un principio idéntico se desarrolla con perfecta uniformidad: lo que a primera vista era caprichoso y complicado, aparece entonces regular y analógico, y presenta la unidad en la variedad, que es el carácter inequívoco de un verdadero sistema.

El de la conjugación castellana es acaso el más delicado y completo de cuantos se han formado en los dialectos que nacieron de la lengua latina. Yo me he dedicado a exponerlo. Si no he tenido buen suceso, a lo menos he acometido una empresa importante, y que debiera haber merecido antes de ahora el estudio de personas más competentes para llevarla a cabo.

Capítulo XXIX

CLASIFICACIÓN DE LAS PROPOSICIONES

723. La proposición es *regular* o *anómala.*

724. *Regular* es la que consta de sujeto y atributo expresos o que pueden fácilmente suplirse.

725. Los sujetos tácitos que pueden fácilmente suplirse son, o los pronombres personales, o los demostrativos *él, ello,* que reproducen, y a veces anuncian, un sustantivo cercano, de su número y género.

Serán, pues proposiciones regulares: «Yo existo», o simplemente «Existo»; «Ella vino» (indicando, por ejemplo, una mujer de que acaba de hablarse), o simplemente «Vino». «Habiendo encontrado una resistencia que no esperaban, se replegaron los enemigos a un monte vecino»; la proposición subordinada *que no esperaban* es perfectamente regular, y su sujeto tácito *ellos* anuncia al sustantivo *los enemigos* de la proposición subordinante. «Preferiría yo que viviésemos en el campo; pero no es posible»; en la última proposición el sujeto subentendido es *ello,* que reproduce la idea de vivir nosotros en el campo. «No se sabe qué resolución ha acordado el gobierno», proposición perfectamente regular a que sirve de sujeto la proposición interrogativa indirecta *qué resolución,* etc. Si añadiésemos *pero presto se sabrá,* sería también perfectamente regular esta proposición, subentendiéndose el sujeto *ello,* que reproduciría la misma interrogación indirecta.

726. Sucede a menudo que se calla el verbo porque se subentiende el de una proposición cercana: «Venció al pudor la liviandad, a la prudencia la locura»: *venció la locura.* Fuera de este caso el verbo que más ordinariamente se subentiende es *ser* u otros de los que se emplean para significar la existencia:

«Hilaba la mujer para su esposo...
Acompañaba el lado del marido
Más veces en la hueste que en la cama;
Sano le aventuró, vengóle herido:
Todas, matronas, y ninguna, dama.»

(Quevedo).

Todas eran y ninguna era.

727. La elipsis del verbo es frecuentísima en las exclamaciones: «¡Qué insensatez confiar nuestra seguridad a la protección de una potencia extranjera!»; *qué insensatez era* o *es* o *sería,* según lo que pida el contexto.

728. Proposición *anómala* o *irregular* es la que carece de sujeto, no sólo porque no lo lleva expreso, sino porque según el uso de la lengua, o no puede tenerlo o regularmente no lo tiene: «Hubo fiestas»; «Llueve a cántaros»; «Por el lado del norte relampaguea».

729. La proposición puede carecer de sujeto; de atributo nunca: si no lo tiene expreso, hay siempre alguno que puede fácilmente suplirse.

730. La proposición regular es *transitiva* o *intransitiva.*

731. *Transitiva,* llamada también *activa,* es aquella en que el verbo está modificado por un acusativo. Cuando decimos que «el viento agita las olas», nos figuramos una acción que el viento ejecuta sobre las olas, y que pasa a ellas y las modifica: *las olas* es entonces un complemento acusativo, y la proposición se llama transitiva o activa: denominaciones enteramente idénticas.

732. Los caracteres de esta especie de complemento, o las señales por las cuales podemos reconocerlo, son las que vamos a exponer:

1º Es propio del verbo y de los tres derivados verbales, y se presenta a menudo bajo la forma de un caso complementario, que en el género masculino del singular es comúnmente *le* o *lo,* en el masculino de plural *los,* en el femenino de singular *la,* en el plural *las,* en el género neutro *lo.* «Fui *al puerto, a los arsenales, a la playa, a las huertas,* y *le* o *lo, los, la, las* encontré *lleno, llenos, llena, llenas,* de gente». «Dijéronme que acababan de fusilar a unos cuantos, y que el pueblo había querido impedirlo».

2º Otras veces se presenta bajo la forma de un complemento sin preposición o con la preposición *a:* «A ti te buscaban, no a ellos»; «El Congreso da leyes»; «César venció a Pompeyo»; «Los Romanos conquistaron la Galia»; «Es preciso remunerar el trabajo».

3º El acusativo de la construcción activa se convierte en sujeto de la construcción pasiva: «El viento agitaba las olas; las olas eran agitadas por el viento».

733. El acusativo es muchas veces un infinitivo o el anunciativo *que,* o una oración interrogativa indirecta; y en ninguno de estos casos lleva preposición: «Apetezco descansar» *(descansar es cosa apetecida por mí);* «La Gaceta Oficial anuncia que el ejército se retira a cuarteles de invierno» *(que el ejército se retira a cuarteles de invierno es anunciado por la Gaceta Oficial);* «No sabemos qué novedad ha ocurrido» *(qué novedad ha ocurrido es cosa no sabida por nosotros).*

734. Hay ciertos verbos que rigen acusativo y no se prestan, sin embargo, a la inversión pasiva, porque carecen de participio adjetivo. Tal es el verbo *poder,* cuyos acusativos son generalmente infinitivos, y a veces algún sustantivo de significado general; y así se dice: «El avestruz no puede volar»; «No lo podemos todos todo»; sin que por eso se diga que *volar no es cosa podida por el avestruz,* o que *no todo es podido por todos.* Pero éste es un puro accidente de la lengua. *

735. Hay también verbos que no construyéndose regularmente con acusativo, se prestan, sin embargo, a la inversión pasiva por medio de un participio adjetivo: así, aunque no puede decirse que *el reo apeló la sentencia,* sino *de la sentencia,* se llama *sentencia apelada* aquella contra la cual se interpuso la apelación (Véase § 897).

736. La proposición regular que carece de complemento acusativo, se llama *intransitiva,* como «yo existo».

Verbos que no suelen llevar acusativo sino en locuciones excepcionales, no admiten, por supuesto, en su uso ordinario, sino construcciones intransitivas; tales son *existir, estar, permanecer, nacer, morir,* y muchísimos otros. Dáseles el nombre de *intransitivos* o *neutros* **. Los que regularmente lo tienen, se llaman *transitivos* o *activos.*

* La misma inversión de significado que en *cosa podida* hay en *cosa posible.* Lucrecio (hablando del cántaro de las Danaides, III, 1024) dio a *posse* la inflexión pasiva *potestur.*

«Quod tamen expleri nulla ratione potestur.»

Donde *potestur* no está usado por *potest,* como algunos han querido, sino por *fieri potest.*

** Esta segunda denominación era muy propia en latín, donde había verbos activos

737. Son frecuentes las construcciones activas de acusativo y dativo: «El preceptor enseñaba la gramática a los niños»; «Los trabajos dan a los hombres fortaleza»; «Una bella campiña inspira ideas alegres al poeta»; «Los sitiadores interceptaron las provisiones a la ciudad»; «Le quitaron la vida»; «Les atribuyeron el delito», etc.

738. El dativo, como se ve en estos ejemplos, se presenta bajo dos formas: la de un caso complementario dativo, y la de un complemento con la preposición *a*.

739. Hay construcciones intransitivas de dativo: «Les lisonjea la popularidad de que gozan». No sería bien dicho *los lisonjea*. Y sin embargo, sería perfectamente aceptable la inversión pasiva: «Lisonjeados por la popularidad de, etc.». Esta inversión no es una señal inequívoca de acusativo (§ 735).

740. Los verbos activos pueden usarse y se usan a menudo como intransitivos, considerándose entonces la acción como un mero estado: por ejemplo, «El que ama, desea y teme, y por consiguiente padece», cuatro verbos activos, usados como intransitivos.

741. Extraño parecerá que se considera a *padecer* como verbo activo, siendo la idea que con él significamos tan opuesta a lo que se llama vulgarmente acción. Pero es necesario tener entendido que la acción y pasión gramaticales no tienen que ver con el significado sino con la construcción de los verbos. Los hay, pues, que significan verdaderas acciones, y que, sin embargo, son neutros, como *pelear;* y los hay que denotan verdadera pasión, y que, sin embargo, son activos, como *padecer;* consistiendo todo en que a los primeros no podemos darles regularmente complementos acusativos como lo hacemos de ordinario con los otros: *padeces trabajos, dolores, calamidades.* *

742. Hay también muchos neutros que accidentalmente dejan de serlo formando construcciones activas. Así *respirar,* primariamente intransitivo, porque ejercitándose la acción del verbo sobre un solo objeto, el aire, era superfluo expresarlo, desenvuelve su acusativo tácito, cuando se modifica ese objeto: *respirar un aire puro, respirar el aire del campo;* o cuando real o metafóricamente se ejerce la acción sobre otro diverso: *respirar el gas carbónico, respirar venganza.*

743. *Suspirar,* en su sentido primitivo, es neutro; y con todo eso Lope de Vega lo ha empleado como activo en estos dulcísimos versos:

«Pasaron ya los tiempos
En que, lamiendo rosas,
El céfiro bullía,
Y suspiraba aromas.» **

y pasivos, y verbos que no eran ni uno ni otro, esto es, neutros. En las lenguas que carecen de verbos pasivos no debiera haberse dado el título de neutros a los intransitivos.

* Por eso sucede a veces que a un verbo castellano activo corresponde en otras lenguas un verbo intransitivo, y recíprocamente.

** Hay en todas las lenguas un movimiento continuo en que el verbo activo pasa a neutro, y el neutro se convierte en activo; movimiento que se efectúa por tran-

744. Un mismo verbo puede regir unas veces acusativo de persona, y otras acusativo de cosa: «Aristóteles enseñaba la filosofía» (la filosofía era enseñada). «Las madres enseñaban a sus hijos» (los hijos eran enseñados). «La naturaleza inspira al poeta» (el poeta es inspirado). «La noche inspira ideas tristes» (ideas tristes son inspiradas).

745. Dícese con el complemento acusativo *vestir a una persona, vestir una cosa* (cubrirla con algo que le sirva como de vestido). Tal es el uso natural de *vestir,* y en él le acompaña a menudo otro complemento, formado con *de,* para demostrar el vestido o lo que hace sus veces:

«Dos meses ha que pasó
La Pascua, que por Abril
Viste bizarra los campos
De felpas y de tabís.»

(T. de Molina).

Pero trasfórmase de todo punto la construcción cuando se dice: «Le vistieron una túnica de púrpura»; el vestido es complemento acusativo, y la persona a quien se le pone, dativo.

«Viste los prados matizada alfombra.»

Ahora el vestido es sujeto, y la cosa que lo lleva acusativo. «Por el hábito de San Pedro que visto, que es vuestra merced uno de los más famosos caballeros» (Cervantes): ahora, al contrario, el vestido (representado por *que)* es acusativo, y la persona que lo lleva, sujeto.

746. *Desnudar* en su construcción natural era y es *despojar a uno de sus ropas.* Pero también solía construirse con dativo de persona y acusativo de cosa:

«Los vestidos se desnuden
Antes que de ahí se muden
O disparo...»

(Un bandolero de Lope de Vega).

siciones fáciles y suaves en el habla común, y de que los más correctos escritores se han aprovechado siempre para dar novedad, fuerza o gracia a la frase; como se ve en el *ardebat Alexin* de Virgilio, en el *anhelare crudelitatem* de Cicerón, en el *nox est perpetua una dormienda* de Catulo, en el *garrire fabellas aniles* de Horacio, etc. No tuvo pues razón Hermosilla para mirar estas transiciones como licencias que no se deben conceder ni aun a los poetas, y sienta un hecho inexacto cuando dice que ni Homero entre los griegos, ni Virgilio entre los latinos, ni los demás poetas de aquellas naciones, hicieron jamás transitivos los verbos neutros. Véase la Minerva del Brocense, libro III, cap. 3. Sánchez llega al extremo de negar absolutamente la existencia de verbos neutros, y sostiene que los así llamados no se diferencian de los activos sino en que se calla de ordinario su acusativo porque es casi siempre uno mismo. Yo no me atrevería a decir tanto; pero es incontestable que la línea de separación entre las dos clases no está fundada en la naturaleza, esto es, en su significado (pues el verbo que en una lengua es transitivo puede no serlo en otra), ni en una misma lengua se mantiene fija. *Quebrar,* por ejemplo, que fue intransitivo en su origen, significando *estallar (crepare),* se ha vuelto activo equivalente a *romper;* y apenas quedan vestigios de su primitiva significación en la *amistad que quiebra, la casa de comercio que quiebra,* y en ciertos refranes como *la verdad adelgaza, pero no quiebra.* Por el contrario *caber,* que antes era activo significando *contener,* hoy se emplea regularmente en la significación intransitiva de *ser contenido.* Cervantes lo usa de ambos modos: «Descubriendo la canasta, se manifestó una bota con hasta dos arrobas de vino, y un corcho, que podría *caber* sosegadamente y sin apremio, hasta una azumbre». «Se bebió (don Quijote) de lo que no pudo *caber* en la alcuza, y quedaba en la olla, casi media azumbre.»

El sujeto de *desnuden* es *ellos* (los caminantes); *los vestidos* es acusativo de cosa, y *se* dativo reflejo de persona.

«Estremécense las aguas
Y los delfines por ellas
Comienzan a dar indicios
De la futura tormenta.
Desnudóse el sol sus rayos,
Vistióse de nubes negras.»

(Lope de Vega).

747. Dícese *ceñir a uno de* o *con algo,* y *ceñirle a uno la espada,* haciendo a *la espada* acusativo y a *le* dativo; y *ceñir espada* por llevarla a la cinta, haciendo a la *espada* otra vez acusativo, y a la persona que la lleva, sujeto.

748. *Cubrir a uno con una capa, cubrirle de ignominia,* es la natural construcción activa de este verbo; pero en tiempo de Cervantes era todavía usado y elegante *cubrirse una capa,* ponérsela, echársela uno encima a sí mismo: *la capa,* acusativo, la persona sujeto, y dativo reflejo. «Se cubrió don Quijote un herreruelo de paño pardo» (Cervantes).

«No dio lugar para ello
Mi seora doña Lucía,
Que ya el manto se cubría.»

(Tirso).

«Señora, cúbrete un manto
Y vénte a palacio luego.»

(Comedia antigua, citada por Clemencín).

En obras de mayor antigüedad es más frecuente esta construcción, como puede verse en el «Amadís de Gaula», donde ocurren muchos ejemplos como éstos: «Diéronle (a Amadís) una capa de escarlata que se cubriese», esto es, que se echase encima; «El rey (Lisuarte) le tomó por la mano (a Amadís), e hízole dar un manto que cubriese»: se calla el dativo reflejo *(se)*; «Diéronles (a Florestán y a don Galaor) sendos mantos, que cubrieron» (la misma elipsis); «Entrad, dijo ella (una doncella desconocida a don Galaor), y en entrando, hiciéronle desarmar y cubriéronle un manto» (dativo de persona oblicuo). *

* No lo acierta, a mi juicio, Clemencín cuando equipara esta construcción al helenismo de los latinos: *Os humerosque Deo similis.* Pruébase el complemento acusativo por la analogía de *vestir a una persona una túnica* y *ceñirle una espada;* y por la correspondiente pasiva. Cervantes dice que «Monipodio traía cubierta (puesta, echada encima) una capa de bayeta». El mismo Clemencín ha citado este otro ejemplo: «Iba Gatarú desarmado, y cubierto un rico manto»: donde *cubierto* no concierta con *Gatarú* sino con *manto;* la frase se traduciría literalmente en latín, «Ibat inermis et induto pallio»: decíase *induere se pallio* e *induere pallium,* como *cubrirse con una capa* o *cubrir una capa.*

749. Dícese que *un objeto nos admira*, poniendo en acusativo la persona que siente la admiración, y que *admiramos un objeto*, haciendo acusativo la cosa que produce este efecto, y que *nos admiramos de un objeto*, haciéndonos en cierto modo agentes y pacientes de la admiración, y despojando al objeto de ella del carácter de sujeto y de acusativo.

750. Por estas muestras puede conocerse la variedad que en orden a las construcciones activas ha presentado y aun presenta la lengua, y la necesidad de estudiarlas en los diccionarios y en el uso de los autores correctos.

Pero en esta materia no debe considerarse la lengua como tan encadenada por el uso actual, que no sea lícito aventurar de cuando en cuando, con pulso y oportunidad, relaciones nuevas en el complemento acusativo. No hay motivo para que se prohiba a los escritores de nuestros días lo que permitido a sus predecesores ha hermoseado el castellano, enriqueciéndolo de construcciones elegantemente variadas.

751. La proposición regular transitiva se subdivide en *oblicua, refleja* y *recíproca,* según lo sea el complemento acusativo.

752. El complemento acusativo es *oblicuo,* cuando el sujeto del verbo no se identifica con el término del complemento, como en «Dios manda que amemos a nuestros enemigos»; «Dios ha criado y conserva todas las cosas»; el sujeto *Dios* es distinto de la cosa mandada, y de las cosas criadas y conservadas.

753. El complemento acusativo es *reflejo*, cuando el sujeto del verbo y el término del complemento son una misma persona o cosa; como «Yo me visto»; la persona que viste y la persona vestida son idénticas.

754. En fin, el complemento acusativo es *recíproco,* cuando el verbo tiene por sujeto dos o más personas o cosas, cada una de las cuales ejerce una acción sobre la otra o las otras y la recibe de éstas, significándose esta complejidad de acciones por un solo verbo, como en *Pedro y Juan se aborrecen; ellos se miraban unos a otros.*

Descubrir se usaba de un modo semejante en lo antiguo, como se ve en este verso tan expresivo de la Gesta de Mio Cid:

«¿A quem descubriestes las telas del corazón?»

Así dice el héroe a los Infantes de Carrión, que habían afrentado atrozmente a sus hijas; literalmente, *cur mihi cordis involucra exuistis?»*

Tirso de Molina forma caprichosamente el verbo *deslutar,* y lo construye de un modo análogo.

«Deslutadle al sol la noche»

dice un caballero a una dama tapada; como si dijera, quitadle al sol esa noche que le enluta.

755. Como las formas pronominales recíprocas no se diferencian de las reflejas, ni las reflejas en la primera y segunda persona difieren de las oblicuas, suele ser conveniente, para evitar ambigüedad, duplicar el complemento bajo otra forma, añadiendo en el sentido reflejo la frase *a mí mismo, a sí mismo*, etc., y en el recíproco la frase *uno a otro*, en el género y número correspondientes; y otro tanto puede hacerse, aun cuando no hay peligro de ambigüedad, para dar más fuerza a la expresión. «Ellos se aborrecen a sí mismos», preséntase un mismo acusativo bajo dos formas, *se, a sí mismos*; «Ellos se aborrecen unos a otros» o «*los unos a los otros*», ofrece dos proposiciones, en la segunda de las cuales se calla el verbo: *ellos se aborrecen; los unos (aborrecen) a los otros: se* y *a los otros* son dos formas diferentes de un acusativo repetido. Determínase también el sentido recíproco por medio de adverbios: «Nosotros nos atormentamos *mutuamente, recíprocamente*».

756. En el sentido reflejo se suele también poner el adjetivo *mismo* con el nominativo: «Se educó él mismo»; «Horacio da admirables preceptos para conducirse uno mismo» (Burgos).

757. El dativo, como cualquier otro complemento, puede ser, no sólo oblicuo, sino reflejo o recíproco: «*Me* bebí media azumbre de vino»; «*Se* dieron de bofetadas *unos a otros*»; «*Se* avergonzaba *de sí mismo*»; «*Me* irrité contra *mí mismo*»; «Disputaban *unos con otros*», o «*los unos con los otros*». Pero lo oblicuo, reflejo o recíproco de la proposición se determina por el acusativo.

758. Pudiera alguna vez confundirse el dativo reflejo que suelen tomar muchos verbos, sin que aparezca necesitarlo el sentido, con el acusativo reflejo. Reconócese entonces el dativo por la presencia de un acusativo que no puede identificarse con él. Así en «*Me* temo que os engañéis», no puede dudarse que la cosa temida, *que os engañéis*, es el acusativo del verbo *temer*; el *me*, por consiguiente, es un dativo, y al parecer superfluo, porque quitándolo, se diría sustancialmente lo mismo. Pero en realidad no lo es, porque con él se indica el interés de la persona que habla en el hecho de que se trata. De la misma manera, en «*Se* bebió dos azumbres de vino», sirve el *se* para dar a entender la buena disposición, el apetito, la decidida voluntad del bebedor; por lo demás pudiera faltar. «Tú te lo sabes todo», pinta la presunción de saberlo todo, y de saberlo mejor que nadie: la ironía se percibiría menos omitiendo el *te*. «Aviso a mi señor, que si me ha de llevar consigo, ha de ser con condición que él *se* lo ha de batallar todo» (Cervantes): sin el *se* no sería tan privativo de *mi señor* el batallar. Este dativo *superfluo* es muy digno de notarse por las expresivas modificaciones que suele dar al verbo.

759. En la proposición refleja, según lo dicho, una misma persona es agente y paciente; pero hay varias especies de construcciones en que la reflexividad no pasa de lo material de la forma, ni ofrece al espíritu más que una sombra débil y oscura. Las llamaremos construcciones *cuasi-reflejas;* y entre ellas señalaremos en primer lugar aquellas con que solemos expresar diferentes emociones o estados del alma, y en que el verbo es de suyo activo, y admite acusativos oblicuos, y el sujeto significa seres animados o que nos representamos como tales, en singular o plural, y en primera, segunda o tercera persona. Cuando se dice: «La muerte nos espanta», «el peligro los acobarda», «el viento embraveció las olas», hay acción y pasión. Consideramos la muerte, el peligro, el viento, como seres activos que afectan al objeto designado por el acusativo oblicuo. Mas otra cosa es cuando se dice que «nos espantamos de la muerte», que «se acobardan a vista del peligro», que «las olas azotadas por el viento se embravecieron»; gramaticalmente parece decirse que el sujeto obra en sí mismo produciendo el espanto, la cobardía, el embravecimiento; pero ésta es una imagen fugaz que desaparece al instante, un símbolo con el cual anunciamos meramente la existencia de cierta emoción o estado espiritual, verdadero o metafórico, cuya causal real se indica por alguna expresión accesoria *(de la muerte, a vista del peligro, azotadas por el viento).*

760. Son muchos los verbos activos que se prestan a esta especie de construcciones cuasi-reflejas *de toda persona:* «Yo me alegro», «Tú te irritas», «Ella se enfada», «Nosotros nos avergonzamos», «Vosotros os maravilláis», «Ellos se horrorizan», «se amedrentan», «se regocijan», «se asombran», «se pasman».

761. Pero verbos hay que sólo admiten acusativos reflejos, formando con ellos construcciones cuasi-reflejas de toda persona: «Me jacto», «Te desvergüenzas», «Se atreve», «Nos arrepentimos», «Os dignáis», «Se quejan». Estos verbos se llaman *reflejos* o *pronominales,* para distinguirlos de los verdaderos activos, que admiten acusativos de todas clases. El título que suele dárseles de *recíprocos* es impropio, porque jamás significan reciprocidad, y lo que figuran oscuramente en fuerza de sus elementos materiales, es una sombra de acción que el sujeto ejerce en sí mismo.

762. Es de creer que los verbos reflejos han sido originalmente activos, que se usaban con todo género de acusativos, y pasando a la construcción cuasi-refleja, se limitaron poco a poco a ella. Sabemos, por ejemplo, que *jactar (jactare)* se construía con acusativos oblicuos en latín *. En Ruiz de Alarcón se encuentra:

«...Padres honrados,
Si no de sangre, tuve, generosa:
Que no jacto valor de mis pasados.»

* «Quamvis pontica pinus,
Silvae filia nobilis.
Iactes et genus et nomen inutile.»

De *jactar el linaje* se pasó a *jactarse del linaje,* como de *admirar los edificios* a *admirarse de ellos,* con la sola diferencia de que *admirar* conserva hoy las dos construcciones, y en *jactar* sólo es ya admisible la segunda. Así *atreverse,* que en el día no se emplea sino como verbo reflejo, se usó hasta el siglo XVII como verdaderamente activo, significando alzar, levantar, y por una fácil transición, animar, alentar, dar valor u osadía.

«Tú, al fin, que en la tierra,
Que apenas te sufre,
No hay paz que no alteres,
Ni honor que no enturbies,
Hoy verás que Dios
Soberbias confunde,
Que al cielo *atrevían*
Locas pesadumbres.»

(Tirso),

esto es, levantaban locamente pesadas moles, aludiendo a la fábula de los Titanes, que poniendo montes sobre montes pretendieron escalar el Olimpo.

«No *atreví* demostraciones
Entonces, porque temía.»

(el mismo),

esto es, no animé, no esforcé.

«En resolución, sabed,
Que si vos, como Faetón,
El pensamiento *atrevéis*
Al sol que adoro, esta espada», etc.

(Alarcón).

763. Hay asimismo muchos verbos intransitivos o neutros que son susceptibles de la construcción cuasi-refleja, v. gr. *reírse, estarse, quedarse, morirse,* etc. La construcción es entonces de toda persona, y refleja en la forma, porque el pronombre reflejo está en acusativo; pero la reflexividad no pasa de los elementos gramaticales y no se presenta al espíritu sino de un modo sumamente fugaz y oscuro.

764. Bien es verdad que si fijamos la consideración en la variedad de significados que suele dar a los verbos neutros el caso complementario reflejo, percibiremos cierto color de acción que el sujeto parece ejercer en sí mismo. *Estarse* es permanecer voluntariamente en cierta situación o estado, como lo percibirá cualquiera comparando estas expresiones: «Estuvo escondido», y «Se estuvo escondido», «Estaba en el campo», y «Se estaba en el campo». La misma diferencia aparece entre *quedar* y *quedarse, ir* e *irse*: «Más parecía que le llevaban que no que él *se iba*» (Rivadeneira). *Entrarse* añade a *entrar* la idea de cierto conato o fuerza con que se vence algún estorbo: «A pesar de las guardias apostadas a la puerta, la gente se entraba». Lo mismo *salirse*: «Los presos salieron» enuncia sencillamente la salida; *se salieron* denotaría que lo habían hecho burlando la vigilancia de las guardias o atropellándolas; «*Se sale* el agua de la vasija» en virtud de una fuerza inherente, que obra contra la materia destinada a contenerla; lo que, por una de las mil transiciones a que se acomoda el lenguaje, se aplicó después a la vasija misma, cuando deja escapar el líquido contenido, y en este sentido se dice que una pipa se sale. «Mi amo *se sale, sálese* sin duda. — ¿Y por dónde *se sale*, señoras? ¿Hásele roto alguna parte de su cuerpo? — No se sale sino por la puerta de su locura; quiere decir, señor bachiller de mi ánima, que *quiere salir* otra vez a buscar aventuras» (Cervantes). *Morirse* no es *morir*, sino acercarse a la muerte. *Nacerse* es nacer espontáneamente, y se dice con propiedad de las plantas que brotan en la tierra sin preparación ni cultivo:

«Poco a poco nació en el pecho mío,
No sé de qué raíz, como la yerba
Que suele por sí misma ella nacerse,
Un incógnito afecto.»

(Jáuregui).

765. *Reír* y *reírse* parecen diferenciarse muy poco; y sin embargo, ningún poeta diría que la naturaleza se ríe, para dar a entender que se muestra placentera y risueña, al paso que, cuando se quiere expresar la idea de mofa o desprecio, parece más propia la construcción cuasi-refleja:

«La codicia en las manos de la suerte
Se arroja al mar, la ira a las espadas,
Y la ambición *se ríe* de la muerte.»

(Rioja).

766. El verbo *ser*, regularmente intransitivo, es de los que alguna vez se prestan a la construcción cuasi-refleja de que estamos tratando. Con *Érase* solían principiar los cuentos y consejas, fórmula parodiada por Góngora en su romancillo:

«*Érase* una vieja
De gloriosa fama»,

y por Quevedo en el soneto

«*Érase* un hombre a una nariz pegado.»

Me soy parece significar *soy de mío*, soy por naturaleza, por condición. «Mochachas, digo que, viejas, harto me so yo» (La Celestina): esto es, *harto vieja me soy.*

«Asno *se* es de la cuna a la mortaja» *

dice Rocinante, hablando de su amo en un soneto de Cervantes. Todavía es frase común *sea* o *séase lo que se fuere.*

Tenemos pues construcciones regulares cuasi-reflejas de toda persona, formadas ya por verbos ordinariamente activos, ya por verbos reflejos, ya por verbos neutros.

767. Otras construcciones regulares cuasi-reflejas son las *de tercera persona,* formadas con verbos ordinariamente activos; y por su uso frecuente puede decirse que pertenecen al proceder ordinario de la conjugación. Ellas invierten el significado del verbo, y lo hacen meramente pasivo; «Se admira la elocuencia», «Se apetecen las distinciones», «Se promulgaron sabias leyes», equivale a «la elocuencia es admirada», «las distinciones son apetecidas», «fueron promulgadas sabias leyes». De la reflexividad significada por los elementos gramaticales, la idea de acción se desvanece, y queda solamente la idea de pasión, o de modificación recibida.

768. Hé aquí, pues, un nuevo medio de comprobar el complemento acusativo, porque si *verse la casa* es la pasiva de *ver la casa* convirtiéndose el complemento en sujeto, *poderse volar* será de la misma manera la pasiva de *poder volar.*

769. Esta construcción cuasi-refleja *de tercera persona* no debe usarse cuando hay peligro de que se confunda el sentido puramente pasivo con el reflejo: «*Se cultiva* el campo», no adolece de esta ambigüedad, porque el campo no puede cultivarse a sí mismo; pero si el sujeto fuese un ser capaz de la acción significada por el verbo, la construcción ofrecería dos sentidos diversos, o tal vez ofrecería naturalmente el reflejo. «*Se miraban* los reyes como superiores a la ley», pudiera significar o que *se miraban a sí mismos* o que *eran mirados*; pero quizá más naturalmente lo primero. «¡A cuántos trabajos y penalidades *se sujetan* los hombres por ese ruido vano que se llama gloria!»: el sentido es exclusivamente reflejo. «La casa *se estremecía* con el sacudimiento de la tierra»: sentido pasivo.

«Los espectadores de aquella escena sangrienta *se estremecían* de horror»: la construcción es aquí cuasi-refleja *de toda persona,* y se expresa con ella una emoción del alma, a que acompaña tal vez algún movimiento corpóreo, pero cuya verdadera causa o agente está en el complemento que modifica al verbo (§ 759).

* Ha sido inadvertencia acentuar este *se* como si perteneciese a *saber,* y se dijese *asno sé es* por *sé que es asno:* la construcción sería durísima, a la vez que innecesaria, porque con *asno es* estaba dicho lo mismo y más claro, y sin detrimento del verso: el hiato en iguales circunstancias no lo repugnarían los más delicados versificadores. Cabalmente el mismo autor del «Quijote» había dicho poco antes en otro soneto:

«Necio él, dura ella, y vos no amante.»

770. La precedente análisis nos conduce a la clasificación de los verbos. En rigor, es construcción activa toda la que consta de complemento acusativo, y verbo activo o transitivo todo el que lleva un complemento de esta especie. Pero en este sentido serían muy contados los verbos a que no se pudiese dar este título. Clasificaremos pues los verbos bajo otro punto de vista más conveniente para señalar los diferentes modos de usarlos.

771. Verbo *activo* o *transitivo* es el que en su uso ordinario admite acusativos oblicuos, como *ver, oír, amar; reflejo* es el que lleva constantemente los acusativos complementarios reflejos *me, nos, te, os, se,* como *jactarse, atreverse, arrepentirse; intransitivo* o *neutro* el que de ordinario no lleva acusativo alguno, o sólo ciertos acusativos en circunstancias particulares, como *ser, estar, vivir.*

772. Pasemos a las proposiciones irregulares anómalas.

En ellas no se expresa ni se subentiende sujeto.

Puede a la verdad en muchos casos suplírseles alguno; pero no es porque en el uso común se piense en él.

Las unas son intransitivas, o si tienen acusativo, es regularmente oblicuo; las otras son cuasi-reflejas.

773. A las primeras pertenecen las proposiciones en que figuran los verbos *amanecer, anochecer, llover, lloviznar, nevar, granizar, tronar* y otros, que en su significado natural no llevan ordinariamente sujeto, y que se suelen llamar *impersonales,* aunque tal vez les convendría mejor la denominación de *unipersonales,* porque parecen referirse siempre a una tercera persona de singular, bien que indeterminada. Hay en ellos a la verdad un sujeto envuelto, siempre uno mismo, es a saber, *el tiempo, la atmósfera, Dios,* u otro semejante, y de aquí es que se dice alguna vez «Amaneció Dios», «Amaneció el día», pero ésta es más bien una locución excepcional, que no se emplea sino en muy limitados casos: el uso corriente es no poner a estos verbos sujeto alguno.

774. Sin embargo, sacados de su significado natural, pueden llevar sujeto: «Tronaba la artillería», «Sus ojos relampagueaban», «Sus palabras me helaron», «Amanecimos a vista de tierra».

775. Díjose «Llovió piedras», conservando la impersonalidad del verbo y dándole acusativo. Pero es más común convertir este complemento en sujeto: «Sancho se puso tras su asno; y con él se defendía del pedrisco *que* sobre ellos llovía» (Cervantes). «Acudieron los mejicanos a Cortés, clamando sobre que no *llovían sus dioses*» (Solís). Dánsele otras veces sujeto y acusativo juntamente: «Comenzaron los galeotes a *llover* tantas y tantas piedras sobre don Quijote, que no se daba manos a cubrirse con la rodela» (Cervantes). «La casa se llovía», es una locución usual cuasi-refleja. Y del uso activo de *llover* procedió naturalmente el participio pasivo, *llovido, llovida.*

776. Hay otros verbos que siendo de suyo activos o neutros y conjugándose por todas las personas y números, pasan al uso impersonal. Así el temblor de tierra se expresa por el verbo *temblar* usado impersonalmente. «¿No sentís que tiembla?» Empléanse del mismo modo *ser* y *estar:* «Es temprano», «Es tarde», «Es de día», «Está nublado», «Está todavía oscuro».

777. El verbo *dar* aplicado a las horas llevaba al principio sujeto y acusativo oblicuo: «Antes que *el reloj diese las cuatro,* ya yo tenía otras tantas libras de pan ensiladas en el cuerpo» (don D. H. de Mendoza). Callóse el sujeto, que era siempre uno mismo, y el verbo se hizo impersonal con acusativo oblicuo: «De esta manera anduvimos hasta que dio las once» (el mismo). De aquí la pasiva: «Aun no *eran dadas* las ocho, cuando con vuestra merced encontré» (el mismo). Decíase pues «ha dado las cuatro», no «han dado», como decimos hoy, convirtiendo el acusativo en sujeto *.

778. Con el verbo *hacer,* usado impersonalmente, se significaban las variaciones atmosféricas: «*hace* frío», «*hizo* grandes calores en el mes de Enero» . Hoy es común convertir este acusativo en sujeto: «*Hicieron* grandes calores». Aplicado al trascurso del tiempo, rige *que* anunciativo, que lleva envuelta la preposición *de* o *desde:* «Hace algunos días que le vi», o callando el *que:* «Le vi algunos días hace».

779. Encuéntrase en nuestros clásicos tal cual pasaje en que *hacer,* aplicado al trascurso del tiempo, deja de ser impersonal, tomando el tiempo mismo por sujeto: «Hoy hacen, señor, según mi cuenta, quince años, un mes y cuatro días, que llegó a esta posada una señora en hábito de peregrina» (Cervantes).

780. El verbo *pesar,* significando una afección del ánimo, rige dativo de persona y complemento de cosa con *de:* «Así *me pese de* mis culpas como *de* haberle conocido»; «Harto *les pesa de* haber tratado con tanta confianza a un hombre tan falso». Pero si la causa del pesar se expresa con un infinitivo, se puede omitir la preposición: «Me pesa haberte enojado»; *pesar* deja entonces de ser impersonal, y tiene por sujeto el infinitivo.

* En Chile, refiriéndose a *horas,* se dice generalmente *las han dado, las dieron,* etc. «¿Han dado las cuatro? — No, pero luego las *darán.*» Esta es una construcción impersonal de que hablaremos luego (§ 785).

781. El de más uso entre los verbos impersonales es *haber*, aplicado a significar indirectamente la existencia de una cosa, que se pone en acusativo: «Hubo fiestas»; «Hay animales de maravillosos instintos», frases que no se refieren jamás a un sujeto expreso. Decimos que por este medio se significa indirectamente la existencia, porque *haber* conserva su significado natural de *tener;* y si sugiere la existencia del objeto que se pone en acusativo, es porque nos lo figuramos contenido en un sujeto vago, indeterminado, cuya idea se ofrece de un modo oscuro y fugaz al entendimiento, pero no tanto que no produzca efectos gramaticales, concordando con el verbo en tercera persona de singular, y rigiendo acusativo; como si se dijese *la ciudad tuvo fiestas; el mundo, la naturaleza, tiene animales*, etc. *. Que la cosa cuya existencia se significa está en acusativo, lo prueba la necesidad del caso complementario de acusativo, cuando la representamos con el pronombre *él:* «Estaba anunciado un banquete, pero no fue posible que *lo* hubiese»; «Se creyó que habría frutas en abundancia, y en efecto *las* hubo»; «Hay magníficas perspectivas en la cordillera, y no *las* hay menos hermosas y variadas en los valles». Si el impersonal *haber* significara de suyo *existir*, sería la mayor de todas las anomalías poner las cosas existentes en acusativo **.

782. El impersonal *haber* se aplica frecuentemente al trascurso del tiempo: «No *ha* mucho tiempo que vivía un hidalgo de los de lanza en astillero» (Cervantes); o callando el *que* anunciativo: «Vivía no ha mucho». *Há* *** se acentúa en este sentido, como en el precedente se dice *hay* por *há* ****.

783. El impersonal *haber* se sirve de auxiliar a sí mismo para la formación de los tiempos compuestos, y así se dice: «Hubiera

* En francés se señala este sujeto indeterminado con el pronombre *il*, que lo deja tan oscuro y vago, como estaría sin él, y se le añade el adverbio *y* (allí) que es otro demostrativo igualmente indeterminado. En el castellano antiguo se agregaba también el adverbio *hi* (escrito muchas veces *y*), al impersonal *haber*, diciéndose *hi ha* o *ha hi*, de donde sin duda proviene que en el presente de indicativo el adverbio se haya pegado inseparablemente al verbo cuando éste se usa para significar de un modo indirecto la existencia. El mismo oficio que los franceses dan a *il y*, dan los ingleses al adverbio *there*, y los italianos al adverbio *vi:* cosa notable; siempre una idea o un signo oscuro, vago, indeterminado.

** Es preciso corregir el vicio casi universal en Chile de convertir el acusativo en sujeto del impersonal *haber: hubieron fiestas, habrán alborotos, habíamos allí cuarenta personas.*

*** Hoy ya no lo lleva. (N. del E.)

**** Otro vicio comunísimo en Chile, en este uso impersonal de *haber*, es el intercalar la preposición *a* antes del *que:* «Habían cuatro meses a que no le veía.» Además de este yerro hay en esta frase el otro no menos chocante del plural *habían*. Choca no menos este uso de la preposición *a* en construcciones de *hacer*, aplicado al trascurso del tiempo: «Hacían algunas semanas a que aguardaba su llegada», donde también hubiera sido mejor *hacía*.

habido graves desórdenes, si no hubiese habido tropas que los contuviesen».

784. Los infinitivos y gerundios de los verbos impersonales comunican su impersonalidad a los verbos de que dependen: «*Comienza* a llover»; «*Debió* de haber graves causas para tan severas providencias»; no podría decirse *debieron.*

785. En las precedentes construcciones irregulares el verbo se halla siempre en la tercera persona de singular; hay otras aplicables a los verbos que significan actos propios de personas o seres racionales: «*Dicen* que ha llegado una mala noticia»; «*Temen* que se declare la guerra»; «*Anuncian* la caída del ministerio»; «*Cantan* en la casa vecina», construcciones, como se ve, ya intransitivas, ya transitivas y oblicuas.

786. No vaya a creerse que se subentiende en ellas un sujeto plural como *algunos,* porque se hace uso de estas construcciones aun cuando manifiestamente es uno el agente: así, *cantan en la casa vecina* es una expresión muy castellana, aunque se perciba que es una sola persona la que canta.

«¡Que me *matan!* ¡Favor! Así clamaba
Una liebre infeliz que se miraba
En las garras de una águila sangrienta.»

(Samaniego).

«Parecióle a don Quijote que oía la voz de Sancho Panza, y levantando la suya todo lo que pudo, dijo: «¿Quién se queja? — ¿Quién se ha de quejar, *respondieron,* sino el asendereado de Sancho Panza, gobernador, por sus pecados y por su mala andanza, de la Insula Barataria?»

787. Pasemos a las construcciones *irregulares cuasi-reflejas,* que son las que tienen el acusativo reflejo *se,* y pertenecen todas a la tercera persona de singular: *se duerme; se canta; se baila:* «Aquí se pelea por el caballo, allí por la espada» (Cervantes); «Se escribe y compone en la actualidad bajo el yugo de un culteranismo de pésimo gusto, que ni siquiera es ingenioso y erudito como el de Góngora» (Mora). «¿Y cómo se imita? Copiando» (el mismo). El único sujeto que se ofrece a la mente es la acción misma del verbo; como si dijéramos *se ejecuta el dormir, el cantar, el bailar, el pelear, el escribir, el componer, el imitar* *. Estas construcciones anómalas cuasi-reflejas de tercera persona se puede decir que entran en el proceder ordinario de la conjugación; por-

* «Cum dico *curritur, cursus* intelligitur, et *sedetur sessio,* et *ambulatur ambulatio*» (Prisciano). Véase la Minerva del Brocense, lib. III, cap. I.

que son contados los verbos que no se construyen alguna vez de esta manera. Son reflejas en la forma, pasivas en su significado.

788. Si el verbo es reflejo, no tiene cabida la construcción impersonal de que hablamos: *se arrepiente*. v. gr., se refiere siempre a un sujeto.

789. Si el verbo es de los activos o neutros que llevan a menudo acusativo reflejo, como *acercar, morir, reír*, sólo en circunstancias particulares que remuevan todo peligro de ambigüedad, podrá construírse de ese modo: *se acerca*, por ejemplo, requiere sujeto: «Cuanto más *uno* se acerca a la cumbre de un alto monte, menor es la densidad del aire y más difícil la respiración». Pero *se muere, se ríe*, pueden usarse impersonalmente, cuando un contraste determina el sentido: «Como se vive, se muere»; «Aquí se llora y allá se ríe».

790. En el infinitivo todo verbo puede hacerse impersonal: «De nada sirve arrepentirse tarde».

791. El verbo de construcción impersonal puede llevar su acostumbrado régimen: «Se pelea por el caballo»; «Se vive con zozobra»; «Se trata de un asunto importante». Pero aquí se ofrece una duda: ¿el complemento acusativo subsiste tal en la construcción impersonal cuasi-refleja, o varía de naturaleza? Cuando decimos, «Se admira *a los grandes hombres*»; «Se colocó *a las damas* en un magnífico estrado», ¿debemos mirar estos complementos *a los grandes hombres, a las damas* como verdaderos acusativos? Yo me inclino a crer que no: lo primero, por la modificación de significado que esta construcción produce en el verbo: *se admira* es *se siente admiración; se coloca* es *se da colocación; se alaba* es *se dan alabanzas*; sentido que parece pedir más bien un dativo. Lo segundo, porque si el complemento tiene por término el demostrativo *él*, no le damos otras formas que las del dativo: «Se les admira» (*a los grandes hombres*), no *se los admira* *. Lo tercero, porque si el complemento lleva por término un nombre indeclinable, es de toda necesidad ponerle la preposición *a*, que en el dativo de estos nombres no se puede nunca omitirse, como puede en el acusativo: así, o decimos: «Se desobedece a los *preceptos* de la ley divina», en construcción impersonal, o «Se desobedecen los preceptos», en construcción regular, haciendo a *los preceptos* sujeto; pero no podemos decir: «Se desobedece los preceptos». Contra esto puede alegarse que el verbo en la construcción impersonal pide las formas femeninas *la, las*: «Se *la* trata con distinción», «Se *las* colocó en los mejores asientos». Pero esta razón no es decisiva, porque *la* y *las* son formas que se emplean frecuentemente como dativos. De manera que la regla es emplear en la construcción impersonal como dativo el que en la construcción regular es acusativo; pero con la especialidad de preferirse *la* y *las* a *le* y *les* en el género femenino.**

* Es práctica modernísima y que choca mucho, *se los admira*. Ha nacido de asimilar nuestra locución a la francesa *on les admire*, que es esencialmente diversa. *Se les ahorca*, dice Salvá en el prólogo de su diccionario de la lengua castellana, sin embargo de que este autor mira a *los* como la terminación propia del acusativo masculino de plural de *él*.

** No faltan en la construcción impersonal de que se trata, ejemplos autorizados de *le, les*, femeninos: «No bastará desagraviar la propiedad con la libertad de los

792. Si el término del complemento es de *persona*, se prefiere la construcción anómala cuasi-refleja, convirtiendo el acusativo en dativo: «Se invoca a los santos»; «Se honra a los valientes»; «Se nos calumnia»; «*Se les* lisonjea». Pero si el término es de *cosa*, la construcción que ordinariamente se emplea es la regular cuasi-refleja: «Se olvidan los beneficios»; «Se fertilizan los campos con el riego»; *Se olvida a los beneficios* y *se fertiliza a los campos* serían personificaciones durísimas; pero lo más intolerable sería: «Se olvida los beneficios»; «Se fertiliza los campos» *. Sin embargo, cuando el complemento de cosa tiene por término el reproductivo *él*, es admisible en ciertos casos la construcción anómala: «Si en la fábula cómica se amontonan muchos episodios, o no se *la* reduce a una acción única, la atención se distrae» (Moratín); mejor que *o no se reduce*; porque no se nos presentaría espontáneamente el sujeto tácito de *reduce*, y sería menester cierto esfuerzo de atención para encontrarle en el término de un complemento de la proposición anterior; cosa que debe en cuanto es posible evitarse, porque perjudica a la claridad. «Unas veces se ama la esclavitud, y otras se la aborrece como insoportable» (Olive): aquí no hay la misma razón, y hubiera sido mejor *se aborrece*.

793. Resulta de lo dicho que la proposición irregular es unas veces intransitiva *(llueve, relampaguea, pésame de su desgracia, cantan en la casa vecina)*, o transitiva con acusativo oblicuo *(tres siglos hace que fué fundada la ciudad de Santiago, llueve piedras, hubo fiestas)*; y otras veces cuasi-refleja *(se canta, se les recibió con distinción, se les admira)* **.

794. *Se admiran*, aplicado a personas, no querría decir que éstas son admiradas, sino que se admiran a sí mismas, o se admiran unas a otras, o que se produce en ellas el sentimiento de admiración. Este tercer sentido es el más obvio, y para que tuviese cabida el primero o segundo, sería menester, casi siempre, añadir alguna modificación a la frase: *a sí mismas, unas a otras, mutuamente*.

795. En las construcciones cuasi-reflejas lleva el verbo las mismas modificaciones que en las correspondientes activas o neutras; salvo las diferencias necesarias para la conversión de la frase. «Nos consolaba en aquella triste situación una sola débil esperanza»; «Nos consolábamos en aquella triste situación con una sola», etc. «Notamos gran diversidad entre las literaturas de los diversos tiempos y países»; «Se nota gran diversidad», etc. «Entramos fácil y holgadamente por la puerta del vicio, pero no salimos por ella sino con mucho trabajo, y después de duros combates»; «Se entra fácil y holgadamente», etc., «pero se sale por ella», etc.

cerramientos, si no se *le* reintegra de otras usurpaciones» (Jovellanos). Pero no insistimos en ellos porque son raros y pudieran atribuírse a yerros de imprenta. El mismo Jovellanos ha dicho: «¿Dónde podría la nobleza hallar un empleo digno de sus altas ideas, sino en las carreras que conducen a la reputación y a la gloria? Así se *la* ve correr ansiosamente a ellas.»

* No debe imitarse al escritor moderno que ha dicho: «*Supondráse* flacos fundamentos a las más hidalgas resoluciones»; *supondránse* pide la lengua.

** Construcciones parecidas a *se les lisonjea, se les admira*, no sé si se encuentran en escritores castellanos anteriores al siglo XVIII. De entonces acá se han ido frecuentando más y más: en el reinado de Carlos III eran comparativamente raras; hoy se emplean a cada paso, y muchas veces sin necesidad. Al contrario, la construcción pasiva de participio adjetivo era de mucho más uso en tiempo de Cervantes que ahora. Aquí notaremos que en algunos países de América se adulteran estas construcciones del modo más absurdo, concertando al verbo con el término de su complemento: «Se azotaron a los delincuentes».

Sólo hay que advertir que en estas conversiones no cabe modificativo alguno de los que miran directamente a un sujeto que se suprime, como lo hacen los predicados y los pronombres reproductivos. Así, no porque se diga «Vivimos felices»; «Con dificultad deja el hombre las preocupaciones que en los primeros años se le han infundido», se dirá en construcción diferente: «Se vive feliz», puesto que falta a *feliz* el sustantivo tácito de que era predicado; ni «Con dificultad se dejan las preocupaciones que en *sus* primeros años se *le* han infundido», una vez que se suprime *hombre* a que se referían los pronombres *sus* y *le*. Sería preciso decir *se vive felizmente; en los primeros años*, o *en nuestros primeros años*, y *se han* o *se nos han*. Parecería superfluo advertir una cosa tan obvia, si no la viésemos algunas veces desatendida. En un escritor merecidamente estimado se lee: «No se está muy acorde acerca del origen del asonante», donde *acorde* es un predicado sin sujeto *.

APÉNDICE I

CONSTRUCCIONES EN QUE EL ACUSATIVO REPITE EL SIGNIFICADO DEL VERBO

796. Verbos que se usan como intransitivos toman a veces un acusativo que presenta el significado del verbo en abstracto, como en *vivir una vida miserable, morir la muerte de los justos, pelear un reñido combate.*

«Y como la hambre creciese, *moría* (yo) mala *muerte*» (don D. H. de Mendoza). «Arrúllase dentro de sí el alma, y comienza a *dormir* aquel *sueño* velador» (Granada). «¿Qué nos aprovechará haber *navegado* una muy larga y próspera *navegación*, si al cabo nos perdemos en el puerto?» (el mismo).

797. Este acusativo, como lo manifiestan los ejemplos, debe llevar alguna modificación que lo especifique, porque sin eso sería del todo redundante.

798. Si se dice: *vivir una vida miserable, dormir el sueño de la muerte*, también podrá decirse, reproduciendo por medio de un relativo la expresión que pudiera servir de acusativo: «Es *vida miserable* la *que vivimos*»; «El *sueño que* todos al fin *dormiremos* es el de la muerte»; «Es *vida* graciosa la que *viven*» (Lazarillo de Tormes, por incierto autor). De aquí aquellas construcciones *el vivir que vivimos, el comer que comemos, el velar que velamos*, empleadas a veces por Cervantes y por otros escritores de la misma edad.

* La causa de los extravíos en el uso de las construcciones cuasi-reflejas es el mirarlas como un exacto trasunto de la frase francesa que principia por *on (homme, hombre)*, verdadero sujeto del verbo. *On voit* dice literalmente *hombre ve*, y lo traducimos muy bien *se ve*, esto es, *se* ejecuta la acción de ver. Pero aunque se diga en francés *on est content*, haciendo a *content* predicado de *on*, no por eso diremos nosotros en el mismo sentido *se está contento*, porque siendo impersonal la construcción, no habría sujeto a que pudiera referirse el predicado. Los traductores novicios cometen frecuentes galicismos poniendo *se* dondequiera que encuentran *on*.

799. Podemos también convertir este acusativo, por medio de un relativo, en sujeto de una construcción cuasi-refleja: «Esta misma *vida que* con tantos afanes y tribulaciones *se vive*, ¿qué otra cosa es, sino un recuerdo continuo, y como un preludio de la muerte?» (Granada). Y no variará de carácter la construcción si paliamos el antecedente bajo la forma de un sustantivo neutro de significación general: «Esto mismo que se vive con tantos afanes y tribulaciones ¿qué otra cosa es», etc.

> «Vivió la vida de contento y gloria
> En que es placer *lo mismo que se pena.*»
>
> (Maury).

En el primer verso *la vida* es acusativo de *vivió*, y en el segundo *lo mismo que se pena* (como si dijéramos *el mismo penar que se pena*) sirve de sujeto a *es*.

800. Los gerundios precedidos de la preposición *en* (única que se construye con ellos) se prestan a una locución de la misma especie: *en saliendo que salgamos, en llegando que llegue*. «Dijo Sancho cómo su señor, en *trayendo* que él le *trajese*, buen despacho de la señora Dulcinea del Toboso, había de ponerse en camino» (Cervantes). El *que* representa a *traer*, envuelto en el gerundio, y lo hace acusativo de *trajese* por una construcción análoga al *vivir que vivimos, pelear que peleamos*. Parece haber algo de redundante en estas construcciones de gerundio; pero el pleonasmo no es enteramente ocioso: *en rayando el día partiremos*, significa inmediata sucesión de la partida al rayar: *en rayando que raye el día* asevera la inmediación.

801. Hay otro modismo mucho más usual que puede también explicarse sin violencia por medio de un acusativo que repite el significado del verbo: «Así pienso llover, como pensar ahorcarme» (Cervantes); «Así lo creeré yo, como creer que ahora es de día» (el mismo). Locuciones que, desenvueltos todos los elementos intelectuales, se convertirían en *así pienso el pensar llover, como el pensar ahorcarme; así creeré yo el creer lo que me dicen, como el creer que ahora es de día. Como*, conjunción comparativa, debe enlazar dos elementos análogos, y no lo son *pienso* y *pensar, creeré* y *creer*.

APÉNDICE II

CONSTRUCCIONES ANÓMALAS DEL VERBO SER

802. El verbo *ser* se encuentra a menudo entre dos frases sustantivas, una de las cuales se compone de un artículo sustantivo o sustantivado que una proposición subordinada modifica: «*Eso* era *lo que apetecías*»; «*Esta vieja casa* es *la que abrigó nuestra infancia*», construcción normal, que en nada se desvía de las reglas comunes.

803. Si el relativo *que* fuese precedido de preposición, diríamos según las mismas reglas: «Eso era *lo a que* con tanta ansia aspirabas»; «Esta vieja casa es *la en que* se abrigó nuestra infancia»;

«Fué pequeño espacio *el en que* estuvo Transila desmayada» (Cervantes); «No son días de fe *los en que* vivimos» (Alcalá Galiano).

804. Pero esta construcción regular no es la que prefiere ordinariamente la lengua. El giro genial del castellano es anteponer la preposición al artículo: «Infinitamente más es *a lo que* se extiende este infinito poder» (Granada): por *lo a que*. «Si al pueblo», dice Lope de Vega,

> «En las comedias ha de darse gusto,
> Con lo que se consigue es lo más justo.»

por *lo con que*. «El estilo en que se expusiese la muerte del rey Agis en un asunto sacado de la historia de Lacedemonia, debe ser más conciso y enérgico que *en el que* se presentase un argumento persa, como el de Artajerjes» (Martínez de la Rosa): por *el en que*.

805. A la preposición, el artículo y el relativo *que* puede sustituírse un adverbio cuando el sentido lo permite: «Esta vieja casa es *donde* se abrigó nuestra infancia»; «La hora de la adversidad es *cuando* se conocen los verdaderos amigos», por *la en que*. Pero lo más usual es contraponer de este modo dos adverbios o dos complementos, o un complemento a un adverbio: «*Allí* fué *donde* se edificó la ciudad de Cartago»; «*Así* es como decaen y se aniquilan los imperios»; «*A la libertad de la industria* es *a lo que* debe atribuírse el prodigioso adelantamiento de las artes»; «*A la hora de la adversidad es cuando* se conocen los amigos», trasformación notable en que adverbios y complementos hacen veces de sujetos y de predicados del verbo *ser*.

806. A las anomalías que hemos notado (802 a 805), acompaña a veces otra, y es que donde propiamente correspondía el neutro *lo* se pone un artículo sustantivado: «¿Es el raciocinio *al* que debemos el título glorioso de imágenes del Creador?» (Lista): *al que* es *a el que*, por *a lo que*. En efecto, preguntar si el raciocinio es *al que*... es lo mismo que preguntar si el raciocinio es el raciocinio a que: absurdo a que sólo la incontestable autorización del uso ha podido dar pasaporte, obligándonos a entender *el que* en el sentido de *lo que, la cosa a que*.

807. Pero hay casos en que esta sustitución del artículo sustantivado al artículo sustantivo adolecería de ambigüedad. Por ejemplo: «La ambición desordenada es *la* que tantas revoluciones produce», significa propiamente que no toda ambición las produce, sino sólo la desordenada: poniendo *lo* en lugar de *la*, sería muy diverso el sentido, porque de este modo se enunciaría que las revoluciones eran debidas a la ambición desordenada, excluyendo no sólo toda otra ambición, sino toda otra cosa. Si queriendo pues expresar esto último hubiese peligro de ambigüedad, sería preciso emplear la palabra propia, que es el artículo sustantivo. Jovellanos dice: «Supuesta la igualdad de derechos, la desigualdad de condiciones tiene muy saludables efectos: ella es *la* que pone las diferentes clases del Estado en una dependencia necesaria y recíproca; ella es *la* que las une con los fuertes vínculos del interés; ella es *la* que llama las menos al lugar de las más ricas y consideradas; ella, en fin, *la* que despierta e incita el interés personal». Si el autor quiso decir que la desigualdad de condiciones es la sola desigualdad que acarrea esos efectos, es propio el *la*; pero si se hubiese propuesto enunciar que la desigualdad de condiciones era lo único que los acarreaba, *lo* hubiera sido la palabra propia. Y sin embargo, como este segundo concepto, que es el de Jovellanos, se manifiesta claramente de suyo, se acomoda más al genio de la lengua y suena mejor el *la* que el *lo*.

En el ejemplo anterior de Lista se emplea el artículo sustantivado por el artículo sustantivo con la misma claridad y elegancia que en el anterior de Jovellanos.

808. Cuando en lugar de *el que, la que, los que, las que,* referidos a seres personales o personificados, se pone *quien* o *quienes,* como ordinariamente se practica, no hay peligro de ambigüedad: «A *quien* corresponde repeler esta invasión corruptora es a la opinión» (Mora): el sentido excluye manifiestamente todo lo que no sea la opinión.

809. La precedencia de la preposición al artículo es particularmente notable, cuando el artículo no precede inmediatamente al relativo: «A la *mayor cantidad de dinero* que pueden alcanzar los costos de la obra, es a la suma de dos mil pesos».

810. De lo que hasta aquí hemos dicho se sigue que podemos construir de cuatro modos:

1º Según el orden gramatical común, que consiste en contraponer dos frases sustantivas: «No son días de fe los en que vivimos».

2º Contraponiendo a una expresión sustantiva un adverbio: «La zona tórrida es *donde* ostenta la vegetación toda su pompa y lozanía».

3º Contraponiendo a una expresión sustantiva un complemento: «Lo más a que puede aspirar un escritor es a que una obra suya tenga pocas faltas, mas no a que deje de tener algunas» (Puigblanch). «Lo primero en que se conoce que un autor escribe sin plan es en el título de la obra» (el P. Alvarado); «A la (paz) que esta composición de Juan de la Encina alude es la que se celebró con Luis XII» (Martínez de la Rosa).

4º Contraponiendo dos complementos o dos adverbios o un adverbio a un complemento: «A la libertad de la industria es a la que...»; «Así es como decaen...»; «A la hora de la adversidad es cuando...»; «De la mayor riqueza que ellos se preciaban era de tenerme a mí por hija» (Cervantes).

811. Estas variedades de construcción no son en todos casos igualmente aceptables; ni es posible dar reglas para su elección sin entrar en pormenores prolijos, que la atenta lectura de nuestros escritores haría innecesarios.

812. De lo que sí debe cuidarse mucho es de no imitar el giro que en la lengua francesa equivale al de las construcciones anómalas precedentes. Lo que caracteriza al primero es que en una de las expresiones contrapuestas se emplea el relativo *que* por sí solo. Imitándole diríamos, por ejemplo, «No es en días de fe *que* vivimos», «Allí fue *que se* edificó la ciudad», «A la libertad de la industria es *que* debe atribuírse...», «A la hora de la adversidad es *que* se conocen...», crudos galicismos, con que se saborean algunos escritores sur-americanos.

813. Si se contraponen dos adverbios o dos complementos o un complemento a un adverbio, el verbo *ser* toma siempre el número singular: «A las ambiciones personales *es* a las que se deben tantas revoluciones desastrosas». Si, por el contrario, se contrapone un adverbio o un complemento a una frase sustantiva, puede el verbo *ser* concordar con ella; pero el artículo sustantivo o sustantivado del complemento ejercerá cierta atracción sobre el verbo: «Las producciones agrícolas *son a las que*», o «*es a lo que,* importa conceder mayores franquezas».

CAPÍTULO XXX

CONCORDANCIA

814. La *concordancia* es la armonía que deben guardar entre sí el adjetivo con el sustantivo, y el verbo con el sujeto.

815. Cuando el verbo se refiere a un solo sujeto, concuerda con él en número y persona, y cuando el adjetivo se refiere a un solo sustantivo, concuerda con él en género y en número: «Tú estás achacoso»; «La ciudad está desolada»; «Los campos están cultivados.»

816. En virtud de la figura llamada *silepsis* toma a veces el adjetivo el género que corresponde al sexo de la persona, cuando ésta es designada por un sustantivo de género diferente.

«¿Veis esa repugnante criatura,
Chato, pelón, sin dientes, estevado...?»

(Moratín).

Chato, pelón, estevado, conciertan con *hombre,* idea envuelta en *criatura.*

817. Por silepsis concertamos siempre los títulos de *merced, señoría, excelencia, majestad,* etc., con la terminación adjetiva que es propia del sexo, excepto la que forma parte del mismo título, la cual concuerda con él: «Su Alteza *Serenísima* ha sido *presentado* a su Majestad *Católica,* que estaba muy *deseoso* de *verle*».

818. Otra aplicación de la misma figura es a los colectivos de número singular, los cuales pueden concertar con un adjetivo o verbo en plural, concurriendo dos requisitos: que el colectivo signifique colección de personas o cosas de especie indeterminada, como *número, multitud, infinidad, gente, pueblo,* y que el adjetivo o verbo no forme una misma proposición con el colectivo. Faltaría por ejemplo, el primer requisito, si se dijera: «Habiendo llegado el regimiento a deshora, no se *les* pudo proporcionar alojamiento», porque *regimiento* significa colección de personas de especie determinada, es a saber, de soldados; y por falta del segundo no sería permitido decir: «El pueblo amotinados», «la gente hubieron». Al contrario, reunidas ambas circunstancias se diría bien: «Amotinóse la gente, pero a la primera descarga de la tropa *huyeron despavoridos*» *.

* Hoy disonaría mucho aquella concordancia de don D. H .de Mendoza: «*La gente salieron* en público».

819. Sin embargo, cuando el colectivo es modificado por un complemento con *de*, que tiene por término las personas o cosas de que consta el conjunto, designadas en plural, puede hacerse la concordancia en este número, aunque el adjetivo o verbo forme una misma proposición con el singular colectivo: «*Cubrían* la ciudad por aquel lado *una especie de fortificaciones* construídas a la ligera»; «Ricla se admiró de que no *hubiesen* vuelto a la isla de la prisión *parte* de aquellos que a las balsas se habían acogido» (Cervantes). Concordancia que se extrañará todavía menos, si el complemento está inmediato al verbo: «Considerable número de los indios murieron», o como dice Solís: «De los indios murieron considerable número».

820. *Parte, resto, mitad, tercio,* y otros sustantivos semejantes, pueden concertar con el verbo y con el adjetivo en plural: «Agolpóse el populacho; parte venían sin armas; parte armados de puñales»; «Iban en el buque sesenta personas; la mitad perecieron». *Parte,* usado adverbialmente *, se construye con adjetivos de cualquier género: «El terreno es, parte sólido, parte arenisco» (Miñano).

821. El sustantivo *que,* tan usado como colectivo en las exclamaciones, y frecuentemente modificado por un complemento con *de,* se considera, para sus concordancias, como del mismo número en que se halla el término de su complemento: «*¡Qué de pasiones* nos *arrastran impetuosas* a míseros precipicios!»

822. En virtud de la silepsis reproducimos en plural una idea que ha sido antes expresada en singular: «El portugués había tenido razón de alabar el *epitafio;* en el escribir *los cuales* tiene gran primor la nación portuguesa» (Cervantes). «Andaba el asturiano comprando el *asno* donde *los* vendían» (el mismo). «Aconsójole que no compre *bestia* de gitanos, porque aunque *parezcan sanas y buenas,* todas son falsas y llenas de dolamas» (el mismo). «Señor caballero, yo no tengo necesidad de que vuestra merced me vengue de *ningún agravio,* porque yo sé tomar la venganza que me parece cuando se me *hacen*» (el mismo). «Fue preso, y confesó, y no negó y *padeció persecución por la justicia;* espero en Dios que está en el cielo, pues el Evangelio *los* llama bienaventurados» (don D. H. de Mendoza): *los* es *los que padecen persecución por la justicia.* «Nunca dejó de porfiar para pasar adelante perseverando en su *honesto propósito,* por haberlo puesto en manos de Dios, que siempre *los* favorece» (Mateo Alemán): favorece los honestos propósitos. Este género de silepsis ocurre a cada paso en nuestros clásicos. **

823. Si el verbo *ser* se construye con dos nombres, de los cuales el uno es sujeto, y predicado el otro, se sigue por lo común la regla general concertándolo con el sujeto: «Aquellos desertores *eran* una gente desalmada»; «Trabajos y penalidades *son* la herencia del hombre». Pero el predicado que sigue al verbo ejerce a veces una especie de atracción sobre él, comunicándole su número: así en los dos ejemplos anteriores pudieran ponerse *era* y *es:* «Fi-

* En el significado del adverbio latino *partim.*

** Cuando se reproduce en singular una idea expresada antes en plural, no hay propiamente silepsis sino elipsis: «Se han discutido todas las opiniones, y ninguna ha sido adoptada»: *ninguna de ellas.*

gurósele a don Quijote que la litera que veía *eran andas*» (Cervantes). «Los encamisados *era* gente medrosa y sin armas» (el mismo). Concordancia que debe evitarse cuando el verbo es modificado por el adjetivo *todo:* «La vida del hombre *es toda* trabajos y penalidades»; «La visita fue *toda* cumplimientos y ceremonias» (Solís). Las frases demostrativas y colectivas *lo que, todo esto, aquello todo,* empleadas como sujetos, se avienen con cualquier número, cuando el del predicado es plural: «*Todo esto fuera* flores de cantueso, si no tuviéramos que entender con yangüeses y moros encantados» (Cervantes). «Pudiera ser que *lo que* a ellos les parece mal, *fuesen lunares*, que a veces aumentan la hermosura del rostro» (el mismo).

824. Hay ciertos casos en que una misma frase contiene dos sustantivos diferentes, cada uno de los cuales puede considerarse como sujeto, y determinar por consiguiente la forma del verbo; sucede así en construcciones cuasi-reflejas, como *se debe, se puede*, combinadas con un infinitivo. Cervantes dice: «Una de las más fermosas doncellas que *se puede hallar*», haciendo al infinitivo *hallar* sujeto de *se puede* y al relativo *que* acusativo de *hallar*. Esta concordancia, sin embargo, aunque estrictamente gramatical, se usa poco: *pueden hallarse* sería más conforme a la práctica general, haciendo al *que* nominativo de *pueden,* y al *se* acusativo de *hallar*.

«*Se deben* promulgar *las leyes* para que sean generalmente conocidas», es admisible *se debe* en concordancia con el infinitivo, pero no tan usual como *se deben* en concordancia con *las leyes*. El singular del verbo presenta la promulgación como la cosa debida; el plural presenta las leyes como cosas que deben, que tienen necesidad de ser promulgadas.

«Se *quiere invertir* los caudales públicos en proyectos quiméricos»; aquí, por el contrario, es más correcto y usual el singular. La razón es obvia: la inversión es la cosa que se quiere, que se desea; y diciendo *se quieren* parecería haber algo de impropio y chocante en atribuír a los caudales públicos la voluntad, el deseo de ser invertidos.

En general, la elección de sujeto, y por consiguiente la concordancia, se determina por el sentido y ofrece poca dificultad. «Se *piensa abrir* caminos carreteros para todas las principales ciudades»; el plural es inadmisible; los caminos no piensan ser abiertos; *abrirlos* es la cosa pensada, el sujeto natural de la construcción cuasi-refleja de sentido pasivo *se piensa*.

825. Cuando el verbo se refiere a varios sujetos o el adjetivo a varios sustantivos, dominan las reglas generales siguientes:

1ª Dos o más sujetos equivalen a un sujeto en plural.

2ª Dos o más sustantivos de diferente género equivalen a un sustantivo plural masculino.

3ª En concurrencia de varias personas, la segunda es preferida a la tercera, y la primera a todas.

Ejemplos: «La naturaleza y la fortuna le habían favorecido a competencia; pero *tantos* dones y prendas le *fueron funestos*».

«Vosotros, ellas y yo *nos vimos expuestos* a un gran peligro»; *vosotros, ellas* y *yo* concuerdan con *vimos,* primera persona de plural, y consiguientemente son reproducidos por *nos: expuestos,* masculino, se refiere al masculino *vosotros;* al femenino *ellas* y al masculino o femenino *yo.* Lo mismo sucedería si los sujetos fuesen sólo *vosotras* y *yo,* siendo *yo* masculino; pero si los sujetos fuesen sólo *vosotros* y *ellas,* serían preciso decir *os visteis.*

Estas reglas generales están sujetas a gran número de excepciones:

826. 1ª Los nombres, en número singular, de dos o más ideas que forman colectivamente una sola, equivalen a un solo nombre en el mismo número: «La legislación, lejos de detener, debe animar *este flujo* y *reflujo* de interés, sin *el cual* no puede crecer ni subsistir la agricultura» (Jovellanos): suelen en este caso los tales nombres llevar un solo demostrativo. «*El flujo y el reflujo* del mar *son producidos* por la atracción de la luna y del sol»; aquí parece necesario el plural, porque llevando cada una de las dos ideas su artículo, no pueden ya considerarse como una sola.

827 2ª Dos o más demostrativos neutros se consideran como equivalentes a uno solo en número singular: «*Esto* y *lo* que se temía de la tropa, *precipitó* la resolución del gobierno»: no sonaría bien *precipitaron.* Si con el neutro o neutros está mezclado un sustantivo masculino o femenino, es admisible la concordancia en plural: «Lo *escaso* de la población y la general *desidia produce*» o «*producen* la miseria del pueblo»; «Me entregué a la lectura de los autores que forman el principal depósito del habla castellana, sin que me *retrajesen* de mi empeño ni *lo* voluminoso de algunos, ni *lo* abstracto de su ascetismo, ni la *nimia profusión* con que suelen engalanar una misma idea» (Salvá).

828. 3ª Dos o más infinitivos, como neutros que son, concuerdan con un singular: «*Madrugar, hacer* ejercicio, y *comer* moderadamente, *es provechosísimo* para la salud». Sería, con todo, más aceptable esta concordancia si se pusiese al primer infinitivo y no a los otros el artículo, haciendo de todos ellos como una sola idea colectiva: «*El* madrugar, hacer ejercicio», etc. «Todo lo que dices, Cipión, entiendo: y *el* decirlo tú y entenderlo yo me causa nueva admiración y maravilla» (Cervantes). Si se pusiese a cada infinitivo su artículo, me parecería preferible el plural: «*El* madrugar, *el* hacer ejercicio y *el* comer moderadamente, son provechosísimos para la salud». Diríamos así, no que el conjunto de las tres cosas es provechoso, sino que cada una lo es.

829. 4ª Dos o más proposiciones acarreadas por el anunciativo *que,* concuerdan en singular: «No *es posible que* se cometan crímenes impunemente, y *que* la sociedad prospere». Tanto menos se toleraría *son posibles,* que las dos proposiciones subordinadas deben entenderse copulativamente. Pero aun sin esta circunstancia, y sin embargo de que lleve cada proposición su artículo, es de necesidad el singular: «*El que* los enemigos estuviesen a dos días de marcha, y *el que* se les hubiese entregado sin resistencia la fortaleza, ha sido desmentido por avisos auténticos». Sujétanse a la misma regla las interrogaciones indirectas: «*Quién* haya sido el conductor de los pliegos y con *qué* objeto haya venido, se ignora».

830. 5ª Ninguna de las dos excepciones precedentes halla cabida cuando el atributo de la proposición significa reciprocidad: «*Esto* y *lo que* refiere la gaceta, *se contradicen*»; «*Holgazanear* y *aprender son incompatibles*»; «*Que* el hombre sea libre y *que* haya de obedecer ciegamente a lo que se le manda, *repugnan*».

831. 6ª Las excepciones anteriores están sujetas a otra limitación, y es que si al verbo le sirve de predicado un sustantivo plural, no puede hacerse la concordancia sino en este número: «*Sentir* y *moverse son cualidades* características del animal»; «*Quién* haya sido... y con *qué* objeto... son *cosas* que todavía se ignoran».

832. 7ª Si el verbo precede a varios sujetos singulares ligados por la conjunción *y*, puede ponerse en plural, o concertar con el primero: «*Causaron* o *causó* a todos admiración la hora, la soledad, la voz y la destreza del que cantaba»; «Le *vendrá* el señorío y la gravedad como de molde» (Cervantes). «*Crecía* el número de los enemigos y la fatiga de los españoles» (Solís). «*Crecieron* al mismo tiempo el cultivo, el ganado errante y la población rústica» (Jovellanos). «*Lamenta* ahora estos males la piedad y la lealtad española» (Villanueva). Tal es la doctrina de Salvá, contraria a la de Clemencín, que reprueba como viciosa esta concordancia de Cervantes: «Lo mismo *confirmó* Cardenio, don Fernando y sus camaradas». Pero observando con atención el uso, se encontrará tal vez, que estas dos autoridades son conciliables, aplicadas a diferentes casos: que si se habla de cosas rige la regla de Salvá, y si de personas la de Clemencín. «*Acaudillaba* la conjuración Bruto y Casio», «*Llegó* el gobernador y el alcalde», son frases que incurrirían cuando menos en la nota de inelegantes y desaliñadas. Lo cual se entiende si modificaciones peculiares no indican un verbo tácito, pues entonces el verbo expreso concierta con su respectivo sujeto, ya se hable de personas o de cosas: «Dejóse ver el gobernador, y a poco rato el alcalde»; «En llegando la ocasión mandaba la ira, y a veces el miedo» (Solís). Se subentiende con *a poco rato, se dejó ver,* y con *a veces, mandaba.* Hay pues en tales casos dos o más proposiciones distintas, en cada una de las cuales el verbo está o se subentiende en el número que por las reglas generales corresponde. Bien que aun entonces es admisible el plural, que lo reduce todo a una sola proposición: «Ufanos» (los habitantes de la isla Gaditana) «de que en su suelo *hubiesen* tenido la independencia española un asilo, la libertad su cuna», etc. (Alcalá Galiano).

833. 8ª Concertar el verbo en singular con el último de varios sujetos que le preceden, unidos por una conjunción copulativa expresa, me parece una falta, aunque el culto y correcto Solís haya dicho: «La obligación de redargüir a los primeros, y el deseo de conciliar a los segundos, nos *ha* detenido en buscar papeles». Semejante licencia debe reservarse a los poetas.

Don J. L. de Villanueva dice: «La evidencia de la razón y la justicia de la causa *fue* para aquellos ciegos voluntarios un nuevo estímulo que redobló su encono contra la luz»: *fue* es aquí perfectamente admisible por la atracción que en ciertos casos ejerce el predicado sobre el verbo (§ 823).

834. 9ª Aun cuando los sujetos no estén ligados sino con una conjunción copulativa tácita, es incontestablemente preferible el plural, siempre que precedan al verbo: «El sosiego, el lugar apacible, la amenidad de los campos, la serenidad de los cielos, el murmurar de las fuentes, la quietud del espíritu, *son* grande parte para que las musas más estériles se muestren fecundas» (Cervantes). A menos que el último sujeto sea como una recapitulación de los otros: «Las flores, los árboles, las aguas, las aves, *la naturaleza toda parecía* regocijarse, saludando al nuevo día»; «La soledad, el sitio, la oscuridad, el ruido del agua con el susurro de las hojas, *todo causaba* horror y espanto» (Cervantes).

835. 10ª La conjunción copulativa *ni* sigue reglas particulares. Si todos los sujetos son expresamente ligados por ella, el verbo (sea que preceda o siga) concierta con el sujeto que lo lleva, o se pone en plural: «Ni la indigencia en que vivía, ni los insultos de sus enemigos, ni la injusticia de sus conciudadanos le *abatieron»* o «le *abatió»:* «No le *abatieron»* o «le *abatió* ni la indigencia en que vivía, ni», etc.; bien que, sin disputa, es preferible el plural cuando preceden los sujetos al verbo. Pero si con el primero de ellos se pone *no* y con los otros *ni,* el verbo (que en este caso sigue al *no)* concierta con el primer sujeto, y con los otros se subentiende: «No le abatió la indigencia en que vivía, *ni», etc.*

836. 11ª Colocado el verbo entre varios sujetos, determina su forma singular o plural el sujeto con el cual está expreso: «La causa de Dios nos lleva, y la de nuestro rey, a conquistar regiones no conocidas» (Solís).

837. 12ª Sujetos singulares, enlazados por la conjunción disyuntiva *o*, parecen pedir el singular del verbo, sea que le precedan o sigan: «Movióle la ambición o la ira»; «La ambición o la ira le movió». Esto sería rigurosamente lógico, porque *movieron* indicaría dos acciones distintas, y el sentido supone una sola. Pero el uso permite el plural, aun precediendo el verbo: «Moviéronle la ambición o la ira»; y si los sustantivos preceden, no sólo permite, sino casi exige este número: «La ambición o la ira le movieron». Cuando no todos los sujetos son singulares, lo mejor será siempre poner el verbo en plural, junto con el sujeto del mismo número: «La fragata o los dos bergantines hicieron la presa»; «¿Hicieron la presa los dos bergantines o la fragata?» No siendo así, quedará de todos modos descontento el oído, salvo que se anuncie la disyuntiva desde el principio: «Ora le *hubiese* valido en aquel lance *la destreza* o *las fuerzas».*

838. 13ª Si un sustantivo singular está ligado inmediatamente a otro por medio de *con, como, tanto como, así como* deben considerarse todos ellos como sujetos, y regir el plural del verbo: «La madre *con* el hijo», o «*tanto* la madre *como* el hijo, *fueron* arrojados a las llamas». Mas para el recto uso del plural es menester que los sustantivos estén inmediatamente enlazados: «El reo *fue* sentenciado a cuatro años de presidio *con* todos sus cómplices»: no *fueron.*

839. 14ª El adjetivo que especifica a varios sustantivos precediéndoles, concuerda con el que inmediatamente le sigue: «*Su* magnanimidad y valor», «*La* conservación y aumento de la república», «*Su distinguido* mérito y servicios», «*Su extremada* hermosura y talento», «*Su grande* elocuencia y conocimientos». Si la intención fuese modificar con el adjetivo al primer sustantivo solo, sería menester decir, repitiendo el pronombre: «*Su* extremada hermosura y *su* talento»; *Su* grande elocuencia y *sus* conocimientos».

840. Está recibido que *los mismos, los dichos, los referidos,* y otros adjetivos de significación semejante, precedidos de un artículo definido, puedan concertar en plural con una serie subsiguiente de sustantivos, aunque el primero de ellos esté en singular: «Los mismos Antonio Pérez y hermanos»; «Las referidas hija y madre»; «Los susodichos auto interlocutorio y sentencia definitiva». Con *dichos* puede siempre callarse el artículo: «Dichos príncipe y princesa».

841. La regla anterior se extiende a todo adjetivo precedido del artículo o de un pronombre demostrativo o posesivo, con tal que los sustantivos siguientes sean nombres propios de persona o cosa, o apelativos de persona: «Las oprimidas Palestina y Siria»; «Estas desventuradas hija y madre»; «Sus venerables padre y abuelos». Mas para que no disuene esta práctica, es menester que si los sustantivos son de diferente género, preceda el masculino y se ponga en el mismo género el adjetivo: «Los oprimidos Egipto y Palestina»; a menos que los sustantivos sean nombres propios de persona: «Los susodichos Juana y Pedro»; «Los magnánimos Isabel y Fernando».

842. 15ª Es conveniente la repetición de los adjetivos siempre que los varios sustantivos expresan ideas que no tienen afinidad entre sí, como «*El* tiempo y *el* cuidado», «*El* consejo y *las armas*», «*El* entendimiento y *el* valor de los hombres», «*Gran* saber y *grande* elocuencia». Así lo hace a menudo Solís, que incurrió a veces en el extremo contrario, repitiendo los pronombres y los otros modificativos con el solo objeto de hacer más numeroso el período.

843. 16ª Si ocurre un mismo sustantivo, expreso y tácito, bajo diferentes modificaciones, es indispensable que se ponga en plural o que se repita el artículo: «*El* ejército de Venezuela y de Nueva Granada» significaría un solo ejército formado por Venezuela y por Nueva Granada. Para dar a entender que son dos, sería necesario decir: «*Los* ejércitos de Venezuela y de Nueva Granada», o «*El* ejército de Venezuela y *el* de Nueva Granada». Y aun no es exactamente idéntico el significado de estas dos expresiones, porque en rigor podrían designarse con la primera varios ejércitos, a cada uno de los cuales hubiesen contribuído ambas repúblicas, al paso que con la segunda se significaría precisamente que las dos repúblicas habían levantado cada una el suyo. La sinonimia sería completa entre «*Los* embajadores inglés y francés», y «*El* embajador inglés y *el* francés».

844. 17ª El adjetivo que especifica a varios sustantivos singulares precedentes, todos de un mismo género, debe ponerse en plural: «Presunción y osadía *inexcusables*». Si son de diverso género los sustantivos singulares precedentes, concierta el adjetivo con el más inmediato, o se pone en plural masculino; «Talento y habilidad *extremada*» o «*extremados*»: la segunda construcción, aunque menos usual, es indisputablemente más lógica, y por tanto más clara. Si el adjetivo especifica varios sustantivos plurales precedentes, se le suele concertar en género con el inmediato: «Talentos y habilidades *raras*»; yo, sin embargo, preferiría *raros*. En fin, si el adjetivo especifica sustantivos precedentes de diverso número y género, y el último es plural, se acostumbra concordarle con éste. «Ejército y milicias *desorganizadas*»; pero si el último es singular, se pone el adjetivo en la terminación plural masculina: «Milicias y ejército *desorganizados*»; «Almacenes y maestranza *desprovistos*». En todos estos casos sería yo de opinión que se observasen las reglas generales, como lo hacen los escritores franceses en su lengua, que debe a este rigor lógico la precisión y claridad que la caracterizan.

845. 18ª Siendo en parte diferentes los atributos, debe el verbo concertar con el sujeto que lo lleva expreso: «*Era* solemne y numeroso el acompañamiento, y pacífico el color de los adornos y las plumas» (Solís). Hay aquí dos sujetos: *el acompañamiento* y *el color;* pero a cada uno de ellos corresponde un atributo diferente en parte: *era solemne y numeroso; era pacífico. Era* concierta con *acompañamiento,* que lo lleva expreso; y no diríamos *eran,* aunque en el segundo miembro se dijese *y pacíficos los colores.* Este segundo miembro es una proposición distinta, en que se calla el verbo, porque la proposición anterior lo sugiere.

Puede notarse como innecesaria la repetición del artículo en *los adornos y las plumas,* que tienen aquí una afinidad evidente. Pero la verdad es que aun suprimiendo el *las* no sería del todo correcta la frase, porque *adornos* comprende a plumas. Debió decirse *las plumas y demás adornos,* aunque sonase menos armoniosa la cláusula.

846. 19ª Si precede el verbo a un adjetivo singular que modifica varios sustantivos siguientes, se pone en singular o plural: «Se *alababa*» o «*Se alababan* su magnanimidad y constancia». «Se *requería*» o «Se *requerían* mucha firmeza y valor». «¿Qué se *ha* hecho» o «¿Qué se *han* hecho *aquella* encantadora afabilidad y agrado?» Pero si el verbo viene después o si le acompaña un predicado, debe preferirse el plural: «*Su* firmeza y valor le *granjearon* la admiración de todos»; «*Parecían* como *vinculados* en su familia *el* valor y virtud de sus antepasados». Yo, sin embargo, me inclinaría a preferir el plural en ambos casos, según las reglas generales.

847. 20ª Se sienta como regla que los pronombres reproductivos y los predicados que se refieren a dos o más sustantivos, se pongan en el plural femenino, si el sustantivo más próximo es de los mismos género y número; pero a pesar del respeto que merecen los escritores que así lo prescriben y practican, yo miraría como construcciones no sólo legítimas sino preferibles las de Jovellanos: «El pudor, la caridad, la buena fe, la decencia, y todas las virtudes y todos los principios de sana moral, y todas las máximas de noble y buena educación, son abiertamente *conculcados*»: no *conculcadas;* «*Cerrados* para ellos sus casas y pueblos», no *cerradas;* y me sonaría mal, «Dos pendones y cuarenta banderas que habían sido *tomadas* al enemigo», en vez de *tomados;* «Había perdido los empleos y haciendas, y se le intimó que se abstuviese de *reclamarlas*», en vez de *reclamarlos.*

848. 21ª El *que* adjetivo que (sustantivándose) reproduce varios sustantivos, sigue las reglas generales: «Su circunspección, su juicio, su incorruptible probidad, *que* tan *señalados habían* sido en la vida privada, brillaron con nuevo lustre», etc. *Circunspección, juicio. probidad,* son simultáneamente reproducidos por el *que,* el cual debe por tanto considerarse como plural y masculino, conforme a las reglas primera y segunda, y por eso concuerda con *habían* y *señalados.* «Había hecho servicios, había manifestado una integridad, que le *recomendaban* para los más altos empleos»; si se pusiera *recomendaba,* parecería que la recomendación recaía sobre la *integridad,* y no sobre los *servicios.*

849. Hay con todo en el uso de los relativos un caso que pudiera dar lugar a duda. ¿Se debe decir, «yo soy el que lo afirma» o «el que lo afirmo»? «¿Tú eres quien me ha vendido» o «quien me has vendido?» La primera concordancia me parece la más conforme a la razón, porque *el que* o *quien* es *el hombre que* o *la persona que,* y sustituyendo estas últimas frases, sería sin duda menos propio *afirmo, has.* Pero es preciso confesar que ambos están autorizados por el uso: «Yo soy *el que,* como el gusano de seda, *me fabriqué* la casa en que muriese» (Cervantes). «Yo soy *el que me hallé presente* a las sinrazones de don Fernando, y *el que aguardó* a oír el sí, que de ser su esposa pronunció Lucinda» (el mismo). Yo, sin embargo, preferiría decididamente la tercera persona *se fabricó, se halló:* en la variedad de usos debe preferirse el más lógico. No milita la misma razón en «aquí estoy yo que lo sostengo», donde, aunque algunos digan *sostiene,* debe preferirse sin disputa la primera persona, porque el relativo no hace más que reproducir al yo *.

850. 22ª Uno de los caprichos más inexplicables de la lengua es el empleo del indefinido *un* y del adjetivo *medio* (en estas terminaciones masculinas) con nombres propios femeninos de ciudades: «¿Quién diría que en un Segovia no se encuentra una buena posada?» «Lo ha visto medio Sevilla». Esta anomalía (como observa don Vicente Salvá) se halla de tal modo canonizada por el uso, que no se sufriría la terminación regular *una* o *media.*

Se podrá dudar si el sustantivo modificado de esta manera por *un* o *medio,* pide la terminación masculina o la femenina en los predicados que se refieran a él. ¿Deberá decirse: «Medio Granada fue *consumido* por las llamas», o «fue *consumida*»? A mí me parece que el sustantivo en estos modismos pierde su género natural y pasa al masculino, y que por tanto hubiera una especie de inconsecuencia en la terminación femenina del predicado.

851. 23ª El adjetivo *mismo* puede usarse de un modo semejante, como observó don Juan Antonio Puigblanch; pues tanto en la Península como en América se dice corrientemente, *el mismo Barcelona* o *Barcelona mismo;* sin que por eso deje de usarse también la terminación regular en este caso.

Cuando la preposición *en* tiene por término un nombre propio de lugar, es permitido construír el complemento con la terminación masculina *mismo:* «En Zaragoza *mismo*», «En España *mismo*», salvo que el término lleve artículo, porque entonces el adjetivo *mismo* debe concertar con el artículo: «En el mismo Perú», «En la España misma». La terminación masculina que le damos con los

* En escritores distinguidos se encuentran de cuando en cuando concordancias parecidas a éstas: «El libro de Job es uno de los más sublimes poemas que jamás se compuso»: construcción absurda; es evidente que el relativo no reproduce a *uno* (porque eso sería decir que el libro de Job fué un poema que jamás se compuso) sino a *los más sublimes poemas,* sustantivo plural que no puede menos de concordar en el mismo número con el verbo cuyo sujeto es. Cervantes dijo: «Sancho Panza es uno de los más graciosos escuderos que jamás sirvió a caballero andante.» Pero ejemplos de esta especie son raros en escritores de nota; y no creo que deban prevalecer contra las reglas generales y el sentido común.

complementos de lugar en que el término carece de artículo, proviene de que los equiparamos a los adverbios demostrativos, con los cuales es sabido que la construímos a menudo. *Allí mismo, entonces mismo, ahora mismo, mañana mismo, hoy mismo, así mismo. Mismo* en estas construcciones se adverbializa, modificando complementos o adverbios, y se hace por consiguiente indeclinable.

852. 24ª Otra particularidad notable, que también está en contradicción con las leyes de la concordancia, es el convertirla en régimen, haciendo del sustantivo un complemento con la preposición *de*, como cuando decimos *el bribón de fulano, ¡infelices de nosotros!, ¡pobre de ti!,* lo que sólo suele hacerse con adjetivos que significan compasión, desprecio, vituperio, y particularmente en las exclamaciones y vocativos:

> «Muda, muda de intento,
> Simplecilla de ti, que no te entiendes.»
> (Jáuregui).

853. El adjetivo *poco* solía usarse de la misma manera: «Una poca de sal», «Unos pocos de soldados». Y quizá no debe mirarse como enteramente anticuado este modismo.

854. 25ª En fin, hay ciertas frases autorizadas por el uso, en que es permitido, aunque no necesario, contravenir a las reglas generales de la concordancia: «Le hago saber a vuestra merced que con la santa hermandad no hay usar de caballerías; que no se le *da* a ella, por cuantos caballeros andantes hay, *dos maravedís*» (Cervantes): *da* por *dan*. Es preciso seguir en esta parte el uso de los buenos escritores y hablistas.

855. (b) Esta materia de concordancias es de las más difíciles para el que se proponga reducir el uso a cánones precisos, que se limiten a representarlo fielmente. En caso de duda debe estarse a las reglas generales. Propender a ellas es contribuír a la mejora de la lengua en las cualidades esenciales de conexión lógica, exactitud y claridad. Algunas de sus libertades merecen más bien el título de licencias, originadas del notorio descuido de los escritores castellanos en una época que ha dejado producciones admirables por la fecundidad y la elevación del ingenio, pero pocos modelos de corrección gramatical. Es necesario también hacer diferencia entre las concesiones que exige el poeta, y las leyes severas a que debe sujetarse la prosa.

Capítulo XXXI

USO DE LOS ARTÍCULOS

856. El artículo indefinido da a veces una fuerza particular al nombre con que se junta. Decir que alguien es *holgazán* no es más que atribuírle este vicio; pero decir que es *un holgazán* es atribuírselo como cualidad principal y característica: «Serían ellos *unos* *necios,* si otra cosa pensasen»; unos hombres principal y característicamente necios.

857. *Alguno* suele usarse de la misma manera: «Ahora digo que no ha sido sabio el autor de mi historia, sino *algún ignorante hablador»* (Cervantes).

858. Otras veces por medio del artículo indefinido aludimos enfáticamente a cualidades conocidas de la cosa o persona de que se trata: «Todo *un* Amazonas era necesario para llevar al Océano las vertientes de tan vastas y tan elevadas cordilleras». «Echaron de ver la borrasca que se les aparejaba, habiendo de haberlas con *un* rey de Francia (Coloma). «A pesar de haber confiado el gobierno de la ciudad a *un* conde de Tendilla, espejo de caballeros, tan generoso y clemente en la paz, como bizarro en los combates; a *un* Fr. Hernando de Talavera, cuyo nombre recuerda la caridad y mansedumbre de los primitivos apóstoles», etc. (Martínez de la Rosa).

859. Se usa el indefinido *uno* significando *alguna persona* o *persona alguna,* es decir, sustantivado: «Es difícil que *uno* se acostumbre a tantas incomodidades». Y se suele entonces aludir a la primera persona de singular: «No puede *uno* degradarse hasta ese punto», es un modo enfático de decir *no puedo.* Si la que habla es mujer, lo más corriente es decir *una:* «Tiene *una* que acomodarse a sus circunstancias», «Y entonces ¿qué ha de hacer *una?»* (Moratín).

860. Antiguamente solía decirse *hombre* en el sentido de *uno* por *una persona:* «El comienzo de la salud es conocer *hombre* la dolencia del enfermo» (La Celestina); «Peor extremo es dejarse *hombre* caer de su merecimiento, que ponerse en más alto lugar que debe» (la misma).

> «El no maravillarse *hombre* de nada
> Me parece, Boscán, ser una cosa
> Que basta a darnos vida descansada.» *
>
> (D. H. de Mendoza).

861. Usóse, y todavía se usa, de la misma manera *persona;* pero sólo en oraciones negativas: «Quitóse la venda, reconoció el lugar donde la dejaron, miró a todas partes, no vio a *persona»* (Cervantes); «Una noche se salieron del lugar sin que *persona* los viese» (el mismo); «No quedó *persona* a vida».

862. Cuando se sustantiva *uno,* reproduciendo un sustantivo precedente, no debe usarse la forma apocopada *un.* «Hay en la ciudad muchos templos, y entre ellos *uno* suntuosísimo de mármol»; «Entre los vestidos que se le presentaron, eligió *uno* muy rico». *Un rico* es siempre *un hombre rico; un campesino, un hombre del campo.* Tengo, pues, por incorrecta la expresión de don J. de Burgos, que hablando de dos ratones dice:

> «A un ratón de ciudad un campesino,
> Su amigo y camarada,
> Recibió un día.»

* Este *hombre* ocurre casi siempre como sujeto de un infinitivo en circunstancias en que hoy no acostumbra ponérsele sujeto alguno.

Era preciso decir como Samaniego:

«Un ratón cortesano
Convidó con un modo muy urbano
A un ratón campesino» *

863. *Unos, unas* da un sentido de pura aproximación al número cardinal con que se junta: «Componían la flota unos cuarenta bajeles», esto es, poco más o menos cuarenta.

864. Empléase a veces el singular *uno, una* por el artículo definido, y entonces comunica cierta énfasis al sustantivo: «Esta conducta es muy propia de *un hombre* de honor»; «*Una* mujer prudente se porta con más recato y circunspección».

865. Los nombres propios de personas, y en general de seres animados, como *Alejandro, César, Rocinante, Mizifuf*, no admiten de ordinario el artículo definido; y esto aunque les precedan títulos, como *San, Santo, Santa, don, doña, fray, frey, sor, monsieur, monseñor, míster, madama, sir, milord, miladi*; pero lo llevan *señor* y *señora* y todo calificativo antepuesto: *San Pedro, Santo Tomás, fray Bartolomé de las Casas, Sor Juana Inés de la Cruz, el señor Martínez de la Rosa, la señora Avellaneda, el Emperador Alejandro, el Rey Luis Felipe, el atrevido Carlos XII, el traidor Judas, la poetisa Corina, el bachiller Sansón Carrasco, la fabulosa doña Jimena Gómez*. Los epítetos y apodos, que se usan como distintivos y característicos de ciertas personas, a cuyo nombre propio se posponen, requieren el artículo: *Carlos el Temerario, don Fernando el Emplazado, Juan Palomeque el Zurdo*; bien que el uso tiene establecido lo contrario en *Magno* y *Pío*: *Alberto Magno, Ludovico Pío*. En los sobrenombres que de las provincias conquistadas se daban a los generales romanos, es más usual, aunque no necesario, suprimir el artículo: *Escipión Africano* o *el Africano*.

866. *Santo, Santa*, como título de los canonizados que celebra la Iglesia, rechaza el artículo: *Santo Domingo, Santa Teresa*; pero es costumbre darlo a los del antiguo testamento, que no tienen rezo eclesiástico: *el Santo Job, el Santo Tobías*. Dícese *lord* o *ladi* tal, y *el lord* o *la ladi* cual, aunque mejor sin artículo. Pero si el título pertenece al empleo, es necesario el artículo: *el lord Canciller, los lores del Almirantazgo*.

867. Siguen la regla de los nombres propios los apellidos y patronímicos empleados como propios, v. gr. *Virgilio, Cicerón, Cervantes, Mariana, Lucrecia, Virginia*; bien que, como en castellano el apellido o patronímico no varía de terminación para el sexo femenino, es preciso suplir esta falta por medio del artículo: «La González», «la Pérez», «la Osorio». Imitando a los italianos, decimos: *el Petrarca, el Ariosto, el Tasso*; pero estos tres célebres poetas y el *Dante* son los únicos a que solemos poner el artículo, pues no carecería de afectación *el Maquiavelo, el Alfieri* (tratándose de los autores y no de una colección de sus obras); y aun en *el Dante* imitamos mal a los italianos, que no juntan el artículo con este nombre propio, sino con el apellido *Alighieri*.

* Y como Horacio: «Rusticus urbanum murem mus».

868. Fuera de éstos, hay casos en que, así como empleamos el indefinido para dar a entender que se trata de individuos desconocidos, empleamos el definido para designar repetida y alternativamente dos o tres individuos de que ya se ha hecho mención:

«Vuesa merced me parece,
Señor juez, que aquí ha venido
Contra ciertos delincuentes.
—Sí, señor, *un* don Alonso
De Tordoya, y *un* Luis Pérez.
Contra *el* don Alonso es
Por haber dado la muerte», etc.

(Calderón).

«En Florencia, ciudad rica y famosa de Italia, vivían Anselmo y Lotario, dos caballeros ricos y principales: *el* Anselmo era más inclinado a los pasatiempos amorosos que *el* Lotario, al cual llevaban tras sí los de la caza» (Cervantes).

Mas, aun fuera de este caso, suele agregarse el artículo definido a nombres propios de hombres y mujeres, y la demostración que entonces lleva es del estilo familiar y festivo:

«Con don Gil he de casarme,
Que es un brinquillo el don Gil.»

(T. de Molina).

«Es, señor, como una plata
La Hipólita.» *

(Calderón).

869. En general, los nombres propios de naciones o países de alguna extensión pueden usarse con artículo o sin él, al paso que los de ciudades, villas, aldeas lo rehusan. Pero las excepciones son numerosas. Algunos como *Venezuela, Chile*, no lo admiten; y en este caso se hallan los de naciones o países que tienen capitales homónimas, como *Méjico, Quito, Murcia*. Al contrario, hay ciertos nombres de naciones, países, ciudades y aldeas, que ordinariamente lo llevan: *el Japón, el Brasil, el Perú, el Cairo, la Meca, el Ferrol, la Habana, el Callao, la Guaira, el Toboso.* **

En orden a aquellos que pueden usarse con o sin artículo, lo más corriente es que cuando hacen el oficio de sujeto lo lleven o no, y en los demás casos no lo lleven; pero hagan o no de sujetos, es elegante el artículo cuando se alude a la extensión, poder u otras circunstancias de las que pertenecen al todo. Dirásé pues con propiedad que «*España* o *la España* es abundante de todo lo necesario a la vida»; que uno «viene de Rusia», o «ha estado en Alemania» o «ha corrido *la* Francia». El artículo redundaría si se dijera: «El embajador de *la* Francia presentó sus credenciales al Emperador»,

* No creo que hay motivo de reprobar el artículo definido que se junta casi siempre con los nombres propios de mujer en algunas partes de la América: *la Juanita, la Isabel, la Dolores*.

** Véase la Nota XV.

porque se trata aquí de una ocurrencia ordinaria, y no hay para qué aludir al poder y dignidad de la nación francesa; pero sería muy propio y llevaría énfasis si se dijera: «El embajador se quejó de no haber sido tratado con las distinciones debidas a un representante de *la* Francia».

870. Los nombres propios de mares, ríos y lagos, llevan de ordinario el artículo; *el Océano, el Támesis, el Ladoga.* Los que son de suyo adjetivos no le dejan nunca, como *el Mediterráneo, el Pacífico*; los otros sí, particularmente en poesía:

«Mas yo sé bien el sueño con que Horacio,
Antes el mismo Rómulo, me enseña
Que llevar versos al antiguo Lacio
Fuera lo mismo que a los bosques leña,
Y trastornar en Betis o en Ibero
Una vasija de agua muy pequeña.»
(B. de Argensola).

871. Los nombres propios de montes llevan ordinariamente el artículo; pero pueden también omitirlo en verso.

«Moncayo, como suele, ya descubre
Coronada de nieve la alta frente.»
(L. de Argensola),

excepto los que son de suyo apelativos: *el Pan de Azúcar, la Silla;* y los nombres plurales de cordillera, v. gr. *los Alpes, los Andes,* que nunca lo dejan.

872. Ciertos nombres abstractos (como *naturaleza, fortuna, amor*) que, tomándose en un sentido general, deberían llevar el artículo definido, lo deponen a veces por una especie de personificación poética:

«Muchos hay en el mundo, que han llegado
A la engañosa alteza de esta vida,
Que *Fortuna* los ha siempre ayudado,
Y dádoles la mano a la subida», etc.

(Ercilla).

873. A esta misma licencia poética se prestan los nombres de las estaciones:

«Sale del polo frío
Invierno yerto», etc.

(Francisco de la Torre);

y los nombres de vientos, como *Bóreas, Noto, Ábrego, Aquilón, Cierzo, Favonio, Zéfiro, Solano,* etc., bien que la mayor parte de éstos tienen el valor de propios, por haberlo sido de los dioses o genios a quienes se atribuían los fenómenos de la naturaleza.

874. Los de los meses se usan en prosa sin artículo, a menos que se empleen metafóricamente o que se contraigan a determinadas épocas o lugares, como en «el Abril de la vida», «el Octubre de aquel año», «el Diciembre de Chile», pero en verso, aun sin salir de su significado primario, pueden construírse con el artículo:

«Dulce vecino de la verde selva,
Huésped eterno *del Abril* florido.»
(Villegas).

875. Por regla general, todo sustantivo a que precede un modificativo toma el artículo, aunque sea de los que en otras circunstancias lo excluyen: «*El* todopoderoso Dios», «*La* guerrera Esparta», «*La* ambiciosa Roma», «*El* alegre Mayo». Pero no deben confundirse con los epítetos aquellos adjetivos (generalmente participios) con los cuales se puede subentender el gerundio *siendo* o *estando*, como en «Demasiado corrompida Cartago para resistir a las armas romanas, pidió al fin la paz». Así es que no se colocan estos adjetivos entre el artículo (cuando lo hay) y el sustantivo: «*Sojuzgada* la China por los Tártaros, conservó sus costumbres y leyes», «*Llena* de riquezas y de vicios *la* poderosa Roma, dobló su cuello al despotismo».

876. Lo que se ha dicho de los nombres propios en cuanto a llevar o no artículo, se entiende mientras conservan el carácter de tales, porque sucede a veces que los hacemos apelativos, ya trasladándolos de un individuo a otro para significar semejanza, como cuando decimos que «Racine es *el* Eurípides de la Francia», o que «París es *la* Atenas moderna»; ya imaginando multiplicados los individuos, y dando por consiguiente plural a sus nombres, como en «Atenas fué madre de *los* Temístocles, *los* Pericles, *los* Demóstenes»; ya alterando totalmente su significado, como cuando *un Virgilio* significa un ejemplar de las obras del poeta mantuano, o cuando se habla de *una Venus* designando una estatua de esta diosa. Convertido así el nombre propio en apelativo, o se toma en un sentido determinado o no, y en consecuencia lleva o no el artículo definido, y si es de aquellos que en su significado primario lo tienen, en el traslaticio indeterminado lo pierde, o lo cambia por el indefinido. Así de un país abundante en metales preciosos, se dice que es *un Perú*; y traduciendo un dicho célebre de Luis XIV, diríamos: «Ya no hay Pirineos», que es como si valiéndonos de un nombre apelativo ordinario dijésemos: «Ya no hay fronteras entre la España y la Francia».

877. Respecto de los apelativos la regla general es que en el sentido determinado lleven el artículo definido; pero no siempre es así: «Ha estado en palacio», «No ha vuelto a casa *», son frases corrientes, en que *palacio* y *casa* designan cosas determinadas. A veces el ponerse o no el artículo depende de la preposición anterior: «Traducir *en* castellano», «Traducir *al* castellano». Sería nunca acabar si hubiésemos de exponer todas las locuciones especiales, en que con una leve variación de significado o de construcción toma o no un sustantivo el artículo definido, cuando las circunstancias por otra parte parecerían pedirlo.

878. Los pronombres posesivos y demostrativos se suponen en-

* La apócope familiar *a cas de, en cas de,* pasa por anticuada en la Península, donde se usó por lo menos hasta la edad de Calderón, como se ve en sus comedias; pero subsiste en América.

volver el artículo, cuando preceden al sustantivo: «Mi libro», y «*El* libro mío»; «Aquel templo» y «*El* templo aquel».

> «El pajarillo aquel que dulcemente
> Canta y lascivo vuela», etc.
>
> (Quintana).

Por eso cuando el sustantivo es indeterminado, no suele el posesivo precederle: *Su libro* quiere decir «*el,* no *un,* libro suyo». Pero antiguamente solía construírse el posesivo con el artículo, precediendo ambos al sustantivo, en sentido determinado:

> «Vosotros los de Tajo en su ribera
> Cantaréis *la* mi muerte cada día.»
>
> (Garcilaso);

uso que subsiste en las expresiones *el tu nombre, el tu reino,* de la oración dominical; en *el mi consejo, la mi cámara,* y otras de las provisiones reales.

879. Los nombres que están en vocativo no se construyen ordinariamente con artículo:

> «Corrientes *aguas,* puras, cristalinas,
> *Árboles* que os estáis mirando en ellas,
> Verde *prado* de fresca sombra lleno,
> *Aves* que aquí sembráis vuestras querellas,
> *Yedra* que por los árboles caminas;
> Yo me vi tan ajeno
> Del grave mal que siento,
> Que de puro contento
> Con vuestra soledad me recreaba», etc.
>
> (Garcilaso).

880. Poner artículo al vocativo es práctica frecuentísima en los antiguos romances y letrillas:

> «Madre, la mi madre,
> Guardas me ponéis.»
>
> (Cervantes).
>
> «Pésame de vos, el conde,
> Porque así os quieren matar;
> Porque el yerro que ficistes
> Non fue mucho de culpar.»
>
> (Romance del conde Claros).

881. Omítese el artículo, no sólo en los vocativos, sino en las exclamaciones, aunque recaigan sobre la primera o tercera persona: «¡Desgraciado! ¿Quién había de pensar que sus trabajos tuvieran tan triste recompensa?»

882. Hacen excepción las frases exclamatorias *el que, lo que*: «¡El aburrimiento en que han caído los ánimos!», «¡Los extravíos a que arrastra la ambición!»; «¡Lo que vale un empleo!»

«Opinan luego al instante
Y *némine discrepante,*
Que a la nueva compañera
La dirección se confiera
De cierta gran correría
Con que buscar se debía
En aquel país tan vasto
La provisión para el gasto
De toda la mona tropa.
¡Lo que es tener buena ropa!»

(Iriarte).

883. En las enumeraciones se calla elegantemente el artículo: «Hombres y mujeres tomaron las armas para defender la ciudad»; «Viejos y niños escuchaban con atención sus palabras»; «Pobres y ricos acudían a él en sus necesidades y embarazos»; «Padre e hijo fueron a cual más temeroso de Dios» (Rivadeneira); «Divididos estaban caballeros y escuderos» (Cervantes).

884. En las aposiciones no suele ponerse artículo definido ni indefinido. Redunda pues en «Madrid, *la* capital de España»; y en «El Himalaya, *una* cordillera del Asia», es un anglicismo intolerable. Con todo, puede la aposición llevar un artículo: 1º cuando nos servimos de ella para determinar un objeto entre varios del mismo nombre: «Valencia, *la* capital del reino así llamado»; 2º cuando el artículo es enfático: «Roma, *la* señora del mundo, era ya el ludibrio de los bárbaros»; «Argamasilla, *una* pobre aldea de la Mancha, ha sido inmortalizada por la pluma del incomparable Cervantes». Y no sólo puede, sino debe llevarlo, cuando es necesario para el sentido superlativo de la frase: «Londres, la más populosa ciudad de Europa»; «San Pedro, el mayor templo del mundo». Los adjetivos que sin llevar artículo tienen un sentido superlativo, no lo necesitan en las aposiciones: «La justicia, primera de las virtudes»; «Rodrigo, último rey de los godos».

885. Entre el artículo y el sustantivo median a veces adjetivos o frases adjetivas, y por consiguiente complementos que tengan la fuerza de adjetivos: «El nunca medroso Brandabarbarán de Boliche»; «El sin ventura amante»; «La sin par Dulcinea»; «La nunca como se debe admirada empresa de Colón». Lo mismo se extiende a los demostrativos y posesivos, por el artículo definido que envuelven: «Su para ellos mal andante caballería».

«*Aquella* que allí ves luciente estrella.»

(Quintana).

«*Estos* que levantó de mármol duro
Sacros altares la ciudad famosa
A quien del Ebro», etc.

(Moratín).*

* Si faltase en estos ejemplos el *luciente* o el *sacros,* la frase parecería vaciada en el molde de las de don Sancho de Azpeitia: tan caprichoso es el oído.

Es de regla que las modificaciones precedan a la palabra modificada, quedando todo encerrado, por decirlo así, entre el artículo (expreso o envuelto) y el sustantivo modificado por él, según lo manifiestan los anteriores ejemplos (menos el último, en que el orden de las palabras es artificiosamente poético). En general, las que contienen proposiciones subordinadas (como la del ejemplo de Quintana) son peculiares de la poesía, y aun en éstas el usarlas con frecuencia rayaría en amaneramiento y afectación.

886. No deben confundirse, como en el día hacen algunos, imitando al francés, dos locuciones que se han distinguido siempre en castellano, *el mismo la misma, uno mismo, una misma.* La primera supone un término de comparación expreso o tácito; y en esto se diferencia de la segunda: «Esta casa es *del mismo* dueño *que la vecina»;* «Maritornes despertó *a las mismas* voces» (*que habían hecho salir al ventero despavorido*, como acababa de referir el autor); «Eran solteros, mozos de *una misma* edad y de *unas mismas* costumbres» (Cervantes); «Lanzadas y más lanzadas, cuchilladas y más cuchilladas, descripciones repetidas hasta el fastidio, de *unos mismos* torneos, justas, batallas y aventuras», etc. (Clemencín).

887. Tampoco deben confundirse *él mismo, ella misma,* con *el mismo, la misma.* El artículo sincopado significa mera identidad o semejanza; íntegro, es enfático. «Este hombre no es ya *el* mismo» (*que antes era*): semejanza; «Esta mujer no es *la* misma» (*que antes vimos*): identidad. «Salió *él* mismo acompañándonos hasta la puerta»: se nota la circunstancia de salir *él mismo* como importante y significativa. «Quiso *él mismo* hacer luego la experiencia de la virtud de aquel precioso bálsamo» (Cervantes): esto es, *él en sí mismo*: dase a entender cuán grande era su confianza en el resultado de la experiencia.*

888. Cuando *el mismo* lleva sustantivo expreso, es a veces enfático. «Todas esas tonadas son aire, dijo Loaisa, para las que yo te podría enseñar, que hacen pasmar a los mismos portugueses» (Cervantes): esto es, aun a los portugueses, que son tan afamados cantores. En este sentido se pospone frecuentemente *mismo*: *a los portugueses mismos.*

NOTA XV

USO DEL ARTÍCULO DEFINIDO ANTES DE NOMBRES PROPIOS GEOGRÁFICOS

Se ha pretendido explicar por medio de una elipsis el uso de artículo definido antes de ciertos nombres geográficos, suponiendo que en *la Habana*, se entiende *la ciudad llamada Habana*; en *el Ja-*

* En la edición del «Quijote» por Clemencín leemos: «¿Tan bueno es el libro? dijo Don Quijote. — Es tan bueno, respondió Ginés, que mal año para «Lazarillo de Tormes». ¿Y cómo se intitula? preguntó Don Quijote. La vida de Ginés de Pasamonte, respondió él mismo». Tengo el acento por errata; debió ser *respondió el mismo (que había dado la anterior respuesta); él* insinuaría que otro hubiera podido responder por Ginés, y que el haberlo hecho éste era una circunstancia notable.

pón, el imperio llamado Japón; en *el Ferrol, el puerto llamado Ferrol;* en *el Cairo, el pueblo llamado Cairo,* etc.

Esto en primer lugar no explica nada, porque siempre queda por averiguar cuándo puede o debe emplearse el artículo antes de ciertos sustantivos mediante esa elipsis; de lo cual, en último resultado, no puede darse más razón que el haber querido así el uso.

Y en segundo lugar, es un concepto falsísimo el de semejantes elipsis, porque *puertos* e *imperios* hay que piden *la,* como *la Guaira, la China, la Tartaria; ciudades* y *naciones* que requieren *el,* como *el Cairo, el Japón, el Perú,* etc. La verdad es que el artículo toma en tales casos el género que corresponde a la terminación del nombre propio geográfico, y que se dice *la Turquía, la Siberia,* porque estos sustantivos terminan en *a; el Ferrol, el Japón, el Cairo,* porque las terminaciones *ol, ón, o,* son generalmente masculinas.

Capítulo XXXII

USO DE LA PREPOSICIÓN A *EN EL ACUSATIVO*

889. La preposición *a* se antepone a menudo al acusativo cuando no es formado por un caso complementario; y significa entonces *personalidad* y *determinación.*

890. Nada más personal ni determinado que los nombres propios de personas, esto es, de seres racionales: todos ellos llevan la preposición en el acusativo: «He leído a Virgilio», «al Tasso»; «Admiro a César, a Napoleón, a Bolívar». Los nombres propios de animales irracionales, y por consiguiente los apelativos que se usan como propios de personas o seres vivientes, se sujetan a la misma regla: «Don Quijote cabalgaba a Rocinante, y Sancho Panza al Rucio».

891. Pero basta la determinación sola para que sea necesaria la preposición *a* en todo nombre propio que carece de artículo: «Deseo conocer a Sevilla»; «He visto a Londres». En los de cosas, que llevan artículo, éste basta como signo de determinación: «Las tropas atravesaron el Danubio»; «Pizarro conquistó el Perú».

892. Por el contrario, basta la personalidad sola para que lleven *a* los acusativos de *alguien, nadie, quien.*

893. Los nombres apelativos de personas, que llevan artículo definido, requieren la preposición: «Conozco al gobernador de Gibraltar»; «Debe el pueblo por su propio interés recompensar a los que le sirven».

Y para que sea propio el uso de la preposición es suficiente que la determinación de la persona exista con respecto al sujeto; pero si ni aun así fuere determinado el apelativo, no deberá llevarla. Se dirá, pues, *aguardar* a *un criado*, cuando el que le aguarda piensa determinadamente en uno; y por la razón contraria, *aguardar un criado*, cuando para el que le aguarda es indiferente el individuo: «El niño requiere un maestro severo»; «Fueron a buscar un médico experimentado, que conociera bien las enfermedades del país»; «Fueron a buscar *a* un médico extranjero que gozaba de una grande reputación».

894. Es una consecuencia de la regla anterior el omitirse la preposición con los apelativos de persona que no son precedidos de artículo alguno: «Busco criados»; «Es preciso que el ejército tenga oficiales inteligentes».

895. Los apelativos de personas que sólo se usan para designar empleos, grados, títulos, dignidades, no llevan la preposición: «El presidente eligió los intendentes y gobernadores»; «El papa ha creado cuatro cardenales».

896. Los acusativos del impersonal *haber* no llevan nunca la preposición *a*: «Hay hombres que para nada sirven»; «Hay mujeres peligrosas»; «No hay ya los grandes poetas de otros tiempos». Ni aun *alguien, nadie* y *quien* se eximen de esta regla: «Alguien hay que nos escucha»; «No hay nadie que no le deteste»; «¿Quién hay que le conozca?» *Quién* en este último ejemplo es *qué persona*; en «¿Hay quien le conozca?» *quien* es *persona que*, el antecedente envuelto *persona* es el verdadero acusativo de *haber*, y el elemento relativo es sujeto de la proposición subordinada. En «No hay a quien recurrir» se calla el acusativo *persona*, y la preposición es régimen de *recurrir*.

897. Los apelativos de cosa no suelen llevar la preposición, por determinados que sean: «Cultiva sus haciendas»; «Tiene la más bella biblioteca». Los verbos que significan orden, como *preceder, seguir*, parecen apartarse de esta regla: «La primavera precede al estío»; «El invierno sigue al otoño»; pero lo que rigen esos verbos es realmente un dativo. Si se dice que la «gramática debe preceder *a* la filosofía», se dice también que debe *precederle* o *precederla*, representando a *filosofía* con *le* o *la*, terminaciones que sólo son equivalentes en el dativo femenino: lo que no se opone a que en construcción pasiva se diga que «la filosofía debe ser precedida de la gramática». Este es uno de los caprichos de la lengua, como también lo es el que esos mismos verbos no sean susceptibles de la construcción regular cuasi-refleja de sentido pasivo, pues nadie seguramente diría: «La filosofía debe precederse de la gramática». *

Las reglas anteriores sufren a veces excepciones: 1º por personalidad ficticia; 2º por despersonalización; 3º para evitar ambigüedad.

* Ya se ha notado (§ 735) que la construcción pasiva de participio no es una prueba concluyente de que el complemento que ha pasado a sujeto fuese precisamente acusativo

898. 1ª Las cosas que se personifican toman la preposición *a* en el acusativo, cuando son determinadas, lo que puede extenderse aun a los casos en que la idea de persona se columbra oscuramente, como cuando aplicamos a las cosas los verbos que tienen más a menudo por acusativo un ser racional o por lo menos animado. De aquí «Llamar *a* la muerte», «Saludar las aves *a* la aurora», «Calumniar *a* la virtud», «Recompensar *al* mérito», «Hemos de matar en los gigantes *a* la soberbia, *a* la envidia en la generosidad y buen pecho, *a* la ira en el reposado continente y quietud del ánimo, *a* la gula y *al* sueño en el poco comer que comemos y en el mucho velar que velamos» (Cervantes); «Temía *a* los extraños, *a* los propios, *a* su misma sombra; condición de tirano» (Martínez de la Rosa). Otro escritor moderno ha dicho: «La literatura sabia despreciaba la poesía popular»; y hubiera podido personificar *la poesía*, anteponiéndole la preposición.

899. 2ª Por el contrario, los verbos cuyo acusativo es a menudo de cosa, pueden no regir la preposición, cuando les damos por acusativo un nombre apelativo de persona: «La escuela de la guerra es la que forma los grandes capitanes». Esta excepción no se extiende jamás a los nombres propios; y es de rigor con el acusativo de *que*, cuando sacándolo de su ordinario empleo, lo hacemos representativo de persona: tan malo sería pues «el hombre *a* que vi», con la preposición, como «el hombre quien vi», sin ella.

Pierde sus hijos el que deja de tenerlos: *pierde a sus hijos* el que con su nimia indulgencia y sus malos ejemplos los corrompe; *perder* en esta última oración tiene un significado moral que sólo puede recaer sobre verdaderas personas.

Como en esto de fingir persona o vida donde no existe, o mera materialidad donde hay vida o persona, no es dado poner coto a la imaginación del que habla o escribe, no puede menos de ser extremadamente incierta y variable la práctica de los mejores hablistas en estas dos excepciones.

900. 3ª Cuando es necesario distinguir el acusativo de otro complemento formado por la preposición *a*, podemos y aun debemos omitirla en el acusativo, que en otras circunstancias la exigiría: «Prefiero el discreto al valiente», «Antepongo el Ariosto al Tasso». Esto sucede principalmente cuando concurren acusativo y dativo; y nunca se extiende a los nombres propios de persona que carecen de artículo; por lo que no sería permitido: «Presentaron Zenobia al vencedor», aunque sería tolerable «Presentaron la cautiva Zenobia al vencedor», y «Prefiero Cádiz a Sevilla». Cuando es inevitable la repetición del *a*, suele preceder el acusativo: «El traidor Judas vendió a Jesús a los sacerdotes y fariseos». Pero si ambos términos fuesen nombres propios de persona, sin artículo, sería preciso adoptar otro giro, porque ni «Recomendaron Pedro a Juan», ni «Recomendaron *a* Pedro *a* Juan» pudieran tolerarse.

Capítulo XXXIII

ACUSATIVO Y DATIVO EN LOS PRONOMBRES DECLINABLES

El uso del acusativo y el dativo en los pronombres declinables por casos, que son *yo, tú, él* y *ello*, es una de las materias de más dificultad y complicación que ofrece la lengua. Principiaremos por algunas observaciones generales, que facilitarán la inteligencia de lo que vamos a decir.

901. En los pronombres declinables el acusativo y el dativo tienen casi siempre dos formas; a saber:

EN LA PRIMERA PERSONA

	Singular	*Plural*
Acusativo,	*me, a mí*	*nos, a nosotros.*
Dativo,	*me, a mí.*	*nos, a nosotros.*

EN LA SEGUNDA PERSONA

	Singular	*Plural*
Acusativo,	*te, a ti.*	*os, a vosotros.*
Dativo,	*te, a ti.*	*os, a vosotros.*

EN LA TERCERA PERSONA, GÉNERO MASCULINO

	Singular	*Plural*
Acusativo,	*le* o *lo, a él.*	*los* (a veces *les*), *a ellos.*
Dativo,	*le, a él.*	*les, a ellos.*

EN LA TERCERA PERSONA, GÉNERO FEMENINO

	Singular	*Plural*
Acusativo,	*la, a ella.*	*las, a ellas.*
Dativo,	*le* o *la, a ella.*	*les* o *las, a ellas.*

EN LA TERCERA PERSONA, GÉNERO NEUTRO

Singular

Acusativo, *lo*.
Dativo, *le, a ello*.

902. En la primera y segunda persona son unos mismos los casos oblicuos y los reflejos o recíprocos. La tercera persona tiene formas peculiares para el sentido reflejo o recíproco, a saber:

EN TODO GÉNERO Y NÚMERO

Acusativo, *se, a sí*.
Dativo, *se, a sí*.

903. Hay pues para cada acusativo o dativo dos formas: una simple, como *me*, y otra compuesta que lleva la preposición *a*, como *a mí*. Y a veces es varia la forma simple, como *le* o *lo* en el acusativo masculino de singular de la tercera persona. El neutro *ello* es el único que carece de forma compuesta en el acusativo oblicuo, pues aunque podemos decir en el género masculino: «Yo le conozco *a él*», en el género neutro nunca se dice: «Yo lo entiendo *a ello*». Pero en el dativo oblicuo puede recibir ambas formas: «Como no pareciese suficiente *lo* declarado por los testigos, se creyó necesario agregar*le*» o «agregar *a ello* el reconocimiento de los peritos». Lo mismo en el acusativo y dativo reflejos: «Esto *se* entiende fácilmente y *se* explica *a sí* mismo», «No sé qué tiene lo maravilloso, que fascina el entendimiento y lo atrae *a sí*» o «*se lo* atrae». Pero la forma compuesta es la que mejor suena y la que generalmente se prefiere en el dativo neutro.

904. El dativo *se* admite algunas veces el sentido oblicuo. «El libro que mi amigo me pide, no *se* lo puedo enviar en este momento»; se significa *a él*. Cuando el dativo *se* es oblicuo, la forma compuesta que le corresponde es *a él, a ella; a ellos, a ellas*, según los varios números y géneros. «El libro que se me pide no *se* lo puedo enviar *a él, a ella, a ellos, a ellas*».

905. Ya se ha dicho (§ 280) que los casos complementarios no pueden estar sino con un verbo o con un derivado verbal; que si se le anteponen, se llaman *afijos*, y que pospuestos se pronuncian y escriben como si formasen una sola palabra con el verbo o derivado verbal, llamándose entonces *enclíticos*.

906. En el indicativo pueden preceder o seguir: «Mandó*le* que viniese»; «*Le* mandó que viniese». Pero la primera colocación es mucho menos usada (sobre todo en prosa) cuando el verbo no es la primera palabra de la oración. «Hacía*se* mención de los bienes dotales», dice Solís, y hubiera podido decir también *se hacía*; pero «En el instrumento dotal hacíase mención de los bienes», habría parecido algo duro, y «El instrumento en que extendióse el contrato», o «Refieren los historiadores que rindióse la ciudad», serían construcciones insoportables. Después de las conjunciones *y, o, más, pero,* que ligan oraciones independientes, no ofende la precedencia del verbo: «Llevóse el cadáver al templo, y recibiéron*le* los religiosos»; «Enterrábanse los cadáveres, o consumía*los* el fuego»; «No era dudosa la buena voluntad del pueblo; pero desconfiába*se* de la tropa». Esto parece perfectamente analógico, porque como la verdadera conjunción, que liga dos oraciones, está realmente en medio de ellas y a ninguna de las dos pertenece, puede la segunda principiar por un indicativo con enclítico, puesto que el verbo es entonces la primera palabra de la oración. Al contrario, después de *no* o de un adverbio, no podría tolerarse un enclítico: «No celebró*se* la boda con la solemnidad que se esperaba», y «Si represénta*se* la Mojigata de Moratín esta noche, iré a verla», serían trasposiciones horribles que ni aun a los poetas se permitirían, no obstante la libertad de que gozan en el uso de los enclíticos; v. gr.

«Salió la luna y en las claras ondas
Reflejóse su luz.»

«Ya la ciudad es mísero despojo;
Las llamas devoráronla.»

En lo cual los poetas de nuestros días son algo más atrevidos que sus predecesores.

907. La excepción más notable a la regla que se ha dado sobre el uso de los enclíticos en el indicativo, es que si se principia por una cláusula de gerundio o de participio adjetivo, pueden seguirse a ella verbos modificados por enclíticos: «Teniéndose noticia del peligro», o «Conocido el peligro, *se tomaron*» o «*tomáronse* las providencias del caso»; «Dotados de ardiente fantasía, *dedicáronse* a composiciones en que podían dejarla campear libremente» (Martínez de la Rosa).

908. Lo mismo tiene cabida siempre que preceden al verbo proposiciones subordinadas: «Cuando se aguarda la nueva de su muerte, *sábese* que el pueblo lo ha librado de tan grave peligro» (Martínez de la Rosa). «Aunque todavía quedasen muchos restos preciosos del reinado anterior, *notóse* muy en breve la decadencia de la dramática» (el mismo).

909. No parecen igualmente aceptables los enclíticos en los ejemplos siguientes: «Almanzor, caudillo del ejército cordobés, preséntase encubierto con el nombre de Zaide»; «En la Crónica General de España *hácese* más de una vez mención de esa especie tosca de cantores o representantes»; «En otra composición de Moreto *échase* de ver que quiso luchar cuerpo a cuerpo con el mejor dramático de su era». Esta se va haciendo una especie de moda que probablemente se arraigará a la sombra de autoridades tan respetables como la del escritor a quien pertenecen estos pasajes; no creo que perderá nada en ello la lengua.

910. En el subjuntivo se usan invariablemente los afijos: «Es menester que te dediques seriamente al estudio».

911. El imperativo no admite regularmente afijos; hoy día no se puede decir en prosa: «le haz venir», «le llamad», sino «hazle venir», «llamadle». El plural del imperativo, seguido del enclítico *os,* se apocopa, perdiendo la *d* final, menos en el verbo *ir*: «Preparaos, vestíos, idos».

912. En las formas indicativo-imperativas se siguen las mismas reglas que en el uso ordinario del indicativo: «Le dirás» o «dirásle».

913. Las formas subjuntivo-optativas principian naturalmente la oración cuando ésta es afirmativa, y no admiten afijos, sino enclíticos: «Favorézcale la fortuna». Pero si la oración principia por otra palabra que el verbo, como puede muy bien, es al contrario, a lo menos en prosa: «Propicia se te muestre la fortuna»; «Blanda le sea la tierra». De que se sigue que si la oración es negativa, no puede el verbo llevar enclíticos: «Nadie se crea superior a la ley»; «Ni te engrías en la próspera fortuna, ni te dejes abatir en la adversa».

914. La eufonía pide que se eviten construcciones como éstas: *Vísteisos* por *os visteis, vestísos* por *os vestís, cantásese* por *se cantase*; en que *os* sigue a terminaciones en *s*, y *se* a la *se* del pretérito de subjuntivo. No sería soportable *vístete*, pretérito del verbo *ver*; pero no podríamos decir de otro modo en el imperativo de *vestir*. Igualmente necesarios serían *abátete*, imperativo de *abatir, pásese*, subjuntivo-optativo de *pasar*, etc. *

915. Con los infinitivos y gerundios no se usan hoy afijos, sino enclíticos: «Es necesario conocer las leyes; pero no lo es menos saber aplicarlas oportunamente»; «En viéndome solo, me asalta la melancolía». *Lo* es el único afijo que se aparta a veces de esta regla, colocándose entre *no* y el gerundio: «Si hubiere texto expreso, se juzgará por él, y no lo habiendo, seguirá el juez los principios generales de equidad»; «Es una sandez conocida, que se dé a entender que es caballero no lo siendo» (Cervantes). «No lo haciendo, se les dejará libre el recurso a la justicia» (Jovellanos). «Estando resuelto en esto, y no lo estando en lo que debía hacer de su vida, quiso su suerte», etc. (Cervantes). Pero esta práctica es rara y aun creo que se limita a ciertos verbos, como *ser, estar, haber, hacer*, y no sé si algún otro.

916. Los casos complementarios del infinitivo van regularmente con él: «Me pareció mejor ocultarle el suceso», «Me propuse hablarles», «Se trataba de acusarlos». Pero hay muchos verbos que pueden llevar como afijos o enclíticos (según las reglas precedentes) los casos complementarios del infinitivo que les sirve de complemento, o que sirve de término a una preposición regida por ellos: «Se lo quiero, debo, puedo confiar»; «Quiéroselo, déboselo, puédoselo confiar», en lugar de «Quiero, debo, puedo confiárselo»; como también se dice: «Se lo iba ya a referir», «Íbaselo ya a referir», «Iba ya a referírselo»; «Le salieron a recibir», «Saliéronle a recibir», «Salieron a recibirle»; «Lo sabe hacer», «Sábelo hacer», «Sabe hacerlo»; «No lo alcanzo a comprender», «No alcanzo a comprenderlo». Lo mismo se practica con el gerundio: «Me estoy vistiendo», «Estoime vistiendo», «Estoy vistiéndome».

Esta atracción de los verbos sobre el régimen de los infinitivos y gerundios pasa a sus derivados verbales. Diráse pues: «Yo no creo debérselo confiar», o «deber confiárselo»; «Determinó irlas a ver», o «ir a verlas»; «Estando divirtiéndome», o «Estándome divirtiendo»; «Habiéndoselo de contar», o «Habiendo de contárselo».

* Los antiguos se cuidaban menos que nosotros de la eufonía en el uso de los enclíticos: «*Debéisos* membrar de vuestro antiguo esfuerzo y valor» (Mariana).

917. En las formas compuestas de participio sustantivado, los afijos o enclíticos van regularmente con el verbo auxiliar: «Largo tiempo le habíamos aguardado», «Habíamosle aguardado largo tiempo»; sería duro «Habíamos aguardádole». De la misma manera «Los habían de haber aprendido», o «Habíanlos de haber aprendido», o «Habían de haberlos aprendido»; pero no «Habían de haber aprendídolos». La única excepción legítima es cuando se calla el auxiliar por haberse poco antes expresado: «Habíamos aguardado a nuestros amigos y preparádoles lo necesario», y en general, cuando entre el auxiliar y el participio se interpone alguna frase: «Volvieron a embarcarse, *habiendo* primero en la marina *hincádose* de rodillas» (Cervantes). [71]

918. Esta excepción no se extiende al participio adjetivo; sería malísimo castellano: «Están ya elegidas las personas que deben concurrir a la ceremonia, y señaládosles los asientos»; «El ministro tiene ya acordada la resolución, y comunicádala a las partes».

919. Úsanse a veces las dos formas, simple y compuesta: «Me reveló el secreto a mí»; «Te ocultó la noticia a ti»; «Los socorrieron a ellos», pleonasmo muy del genio de la lengua castellana, y a veces necesario, sea para la claridad de la sentencia, sea para dar viveza a un contraste, o para llamar la atención a una particularidad significativa: «Concediéronle a él la pensión, y se la negaron a sujetos que la merecían mucho más»; «Venía Pedro con su esposa: yo le hablé a él, y no hice más que saludarla a ella». La forma compuesta supone regularmente la simple: en prosa no sonaría bien «Habló a mí»; o «A mí habló», en lugar de «Me habló a mí», o «A mí me habló». Absolutamente repugna a la lengua que se diga: «A mí parece», en lugar de *me* o *a mí me*. Pero otras veces no es tan escrupulosa: se puede decir «Conviene a vosotros», «A ellos importa», sin necesidad del *os* o el *les*. En esta parte no conozco otra regla que el uso.

920. Lo dicho se extiende a los dativos y acusativos de los nombres indeclinables: «*Le* dieron *a la señora* el primer asiento», «*A usted le* han enviado un mensaje», «*Al reo le* han indultado», «Los *tesoros* no *los* empleaba en sus gustos» (Mariana); «*La iglesia de Santiago*, que era de tapiería, *la* edificó desde los cimientos de sillares, con columnas de mármol» (el mismo).

Pero en esta materia hay algunas particularidades que merecen notarse.

921. 1ª El acusativo o dativo se expresa primero por el del nombre indeclinable, y se repite por el caso complementario: «*A los desertores los* han indultado de la pena de muerte»; «*A su hermano de usted le* han concedido el empleo». Esta especie de pleonasmo, a veces verdadera redundancia que se aviene mal con el estilo serio y elevado, es otras natural y expresiva: «Al tiempo que querían dar los remos al agua (porque *velas* no *las* tenían), llegó a la orilla del mar un bárbaro gallardo» (Cervantes).

922. 2ª Si precede un complementario dativo, es aceptable la repetición por el dativo del nombre indeclinable: «*Le* dieron *a la señora* el primer asiento».

923. 3ª Pero si precede el acusativo complementario, la duplicación por medio del nombre indeclinable produciría muy mal efecto:

«*Los* empleaba *los tesoros* en sus gustos»; «*La edificó* de sillares desde los cimientos *la iglesia de Santiago*» *.

924. Hay con todo circunstancias en que esta colocación pudiera parecer oportuna: «*Los* disipaba en frivolidades, *aquellos tesoros* comprados con el sudor y la miseria del pueblo» **. Es usual el acusativo *a usted* después del caso complementario: «*Le* han sorprendido *a usted*», «Los aguardábamos *a ustedes*».

925. 4ª Precediendo un relativo en acusativo debe evitarse el pleonasmo, a no ser que el relativo se halle algo distante del caso complementario que lo reproduce: «Esta tierra es Noruega; pero ¿quién eres tú que lo preguntas, y en lengua *que* por estas partes hay muy pocos que *la* entiendan?» (Cervantes); «Visitóme en el calabozo una mujer *que* la alcaidesa había hecho soltar de la cárcel y llevádo*la* a su aposento» (el mismo). Sin esta circunstancia sería generalmente desagradable la duplicación: «Con éstas me ha enseñado otras cosas, *que no las digo* porque bastan las dichas para que entendáis que soy católico cristiano»; a menos que condujese a la claridad de la sentencia: «Sabían mis padres nuestros amores y no les pesaba de ello, porque bien veían que cuando pasasen adelante, no podían tener otro fin que el de casarnos; cosa *que* casi *la* concertaba la igualdad de nuestros linajes y riquezas» (el mismo). Mediante este *la* se presenta desde luego como acusativo el *que*, y no es necesario llegar al fin de la proposición subordinada para reconocerlo como tal. Si se dijese «*que la* concertaban nuestros linajes y riquezas», me parecería enteramente ocioso el *la*.

926. 5ª El pasaje anterior de Cervantes «Al tiempo que querían dar los remos al agua», etc., sugiere otra excepción necesaria: *velas* es una expresión elíptica, equivalente a *en cuanto a velas;* y es modismo bastante usual en castellano: «En aquellos tiempos se copiaba todo a mano, porque imprenta no la había», «Se sustentaban de vegetales; pues otra especie de alimentos el país no la producía». Lo cual se extiende a otros casos que el acusativo: «pues pan y carne, no había que pensar en ellos» (o *en ello* según § 295). Pero no se vaya a legitimar con esta elipsis construcciones irregulares en que el sentido no la pida, como hay algunas en Cervantes.

927. En general esta duplicación del acusativo o dativo debe estar justificada por algunos de los motivos antedichos: claridad, énfasis, contraste, elipsis; a los que podemos añadir urbanidad en *usted;* porque sin ellos su frecuente uso llevaría cierto aire de negligencia o desaliño, apropiado exclusivamente al estilo más familiar.

* Confieso que me suena desagradablemente este verso final de un soneto de Moratín: se habla de una de las nueve musas:

«Ella *le* inspira *al español Inarco*.»

Convirtiendo el acusativo en dativo, no tendría nada de inelegante:

«...Sonoros versos,
Ella *le* inspira *al español Inarco*».

** Yo reduzco a esta excepción el pasaje siguiente de Cervantes: «Siempre, Sancho, *lo* he oído decir, *que* el hacer bien a villanos es echar agua en la mar». Clemencín reprueba la duplicación, y sostiene que era menester: «Siempre he oído decir *que*», etc., suprimiendo el *lo;* o bien: «Siempre *lo* he oído decir: hacer bien», etc., suprimiendo el *que*. Me atrevo a separarme de tan respetable autoridad. La construcción de Cervantes, aunque excepcional, me parece muy natural y expresiva, y decididamente preferible a las que sustituye Clemencín. Pudieran citarse otros ejemplos de ella en nuestros clásicos, y no la tengo por anticuada.

928. En la tercera persona masculina de singular el complementario acusativo es *le* o *lo*. Hay escritores que reprueban el *le*, otros que no sufren el *lo:* y la verdad es que aun los que se han pronunciado por uno de estos dos extremos, de cuando en cuando contravienen inadvertidamente a su propia doctrina en sus obras. La que a mí me parece aproximarse algo al mejor uso es la de Don Vicente Salvá: *le* representa más bien las personas o los entes personificados: *lo* las cosas. Se dice de un campo, que *lo* cultivan; de un edificio que *lo* destruyó la avenida; de un ladrón que *le* prendieron; del mar embravecido por la tempestad, que los marineros *le temen*. Las corporaciones, como *el pueblo, el ejército, el cabildo,* siguen a menudo la regla de las personas, y lo mismo hacen los seres animados irracionales, cuya inteligencia se acerca más a la del hombre. Al contrario, los seres racionales como que pierden este carácter cuando la acción que recae sobre ellos es de las que se ejercen frecuentemente sobre lo inanimado. Así no disonará el decirse que a un hombre *lo* partieron por medio, o que *lo* hicieron añicos. Si con el verbo *perder* se significa dejar de tener, podrá decirse de un hijo difunto que *lo* perdieron sus padres: si se significa depravar, inducir al vicio, se dirá bien de un joven, que los malos ejemplos *le* perdieron. Y como es imposible reducir a reglas los antojos de la imaginación, la variedad que se observa en las formas de este acusativo complementario es menos extraña de lo que a primera vista parece.

929. En la tercera persona masculina de plural, la forma regular del acusativo es *los;* pero la *les* ocurre con tanta frecuencia en escritores célebres de todas épocas, que sería demasiada severidad condenarla.

Cervantes ofrece multitud de ejemplos: «Era la noche fría de tal modo, que *les* obligó a buscar reparos para el hielo»; «Antonio dijo al italiano que para no sentir tanto la pesadumbre de la mala noche, fuese servido de entretener*les*, contándoles», etc.; «El mar *les* esperaba sosegado y blando»; «Abrazándo*les* a todos primero, dijo que quería volverse a Talavera»; «Los tengo de llevar a mi casa, y ayudar*les* para su camino»; «Avisó*les* de los puertos adonde habían de andar»; «Trabándo*les* de las manos, los presentó ante Monipodio»; «Nuestros padres aun gozan de la vida, y si en ella *les* alcanzamos, daremos noticia», etc.; «Quedé suspenso cuando vi que los pastores eran los lobos, y que despedazaban el ganado: volvió a reñir*les* el señor», etc.; «Llegado el tiempo de la partida, proveyéron*les* de dinero»; «*Les* forzaba a partir la poca seguridad de la playa», etc.

Los modernos han sido algo más mirados en el uso de este *les;* pero no dejan de admitirlo de cuando en cuando: «Testigos de extraordinarios acontecimientos que *les* convidaban al canto heroico» (Martínez de la Rosa); «Este personaje excita el interés de los espectadores, *les* obliga a tomar parte en su suerte», etc. (el mismo); «Para haber de cautivar*les* se necesita ofrecerles dramas más nutridos, planes más artificiosos, caracteres más varios» (el mismo); «Esperanzas superiores a aquellas a que su destino diario *les* condenaba» (Gil y Zárate); «Una guía que *les* conduzca por el inmenso campo de nuestra literatura» (el mismo); «El gran Conde de Aranda favorecía con su trato a los escritores más distinguidos, y *les* exhortaba a componer piezas dramáticas» (Moratín); «Quiso también

Moratín demostrar de una manera victoriosa las equivocaciones en que han incurrido no pocos extranjeros que han escrito acerca de nuestro teatro sin querer preguntar jamás lo que ignoran a los únicos que *les* pudieran instruír», etc. (el mismo).

Atendiendo al uso de esta terminación *les* en el acusativo, se echa de ver que suele referirse a persona. Leemos a la verdad en Jovellanos: «Muchos terrenos perdidos para el fruto a que *les* llama la naturaleza, y destinados a dañosas e inútiles producciones»; pero *llamar* envuelve aquí una especie de personificación, pues no se llama sino a lo animado y lo inteligente. Y aun creo que sin violencia se explicaría por la personificación aquel pasaje de Cervantes: «Plegue a Dios que mis ojos le vean, antes que *les* cubra la sombra de la eterna noche». *

930. La tercera persona femenina hace *le* o *la* en el dativo de singular, y *les* o *las* en el plural. Aunque no pueda aprobarse este uso de *la* y *las,* particularmente hablando de personas, es mejor limitarlo a los casos que convenga para la claridad de la sentencia. No sería menester decir: «Me acerqué a la señora del Intendente y *la* di un ramo de flores», porque el *le* sería aquí tan claro como el *la.* Pero en «La señora determinó concurrir con su marido al festín que *la* habían preparado», es oportuno el *la,* para que el dativo no se refiera al *marido;* pues aunque el *le* reproduciría naturalmente el sujeto *la señora,* no está de más alejar hasta los motivos de duda que no sean del todo fundados **.

931. Expongamos ahora las reglas a que se sujetan las combinaciones de los afijos o enclíticos entre sí o con las formas compuestas.

* Tal vez Jovellanos en el ejemplo del texto no hizo otra cosa que conservar el régimen, apenas anticuado, del dativo, que solía darse a *llamar;* régimen naturalísimo si se recuerda el origen de este verbo: *llamar* a una persona es *clamarle* su nombre.

** La indecisión en el uso de las formas complementarias es un defecto grave de nuestra lengua. El dativo masculino de singular, según todos, es *le,* pero el femenino, según unos, es también *le,* y sólo *le;* según otros, puede serlo a veces *la;* y según la práctica de algunos no hay más dativo femenino de singular que *la.* El acusativo femenino de singular no cabe duda que es *la,* pero en el masculino del mismo número la Academia Española, antes de la última edición de su gramática, exigía siempre *le;* otros, en corto número, siempre *lo;* fluctuando el uso entre el *le* y el *lo,* aunque con cierta tendencia a designar las cosas con *lo* y las personas con *le.* En el plural masculino no puede contestarse a *les* el carácter normal de dativo, ni a *los* el de acusativo; pero de *les* por *los* en el acusativo de persona, ofrecen, según hemos visto, bastantes ejemplos los escritores más estimados. En el plural femenino *las* es reconocido universalmente por acusativo; mas acerca del dativo *les* o *las* hay la misma variedad de opiniones y prácticas que en el singular *le* o *la* .

Para llevar la confusión a su colmo, faltaba sólo que se diese a *lo* y *los* el oficio de dativos masculinos, como, según Salvá, se ha practicado algunas veces: «*Los* enseñaron el arte de leer» (Marina); «Añadieron a este servicio los otros que ya *los* habían hecho» (Quintana). Cervantes había dicho: «Mejor será hacer un rimero dellos» (los libros de Don Quijote) «y pegar*los* fuego.» Pero el *los* de estos ejemplos disuena tanto, que me inclino a mirarlo como un descuido tipográfico. Si algo valiese mi opinión, recomendaría como preferible a todos el sistema de la Academia, que en la cuarta edición de su gramática prescribe el uso de *le* y *les* como dativo masculino y femenino, el de *le* y *los* como acusativo masculino y el de *la* y *las* como acusativo femenino, y sólo acusativo. La distinción de personas y cosas en el acusativo *le* o *lo,* y en los dativos *le* o *la, les* o *las,* es una especie de refinamiento que puede sacrificarse a la simplicidad. Y en cuanto al *la* y *las* en el dativo para evitar la anfibología, el castellano logra mejor ese fin por medio de la duplicación, esto es, añadiendo al caso complementario la forma compuesta: «Encontré a Don Pedro con su esposa, y *le* di a *ella* un ramo de flores; «La comedia —dice Moratín— no huye el cotejo de sus imitaciones con los originales que tuvo presentes, al contrario, le provoca y le exige: puesto que de la semejanza que *las* da resultan sus mayores aciertos»; hé aquí un *las* oportunísimo para que este pronombre mire precisamente a *sus imitaciones* y no a *los originales;* pero de ningún modo necesario; *que a ellas da,* sería tan claro y tan bueno bajo todos aspectos como *que las da.*

Todas las combinaciones, o son binarias, como «*Te los* trajeron» (los libros), o ternarias, como «Castígue*semele*» (al niño).

Las binarias o constan de dativo y acusativo, o de dos dativos.

En las que constan de dativo y acusativo, o estos dos casos significan objetos distintos (solicité su aprobación, pero no tuvo a bien concedér*mela)*, o significan objetos idénticos, esto es, un mismo objeto bajo diferentes relaciones (no debemos entregarnos a nosotros mismos, sin más guía que el ciego impulso de nuestros apetitos y pasiones).

De aquí resultan seis clases de combinaciones, a saber:

1ª Combinaciones binarias de dativo y acusativo distintos: la primera persona concurre con la segunda.

2ª Combinaciones binarias de dativo y acusativo distintos: la primera o segunda concurre con la tercera persona.

3ª Combinaciones binarias de dativo y acusativo distintos: ambos de tercera persona.

4ª Combinaciones binarias de dativo y acusativo idénticos.

5ª Combinaciones binarias de dos dativos.

6ª Combinaciones ternarias.

La colocación de los afijos y enclíticos está sujeta en todas las combinaciones a la regla siguiente:

932. Cuando concurren varios afijos o enclíticos, la segunda persona va siempre antes de la primera, y cualquiera de las dos antes de la tercera; pero la forma *se* (oblicua o refleja) precede a todas. Las combinaciones *me se* y *te se* deben evitarse como groseros vulgarismos.

933. Los afijos no alternan con los enclíticos; y se dice: «Me la concedió» (su aprobación), o «Concediómela», pero nunca «Me concedióla», o «La concedióme».

PRIMERA CLASE

934. En las combinaciones binarias de dativo y acusativo distintos, concurriendo la primera persona con la segunda, el acusativo toma la forma simple y el dativo la compuesta.

Acusativo reflejo

Me acerco a ti, a vosotros.
Acércate a mí, a nosotros.
Nos humillamos a ti, a vosotros.
Os humilláis a mí, a nosotros.

Dativo reflejo

Me atraes a ti, me atraéis a vosotros.
Te atraigo a mí, te atraemos a nosotros.
Nos llamáis a ti, nos llamáis a vosotros.
Os llamo a mí, os llamamos a nosotros.

Ambos casos oblicuos

Me recomendaron a ti, a vosotros.
Te recomendaron a mí, a nosotros.
Nos condujeron a ti, a vosotros.
Os condujeron a mí, a nosotros. *

935. Por regla general se evitan combinaciones binarias de casos complementarios en esta clase. Son, sin embargo, de bastante uso *te me* y *te nos,* en que se toma por acusativo el caso reflejo: cuando ninguno de los dos lo es, sólo por el contexto se determina cuál es el acusativo: y así en *ríndetenos, te* es acusativo reflejo y *nos* dativo, pero en *te me recomendaron,* cualquiera de los dos pudiera ser acusativo o dativo, según el contexto: «*Te me* vendes por discreto», leemos en la tragicomedia de Celestina *(te* acusativo reflejo, *me* dativo); y con igual propiedad hubiera podido decirse: «*Te me* vendo por discreto» (*me* acusativo reflejo, *te* dativo). «*Te me* dio mi madre, cuando morabas en la cuesta del río», dice Pármeno a Celestina *(me* acusativo, *te* dativo, ambos oblicuos); «Hijo, bien sabes cómo tu madre *te me* dio», dice en otra parte Celestina a Pármeno *(te* acusativo, *me* dativo); «Lo hago por amor de Dios, y por verte en tierra ajena, y más por aquellos huesos de quien *te me* encomendó» (la misma al mismo: *te* acusativo, *me* dativo).

936. Además de estas combinaciones *te me* y *te nos,* se usó mucho hasta el siglo XVII *os me,* en que el caso reflejo era siempre acusativo: «Os me sometí» (me sometí a vosotros); «Os me sometisteis» (os sometisteis a mí). Pero siendo ambos oblicuos, cualquiera de los dos pudiera ser acusativo, según las circunstancias: «*Os me* sometieron vuestros padres para que os enseñase y dirigiese», «*Os me* recomendaron como idóneo para vuestro servicio». **

SEGUNDA CLASE

En las combinaciones binarias de acusativo y dativo distintos, en que concurre la primera o la segunda persona con la tercera, hay que notar dos diferencias importantes:

* En todos estos ejemplos y los que vienen después, los afijos pueden hacerse enclíticos y recíprocamente, según las reglas relativas a unos y a otros, que se han dado arriba.

** En Santa Teresa leo: «Bien sabéis, Señor mío, que me es tormento grandísimo, que tan poquitos ratos como me quedan ahora de vos, *os me* escondáis». Y en otra parte: «Donoso sois, Señor: después que me habéis dejado sin nada, ¿*os me* vais?» En Fr. Alonso del Castillo: «Estaos conmigo, no *os me* vais». En Tirso de Molina:

«...Imagino
Que *os me* queréis esconder.»

«¿Otra vez *os me* pegáis
A la colmena, abejón?»

«Pues si vos, que lo servís,
Tan fácil *os me* mostráis», etc.

Todos estos ejemplos presentan el *os* como acusativo reflejo, y el *me* como dativo oblicuo: «Cuando no *os me* cato, asoma por acullá encima de una nube otro caballero» (Cervantes); aquí el *me* es acusativo reflejo, porque *catarse* es construcción cuasi-refleja en el significado de *catar,* como *admirarse* en el significado de *admirar:*

937. 1ª Si la primera o segunda persona es dativo, se forman todas las combinaciones binarias posibles: *me le, me la; me los, me las; te le, te la, te los, te las; nos le, nos la, nos los, nos las; os le, os la, os los, os las; me lo, te lo, nos lo, os lo.* El *lo* de las cuatro últimas combinaciones se supone neutro; pero el *le* masculino puede tomar la forma *lo*, según lo dicho arriba, en el acusativo de la tercera persona de singular.

Ambos casos oblicuos

Me le *o* me lo Te le *o* te lo Nos le *o* nos lo Os le *u* os lo	trajeron (el libro).
Me la Te la Nos la Os la	llevaron (la capa).
Me los Te los Nos los Os los	confió (los negocios).
Me las Te las Nos las Os las	vendió (las alhajas).
Me lo Te lo Nos lo Os lo	contaron (lo sucedido).

y el *os* dativo oblicuo. «La mujer iba llorando a grandes voces y diciendo: marido y señor mío, ¿adónde *os me* llevan?» (Don D. Hurtado de Mendoza): *os* acusativo, *me* dativo, ambos oblicuos. «El cielo *os me* deje ver, y os prospere muchos años» (Tirso): *os* acusativo, *me* dativo, ambos oblicuos. «El cielo, sobrina mía, *os me* deje ver sin pleitos y con sosiego en vuestro estado» (Tirso): lo mismo que en los dos ejemplos anteriores, y que en el «Dios *os me* guarde» con que termina muchas de sus cartas Santa Teresa. No se me ha deparado ejemplo de *me* acusativo, y *os* dativo, siendo ambos oblicuos; pero la analogía de *te me* no deja duda de que «*os me* dio mi padre para que cuidaseis de mí», sería perfectamente correcto.

Encuéntrase alguna vez *me os*, que forma una verdadera excepción a la regla, precediendo la primera persona a la segunda. En las Partidas, hallamos *me vos* en varios pasajes; y en Tirso de Molina:

«...Sol hermoso,
Al nacer *me os* habéis puesto.»

«Haré de mi dicha alarde,
Discreto y fiel: Dios *me os* guarde.»

Yo miro la combinación *me os*, de que he visto muy raros ejemplos en los escritores clásicos de la lengua, como un vestigio del anticuado *me vos* y como una licencia poética; *os me*, según lo que he podido observar, era en los siglos XVI y XVII la colocación que generalmente se usaba.

Dativo reflejo de primera o segunda persona

Me le *o* me lo puse
Te le *o* te lo pusiste
Nos le *o* nos lo pusimos
Os le *u* os lo pusisteis
} (el sombrero).

Me la quité
Te la quitaste
Nos la quitamos
Os la quitasteis
} (la gorra).

Me los gané
Te los ganaste
Nos los ganamos
Os los ganasteis
} (los dineros).

Me las concilié
Te las conciliaste
Nos las conciliamos
Os las conciliasteis
} (las voluntades).

Me lo reservé
Te lo reservaste
Nos lo reservamos
Os lo reservasteis
} (lo que estaba resuelto).

Acusativo reflejo de tercera persona

Se me
Se te
Se nos
Se os
} reveló (el secreto, la determinación).

Se me
Se te
Se nos
Se os
} presentaron (los testigos, las pruebas).

Se me
Se te
Se nos
Se os
} avisa (que va a llegar la explicación).

938. 2ª Si la primera o segunda persona es acusativo, toma este caso la forma simple y el dativo la compuesta:

Ambos casos oblicuos

Me
Te
Nos
Os
} sujetaron a él, a ella, a ellos, a ellas, a ello.

Acusativo reflejo de primera o segunda persona

Me sometí Te sometiste Nos sometimos Os sometisteis	a él, a ella, a ellos, a ellas, a ello.

Dativo reflejo de tercera persona

Me Te Nos Os	atrajo (él, ella) a sí.
Me Te Nos Os	aproximaron (ellos, ellas) a sí.
Me Te Nos Os	aficiona (lo bello) a sí.

939. Sin embargo, son de uso corriente las combinaciones binarias *Me le* y *Me les, Te le* y *Te les,* en que *me* y *te* son acusativos reflejos: *Me le* o *les humillé,* por *me humillé a él, a ella, a ellos, a ellas; Te le* o *les humillaste,* por *te humillaste a él, a ella, a ellos, a ellas.*

940. *Le* y *les* son masculinos o femeninos. Mas aquí se ofrece una dificultad. Supuesto que el dativo femenino puede ser *la* o *las,* y en sentir de algunos debe serlo siempre, ¿no podrán o no deberán las cuatro combinaciones excepcionales *me le, te le, me les, te les,* convertirse en *me la, te la, me las, te las* (siendo *me* y *te* acusativos, *la* y *las* dativos), de manera que se diga *yo me la humillé,* en el sentido de *yo me humillé a ella,* y *tú te las acercaste* por *tú te acercaste a ellas?* Por mi parte creo que apenas habrá uno entre diez que no entienda estas frases aisladas en el sentido de *yo la humillé a mí, tú las acercaste a ti;* y opino, por tanto, que sólo es permitido aventurar en iguales circunstancias el dativo *la* o *las,* cuando por el contexto no haya peligro de ambigüedad.

941. Otra observación puede hacerse en las combinaciones excepcionales *me le, te le, me les, te les* (siendo la primera o segunda persona acusativo y la tercera dativo); y es que el *le* o *les* no suele aplicarse sino a verdaderas personas, o por lo menos, a seres animados o personificados. Se dice: «Deseando conocer aquellos hombres me *les acerqué»,* o «me acerqué *a ellos»;* pero no creo que pueda decirse con igual propiedad: «Quise gozar de la sombra de aquellos árboles y me *les acerqué».* Sonaría mucho mejor, a mi parecer: «Me acerqué *a ellos».*

942. De esta adaptación del *le* a verdaderas personas en las combinaciones de que ahora se trata, proviene que rara vez pueda, a mi juicio, referirse a un nombre neutro: me parecería inadmisible el *le* en oraciones semejantes a ésta: «Siendo tan injusto *lo* que se te exigía, no debiste sometértel*e*», en lugar de *someterte a ello.*

TERCERA CLASE

943. En las combinaciones binarias de acusativo y dativo distintos, ambos de tercera persona, admiten uno y otro la forma simple: si el acusativo es reflejo se puede combinar con todos los casos complementarios dativos; si el dativo es reflejo, con todos los casos complementarios acusativos; y si ambos casos son oblicuos, el dativo, tomando la forma refleja (§ 904), puede asimismo combinarse con todos los casos complementarios acusativos.

Acusativo reflejo

Se le agregó una traducción (al texto).
Se le *o* se la agregó un apéndice (a la obra).
Se les pusieron epígrafes (a los capítulos).
Se les *o* se las comunicó la noticia (a las señoras).
Se le dio una errada interpretación (a lo que el juez había dicho).

944. Este *la* o *las* no me parece sancionado por el uso corriente; pero en construcción irregular cuasi-refleja es necesario (§ 791).

945. Nótese también que, cuando no se significa persona, suena mejor en el dativo la forma compuesta que la simple: «Se *les* entregó» (el delincuente a los alguaciles); «Se entregaron *a ella*» (a la pasión del juego), no *se le* ni *se la.*

Dativo reflejo

<table>
<tr><td>Se le o se lo
Se la
Se los
Se las</td><td>puso (él o ella)</td><td>(el sombrero).
(la capa).
(los zapatos).
(las medias).</td></tr>
</table>

<table>
<tr><td>Se le o se lo
Se la
Se los
Se las</td><td>echaron al hombro (ellos o ellas)</td><td>(el fardo).
(la carga).
(los fardos).
(las cargas).</td></tr>
</table>

<table>
<tr><td>Se lo tiene (él o ella)
Se lo tienen (ellos o ellas)</td><td>reservado</td><td>(lo que sabe).
(lo que saben).</td></tr>
</table>

Lo en los dos ejemplos últimos es neutro.

Ambos casos oblicuos

Él *o* ella pidió, ellos *o* ellas pidieron, el té, la leche, los platos, las copas; y el criado se le *o* se lo, se la, se los, se las trajo. «Como lo escrito necesitaba explicaciones, yo *se* las puse.»

946. De manera que el *se* (dativo oblicuo) es de todo género y número, bien que en el género neutro no me parece que lo admita de grado la lengua. *

CUARTA CLASE

947. Pasando a las combinaciones binarias de acusativo y dativo idénticos, advertiremos, en primer lugar, que no se habla aquí de las construcciones en que un mismo caso se presenta bajo dos formas, una simple y otra compuesta, como en «Conócete a ti mismo», donde *ti* y *a ti mismo* son dos acusativos, o por mejor decir, uno solo repetido; o en «Les dirigimos a ellos la palabra», en que *les, a ellos* son expresiones varias de un mismo dativo. En frases semejantes no sólo es idéntico el objeto representado, sino idéntica la relación en que se considera.

948. Con esta oración, «No debemos abandonarnos a nosotros mismos», podemos expresar dos conceptos diversos: si la frase es pleonástica, esto es, si la forma compuesta no hace más que repetir la simple, como en los ejemplos anteriores, lo que se dice es que debemos tener cuidado de nosotros, de nuestra propia suerte. Pero otra cosa es cuando la forma simple es acusativo y la compuesta dativo. Entonces lo que se quiere decir es que no debemos dejarnos llevar ciegamente de nuestras inclinaciones, que debemos someterlas a la ciencia o la razón.

949. Concurriendo acusativo y dativo idénticos, la regla es que el acusativo tome la forma complementaria, y el dativo la compuesta; pero debe cuidarse de que el contexto determine suficientemente el sentido, para que no se confunda la combinación de los dos complementos con la repetición de uno solo.

* Cuando el *se* es oblicuo, es invariablemente dativo. El padre Scío cometió a mi ver un grave solecismo cuando para dar a entender que el Salvador en la última cena pasó el cáliz a los apóstoles, dice (en el Evangelio de San Mateo) que «*se les* dio», refiriendo *se* al *cáliz* y *les* a los *apóstoles (dedit calicem illis)*. Debió decir *se le* o *se lo*. Scío se corrige a sí mismo, traduciendo en el Evangelio de San Marcos, «Se lo alargó» (el cáliz a los apóstoles); y en el de San Lucas: «Se lo dio» (el pan a los mismos).

Este oblicuo *se* no era conocido en lo antiguo. Usábase en este sentido *je*, que se escribía *ge*, y era también de todo género y número. Decíase: «Él se lo puso» (el sombrero), *se* dativo reflejo *(sibi)*; y «Él je lo puso», *je* dativo oblicuo *(illi)*. Nosotros en uno y otro sentido decimos *se:* «Como el contrario le amenazaba con la espada, corrió a él y quitósela», dativo oblicuo; «Sintiendo que le embarazaba la espada, quitósela», dativo reflejo. Sería de desear que hubiésemos conservado la distinción antigua; pero lo mejor hubiera sido sin duda adoptar, para el dativo oblicuo, las combinaciones *le lo, le la, le los, le las, les lo, les la, les los, les las,* nada ingratas al oído.

Un uso extraño y bárbaro se ha introducido en algunas partes de América, relativamente al *se* oblicuo. Cuando este dativo es singular, decimos como debe decirse, *se le, se la, se lo*. Pero cuando es plural, se pone en plural al acusativo que sigue, aunque designe un solo objeto: «Aguardaban ellos el libro, y un mensajero se *los* trajo». Es preciso evitar cuidadosamente esta práctica.

«Sin buscar ellos la comida, les ruegan con ella, y aun *se* la ponen en la boca» (Granada). «Pidiéronle de lo caro; respondió que si querían agua barata, *se la* daría de muy buena gana» (Cervantes). «Estuvieron al principio sin comunicación (ciertos presos), pero después *se la concedió* (Cortés)» (Solís).

950. A veces los dos casos son idénticos entre sí y con el sujeto: «Cuando respiro el aire del campo, me parece que me restituyo a mí mismo»: la persona que restituye, la persona restituída, y la persona a quien se hace la restitución, son una sola. En este sentido de triple identidad es necesaria la forma refleja del dativo de tercera persona: «¿Cuándo será que pueda *uno* restituírse a sí mismo?» Pero si el sujeto es distinto, la forma del dativo puede ser oblicua o refleja: «¡Felices los pueblos cuando la libertad los restituye *a sí mismos*» o «*a ellos mismos!*» *La libertad* restituye, *los pueblos* son restituídos, y la restitución se hace *a los pueblos*. La forma refleja es necesaria cuando el sujeto es idéntico; es menos propia y clara cuando el sujeto es distinto.

QUINTA CLASE

951. En las combinaciones binarias de dos dativos, el segundo de ellos pertenece al régimen propio del verbo y el primero, llamado *superfluo*, sirve sólo para indicar el interés que uno tiene en la acción significada por el verbo, o para dar un tono familiar y festivo a la oración. «Pónganmele un colchón bien mullido» (al enfermo); «Me le dieron una buena felpa» (al ladrón).

Las combinaciones se reducen a éstas:

Es menester que	Me le	sirvan una comida sana	(a él).
	Me le *o me la*		(a ella).
	Me les		(a ellos).
	Me les *o me las*		(a ellas).

952. No he visto ejemplo en que el dativo superfluo no sea de primera persona de singular, si no es el *os me cato* de Cervantes (en la nota al párrafo 936); pero creo que esa construcción no se aplica sino al verbo *catar*, y de todos modos es hoy anticuada.

SEXTA CLASE

953. Las combinaciones ternarias constan de un acusativo reflejo, un dativo superfluo y un dativo propio, colocados en este mismo orden: «Hágasemele, hágasemeles, una acogida cariñosa» (a él, a ellos), construcción regular; «Castíguesemele, castíguesemeles» (a él, a ellos), construcción irregular. En la primera se puede, en la segunda es de uso corriente sustituír *la* y *las* a *le* y *les* femeninos.

No se usan más combinaciones que las indicadas en los ejemplos precedentes.

954. Notaremos de paso que el dativo superfluo no pertenece exclusivamente a las combinaciones de que se acaba de hablar.

«Dígame, señor don Quijote, dijo a esta sazón el barbero, ¿no ha habido algún poeta que haya hecho alguna sátira a esa señora Angélica, entre tantos como la han alabado? — Bien creo yo, respondió don Quijote, que si Sacripante o Roldán fuesen poetas, que ya *me* hubieran jabonado *a la doncella*, porque es propio y natural de los poetas desdeñados vengarse con sátiras y libelos» (Cervantes).

955. Nace el dativo superfluo de la propiedad que tiene el dativo castellano de significar posesión: «*Se le* llenaron los ojos de lágrimas», en lugar de *sus ojos se llenaron* *; «Con este nombre me contento, sin que *me* le pongan un *don* encima» (Cervantes); aquí *me* y *le* son ambos dativos; *le* pertenece al régimen propio del verbo; *me* significa que se trata de una cosa mía.

Capítulo XXXIV

CASOS TERMINALES MÍ, TI, SÍ

956. Entre los casos terminales *mí, ti, sí*, y la preposición que forma complemento con ellos, no se pone ordinariamente palabra alguna; por lo que sería mal dicho: «A mí y ti nos buscan»; «Debió querellarse de la ofensa hecha a su hermano y sí mismo»; «De nadie, sino mí y ti, debemos quejarnos».

957. Es preciso pues en ocasiones semejantes, o repetir la preposición *(a mí y a ti, a su hermano y a sí mismo, de nadie sino de mí y de ti)*, o alterar el orden de los términos de manera que nada medie entre la preposición y el caso terminal *(a sí mismo y su hermano)*. Pero lo primero es inaplicable a ciertos complementos en que la relación es recíproca: no podría decirse, por ejemplo: «Entre ti y entre mí»; concurriendo dos casos terminales en *i* se tolera entonces que el segundo no sea precedido inmediatamente de la preposición *(entre mí y ti)*; o si uno de los dos términos tiene la forma del nominativo y debe preceder al otro, se da también al segundo la forma del nominativo *(entre mi padre y yo)*. Bien que no tengo por ilegítima, aunque menos usada, la construcción *entre usted y mí, entre fulano y mí*: «La mucha amistad que hay entre el padre Salazar y mí» (Santa Teresa).

* «Ses yeux se remplirent de larmes», se diría en francés. El dativo de posesión sustituído al pronombre posesivo es una de las cosas que más diferencian las construcciones castellanas de las francesas, y que los traductores novicios suelen olvidar a menudo.

Capítulo XXXV

AMBIGÜEDAD QUE DEBE EVITARSE EN EL USO DE VARIOS PRONOMBRES

958. Es preciso mucho cuidado para evitar toda ambigüedad (aun momentánea, si es posible), en la referencia de los pronombres demostrativos, relativos o posesivos a la persona o cosa que corresponde.

«A Juan se le cayó un pañuelo, y un hombre que iba tras él, le tomó y *se* lo llevó.» ¿Se lo llevó a Juan o se lo llevó consigo? Es imposible saberlo, si lo que precede o sigue no lo determina. «El pueblo estaba irritado contra el monarca por las perniciosas influencias que le *dominaban.*» ¿A quién dominaban?, ¿al monarca o al pueblo?

959. Los demostrativos tácitos que frecuentemente sirven de sujetos puede ocasionar ambigüedad, porque no nos prestan el auxilio de las terminaciones para determinarlos: «Si la nación no ama al rey, es porque se deja llevar de perniciosas influencias». ¿Quién se deja llevar? ¿la nación o el rey? Diciendo *él* o *ella se deja llevar* no habría lugar a duda; y bien que a falta de esta determinación sería natural referir este verbo al sujeto de la proposición precedente, *la nación*, no es éste un indicio bastante seguro, por la genial propensión del castellano a suprimir indistintamente los pronombres que sirven de sujetos.

960. A veces no aparece con claridad cuál es el antecedente de un relativo: «La madre de la señorita Rosa, a quien yo buscaba». No se sabe si la persona buscada es la madre o la hija.

961. Cuando se muda súbitamente el sujeto, es preciso expresar el nuevo: «Vuestra merced temple su cólera, que ya *el diablo* ha dejado *al Rucio*, y vuelve a la querencia» (Cervantes): lo que dice naturalmente el pasaje es que *el diablo* vuelve a la querencia, no *el Rucio*; contra la mente del que habla. Clemencín quería que para corregirlo se dijese *éste vuelve*. Pero ese desnudo demostrativo que se refiere intelectualmente al Rucio, por ser éste el más cercano de los dos sustantivos en el orden de las palabras, no es adaptable a un diálogo familiar; mucho mejor sería determinar el nuevo sujeto por medio de una breve perífrasis sugerida por las circunstancias: *el pobre animal, el pobrecillo*.

962. El relativo *que* presenta asimismo el inconveniente de no poderse conocer a veces si es acusativo o nominativo: «El poder *que* le había granjeado la victoria»... La frase no determina por sí sola si el poder fué granjeado por la victoria, o la victoria por el poder.

En la mayor parte de los casos bastará el contexto para remover toda duda; pero conviene que esto se efectúe sin producir embarazo o perplejidad que obligue a suspender la lectura. Además, en circunstancias parecidas a las del último ejemplo, podrá determinarse perfectamente el sentido colocando el verbo en seguida del sujeto, cuando el *que* es acusativo: «El poder que la victoria le había granjeado».

963. *Suyo* se refiere ordinariamente al sujeto de la frase: «Concedióle aquel permiso bajo condición y palabra de que había de llevar consigo algunos de sus escuderos» (Martínez de la Rosa). ¿Escuderos de quién? ¿Del que concede el permiso o del que lo recibe? Naturalmente del segundo, por ser éste el sujeto del verbo *llevar*. *

Sin embargo, cuando hay en la oración o en una serie de oraciones una figura, por decirlo así, principal, un objeto que domina a los otros, el posesivo *suyo* se refiere a él sin violencia, y aun más naturalmente que al sujeto de la frase:

«...Lara afanoso
La faz alzó, tal vez los resplandores
Para buscar del astro refulgente,
Esperando, ¡infeliz!, la larga noche
Moderar de *sus* ojos, y a lo menos
Ver tibia claridad. Desengañóle
Empero la experiencia: aunque a torrentes
Su lumbre, no ya un sol, sino mil soles,
Derramaran sobre él, siempre *su* vista
Fuera más insensible que los bronces.»

(El duque de Rivas).

Vemos aquí la influencia de las dos reglas precedentes: *su lumbre* se refiere al sujeto *soles* de la frase, y *sus ojos, su vista* a la figura dominante de la sentencia, al anciano Lara.

Hay además en *su lumbre*, para la facilidad de la referencia, un motivo particular, que es el contexto; quiero decir, la conexión tan obvia de *lumbre* y *soles*.

CAPÍTULO XXXVI

FRASES NOTABLES EN LAS CUALES ENTRAN ARTÍCULOS Y RELATIVOS

964. Es digna de notar la elipsis de la preposición antes del relativo, cuando la misma u otra de un valor análogo precede al antecedente: «En el lugar que fue fundada Roma, no se veían más que colinas desiertas, y dispersas cabañas de pastores», *en el lugar*

* Por eso no me parece que don Vicente Salvá censuró con su acostumbrada justicia aquel pasaje de Moratín: «Fue admirable el generoso tesón con que llevó Feijoo adelante su empresa de ser desengañador del pueblo, a pesar de los que aseguran su privado interés en hacerle estúpido»; creo que *su interés* se refiere naturalmente a *los que aseguran*. Si hay alguna vacilación al leer este período, proviene de los varios sentidos de *asegurar*, que significa *aseverar* y *afianzar*.

en que; «Al tiempo que salía la escuadra, el aspecto del cielo anunciaba una tempestad horrorosa», *al tiempo en que;* «Espadas largas que se esgrimían a dos manos, al modo que se manejan nuestros montantes» (Solís), *al modo en que;* «A medida que nos alejamos de un objeto, se disminuye su magnitud a la vista», *a la medida en que.* Esta elipsis, con todo, no tiene cabida sino cuando el término del complemento es de significado muy general, y el complemento mismo es de uso frecuente, como *en el lugar, al tiempo, al modo, a la manera, a condición, a medida, a proporción, en el grado.* En virtud de esta elipsis, el complemento y el relativo forman frases adverbiales relativas que acarrean proposiciones subordinadas.

965. Y sucede también que se calla la preposición no sólo antes del relativo, sino antes del antecedente: «Todas las veces que yo fui a verle, me dijeron que no estaba en casa»; *todas las veces que* por *en todas las veces en que,* es expresión que se adverbializa por la doble elipsis de la preposición, equivaliendo a *siempre que.*

966. Ya hemos notado (§ 324) aquellas construcciones en que el artículo definido se combina con el relativo *que,* perteneciendo los dos a distintas proposiciones; el artículo a la subordinante y el relativo a la subordinada. Lo que vamos a decir no debe aplicarse a los casos en que el artículo y el relativo pertenecen a una misma proposición, no siendo el primero más que una forma del relativo, por medio de la cual designamos sus varios números y géneros.

967. En las construcciones de que ahora se trata, es notable la concordancia del artículo sustantivado con un predicado a que por el sentido no se refiere verdaderamente, porque lo que éste pide es el artículo sustantivo. Así, en lugar de decir: «Lo que de lejos nos parecía un gran castillo de piedra, era una montaña escarpada», podemos decir, por un idiotismo de nuestra lengua (no desconocido en las antiguas): «*El* que de lejos...», concertando el artículo con el predicado *castillo,* que modifica a *parecía,* sin embargo de que el artículo no se subentiende ni podría subentenderse *castillo;* pues *el castillo que de lejos nos parecía castillo, era una montaña,* es un absurdo evidente. Este idiotismo es en sustancia el mismo de que se ha tratado en otro lugar (cap. XXIX, apéndice II, § 806), pero bajo una forma especial.

«*Lo* que él pensaba que era sangre no era sino sudor que sudaba con la congoja de la pasada tormenta» (Cervantes). Este *lo* es la palabra propia; pero pudo también decirse por el idiotismo de que se trata: *la que él pensaba,* etc.

968. Si se trata de personas, es claro que no podría decirse *lo:* la concordancia del artículo con el predicado sería entonces necesaria: «Sólo quedó en pie Bradamiro, arrimado al arco, clavados los ojos en *la* que pensaba ser mujer» (Cervantes) *; «Con esto conocieron que *el* que parecía labrador, era mujer y delicada» (el mismo). *Lo que parecía mujer* no podría decirse sino cuando esta apariencia la formase una cosa inanimada: «*lo* que parecía mujer era un bulto de paja».

969. Para comprender el uso de la expresión *lo que,* compuesta de dos sustantivos neutros, anticiparemos algunas consideraciones sobre el neutro *ello,* de que el *lo* no es más que la forma sincopada.

Ya se ha visto (§ 296) que *ello,* a semejanza de los otros demostrativos neutros, reproduce conceptos precedentes: «Se habla de una gran derrota sufrida por las armas de los aliados; pero no se da crédito a ello». Si, bajo la forma íntegra, *ello* depone el oficio reproductivo (lo que sucede raras veces), conserva su significado natural, *la cosa, el hecho.* De aquí el sentido de aquella frase tan usada *ello es que.*

«Ello es que hay animales muy científicos
En curarse con varios específicos.»
(Iriarte),

que es como si se dijera, *el hecho, la verdad del caso, lo que después de meditada la materia me parece, es que.*

970. De ahí también la fuerza de aquella otra frase, *aquí es ello, allí fue ello,* esto es, la cosa notable, la dificultad, lo extraordinario, lo apurado. «Díjome finalmente que doña Estefanía se había llevado cuanto en el baúl tenía, sin dejarme en él sino un solo vestido de camino: *aquí fue ello,* aquí me tuvo Dios de su mano», etc. (Cervantes).

971. También hemos visto (§ 277) que cuando la demostración recae sobre algo que sigue y que la especifica, se sincopa *ello* en *lo*:

«...No he salido
Jamás de estos campos bellos;
Por eso te deben ellos
Lo galán y lo florido.»
(D. Ant. de Mendoza).

«No curemos de saber
Lo de aquel siglo pasado;
Vengamos a *lo de ayer,*
Que también es olvidado.»
(Jorge Manrique).

«En teniendo el pueblo *lo que deseó,* vuelve a desear *lo que tuvo,*

* Hoy se diría más bien *la que él pensaba que era mujer.* En la frase de Cervantes la elipsis del demostrativo *él* hace por lo pronto referir el pensar a la que parecía mujer, y no a Bradamiro.

constante sólo en no admitir constancia y en pagar con ingratitud a sus bienhechores» (Coloma).

972. Se ha visto asimismo (§ 376) que los sustantivos neutros *algo, nada, poco, mucho, tanto, cuanto,* etc., se emplean a menudo como adverbios. *Ello* es de los que experimentan algunas veces esta transformación, pasando por consiguiente a significar *en verdad, en efecto, realmente*: «*Ello,* no tiene duda que por ese tiempo se representaban unos dramas tan toscos, que merecían el nombre de farsas con que se apellidaban» (M. de la Rosa). En *El Pintor de su deshonra,* de Calderón, un lacayo que tiene el prurito de contar cuentos a todo propósito, comienza varias veces uno, que los otros personajes, fastidiados de tanto cuento, no quieren oír; y con este motivo exclama:

«*Ello,* hay cuentos desgraciados.»

No es raro en las comedias este uso adverbial de *ello,* que pertenece al estilo de la conversación: «*Ello,* así parece»; «*Ello,* tú al cabo lo has de saber».

«*Ello,* es necesario
Indagar qué vida lleva.»

(Moratín).

«*Ello,* ¿no ha de haber forma de que haga usted lo que su padre le manda?» (M. de la Rosa).

973. Las frases *lo primero, lo segundo,* etc., se adverbializan también equivaliendo a *en primer lugar, en segundo lugar.* Varias otras frases sustantivas formadas con *lo* toman asimismo el oficio de adverbios: «En la Araucana no hay un solo español que se distinga siquiera *lo bastante* para que nos quede su nombre en la memoria» (Martínez de la Rosa);

«Como del mar en resonante playa
Las olas se suceden y amontonan,
Lo mismo entonces las falanges griegas
Una en pos de otra sin cesar marchaban.»

(Hermosilla).

974. Lo más digno de observar es la construcción del *lo* con epítetos o predicados:

«Muchos hay que en *lo insolentes*
Fundan solo el ser valientes.»

(D. A. de Mendoza).

Pudo haberse dicho, si lo permitiese la rima, *lo insolente,* concertando al adjetivo *insolente* con el *lo.* Pero en castellano, al mismo tiempo que un adjetivo especifica al *lo,* y es el objeto sobre que recae la demostración de este neutro, hay la particularidad de poder referirlo a un sustantivo distante (como *insolentes* a *muchos hombres* en el ejemplo anterior), concertándolo con ese sustantivo, y haciéndolo considerar como un epíteto o predicado suyo: «El Heraclio (de Corneille) presenta situaciones que sorprenden por *lo nuevas e interesantes*» (M. de la Rosa). Extiéndese el mismo uso a sustantivos de todo género y número, demostrados por el *lo*, y referidos epitéticamente a sustantivos; un historiador dice del rey San Fernando, que «Todo fue grande en aquel príncipe, *lo rey, lo capitán, lo santo*»; «Si el poeta se ciñe a la verdad, ¿de qué le sirve *lo poeta?*» (Maury);

«Zagala, no bien fingida,
Basta, basta lo *zagala.*»
(D. A. de Mendoza);

hablando de muchos o con muchas hubiera podido decirse, *¿de qué les sirve lo poetas? Basta, basta lo zagalas.*

He aquí otra muestra, copiada de la «Gramática» de Salvá:

«Con decir que es granadina
Os doy suficiente luz
De esta insoportable cruz;
Porque más no puede ser
Si a *lo terco* y *lo mujer*
Se le añade *lo andaluz.*»

Pudo haberse dicho, según el idiotismo español, *lo terca, lo andaluza*, como se dijo *lo mujer*.

975. No por eso condenaríamos como ajeno del castellano: «En Isabel la Católica no era menos grande *la* mujer que *la* reina». *Lo* sería sin duda la expresión propia, porque nos haría ver en *mujer* y *reina* dos cualidades, como lo son realmente. Pero *la*, figurando las cualidades como personas distintas, es una metáfora que hermosea y engrandece el concepto.

976. En la frase *lo que* suele adverbializarse el relativo, llevando envuelta o tácita la preposición de que debiera ser término: *lo que* significa entonces *el grado en que*. «Hernán Cortés dijo a Teutile que el principal motivo de su rey en ofrecer su amistad a Motezuma era *lo que* deseaba instruírle para ayudarle a salir de la esclavitud del demonio»; *el grado en que, el ardor con que.*

977. Otras veces se adverbializa la frase entera *lo que,* equivaliendo a *en el grado en que* o al adverbio *cuanto.* «Bien cuadra un don Tomás de Avendaño, hijo de don Juan de Avendaño, caballero *lo que* es bueno, rico *lo que* basta, mozo *lo que* alegra, con enamorado y perdido por una fregona» (Cervantes): esto es, *en el grado en que* o *cuanto es bueno serlo, en el grado en que* o *cuanto basta serlo,* etc.

978. Entre el *lo* y el *que* puede intervenir un predicado de cualquier género y número, cuando el verbo de la proposición subordinada es de los que suelen modificarse por predicados: «Lo ambicioso que fue de glorias y conquistas el emperador Napoleón» *(ambicioso* no concierta con *lo,* sino con *emperador);* «Lo melancólica que está la ciudad»; «Lo divertida que pasaron la noche»; «Lo distraídos que andan»; «Lo enfermas que se sienten»; «Lo apresurada que corre la vida»; «Lo desprovista que se halla de municiones la fortaleza»; nada más frecuente en castellano. Y obsérvese que en estas construcciones es necesaria la concordancia del predicado con el sustantivo de que se predica: no se puede decir *lo desprovisto que se halla la fortaleza.*

979. Encierran ellas no pocas veces un sentido enfático: «Suele (Tirso de Molina) olvidar en sus desahogos lo *fáciles que son* de lastimar el pudor y el recato» (M. de la Rosa): *cuán fáciles son.*

980. Estas construcciones encierran una trasposición tan genial de la lengua, que extrañaríamos como desusado el orden natural: *lo que* (el grado en que) *la fortaleza se halla desprovista.* En el «Amadís» leemos: «Cuando Patín la vio» (a Oriana) «fue espantado y entre sí decía, que todos los que la loaban no decían la mitad de lo que ella era hermosa»; por *de lo hermosa que ella era.* En Lope de Vega se encuentra, «Lo que es hermosa», por *lo hermosa que es.* Y en el «Guzmán de Alfarache», de Mateo Luján: «No me conoció por lo que yo venía disfrazado», por *lo disfrazado que yo venía.* En Tirso de Molina ocurren varios ejemplos de lo mismo. Pero el uso general está a favor de la trasposición.

981. Pueden también mediar adverbios y complementos entre el *lo* y el *que,* en virtud de la misma trasposición: «Lo bien que se habla»; «Lo aprisa que corre»; «Lo diestramente que se condujo»; «Lo a la ligera que escribo»; esto es, *el grado en que habla bien, en que corre aprisa,* etc.

Y no se mire esta trasposición como ociosa: ella sirve para dirigir la atención sobre la idea precisa y sobre aquella parte de la idea en que es conveniente fijarla, como cualquiera echará de ver comparando el orden que gramaticalmente llamamos natural con el orden traspuesto.

982. El neutro *que,* anunciativo de proposición subordinada, suele callarse entre dos verbos contiguos, subordinante y subordinado: «Deseábamos amaneciese»: lo cual, como observa Salvá, suena mejor cuando el verbo subordinado está en subjuntivo. Entre el *que* tácito y el verbo subordinado pueden mediar afijos y el adverbio *no:* «Esperábamos se sentenciase favorablemente la causa»; «Temíase no llegase a tiempo el socorro». Pero entre el verbo subordinante y el *que* tácito no suena bien la interposición de palabra alguna a no ser un enclítico: «Creíase iba a retirarse el enemigo».

983. Conviene observar que con los verbos que significan temor, expresado el *que* anunciativo, es negativa o no la proposición subordinada según lo sea lo que se teme: «Temíase que fuesen socorridos los enemigos»; «Recelábase que nuestra caballería no llegase a tiempo». Al paso que callado el *que*, el objeto positivo puede llevar la negación de la misma manera que el negativo: «Temíase no fuesen socorridos los enemigos» significa pues lo mismo que *temíase fuesen*... Lo dicho se extiende a todos los verbos y frases subordinantes que llevan implícita la idea de temer. «Serán tantos los caballos que tendremos después que salgamos vencedores, que aun *corre peligro* Rocinante no le trueque por otro» (Cervantes). Este *no*, al parecer superfluo, hace más elegante la frase, y aun a veces (como en el último ejemplo) haría falta.

984. Con el verbo *preguntar* es enteramente arbitrario poner u omitir el *que*: «Bueno fuera preguntar a Carrizales *que* adónde * estaban sus advertidos recatos», dice Cervantes; donde omitido el *que* no haría falta.

985. Otras veces redunda este *que*: «Suplico a vuestra merced *que*, porque no encarguemos nuestra conciencia, confesando una cosa por nosotros jamás vista ni oída, *que* vuestra merced sea servido de mostrarnos algún retrato de esa señora» (Cervantes). Nada más común que este pleonasmo en nuestros clásicos; pero según el uso moderno es una incorrección que debe evitarse.

986. El anunciativo *que*, según se ha dicho antes (§§ 317 a 319), se emplea a menudo como término: «Resignado *a que* le diesen la muerte»; «Avergonzado *de que* se hubieran descubierto sus intrigas»; «Se contentó el demandante *con que* se le restituyese la hacienda sin los frutos»; «Huyó *porque* le acometieron muchos a un tiempo»; «*Según que* nos elevamos sobre la superficie de la tierra, se adelgaza más y más el aire»; «Es preciso dar unidad a las diversas partes de una obra, *para que* el todo salga perfecto», etc. A la misma especie de frases, como se ha dicho en otra parte (§§ 408 y 409), pertenecen *pues que* y *mientras que*; en las cuales *pues* y *mientras* son verdaderas preposiciones, que callándose el relativo lo envuelven, y se hacen adverbios relativos: «Suframos, *pues* así lo quiere la fortuna»; «*Mientras* dura el buen tiempo, aprovechémosle». Con *según* es frecuentísima y casi constante la elipsis: «Según refieren los autores»; *según que* parece usarse mejor en el significado de *a medida que*.

987. El *que* anunciativo se adverbializa a menudo con varios adverbios y complementos, formando con ellos frases adverbiales relativas que también anuncian una proposición subordinada: *antes que, luego que, así que, aunque, bien que, aun bien que, ya que, ahora que, siempre que, a condición que, con tal que,* etc.

988. *Conforme* es adjetivo en «La sentencia es conforme a la ley»; «Los pareceres de los jueces fueron en un todo conformes».

* Hoy diríamos *dónde*.

Pero es adverbio en «No tienen por qué temer el rigor de la ley los que viven conforme a ella». No creo que jamás se haya dicho *conforme que*, y sin embargo ha tomado esta palabra el carácter de adverbio relativo, como si envolviese el anunciativo *que*: «Un río cuyas dos orillas abarca nuestra vista es un objeto bello; pero *conforme* se aleja de su origen, y sus márgenes se van apartando, carecemos de términos de comparación, la idea se engrandece, y se convierte por fin en sublime» (Gil y Zárate): *conforme* es aquí *a medida que, según que.*

989. Suelen también contraponerse elegantemente palabras y frases negativas al *que* de proposición subordinada en subjuntivo: «*Nadie* fue a verle, *que* no le encontrase ocupado»; «A *ninguna* parte se volvían los ojos, *que* no se presentasen objetos de horror»; «*Nunca* dio semejantes palabras, *que* no las *cumpliese*, aunque fuese en un monte y sin testigo alguno».

990. El complemento *porque*, escrito como una sola palabra, es un verdadero adverbio relativo. Se separan sus dos elementos, cuando el segundo no anuncia, sino reproduce: «El partido *por que* me intereso». Es preferible entonces *el cual*, o si se quiere, *el que*: *el partido por el cual* o *el que.*

991. *Porque*, como adverbio relativo, presenta en la proposición subordinada la causa, y en la frase subordinante el efecto. Así en «Huyó porque le acometieron muchos a un tiempo», la huída es el efecto de la acometida. Pero pasa a conjunción, ligando proposiciones independientes, cuando la segunda de ellas significa la causa lógica, el fundamento que hemos tenido para enunciar la primera: «No digas que no sientes estas consolaciones y alegrías, aunque pienses en Dios; *porque* si cuando el paladar está corrompido no juzga bien de los sabores, ¿qué maravilla es que teniendo tú el ánima corrompida, tenga hastío del maná del cielo y del pan de los ángeles?» (Granada); en este ejemplo lo que sigue a *porque* es la razón que se tuvo para desear que no dijeses que no sentías, etc. * Más adelante hablaré de varios otros adverbios relativos que experimentan igual trasformación.

992. Mediante la elipsis de *por* nace de la conjunción *porque* otra conjunción causal que liga también oraciones independientes, y anuncia una razón o fundamento lógico: «Calla y ten paciencia, *que* día vendrá en que verás por vista de ojos cuán honrosa cosa es andar en este ejercicio» (Cervantes); «Extrañas y dolorosas escenas interrumpían con frecuencia esta triste faena, *que* a veces en aquellos cuerpos horriblemente mutilados reconocían hombres y mujeres las prendas de su amor o de su amistad» (Baralt y Díaz). Esta conjunción es de grande uso en poesía:

«Pobre barquilla mía,
Entre peñascos rota,
No mires los ejemplos
De las que van y tornan,
Que a muchas ha perdido
La dicha de las otras.»

(Lope).

* Tan importante es esta diferencia, que en varias lenguas corresponden palabras diversas a nuestro *porque*, según es conjunción o adverbio. En el ejemplo de Granada los franceses lo traducirían *car*, los ingleses *for*, los latinos *nam, namque, enim,*

«No me precio de entendido:
De desdichado me precio;
Que los que no son dichosos,
¿Cómo pueden ser discretos?» *
(Lope).

993. A veces este *que* toma la fuerza de conjunción correctiva convirtiendo lo condicional y contingente en positivo: «¡Dichoso hallazgo!, dijo a esta sazón Sancho Panza; y más si mi amo es tan venturoso que desfaga ese agravio y enderece ese tuerto, matando a ese gigante que vuestra merced dice, *que* sí matará» (Cervantes).

994. El adverbio relativo *porque* puede también anunciar la proposición subordinada como un objeto o fin: «El ayo se partió a Burgos a dar las nuevas a sus amos, porque pusieran remedio, y dieran traza de alcanzar a sus hijos» (Cervantes): *con el objeto o fin de que, para que.* Y subentendido el *por,* se hace el *que* un adverbio relativo en el mismo sentido: «Lo hacía mi madre por ocupar sus hijos, *que* no anduviesen en otras cosas perdidos» (Santa Teresa). No debe confundirse este *que* adverbial con el adjetivo equivalente a *el cual,* o *el que,* como en estos versos de Carvajal:

«...Me cantan
Cantares que me den afrenta y pena.»

995. Al anunciativo *que* suelen acompañar otras varias elipsis que hacen muy expresiva la frase: «En fin, señora, *¿que* tú eres la hermosa Dorotea, la hija única del rico Clenardo?» (Cervantes): *con que tú eres.* «*¿Que* te faltan las alforjas, Sancho?» (Cervantes): *con que te faltan.* «*¡Que* viva un hombre aquí tan poderoso!» (Lope): *es posible que viva.* «*¡Que* tenga de ser tan corta de ventura!» (Cervantes): *es posible que tenga.* «*Que* dé al diablo vuestra merced tales juramentos, que son muy en daño de la salud y muy en perjuicio de la conciencia» (Cervantes): *ojalá que dé.* «Pagó el porte una sobrina mía, *que* nunca ella le pagara»: *ojalá que nunca,* etc.

996. Son frecuentísimas las frases *que entre, que venga, que se vaya enhorabuena, que digan lo que quieran,* susceptibles de todos los sentidos del modo optativo y de algunos otros, mediante varias elipsis, como *quiero, deseo, te ruego, poco me importa,* análogos a las circunstancias. Pero en el estilo elevado se emplean mejor las formas del optativo sin *que*:

«Despiértenme las aves
Con su cantar sabroso no aprendido.»
(L. de León).

997. A la manera que las formas aseverativas equivalen a *yo afirmo, yo juro,* las fórmulas suplicatorias equivalen a *yo ruego, yo suplico,* y rigen como aquéllas el anunciativo *que*: «Por amor de

quippe. En «Huyó porque le acometieron», los franceses dirían *parce que,* los ingleses *because,* los latinos *quia.*

* En el mismo sentido se usaba *ca*: «Lo que anda sobre la tierra y lo que vuela por el aire, tuyo es: *ca* todas esas cosas son beneficios de Dios, obras de su providencia, muestras de su hermosura, centellas de su caridad, y predicadores de su largueza» (Granada).

Dios, señor Alférez, *que* no cuente estos disparates a persona alguna, si ya no fuere a quien sea tan su amigo como yo» (Cervantes).

998. Cuando se propone lo que deseamos como una recompensa de lo que pedimos, suelen contraponerse dos optativos, el uno precedido del adverbio *así, y* el otro del *que*:

«*Así,* Bartolomé, cuando camines,
Te *dé* Mercurio prósperos viajes,
Y su sombrero, báculo y botines;
Que me *des* relación», etc.
(Villegas).

«*Así* no *marchite* el tiempo
El Abril de tu esperanza,
Que me *digas,* Tarfe amigo,
Dónde podré ver a Zaida.»

Pero si se principia por el ruego, es necesario el imperativo o alguna otra forma que lo supla, y por consiguiente no hay lugar para el *que*:

«Dime, Tarfe, por tu vida,
Dónde podré ver a Zaida:
Así no marchite el tiempo
El Abril de tu esperanza.»

En lugar de *así* puede también emplearse el *que* mediante una elipsis: «¿Podréisme decir, buen amigo, *que* buena ventura os dé Dios, donde son por aquí los palacios de la sin par Dulcinea?» (Cervantes): *así sea que buena ventura,* etc.;

«Dime, valeroso joven,
Que Dios prospere tus ansias,
Si te criaste en la Libia.»
(Cervantes):

así sea que Dios, etc.

999. «No puede nadie excusarse este trago, *que* sea rey, *que* sea papa» (Granada); «*Que* quisieron, *que* no quisieron, toman a cada uno de ellos en medio» (Rivadeneira): *ya se suponga que.* Y puede suprimirse elegantemente el primer *que*: «Queramos, *que* no, todos caminamos para esta fuente» (Santa Teresa). En virtud de esta elipsis se hace el *que* una conjunción alternativa o enumerativa, como *ya, ora.*

1000. Por último, el relativo *que* se vuelve conjunción comparativa, colocado después de los adjetivos *mismo, igual, diferente, distinto, diverso,* o de adverbios y complementos formados con ellos:

1. «Diversamente impera en los ánimos la costumbre que la ley.»
2. «Lo mismo» o «de la misma manera habla que escribe»: (*lo mismo,* frase adverbial, § 973).

3. «En el mismo grado era animoso que elocuente.»
4. «El mismo soy ahora que antes.»
5. «Igual talento requiere la comedia que la tragedia.»
6. «Diversas costumbres tiene que solía.»
7. «No mostraba diferente semblante a la adversa que a la próspera fortuna.»

Sirve este *que* para comparar dos conceptos, y lo hace como verdadera conjunción, ligando elementos análogos (§ 74), según se ve en los precedentes ejemplos: dos sujetos en el primero y quinto, dos atributos en el segundo, dos predicados en el tercero, dos adverbios en el cuarto, dos acusativos en el sexto, dos complementos formados con la preposición *a* en el séptimo.

1001. Fácil es ver en la mayor parte de estos ejemplos la conversión del carácter relativo en el conjuntivo por medio de una o más elipsis:

1. «Lo mismo» o «de la misma manera *en* que escribe habla.»
2. «Era animoso en el mismo grado *en* que *era* elocuente.»
3. «El mismo soy ahora que antes *era*.»
4. «La comedia requiere talento igual *a aquel* que la tragedia *requiere*.»
5. «Tiene costumbres diversas *de aquellas* que solía *tener*.»
6. «No mostraba a la *fortuna* adversa semblante diferente *de aquel* que *había mostrado* a la próspera fortuna.»

1002. Pero casos hay en que no sería posible reducir el oficio conjuntivo al relativo por medio de elipsis alguna, a lo menos natural y obvia:

«*Otra* cosa *que* el acaso ha producido el orden admirable del universo.»

«No en *otra* cosa *que* en la justicia está cimentada la seguridad de las sociedades humanas.»

«No obedece a *otro que* a ti.»

1003. Precediendo negación expresa, el *que* se reviste de la fuerza de la conjunción *sino*: «No en otra cosa *sino* en la justicia», etc. Y tal es en efecto la forma que se da muchas veces a las oraciones de esta especie.

1004. Con *ser*, cuando denota identidad, se construye a veces un *que* pleonástico, que no carece de cierta energía: «Hablara yo más bien criado si fuera *que* vos» (Cervantes); *el mismo que vos*. Pero este pleonasmo apenas tiene cabida sino en oraciones condicionales de negación implícita, en que se contrapone un nombre de persona determinada a un pronombre personal o a un artículo sustantivado: «Si *ella* fuera que tú»; «Si *yo* fuera que el gobernador».

1005. ¿Deberá decirse «No tengo otro amigo que tú», o «no tengo otro amigo que *a ti*»? En favor de esta segunda construcción pudiera alegarse que *tener* pide acusativo; que el acusativo de la segunda persona de singular es *te* o *a ti;* y que no pudiendo usarse *le* sino pegado a un verbo o derivado verbal (§ 280), es preciso emplear en esta frase la forma compuesta *a ti*. Pero el uso ha querido otra cosa: es preciso emplear aquí la forma nominativa *tú*. La práctica de la lengua pudiera formularse de este modo: si *otro* está en acusativo o nominativo, se construye con nominativo; si es término de preposición expresa, se construye o con un nominativo (que no es lo mejor) o con un complemento que lleve la misma preposición:

«No me acompañaba otro que tú»; «No tengo otro amigo que tú»; «No me fío de otro que tú», o «que de ti».

1006. En lugar del *que* comparativo se pone a menudo un complemento: «Diversas costumbres tiene *de las que* solía»; «Muy otra fue *de la que* se esperaba la terminación del negocio»; y aun a veces el segundo giro es el único admisible: «Iguales fueron los resultados a las esperanzas».

En los capítulos siguientes examinaremos otros usos de *que*, sea como conjunción comparativa, sea ejerciendo otros oficios. No hay palabra castellana que sufra tan variadas y a veces inexplicables trasformaciones.

CAPÍTULO XXXVII

GRADOS DE COMPARACIÓN

1007. Llámanse con especial propiedad *comparativos* las palabras *más* y *menos*, y todas las palabras y frases que se resuelven en éstas o que las contienen, y que, como ellas, llevan o pueden llevar en pos de sí la conjunción comparativa *que*, por medio de la cual se comparan dos ideas bajo la relación de cantidad, intensidad o grado: «En los hechos que celebra la fama suele haber *más* de interés y de amor propio, *que* de verdadera virtud»; aquí *más* es sustantivo y acusativo del impersonal *haber*, y el *que* conjuntivo compara bajo la relación indicada los sustantivos *interés* y *amor propio* con el sustantivo *verdadera virtud*, términos todos ellos de la preposición *de*. «*Más* es perdonar una injuria *que* vengarla»; el *que* conjuntivo compara dos sujetos de *ser*, modificado por el sustantivo *más*, que se adjetiva sirviendo de predicado (§ 59): el orden natural sería *perdonar una injuria es más que vengarla*. «¿Qué cosa *más* fiera *que* el león?»: compáranse *qué cosa* y *león*, y *más* es adverbio. Podemos comparar de la misma manera adjetivos: «*Más* noble *que* venturoso»; verbos: «*Más* juega *que* trabaja»; adverbios: «*Menos* magnífica *que* elegantemente adornado» (donde en *magnífica* se suprime la terminación *mente* por seguirse otro adverbio que la lleva); complementos: «*Más* por fuerza *que* de grado».

1008. A veces la primera de las ideas comparadas va envuelta en el *más:* «No apetezco *más* que el reposo de la vida privada»: el *más* es aquí sustantivo y acusativo de *apetezco*. A veces se subentiende la segunda de dichas ideas y con ellas el *que:* «Suspiro por el reposo de la vida privada: no apetezco *más*». *Más* se hace adverbio, modificando al verbo, en «Nada apetezco *más*» *(más de veras, más vivamente)* *, y adjetivo en «Nada *más* apetezco», modificando al neutro *nada*, y contribuyendo con él a formar el acusativo.

1009. Otro tanto podemos aplicar a *menos:* «No aspira a menos que a la suprema autoridad»; «En nada piensa menos que en dedicarse a las letras»; «En nada menos piensa que en ocupar un ministerio de Estado». Estos dos últimos ejemplos significan cosas contrarias: *piensa ocupar un ministerio, no piensa dedicarse a las letras.*

1010. Preséntase aquí una cuestión parecida a la que propusimos poco ha (§ 1005). ¿Deberá decirse «No tengo más amigo que tú», o «no tengo más amigo que a ti»? La solución es algo diversa. Si la primera de las ideas comparadas está en nominativo o acusativo, se le contrapone el nominativo: «Nadie es más a propósito», o «No conozco a nadie más a propósito que *ella* para la colocación que solicito». Si dicha idea es término de preposición expresa, se le debe contraponer un complemento formado con la misma preposición: «*En nadie* tengo más confianza que *en ti*»; «Tengo *con él* más intimidad que *contigo*».

1011. *Mayor, menor, mejor, peor,* son verdaderos comparativos que se resuelven en *más grande, menos grande, más bueno, más malo,* y se construyen con la conjunción comparativa *que:* «No siempre es *mayor* virtud la generosidad *que* la justicia»; «*Menor* es París *que* Londres»; «El estilo de Terencio es *mejor que* el de Plauto»; «*Peor* me siento hoy *que* ayer». *Mejor* y *peor* se adverbializan a menudo: «Se retienen *mejor* los versos *que* la prosa»; «Cada día se portan *peor*».

1012. No deben considerarse como comparativas, *superior, inferior, exterior, interior, ulterior, citerior;* porque si bien se resuelven en *más* (pues *superior* es *lo de más arriba; inferior, lo de más abajo; exterior, lo de más afuera; interior, lo de más adentro; ulterior, lo de más allá; y citerior, lo de más acá),* no se construyen con el conjuntivo *que:* no se dice *superior* o *inferior que,* sino *superior* o *inferior a.*

1013. Aun habría menos razón para considerar como comparativos a *anterior* (lo de antes) y *posterior* (lo de después), puesto que no son resolubles en *más.*

1014. Por medio del adverbio *más* se forman frases comparativas que dan este carácter a los adjetivos, adverbios y complementos, v. gr. *más útil, más rico, más lejos, más aprisa, más de propósito, más a la ligera.* En lugar de *más bueno* y *más malo* se dice casi siempre *mejor, peor. Más grande* y *más pequeño* se usan tanto como *mayor* y *menor.*

* La frase *nada apetezco más* es ambigua, porque no indica de suyo si *más* es adjetivo *(nihil amplius opto)* o adverbio *(nihil cupio magis).* Es preciso cuidar de que el contexto remueva toda duda, o decir en el primer caso *nada más* o *más nada,* y en el segundo *más vivamente, más de veras,* determinando el carácter adverbial de *más.*

1015. Debemos también mirar como frases comparativas las que se forman anteponiendo el adverbio *menos: menos útil, menos aprisa, menos a propósito.*

1016. Los comparativos rigen a menudo la preposición *de,* dejando entonces de hacerse la comparación por medio del *que* conjuntivo: «Fue más sangrienta la batalla de lo que por el número de los combatientes pudo imaginarse»; «Volvió el Presidente a la ciudad menos temprano de lo que se esperaba»; «Se encontraron al ejecutar la obra mayores inconvenientes de los que se habían previsto». *Que lo que* o *que los que* no hubiera sido impropio o extraño; pero se prefiere la preposición como más agradable al oído. Pudiera también decirse elípticamente: «Fue más sangrienta que por el número», etc.; «Menos temprano que se esperaba». Pero después de *mayor* o *menor* (como en el último ejemplo) sería dura la elipsis, que en muchos casos pudiera también hacer oscura o anfibológica la frase.

1017. Después de *más,* si viene luego un numeral cardinal, colectivo, partitivo o múltiplo, se debe usar *de* en las oraciones afirmativas; pero en las negativas podemos emplear *que* o *de:* «Se perdieron *más* de trescientos hombres en aquella jornada»; «Subió a *más de* un millón de pesos el costo del muelle»; «Se fue a pique más de la mitad de la flota»; «Ganóse en aquella especulación más del duplo de los dineros invertidos en ella». Sustitúyase en estos ejemplos *no se perdieron, no se gastó, no se fue a pique, no se ganó,* y podrá decirse *más de* o *más que.* De la misma manera se usa *menos,* como podemos verlo poniendo *menos* en lugar de *más* en los ejemplos anteriores. Creo con todo que aun en oraciones negativas suena mejor la preposición que el conjuntivo.

1018. Obsérvese que en el primero de estos ejemplos es necesario el plural *perdieron,* que no concierta con el sustantivo sujeto *más,* sino con *trescientos hombres,* término de la preposición *de,* que sigue: práctica que puede extenderse a los numerales colectivos y partitivos que hacen las veces de cardinales, y vienen seguidos de la preposición *de* con un término en plural: «No se gastaron menos que un millón de pesos»; «Se fueron a pique más de la mitad de los buques». Pero no sería entonces inadmisible el singular.

1019. El plural del verbo es preferible en las oraciones negativas, cuando *más que* equivale a la conjunción *sino:* «*No se* oían *más que* lamentos».

1020. Con los verbos *ser, parecer* y otros análogos, al *que* conjuntivo seguido de un predicado, no puede sustituirse *de:* «Al rey Don Pedro de Castilla han querido algunos dar el epíteto de justiciero: fue *más que injusto;* fue atroz y pérfido»; «Él fue para los huérfanos *más que tutor,* pues los alimentaba de lo suyo propio»; «No parecían *más que unos bandidos*».

1021. Dícese *mayor* o *menor de veinticinco años,* suprimiendo el *que* antes del complemento.

1022. Los adjetivos *más* o *menos* que figuran en una frase sustantiva, como *más agua, más vino, más frutas, más calores, más dificultades, más paciencia* (§ 85), no son regularmente modificados por adverbios de cantidad, como parecería natural, según lo dicho en el capítulo XXII, sino por los adjetivos *alguno, mucho, poco, tanto, harto* y otros análogos; y así decimos: «Alguna más agua traen ahora los ríos»; «Pocas más frutas hubieran bastado»; «Muchas más lluvias y tempestades hubo aquel año»; «¡Cuántas más dificultades se presentaron entonces, que las previstas antes de principiar la obra!»; «Harta más paciencia se necesita para corregir una obra, que para hacerla de nuevo». Pero no sucede así en la contraposición, expresa o tácita, de *tanto* y *cuanto:* «Cuánto más se ahondaban las labores, menos esperanzas ofrecía la mina».

1023. Si *más, menos,* se emplean como adverbios, rechazan antes de sí las formas apocopadas *muy, tan, cuan:* «*Mucho* más agradable» (no *muy*), «Tanto menos rico» (no *tan*), «*Cuánto* más bello» (no *cuan*). En nuestros clásicos se ve a menudo lo contrario: «En cosa *muy* menos importante yo no trataría mentira» (Santa Teresa); «¡*Cuán* más agradable compañía harán estos riscos y malezas!» (Cervantes); «Habiendo considerado *cuán* más a propósito son de los caballeros las armas que las letras» (el mismo). En casos como éste se preferiría hoy la forma íntegra contra la regla dada en 366 a 393 y 406, sobre todo en prosa, y la forma sincopada llevaría cierta afectación de arcaísmo.

1024. Dícese consiguientemente *mucho mayor, cuanto peor,* porque estos comparativos envuelven el adverbio *más.* Con todo, hablando de la salud se emplea corrientemente con el adjetivo *mejor* la forma abreviada: «La enferma está *muy mejor*»; «Se siente *tan mejor* que ha querido dejar la cama». Pero si *mejor* o *peor* hace el oficio de adverbio, es de toda necesidad la forma íntegra: «Los enfermos han pasado *mucho mejor* las primeras horas de la noche».

1025. Hay otra especie de comparación que se hace por medio de palabras o frases a que se da el título de *superlativas.* En otra parte (§§ 219 a 228) hemos dado a conocer dos especies de superlativos: los unos llamados *absolutos,* que en cuanto superlativos, carecen de régimen *; los otros denominados *partitivos,* que rigen expresa o tácitamente un complemento formado de ordinario con la preposición *de,* y significan no sólo, como aquéllos, un alto grado de la cualidad respectiva, sino el más alto de todos, dentro de aquella clase o colección de cosas en que consideramos el objeto: «Demóstenes fue *el más elocuente de* los griegos»; «El Egipto fue *de* todas las naciones de que hay memoria, *la que más temprano se civilizó*». Los superlativos *partitivos* o de *régimen* son casi siempre frases que principian por el artículo definido, el

* Dícese *en cuanto superlativos,* porque conservan el régimen de los adjetivos de que nacen. Cuando se dice, por ejemplo, que «Un país es abundantísimo de frutos», el complemento no es regido por la forma superlativa sino por el adjetivo *abundante.*

cual, combinándose con los comparativos, los vuelve superlativos: «*La más constante* mujer»; «*El más perverso de* los hombres»; «*Lo más temprano* posible»; «*El mayor de* los edificios de la ciudad»; «*El peor de* los gobiernos». Hay pocos superlativos de régimen que lo sean por sí, esto es, que no se formen por la combinación antedicha; tales son *mínimo, ínfimo, primero, último* y *postrero.*

1026. *Mínimo, ínfimo,* que se usan como superlativos absolutos en *una cosa mínima, un precio ínfimo,* son superlativos de régimen en «*el mínimo de* los seres», «*la ínfima de* las clases».

1027. *Primero,* usado como adverbio comparativo en «*Primero* es la obligación *que* la devoción», es adjetivo superlativo de régimen en «*El primero de* los reyes de España», «*Lo primero de* todo».

1028. *Último* y *postrero* se usan como superlativos de régimen: «Tule era *la última* o *la postrera de* las tierras de Occidente».

1029. A veces se subentiende el régimen, porque la construcción lo suple: «La más constante mujer» equivale a «La más constante de las mujeres».

1030. Los comparativos y los superlativos de régimen se llaman *grados de comparación.* El adjetivo o adverbio de que nacen forma el grado *positivo.* Tenemos pues en los adjetivos o adverbios que son susceptibles de las comparaciones dichas, tres grados: el positivo, el comparativo y el superlativo: *docto, más docto, el más docto; doctamente, más doctamente, lo más doctamente.* El superlativo absoluto debe más bien considerarse como un mero aumentativo.

Concluiremos con algunas observaciones que no carecen de importancia.

1031. 1ª En el régimen de los superlativos se sustituye a veces al complemento con *de* algún otro de valor análogo: «El más profundo *entre* los historiadores antiguos fué Tácito».

1032. 2ª Además de estos medios de expresar los diferentes grados de las cualidades, recurre la lengua a varios otros que encierran el mismo sentido, pero que construyéndose de diverso modo no constituyen comparativos ni superlativos: *No tan instruído como* equivale a *menos instruído que;* y *magnífico sobre todos* dice lo mismo que *el más magnífico de todos.* Y podemos también por medio de la construcción comparativa indicar el grado supremo: *más adelantado que otro alguno de la clase* vale tanto como *el más adelantado de la clase.*

1033. 3ª Los superlativos de régimen piden el indicativo: «El hombre más elocuente que *he conocido»;* «La más antigua poesía que se compuso en castellano»: a menos que la proposición subordinada lleve un sentido de hipótesis o se refiera a tiempo futuro: «Es preciso atenerse a lo más benigno que las leyes hayan ordenado sobre esta materia»; «El primero que resuelva el problema se llevará el premio».

1034. Pero en el día el uso no es constantemente fiel a esta regla. Se ha hecho frecuente el uso del subjuntivo en todos casos, imitado, sin duda, de la lengua francesa: «Forzoso es confesar que debemos a España la primera tragedia patética y la primera comedia de carácter que *hayan* dado a Francia celebridad» (Martínez de la Rosa, traduciendo a Voltaire); «El primer autor castellano que *haya* hablado de reglas dramáticas, fue Bartolomé de Torres Naharro» (el mismo).

1035. 4ª Los superlativos *primero, postrero, último,* rigen también el infinitivo con la preposición *en:* «El primero, postrero, último, *en presentarse*», en vez de la frase corriente y castiza *que se presentó.* Es galicismo que no creo haya tenido muchos imitadores el que se escapó a Jovellanos en su elegantísima Ley agraria: «La necesidad de vencer esta especie de estorbos fue la primera *a* despertar en los hombres la idea de un interés común». Acaso se quiso evitar la ingrata repetición del *en:* «fue la primera en despertar en los hombres».

1036. Se llaman en general partitivos aquellos nombres de que nos servimos para designar determinadamente uno o más individuos en la clase a que se refieren, como lo hace el superlativo de régimen en «la más populosa de las ciudades europeas».

1037. Se usan como partitivos *alguno, ninguno, poco, mucho, cuál, quién, cualquiera,* etc.

1038. Una regla esencial para el recto uso de las frases partitivas que se componen de un adjetivo seguido de un complemento con *de,* es que el adjetivo debe concertar en género con el término; por lo que sería mal dicho: «El jazmín es el más oloroso de las flores», concertando a *oloroso* con *jazmín,* en vez de *la más olorosa de las flores,* concertándole con *flor.* Pero aun es más necesario advertir, por el mayor peligro de que no se tenga presente, que se evite sustituír en estas frases el sustantivo al adjetivo cognado. No debe, por ejemplo, decirse «*Nadie* de los hombres», «*Alguien* de los soldados», sino *ninguno* y *alguno.*

Capítulo XXXVIII

CONSTRUCCIONES DEL RELATIVO QUIEN

1039. El relativo *quien* equivale algunas veces a *el cual,* y tiene un antecedente expreso de persona o de cosa personificada: recuérdese lo dicho en 328 a 331.

1040. Pero a veces se calla el antecedente: «No teníamos a quien volver los ojos»: *persona a quien.*

En una copla de Arriaza se lee:

> «... Yace aquí
> Quien fue su divisa
> Triunfar o morir.»

Construcción viciosísima, que Don Vicente Salvá corrige de este modo:

«... Yace aquí
De quien fue divisa
Triunfar o morir»,

subentendiendo *aquel;* mas aun es algo dura. Granada dice: «Muy rico es el pobre que tiene a Dios, y muy pobre a quien falta Dios, aunque sea señor del mundo». Se entiende *aquel* antes de *a quien.* Pero en esta construcción hay circunstancias especiales que la hacen suave y elegante; lo mismo que en este ejemplo de Lope de Vega:

«Véte luego de mis ojos,
Que tú fuiste *por quien* vino
La nueva de mis infamias
A mis honrados oídos»

(aquel por quien). No diré otro tanto de aquel pasaje de Fr. Luis de León:

«Un no rompido sueño,
Un día puro, alegre, libre quiero;
No quiero ver el ceño
Vanamente severo
De a quien la sangre ensalza o el dinero»

(de aquel a quien). Es desagradable esta concurrencia de preposiciones, y vale más decir como Mariana: «¡Servidumbre miserable, estar sujetos a las leyes de aquellos a quien antes las daban!»

1041. Con todo, siendo ambas preposiciones una misma, y uno mismo (aunque con inflexiones diferentes) el elemento de que vengan regidas, puede la construcción suavizarse por una doble elipsis:

«...Estoy casada
Con quien sabes; no he de hacer
Cosa que pueda ofender.»

(Lope):

casada (con la persona) con quien sabes (que estoy casada). «Decíanme mis padres que me casase con quien yo más gustase» (Cervantes): *casase (con aquel) con quien yo más gustase (casarme).* «Las plumas con más libertad que las lenguas dan a entender a quien quieren lo que en el alma está encerrado» (Cervantes): *dan a entender (a la persona) a quien quieren (darlo a entender).* Pero a veces no hay más que una elipsis: «Suplico que por tener cargada la conciencia en diez o doce mil escudos, se dé orden cómo se restituyan a quien yo los tomé» (Mariana): *a las personas a quien.* «Por confesarse de mala gana deudores de quien lo fue toda la cristiandad» (Coloma): *de aquel de quien.*

1042. Otras veces no se calla el antecedente, porque va envuelto en *quien* (§ 328), cuyo significado se resuelve entonces en dos elementos, una idea de persona o cosa personificada, y el relativo *que*. Esto sucede:

1043. 1º Cuando el antecedente envuelto es sujeto de la proposición subordinante, y el elemento relativo es sujeto de la proposición subordinada: «Quien te adula te agravia»: *Quien* es *la persona que, aquel que.*

1044. 2º Cuando el antecedente es predicado, y el relativo sujeto:

«Ésta fue quien halló los apartados
Indios de las antárticas regiones.»
(Ercilia).

Aquella que: aquella predicado de *fue,* y *que* sujeto de *halló.*

1045. 3º Cuando el antecedente y el relativo son predicados:

«Dícesme, Nuño, que en la corte quieres
Introducir tus hijos, persuadido
A que así te lo manda el ser quien eres.»
(B. de Argensola):

el ser tú la persona que tú eres.

1046. 4º Cuando el antecedente es término, y el relativo sujeto: «Yo no puedo ni debo sacar la espada contra quien no fuere armado caballero» (Cervantes): *contra aquel que no fuere.*

1047. 5º Cuando el antecedente es término, y el relativo predicado: «Yo te juro por quien yo soy, de darte tantos hijos», etc. (Granada): *por el ser que yo soy.*

Capítulo XXXIX

CONSTRUCCIONES DEL RELATIVO CUYO

1048. El pronombre *cuyo* reúne, según hemos dicho (§ 334), los oficios de relativo y de posesivo: *cuyo* equivale a las frases *de que, del cual, de quien, de lo cual:*

«Santo Jehová, cuya divina esencia
Adoro, mas no entiendo.»
(Meléndez):

cuya esencia es la *esencia del cual.* «Sólo se trataba de enriquecer, rompiendo con la conciencia y con la reputación, dos frenos sin cuyas riendas queda el hombre a solas con su naturaleza» (Solís): *cuyas riendas* es *las riendas de los cuales.*

1049. Aunque la idea de posesión y de todo lo que a ella se parece, se suele expresar por la preposición *de,* es preciso advertir que con ésta declaramos otras relaciones diversas a que por lo mismo no conviene el posesivo *cuyo.* Así, aunque digamos «el viaje *de* Chile a Europa», no por eso diremos *Chile, cuyo viaje a Europa.*

1050. Muchos, olvidando la genuina significación de *cuyo,* lo emplean a menudo en el significado de *que* o *el cual,* y esto aun cuando las proposiciones estarían suficientemente enlazadas por estos y otros pronombres demostrativos; lo que da al lenguaje un cierto olor de notaría, que es característico de los escritores desaliñados. Dícese por ejemplo: «Se dictaron inmediatamente las providencias que circunstancias tan graves y tan imprevistas exigían; *cuyas providencias,* sin embargo, por no haberse efectuado con la celeridad y la prudencia convenientes, no surtieron efecto». Hubiera sido mejor *las cuales providencias* o *estas providencias* o *providencias que.* Yo miro semejante empleo de *cuyo* como una corrupción, porque confunde ideas diversas sin la menor necesidad ni conveniencia, y porque, si no me engaño, es rarísimo en escritores elegantes y cuidadosos del lenguaje, como Jovellanos y Moratín. No digo lo mismo de Solís, en cuya pulida historia me admiro de encontrar a cada paso esta acepción notarial de *cuyo.*

«El Deán de Lovaina había venido desde Flandes con título y apariencias de embajador, y luego que sucedió la muerte del rey D. Fernando, mostró los poderes que tenía del príncipe D. Carlos; de que resultó una controversia muy reñida sobre si este poder había de ser de mejor calidad que el del Cardenal; *en cuyo* punto discurrían los políticos de aquel tiempo con poco recato». Habría sido mejor *punto en que.*

«Se opuso que no convenía para la quietud de aquel reino que residiese la potestad absoluta en persona de tan altos pensamientos; *de cuyo principio* resultaron», etc. El sentido es *y de este principio,* o *principio del cual,* como creo que hubiera sido más propio.

«Retrocedieron las naves al arbitrio del agua, no sin peligro de zozobrar o embestir con la tierra; *cuyo accidente* dio ocasión», etc.; *y este accidente* o *accidente que.*

1051. Las expresiones tan socorridas *para cuyo fin, a cuyo efecto, con cuyo objeto,* de que se hace frecuente uso, o por mejor decir, abuso, ligando oraciones que no necesitan de tan estrecho enlace, me parecen menos tolerables que el fastidioso *el cual, lo cual,* con que escritores de otra edad enhebraban cláusula sobre cláusula en interminables períodos; porque así a lo menos no se desnaturalizaba la propiedad de ninguna palabra, como sucede a *cuyo* cuando se le hace significar *el cual,* despojándolo de la idea de posesión. Si el uso tolera dos medios de expresar una cosa, se debe preferir el más propio.

1052. No es genial del castellano el giro que al uso de *cuyo* sustituye a menudo un escritor merecidamente estimado: «Cuando el tierno y honrado padre (de Horacio) hubo inspirado a su hijo los sentimientos generosos y las máximas elevadas *de que* éste consignó muchas veces en sus obras *el grato recuerdo*», en vez de *cuyo grato recuerdo consignó;* «Roma, sujeta a una tiranía *de que* nadie podía prever *el término*», en vez de *cuyo término nadie,* etc.*

1053. *Cuyo* puede separarse del sustantivo que modifica, cuando es predicado: «El caballero, cuya era la espada»; y entonces podemos reemplazarlo con *de quien* (si se habla de un ser personal o

* Esta es una imitación evidente de la construcción francesa, *dont il a consigné le souvenir, dont on ne pouvait prévoir le terme;* construcción obligada en el idioma francés, que carece de un posesivo equivalente a *cuyo; dont* es en aquella lengua el relativo, que corresponde al demostrativo *en: il* en *a consigné le souvenir; on* en *pouvait prévoir le terme.*

personificado). Puede también subentendérsele su antecedente de persona: «El intento de los calvinistas fue impedir el alojamiento de la infantería española, temiendo que entregaría la ciudad *a cuya era*» (Coloma): *a aquel cuya era.* Pero este uso me parece limitado a construcciones parecidas en todo a la del último ejemplo. Si el antecedente tácito fuese sujeto, o si el relativo no fuese predicado de *ser,* como en *se apoderaría de la ciudad aquel cuya era,* o *entregaría la ciudad a aquel cuya autoridad desconocían,* no podría suprimirse *aquel.* La construcción misma de Coloma va cayendo en desuso.

CAPÍTULO XL

CONSTRUCCIÓN DE LOS DEMOSTRATIVOS TAL Y TANTO, *Y DE LOS RELATIVOS* CUAL Y CUANTO

1054. *Cual* es de grande uso en las comparaciones, sobre todo en poesía, y entonces se adverbializa a menudo:

«Déjalas ir a los bailes,
Deja que canten y rían,
Cual tú, enojosa, lo hicieras,
Si no vivieses cautiva.»

(Meléndez):

como tú lo hicieras.

1055. Antiguamente se usaba *cual* en lugar de *el... que,* posponiendo el sustantivo que ahora acostumbramos poner entre el artículo y el relativo:

«Mandándoslos * ferir de cual part vos semejare»:

esto es, mandádnoslos acometer por *la parte que* os pareciere.

1056. También es notable la construcción de *el cual* por *aquel... que,* de la que todavía se ven ejemplos en Mariana, Bernardo de Valbuena y otros autores:

«Los cuales lugares y encomiendas se daban antes a los soldados viejos para que sustentasen honestamente la vida, al presente sirven a los deleites, estado y regalo de los cortesanos» (Mariana): *aquellos lugares y encomiendas que se daban.*

1057. Esta construcción es muy diferente de aquella en que se repite el antecedente de *el cual,* cuando la claridad lo aconseja:

«Llegaron a una ciudad situada en un extenso llano, cubierto de una lozana y florida vegetación, en la cual ciudad», etc. Y sucede también a veces que no se repite sino se pospone el antecedente: así, en lugar de «Perdióse la Goleta, perdióse el fuerte; plazas sobre las cuales hubo de soldados turcos pagados setenta y cinco mil», dice Miguel de Cervantes: «Perdióse la Goleta, perdióse el fuerte, sobre las cuales plazas», etc.

* Nótese la trasposición de letras *mandandos* por *mandadnos,* usada en los tiempos más antiguos de la lengua.

1058. Traspónese elegantemente el relativo *cuanto*.

«Pobre de aquel que corre y se dilata
Por cuantos son los climas y los mares,
Perseguidor del oro y de la plata.»

(Rioja):

esto es, *por los climas y los mares, cuantos ellos son*. Pero es mayor todavía la inversión, bien que reservada a la poesía, en este pasaje de B. de Argensola:

«¿Cuánta se engendra en el distrito humano
Hermosura odorífera o luciente,
Das al antojo de un adorno vano?»

El orden natural sería *tanta hermosura odorífera y luciente, cuanta se engendra;* como en este pasaje de Miguel de Cervantes: «Las cosas dificultosas que se intentan por Dios y por el mundo son aquellas de los verdaderos soldados, que apenas ven en el contrario muro abierto *tanto espacio, cuanto* es el que puede hacer una redonda bala de artillería, cuando se arrojan intrépidamente», etc.

1059. Aquí conciertan con un mismo sustantivo *(espacio)* los contrapuestos *tanto, cuanto,* que algunas veces lo hacen con dos sustantivos diversos: «Juro darte por ese hijo *tantos hijos, cuantas estrellas* hay en el cielo y *arenas* en el mar» (Granada). Esto, sin embargo, apenas ocurre sino cuando el verbo de la proposición subordinada es de los que significan la mera existencia, ya directamente, como *ser,* ya de un modo indirecto, como el impersonal *haber.* Es raro encontrar en prosa construcciones como

«Cuantas el campo adornan flores bellas,
Tantas el cielo fúlgidas estrellas.»

1060. Lo dicho de los adjetivos *tanto* y *cuanto* se aplica, por supuesto, al uso sustantivo y al adverbial, sin más diferencias que las que dependen de los varios oficios gramaticales de estas palabras. Los ejemplos siguientes lo manifiestan, y exhiben al mismo tiempo una muestra de la variedad de sus construcciones y significados. «No sólo por cualquier interés que se les ofrezca, sino muchas veces de balde y sin propósito, por sólo maldad y desvergüenza, ponen debajo de los pies *todo cuanto* nos manda Dios» (Granada): *todo* y *cuanto* sustantivos neutros. «Las mujeres trabajaban en el reposo de sus hogares *cuanto* era necesario para el surtimiento y vestido de la familia» (Jovellanos): esto es, *todo cuanto.* «Las colonias *en tanto* son útiles, *en cuanto* ofrecen un seguro consumo al sobrante de la industria de la metrópoli» (Jovellanos): *tanto* y *cuanto* sustantivos neutros, términos de la proposición *en.* «Creían que esta especie de obras no podían producir utilidad sino *en cuanto* las recomendaba el ingenio y gracia con que se escribían» (el mismo): esto es, *en tanto en cuanto.* «Llegaba su firmeza *a cuanto* se podía extender la naturaleza de tal piedra» (Cervantes): esto es, *a tanto a cuanto:* el antecedente envuelto y el relativo son términos de una misma preposición *a,* como en el ejemplo anterior, de *en.* «Vé y di a Jeroboam: esto dice el Señor

Dios de Israel: *por cuanto* no fuiste como mi siervo David, que guardó mis mandamientos, *por tanto* yo acarrearé muchos males sobre la casa de Jeroboam» (Scío): como si se dijera, *porque no fuiste... por eso*: de la relación de igualdad se pasa a la de identidad. «Tenemos por enemigo declarado al sol, *por cuanto* nos descubre los remiendos, puntadas, y trapos» (Quevedo): cállase el correlativo *por tanto.* «No tenían conocido de los países vecinos más *de a cuanto* se extendieran sus correrías» (Mariana): *de tanto a cuanto*: el antecedente envuelto y el relativo son términos de preposiciones distintas. «De vos al asno, compadre, no hay diferencia *en cuanto* toca al rebuznar» (Cervantes): *en tanto cuanto,* esto es, *en lo que*: la preposición pertenece al antecedente envuelto, y el relativo es sujeto de la proposición subordinada: callando este verbo *toca,* como se hace frecuentemente, se diría *en cuanto a*, como callando el verbo *ser*, se dice *en cuanto Dios, en cuanto hombre, en cuanto magistrados, en cuanto poetas.*

«Tiene al poniente el bravo mar vecino
Que bate el pie de un gran derrumbadero,
Y en lo más elevado de la cuesta .
Se allana *cuanto* un tiro de ballesta.»
(Ercilla):

esto es, se allana *tanto cuanto es, cuanto se extiende*: se envuelve el antecedente, y se calla el verbo de la proposición subordinada. «El niño nace *tan desnudo* de todos estos bienes espirituales, *cuan desnudas trae las carnes*» (Granada): ya se sabe que *tan* y *cuan* son *tanto* y *cuanto* apocopados. «Temporales ásperos y revueltos, guerras, discordias y muertes, hasta la misma paz arrebolada con sangre, afligían no sólo a España, sino a las demás naciones *cuan anchamente* se extendía el nombre y señorío de los cristianos» (Mariana): *tan anchamente, cuan anchamente: tan* y *cuan* modifican a un mismo adverbio, primero tácito (como el mismo *tan*) y después expreso.

1061. Es sabido que en lugar de contraponerse los relativos *cual* y *cuanto* a los demostrativos análogos *tal* y *tanto,* se contrapone a cualquiera de estos dos el adverbio relativo *como*: Nunca se habían visto en Roma atrocidades *tales como* las que produjo el encarnizamiento de las guerras civiles; *tantos* hijos *como* estrellas hay en el cielo; *tanto* espacio *como* el que puede hacer una bala; *tan* anchamente *como* se extiende el señorío.

1062. *Tal* y *tanto,* ora sean sustantivos, adjetivos o adverbios, se contraponen también al anunciativo *que* usado adverbialmente; pero en diferente sentido: *tal como,* significa semejante; *tal que,* determina la calidad encareciéndola; y lo hace por medio de una circunstancia que no tiene semejanza con ella: «Les afeó su mala intención con *tales* palabras *que* les movió a que le respondiesen con los puños» (Cervantes). De la misma manera, *tanto como,* denota igualdad; *tanto que,* determina la cantidad o número con cierto encarecimiento: «Fueron *tantas* las voces, *que* salió el ventero despavorido» (el mismo). Se pondera lo recio y repetido de las voces.

1063. Es usada y elegante la elipsis de *tal* antes de este *que*: «En lugar de una reverencia hizo una cabriola, *que* se levantó dos varas de medir en el aire» (Cervantes): *una cabriola tal, que.* «Se comenzaron a descoger y desparcir unos cabellos *que* pudieran los del sol tenerles envidia» (el mismo): *tales que.* «Encerráronse los dos en su aposento, donde tuvieron un coloquio, que no le hace ventaja el pasado» (el mismo).*

1064. Hay una contraposición notable de *tanto más* y *cuanto más; tanto más* y *cuanto; tanto más* y *que; tanto más* y *cuanto que*; y de las frases análogas formadas con *menos* en lugar de *más.* «Gravoso deberá considerarse este cúmulo de prolijas e impertinentes formalidades, *tanto más* duras para el comerciante, *cuanto más* distan de su profesión y conocimientos» (Jovellanos): compárense aquí dos cantidades, la de la dureza y la de la distancia. «Las particularidades y pormenores llaman *tanto más* la atención, *cuanto* en ellas se encuentra a los héroes *más* desnudos del aparato teatral con que se presentan en la escena del mundo» (Quintana). Compárase el grado de fuerza con que se llama la atención, y el grado de la desnudez.

Lo mismo sucedería sustituyendo *menos* a *más: tanto menos tolerables cuanto menos análogas a su profesión.* Y puede también contraponerse *menos* a *más: tanto más duras, cuanto menos análogas: tanto menos tolerables, cuanto más distan.*

1065. El caso que ahora vamos a considerar es diferente, por cuanto en él no se comparan dos cantidades o grados, sino se denota el grado o la cantidad de un atributo por la mera existencia del otro. Contrapónese entonces *tanto más* o *tanto menos,* a *cuanto,* no a *cuanto más* o *cuanto menos.* «Este estanco del trabajo se estrecha *tanto más, cuanto* para pasar al magisterio es menester haber corrido por las clases de aprendiz y oficial» (Jovellanos). Equivale a decir que *el estanco del trabajo se estrecha más porque es menester,* etc.; pero dando a entender con énfasis el poderoso influjo de la circunstancia declarada por la proposición siguiente.

Esta especie de contraposición es de frecuente uso en los escritores modernos. Sin salir de Jovellanos, pudieran citarse no pocos ejemplos de ella: «Culpa *tanto más grave, cuanto* los demás de su instituto habían favorecido noblemente la causa de la nación y la justicia» (giro que pudiéramos reducir al ordinario, diciendo *cuanto más noblemente habían favorecido los demás de su instituto,* etc.). «Esta repugnancia *era tanto mayor, cuanto* siendo incapaces los caballeros por su profesión para estos empleos, habían sido habilitados para obtenerlos» (recuérdese que *mayor, menor, mejor, peor,* llevan envuelto el *más* o *menos* y se construyen como si lo llevaran expreso).

1066. En lugar de *tanto más* o *menos cuanto*, se decía y se dice en el mismo sentido *tanto más* o *menos que*: uso muy propio, porque el *cuanto* de estas construcciones no tiene en realidad otra significación que la del anunciativo *que,* empleado adverbialmente. «Los intentos del rey (de Castilla, don Alonso VIII) no poco alteró la muerte del infante don Fernando: fue *tanto mayor* el sentimiento de su padre, y lloro de toda la provincia, *que* daba ya asaz

* Se ha criticado este último pasaje. A mí me parece que la elipsis de *tal* en circunstancias semejantes no convendría a la formalidad del estilo académico; pero creo que se aviene perfectamente con la naturalidad y desenfado de la manera de Cervantes en su incomparable poema. Lo que choca en el último ejemplo es el *su,* que hace común de Don Quijote y Sancho el aposento del primero.

claras muestras de un grande y valeroso príncipe» (Mariana): el autor se contenta aquí con mencionar las muestras, como circunstancia que había tenido mucha parte en el sentimiento; si hubiera querido comparar dos cantidades, como aquí le era dado, habría dicho: *fue tanto mayor el sentimiento y lloro, cuantas más claras muestras*, etc. «Quería satisfacerse de los de Navarra, que en todas las ocasiones mostraban la mala voluntad que le tenían: *tanto más, que* no quisieron venir en lo que el rey después de su vuelta les rogaba» (el mismo). *

1067. Los modernos usan en el mismo sentido *tanto más* o *menos, cuanto que*, acumulación de relativos, en que no encuentro propiedad ni elegancia **.

Capítulo XLI

COMPUESTOS DEL RELATIVO CON LA TERMINACIÓN QUIERA *O* QUIER

1068. De varios relativos se forman compuestos acabados en *quiera* o *quier*, terminación que se ha tomado sin duda del verbo *querer****. Tales son, *quienquiera*, sustantivo, cuyo plural *quienesquiera* es poco usado; *cualquiera*, adjetivo; *dondequiera, cuandoquiera, comoquiera, siquiera*, adverbios.

1069. Aunque compuestos de relativo, no lo son, y para recobrar la fuerza de tales, necesitan juntarse con *que*, formando las frases relativas *quienquiera que, cualquiera que, dondequiera que*, etc. ****

1070. La apócope *quienquier* es anticuada. *Cualquier* no puede

* Clemencín es, entre los modernos, el que más usa esta construcción que me parece la más propia para verter la latina *eo magis quod*. «No hay confesión, ni misa, ni cosas sagradas» (en la penitencia que hace Don Quijote en Sierramorena, imitando la de Amadís, «porque no quiso Cervantes mezclar lo sagrado con lo profano; tanto más, que la aventura de Don Quijote era imitación burlesca de la otra.»

** La tan socorrida de Marchena *eso más, que*, ofrece una traducción literal de *eo magis quod*. «Eso más estrechan sus teorías, que en la vida práctica todos las eluden indistintamente.» Emplea asimismo Marchena *eso más, que más*, en el sentido de *tanto más, cuanto más*: «Eso más es animada la historia, que más parecidas son las facciones y la fisonomía de los personajes retratados a lo que ellos realmente fueron.» No recuerdo haber visto ejemplo de semejantes usos de *eso* en ningún otro escritor castellano antiguo o moderno.

***Como en latín de *volo* y *libet* la de los compuestos *quivis, quilibet*, etc. Y de aquí es que en lo antiguo solían separarse los dos elementos componentes, interponiéndose un sustantivo: *cual cosa quier*.

Hubo también antiguamente el sustantivo *quequiera* o *quequier* (cualquiera cosa).

«Complirlo quiero todo, quequier que me digades» (Berceo).

Otro antiguo compuesto, que ha desaparecido completamente, es *queque*, análogo al latino *quidquid*.

«Comieron, queque era, cena o almorzar» (el mismo).

****Los poetas modernos se permiten la licencia de suprimir el *que* en estas frases decirse sino precediendo a sustantivo expreso y formando frase con él: por lo que *una cosa cualquier*, o *cualquier que lo diga*, serían expresiones incorrectas; pero si precede al sustantivo y forma frase con él, se apocopa o no, indistintamente: *cualquier* o *cualquiera hombre, cualesquier* o *cualesquiera cosas. Doquiera* es una forma anticuada, admitida hoy sin escrúpulo por los poetas, que dicen indiferentemente *doquiera* y *doquier*. En *dondequiera, cuandoquiera, comoquiera, siquiera*, la apócope es arcaica.

1071. En el día el valor propio de *como quiera que* es *de cualquer modo que*; mas en lo antiguo significaba *sin embargo de que, aunque*, y en este sentido lo emplea alguna vez Martínez de la Rosa, juntando el arcaísmo del significado al de la forma: *comoquier que*.

1072. *Siquiera* tiene variedad de acepciones: 1ª *A lo menos*, la más vulgarizada de todas: «Si el galardón ha de durar mientras Dios reinare en el cielo, ¿por qué no quieres tú que el servicio dure *siquiera* mientras tú vivieres en la tierra?» (Granada). 2ª *Aun*, después de *ni*; aunque con cierta diferencia, porque si se puede decir arbitrariamente «*Ni aun*» o «*ni siquiera* asiento se le ofreció», sólo creo que con propiedad pueda decirse «*Ni aun* sus lágrimas le desenojaron» *. 3ª *Aunque*: «Respondió el cuadrillero que a él no le tocaba sino hacer lo que» (respecto de Don Quijote) «le era mandado, y que una vez preso, *siquiera* le soltasen trescientas» (Cervantes). Adviértase, con todo, que sin embargo de esta equivalencia de sentido entre *aunque* y *siquiera*, son diversos sus oficios, pues *siquiera* es un simple adverbio, y *aunque* un adverbio relativo que liga dos proposiciones, una de ellas tácita. Pudiéramos expresarla diciendo *aunque le soltasen, no se le daría nada;* pero precediendo *siquiera*, no podríamos hacer lo mismo, porque *siquiera* representa la frase primitiva *si querían, si se les antojaba* **. «Ví-

relativas, como lo hicieron Cienfuegos y Meléndez:

«Mudanzas tristes reparo
Doquier la vista se torna.»

«El hombre respira y goza;
Dondequier se torne o mire,
Hallará un bien, un alivio
A las penas que le afligen.»

* Me parece que *ni aun* se aplica a gradaciones tácitas, tanto de menos a más, como de más a menos: así en *ni aun sus lágrimas le desenojaron*, es indudable que se sugiere a la imaginación algo de parecido a esta escala ascendente: *no le desenojaron sus ruegos, sus protestas ni aun sus lágrimas*. La gradación que en el ejemplo precedente es de menos a más, es de más a menos en *ni aun asiento se le ofreció*, que hace pensar en *no se le recibió con agasajo, no se le saludó cortésmente, ni aun*, etc. Si no me engaño, sólo para la segunda especie de gradaciones es propio *siquiera*.

No me parece digna de imitarse la elipsis de *ni* en *ni siquiera*: «El historiador no indica la menor sospecha sobre la buena fe del general Tuttavilla, a quien *siquiera* nombra». Sólo en las oraciones interrogativas debe ir este *siquiera* sin *ni*, cuando lo suple la negación implícita:

«¿Ha dado a mis desgracias una sola
Expresión de dolor, falsa *siquiera*?»

** No me parece haber sido siempre imitado con acierto el uso clásico de *siquiera* por algunos elegantes hablistas de nuestros días: «El Gobierno, según algunos, debe sólo atender al interés material de los gobernados, a darles los goces materiales de la vida, a mirar por el regalo de sus cuerpos o satisfacción de sus apetitos, *siquiera* sean moderados»; de *siquiera* en el sentido de *con tal que*, como lo ha usado el autor, no es fácil que se halle ejemplo en los clásicos castellanos. El mismo escritor: «En esta cátedra ha de decirse la verdad, o las que crea tales el humilde individuo que la ocupa, no concediendo ni una parte mínima a un principio que crea falso; *siquiera* triunfe éste y domine»; aquí *siquiera* tiene su significado de *aunque*.

vame la suma caridad del Ilustrísimo de Toledo: y *siquiera* no haya imprentas en el mundo: y *siquiera* se impriman contra mí más libros que tienen letras las coplas de Mingo Revulgo» (Cervantes): esto es, *aunque no haya imprentas en el mundo, y aunque lluevan libros sobre mí*; donde es de notar que se indican dos suposiciones contrarias, para dar a entender que tanto importa una como otra. Lo mismo en este ejemplo de Rivadeneira: «*Siquiera* se hayan de quedar en un mismo lugar por mucho tiempo, *siquiera* se hayan de apartar a lejas tierras, siempre se ven estar con ánimo alegre» *

Capítulo XLII

USO DE LOS RELATIVOS SINÓNIMOS

1073. Las proposiciones ligadas a otras por medio de relativos unas veces especifican y otras explican: a las primeras hemos llamado subordinadas, a las segundas incidentes (§§ 306 y 307). El relativo que acarrea la proposición incidente hace en cierto modo el oficio de la conjunción *y*; y la proposición, no obstante el vínculo material que la enlaza con otra, pertenece a la clase de las independientes: así es que en ella las formas del verbo (a lo menos del verbo principal, si hay más de uno) son las que convienen a las proposiciones independientes.

«El primer historiador que conoció la Grecia fue Herodoto. Antes de él los hechos notables se habían ido trasmitiendo verbalmente en himnos y poemas cortos, que se conservaban en la memoria. Su obra, donde reunió cuantos hechos verdaderos y fabulosos pudo recoger en sus viajes, presenta todo el interés de un poema, y los griegos congregados en los juegos olímpicos, oían sus descripciones con el mismo placer que sentían al escuchar los cantos de Homero» (Gil y Zárate).

Que conoció la Grecia, que sentían al escuchar los cantos de Homero, son proposiciones subordinadas. *Que se conservaban en la memoria* y *donde reunió cuantos hechos verdaderos y fabulosos pudo recoger en sus viajes*, son proposiciones incidentes. La segunda contiene una proposición subordinada, que es la que principia por *cuantos.*

«Cuando haya en España buenos estudios, cuando el teatro merezca la atención del Gobierno, cuando se propague el amor a las letras en razón del premio y del honor que logren; cuando cese de ser delito el saber, entonces (y sólo entonces) llevarán otros adelante la importante reforma que Moratín empezó» (Moratín). Son cuatro proposiciones subordinadas las que principian por *cuando.*

* Antiguamente *quier... quier*: «A todo hombre por esta obra he aprovechado, quier sea bueno, quier malo» (Hugo Celso). Con la conjunción *o* forma la disyuntiva *o si quier*, sincopada en *o quier* en el sentido de *o bien, o si se quiere:* «Lector ilustre, *o quier* plebeyo» (Cervantes):

«Con estas monedas *o si quier* medallas.»
(Iriarte).

El antecedente especificado está en la frase *en el tiempo*, envuelta en el mismo adverbio relativo; a no ser que se prefiera considerar como antecedente pospuesto el adverbio *entonces* con que principia la proposición principal. *Que logren* y *que Moratín empezó* son también proposiciones subordinadas que especifican a los antecedentes *premio* y *honor* y *reforma*.

«La religión cristiana despierta todos los presentimientos que dormitan en el fondo del alma, confirmando aquella voz secreta que nos dice que aspiramos a una felicidad inasequible en este mundo; donde ningún objeto perecedero puede llenar el vacío de nuestro corazón, y donde todo goce no es más que una ilusión fugitiva.» (Gil y Zárate). *Que dormitan en el fondo del alma*, proposición especificativa de *presentimientos; que nos dice que aspiramos a una felicidad inasequible en este mundo*, proposición especificativa de *voz secreta*: en ella se introduce otra proposición de la misma especie, *aspiramos a una felicidad inasequible en este mundo*, por medio de la cual se determina el sentido vago del anunciativo *que (esto)*; por último, las proposiciones que principian por *donde* son explicativas del sustantivo *este mundo*.

1074. Entre las proposiciones enlazadas por el relativo, cuando una de ellas no hace más que explicar su antecedente, se hace siempre una pausa más perceptible que la que separa la proposición especificativa de la subordinante; pausa que puede marcarse a veces hasta con un punto redondo: «Este mal tan grande no tiene una sola raíz sino muchas y diversas. Entre *las cuales* no es la menor un general engaño en que los hombres viven, creyendo que todo lo que promete Dios a la virtud, lo guarda para la otra vida» (Granada).

1075. Ya hemos notado (§ 347) que en otro tiempo se usaba con demasiada frecuencia la frase relativa *el cual, lo cual*, para ligar oraciones independientes. Recientemente se ha pasado tal vez al otro extremo, empleándola con excesiva economía, ya porque se prefiera la otra frase relativa *el que, lo que*, o porque se sustituya al relativo un mero demostrativo, aun cuando por lo breve de la proposición subsiguiente, y por su conexión con la que precede, hubiera sido oportuno el relativo simple *que*: «Este carácter conservaron casi todos los historiadores de la antigüedad; *los cuales*, con descripciones pomposas, con arengas estudiadas, procuraban dar a la historia un tono poético de que en estos últimos tiempos se ha despojado» (Gil y Zárate). Otros hubieran dicho *los que*; a mi parecer menos bien: *los que*, sustituído a *los cuales*, ofrecería aunque no fuese más que momentáneamente, un sentido algo ambiguo, por la doble significación de aquella frase en que, como hemos visto (§§ 323 a 325), el artículo puede ser o una mera forma del relativo o su antecedente *; al paso que *ellos* hubiera desligado

* Si Gil y Zárate hubiera dicho *los que*, el lector vacilaría algún tiempo entre los dos sentidos que la lengua francesa distingue constantemente por *ceux qui* y *lesquels*: vacilación que duraría hasta que llegando al punto final quedase determinado que *los que* significaba *los cuales*. En efecto, si en lugar del punto final se pone coma, y se continúa diciendo «no hicieron más que remedar torpemente los antiguos modelos», ya no sería *los cuales* sino *aquellos que* el sentido de *los que*.

A fuerza de usar pleonásticamente el artículo, va tomando cada día un carácter más anfibológico. Creo que la práctica de los escritores de la generación anterior, cual se halla consignada en los escritos de don Tomás de Iriarte, don Leandro Ferdos oraciones que no dejan de tener entre sí una conexión algo estrecha, sin embargo de ser puramente explicativa la segunda. El simple relativo *que* no hubiera tenido la claridad y énfasis de *los cuales*, y por eso *los cuales* se adapta mejor a las proposiciones incidentes algo largas.

Sobre la elección entre *que, el cual* y *el que* serán tal vez de alguna utilidad las observaciones siguientes:

1076. 1ª *Que* es el que generalmente se usa como sujeto, y como acusativo de cosa, en las proposiciones especificativas: «Las noticias que corren», «El espectáculo que vimos anoche». Para preferir *el cual* es preciso que alguna circunstancia lo motive; como la distancia del antecedente o la conveniencia de determinarlo por medio del género y número: «La definición oratoria necesita ser una pintura animada de los objetos, *la cual*, presentándolos a la imaginación con colores vivos, entusiasme y arrebate» (Gil y Zárate). Algunos dirían *la que*, y así lo hace el mismo escritor en casos análogos.

1077. 2ª En las proposiciones explicativas se sustituye a menudo *el cual* a *que*, sobre todo si son algo largas y las separa de las principales una pausa notable, que se hace en cierto modo necesaria para tomar aliento: «En mala hora se le ocurrió después a Cienfuegos componer su *Condesa de Castilla, la cual* apenas ofrece materia alguna de alabanza, y sí vasto campo a la censura» (M. de la Rosa). Pudo haberse dicho *que*; pero no es inoportuno *la cual*, por cuanto a la proposición explicativa que termina el período, precede siempre una pausa más larga que a la que se intercala en él. «La viuda, *que* amaba tiernamente a su marido, le olvidó tan en breve», etc. (M. de la Rosa): aquí, *la cual*, sin embargo de acarrear una proposición explicativa, hubiera sido intempestivo; al contrario de *el cual* en el ejemplo siguiente: «El conde, vencido siempre y encerrado en Burgos, rechaza con baladronadas las propuestas de Almanzor; *el cual* le brinda en vano con restituírle todas las tierras conquistadas, y le hace varias reflexiones sobradamente filosóficas en favor de la paz, diciéndole que la vida de un solo hombre vale más que una provincia, que un reino, que el universo» (M. de la Rosa). «Aparece con toda claridad establecido desde entonces el gusto a esa clase de diversiones» (dramáticas); «*el cual* continuó luego sin interrupción y con creces, como se echa de ver a cada paso, registrando las obras subsistentes de aquellos rudos tiempos» (M. de la Rosa). *El cual* es la forma relativa que mejor se adapta a las circunstancias, porque señalándose con ella número singular y género masculino, no vacila el entendimiento entre los sustantivos *gusto, clase* y *diversiones*, y reconoce por antecedente el primero, aunque es el más distante de los tres. La perspicuidad requiere que cada palabra sugiera, si es posible, en el momento mismo en que la proferimos, su sentido preciso, y no dé lugar a juicios anticipados, que después sea menester corregir. *

nández de Moratín y el ilustre Jovellanos, es en el uso de los relativos la mejor que puede seguirse.

* A esto es a lo que no se atiende tanto como sería de desear, y en lo que debiéramos imitar a los escritores franceses e ingleses.

En los dos últimos ejemplos hubiera podido ponerse *el que* por *el cual* conforme a la práctica modernísima, que, según hemos dicho, no carece de inconveniente.

1078. 3ª Después de las preposiciones *a, de, en,* en proposiciones especificativas, es mejor *que*: «El objeto a que aspiraban»; «La materia de que tratamos»; «La embarcación en que navegamos». Pero en las proposiciones explicativas se emplea también frecuentemente *el cual,* sobre todo si son algo largas, o si cierran el período: «Esta escena *en que* Almanzor se muestra a la princesa como un doncel apenado, se termina del modo menos verosímil» (M. de la Rosa); «Es muy curiosa una súplica en verso del trovador provenzal Giraud Riquier a su favorecedor el rey de Castilla, en nombre de los juglares; *en la cual* pide se reforme el abuso de llamar indistintamente con ese nombre a todos los trovadores, cualquiera que sea su mérito y calidad» (M. de la Rosa): todo concurre aquí a la preferencia de *la cual* o (menos bien) *la que.* «Preséntase encubierto con el nombre de Zaide, y elige cabalmente un salón del alcázar para confiar a su amigo el motivo de su disfraz, y sus antiguos amores con la condesa viuda: *de la que* pretende valerse para alcanzar la paz» (M. de la Rosa). Este *la que* sugiere desde luego el sentido de *la cual,* en que el autor lo emplea; pero no era necesario: *quien* hubiera dicho lo mismo.

1079. 4ª Después de *con* se emplea a menudo *que,* pero tiene bastante uso *el cual* (y no tan bien, a mi juicio, *el que*), sobre todo en las proposiciones explicativas, y particularmente si son algo largas o cierran el período: «La Isabela y la Alejandra no tuvieron más de tragedias que el nombre y las muertes fríamente atroces con que se terminan» (Quintana). «La firmeza y serenidad con que tenían aquellos españoles empuñadas las armas», etc. (Capmany). «Hallé en el paño más de cincuenta escudos en toda suerte de moneda de plata y oro: *con los cuales* se dobló nuestro contento y se confirmó la esperanza de vernos libres» (Cervantes).

1080. 5ª Después de *por, sin, tras,* es más usado *el cual* (o si se quiere, *el que*): «Las razones *por las cuales* se decidió el ministro»; «Un requisito *sin el cual* no era posible acceder a la solicitud»; «El biombo *tras el cual* nos ocultábamos». Diríase correctamente, pero menos bien, *los razones por que,* separando entonces la preposición del relativo para distinguir este uso reproductivo del adverbial o conjuntivo de *porque,* escrito como una sola palabra. *Requisito sin que* y *biombo tras que,* aunque estrictamente gramaticales, satisfarían menos.

1081. 6ª Después de preposiciones de más de una sílaba tiene poco uso *que:* «La ciudad *hacia la cual* marchaba el ejército»; «La Corte *ante la cual* comparecimos»; «La cantidad *hasta la cual* podía subir el costo de la obra»; «El techo *bajo el cual* dormíamos»; «Las fortalezas *contra las cuales* jugaba la artillería»; «El día *desde el cual* comenzaba a correr el plazo»; «Estaban ya escasas de todo las provincias *entre las cuales* se repartió la contribución»; «Era aquélla una novedad *para la cual* no estaban preparados los ánimos»; «Tales eran las leyes *según las cuales* había de sentenciarse la causa»; «Materia es ésta *sobre la cual* hay mucha variedad de opiniones». Difícilmente se tolerarían *la ciudad hacia que, la Corte ante que, la cantidad hasta que, las fortalezas contra que,* *las provincias entre que, las leyes según que;* y si después de estas preposiciones quisiese variarse *el cual,* se preferiría más bien *el que.* Pero después de *bajo, desde, para* y *sobre* se extrañaría quizás menos el relativo simple.

1082. 7ª Si a la preposición precede algún adverbio o complemento, la forma que generalmente se prefiere es *el cual.* Se dirá, pues, *acerca del cual, enfrente de la cual, por medo del cual, alrededor de la cual.* Puigblanch ha sido, a mi juicio, justamente criticado en «La etimología del nombre *Hispania, acerca de la que,* aunque facilísima, han errado notablemente así gramáticos, como geógrafos», y en «Una usurpación de esta especie, en la cuenta de la que ha de caer todo el que haya leído o lea en adelante dicho opúsculo». Así es que para aclarar un tanto estas frases, haciendo que el relativo mire, por decirlo así, hacia atrás, se hace preciso dar al *que* en la pronunciación un acento de que naturalmente carece, cuando no es interrogativo: *acerca de la qué, aunque facilísima; en la cuenta de la qué ha de caer.*

1083. 8ª En el género neutro, *lo que* alterna frecuentemente con *lo cual,* y ambos son hoy preferidos al simple *que*: nada más común que las expresiones *a lo que, de lo que, por lo que,* en lugar de *a lo cual, de lo cual, por lo cual.* En nuestros clásicos se encuentra a menudo *lo cual,* a veces en el mismo sentido *lo que* (§ 327, nota), y a menudo *que* (§ 312). Pero después de las preposiciones de más de una sílaba, o de preposiciones precedidas de adverbios o complementos, *lo cual* debe preferirse a *lo que: para lo cual, según lo cual, mediante lo cual, acerca de lo cual,* etc.

1084. 9ª Debe evitarse que el relativo sea precedido de una larga frase, perteneciente a la proposición incidente o subordinada: «El magistrado, en conformidad a las órdenes del cual»; «Aquiles, al resplandor de las armas del cual», no se toleraría. *Cuyo,* simplificando esta frase, pudiera hacerla aceptable: «Aquiles, al resplandor de *cuyas armas*»; pero aun con este posesivo no se toleraría: «Aquiles, espantados con el resplandor de cuyas armas huían precipitadamente los troyanos».

1085. En lugar de *que* o *el cual,* cuando se trata de personas, se dice frecuentemente *quien*; sobre cuyo empleo nos hemos extendido lo bastante en otros capítulos.

CAPÍTULO XLIII

OBSERVACIONES SOBRE ALGUNOS VERBOS DE USO FRECUENTE

1086. No hay verbos de más frecuente uso que los dos por cuyo medio se significa la existencia directamente: *ser* y *estar.* Y de aquí es que son también los que más a menudo se subentienden.

1087. Ya hemos visto que *ser* se junta con los participios adjetivos formando construcciones pasivas: *estar,* en combinación con los mismos, significa, no tanto pasión, esto es, la impresión real o figurada que el agente hace en el objeto, cuanto el estado que es la consecuencia de ella: de donde proviene que si en «La casa era edificada» la época de la acción es la misma del verbo auxiliar, en «La casa estaba edificada» la época de la acción es anterior a la época del auxiliar. *

1088. Es notable en el verbo *ser* la significación de la existencia absoluta, que propiamente pertenece al Ser Supremo: «Yo soy el que soy»; pero que se extiende a los otros seres, para significar el solo hecho de la existencia:

«Los pocos sabios que en el mundo han sido.»
(Fr. Luis de León).

Este uso de *ser* es enteramente desconocido en prosa, y apenas se encuentra en verso; pero tienen analogía con él ciertas locuciones frecuentísimas en que sirve de sujeto el anunciativo *que*: «*Es que* no quiero»; «*Es que* no se trata de eso»; «Si no *fuera que* teme ser descubierto»; «*Sea que* se le castigue o *que* no».

1089. Además de *ser* y *estar*, ya en construcción intransitiva, ya refleja (y sin contar al impersonal *haber*, de que hablaremos luego), tenemos para significar la existencia varios verbos, a que en otras lenguas suele corresponder uno mismo: y de aquí es que, traduciendo de un idioma extranjero al castellano, se hace necesario expresarla ya de un modo, ya de otro, según los diferentes casos. Tales son *hallarse, encontrarse, quedar, quedarse, verse, sentirse, ir, andar, andarse*: «*Se halla* enfermo»; «*Se encontró* desprovisto de todo»; «*Quedó* sorprendido al oír la noticia»; «*Se quedó* callado»; «*Se ve* cercado de dificultades»; «*Se siente* embarazado, confuso, perplejo»; «*Anda* distraído»; «*Ándase* solazando» (el *se* pertenece al gerundio); «*Ándase* a mendigar» (el *se* pertenece al verbo); «*Íbasele* acabando la vida» (el *se* pertenece al gerundio, y el verbo no significa otro movimiento que el mero progreso de acabarse).

1090. *Es menester* no es construcción impersonal, puesto que lleva en todas ocasiones un sujeto expreso o tácito: «Era menester haberlo visto»; «Es menester mucha paciencia»; «Eran menester muchas contemplaciones para no romper con él»; «Le reprendí porque así era menester». En el primer ejemplo el sujeto es un infinitivo; en el último se entiende obviamente *hacerlo*. *Menester* es de suyo un sustantivo que significa *cosa debida* o *necesaria*, y que en estas construcciones se adjetiva, sirviendo de predicado a *ser*.

1091. *Haber* significó en su origen *tener, poseer*, y todavía suelen resucitar los poetas este su primitivo significado:

«Héroes hubieron Inglaterra y Francia.»
(Maury).

* Por eso a la primera frase corresponde en latín *aedificabatur*, y a la segunda *aedificata erat* o *fuerat*.

Pero aun en prosa restan no pocas frases en que *haber* no es un puro auxiliar, como:

1º *Haber* por asegurar, arrestar: «No pudo ser habido el reo».

2º *Haber hijos*, cuando el verbo es modificado por un complemento de determinada persona o matrimonio: «Los hijos que de Isabel la Católica hubo el rey don Fernando»; «Los hijos habidos en» o «de aquel matrimonio».

3º *Haber menester* por necesitar: «Ha menester seiscientos marcos», frase de todas las edades de la lengua, que extraño no encontrar en ningún diccionario.

4º *Haber a uno por confeso, por excusado*, etc. (tenerle, reputarle, juzgarle).

5º *Haberse* (portarse): «Conviene que te hayas como hombre que no sabe y oye, callando y preguntando a los que saben» (Granada).

6º Varias frases idiomáticas que pueden verse en el «Diccionario» de la Academia.

7º *Bien haya, Mal haya, Que Dios haya, Que de Dios haya*, frases optativas. «Bien haya la madre que tales hijos dio al mundo»; «Mal haya el que de tales hombres se fía»; «Fulano, que Dios haya» *(a quien Dios tenga en gloria)*; «Fulano, que de Dios haya» *(que tenga la gloria de Dios)*.

8º «Ha muchos días», «Cuatro años ha», «Poco tiempo había», frases que se aplican al trascurso del tiempo (§ 782).

9º «No ha lugar a lo que se pide», frase forense, en que *lugar* es acusativo.

10º «Hay abundancia de granos, hubo recios temporales» (§ 781).

11º «Hay que despachar un correo», «Había que dar cuenta de lo ocurrido», frase que se explicará en el siguiente capítulo.

12º «Le hago saber a vuestra merced que con la Santa Hermandad no hay usar de caballerías» (Cervantes): donde *no hay* significa *no vale*.

No se dice *hay* por *ha* sino en las locuciones impersonales de los números 22 a 29.

1092. *Tener*, como vimos en otra parte (§§ 708 y 709), sirve de auxiliar con el participio adjetivo y con el infinitivo. En el capítulo siguiente hablaremos de las construcciones *tengo, tuve, tendré que*, seguidas de infinitivo y parecidas por su composición y significado a las antes mencionadas *hay, hubo, habrá que*, diferenciándose unas de otras en que las del verbo *tener* se conjugan por todas las personas de ambos números, y las de *haber* carecen de sujeto, y sólo se usan en terceras personas de singular.

1093. Cumple mencionar aquí el uso frecuente de *hacer*, que con el neutro *lo* en acusativo, reproduce otros verbos tomando su régimen: «No es extraño que de todos se burle el que de *sí mismo* lo *hace»*; *el que de sí mismo se burla*. Suele también ejercer este oficio reproductivo con el adverbio *como*, o con el complemento adverbial *a la manera que*, u otro semejante: «En viniéndole este pensamiento, le sobresaltaba tan gran miedo, que así se lo desbarataba, como hace a la niebla el viento» (Cervantes): *desbarata a la niebla*; pónese *a* en el acusativo, no tanto para distinguirlo del sujeto, como para que no se tome el verbo *hacer* en otro significado que el reproductivo.

CAPÍTULO XLIV

USOS NOTABLES DE LOS DERIVADOS VERBALES

1094. Hemos visto (§ 421) que el infinitivo, como sustantivo que es, hace siempre de sujeto, predicado, complemento o término.

1095. El infinitivo precedido de *al* significa coincidencia de tiempo: «Al cerrar la noche»; «Al ceñirle la espada». Omitiendo el artículo, le damos el sentido de condición: «A saber yo», por *si yo supiera* o *si yo hubiera sabido*. Lo regular es que lleve entonces el sentido de negación implícita; pero no siempre es así: «A proseguir con sus gastos, en poco tiempo habrá consumido su caudal» (§ 693).

1096. Otras veces le acompaña una elipsis del verbo: «Yo a pecar, y vos a esperarme; yo a huír de vos, y vos a buscarme» (Granada): esto es, *yo me doy, me pongo, me entrego,* y *vos os dais, os ponéis,* etc.

1097. Notable es también la contrucción elíptica del infinitivo en el pasaje siguiente de Ercilla:

> «¿Del bien perdido al cabo qué nos queda
> Sino pena, dolor y pesadumbre?
> Pensar que en él fortuna ha de estar queda,
> Antes dejará el sol de darnos lumbre.»

Para comprender en qué consiste la fuerza de esta construcción, que es singularmente expresiva, basta compararla con los ejemplos que siguen: «Pensar que otra alguna ha de ocupar el lugar que ella tiene, es pensar en lo imposible» (Cervantes); «Pensar que en Alemania se hallen tantos de estos maestros, es cosa excusada» (Rivadeneira); «Pues pensar yo que don Quijote mintiese, siendo el más verdadero hidalgo y el más noble caballero de su tiempo, no es posible; que no dijera él una mentira si le asaetearan» (Cervantes). Interpónganse en el pasaje de Ercilla, después del tercer verso, las palabras *no es posible, es pensar en lo imposible,* o *es cosa excusada,* o algo semejante, y tendremos la locución de Cervantes y Rivadeneira.

1098. Ponemos aquí algunas construcciones notables del infinitivo con ciertos verbos, más bien para que sirvan de muestras, que con la pretensión de agotar la materia.

1099. *Parecer, semejar,* aunque verbos neutros de suyo, suelen tomar por acusativo un infinitivo: «Parece alejarse la tempestad»; «Semejaban estar desplomados los edificios». De aquí es que este infinitivo es reproducido por el acusativo *lo*: «Parecieron por un momento amansarse las olas; mas ahora no lo parecen; antes con la mudanza del tiempo semejan embravecerse de nuevo».

1100. Verbos que significan actos mentales perceptivos rigen a menudo un infinitivo con el cual forman frases verbales que por lo tocante a la construcción pueden considerarse como simples verbos: «*Oigo sonar* las campanas»; «*Vimos arder* el bosque». *Las campanas, el bosque* son acusativos de *oigo sonar, vimos arder*; reproduciéndolos diríamos «*Las* oigo sonar»; «*Lo* vimos arder», y en construcción pasiva cuasi-refleja: «*Se* oyen sonar»; «*Se* vio arder» (§ 767). «Le oímos cantar dos arias»: *dos arias* acusativo de *oímos cantar, le* dativo. Reproduciendo *arias* diríamos «Se las oímos cantar»: *se,* dativo oblicuo del mismo significado que *le* (§ 943). Y en construcción pasiva cuasi-refleja: «Se le oyeron cantar dos arias»: *se* acusativo reflejo, *le* dativo.

1101. Las construcciones de que hablamos no suelen volverse en pasivas por medio del verbo *ser* y el participio adjetivo. Rara vez se diría «Las flores fueron vistas marchitarse», «El reloj fue oído dar las doce». Pero en verso esta pasiva, imitada del latín, es elegante:

«Tirsi, pastor del más famoso río
Que da tributo al Tajo, en la ribera
Del glorioso Sebeto, a Dafne amaba
Con ardor tal, que *fue* mil veces *visto*
Tendido en tierra en doloroso llanto
Pasar la noche, y al nacer el día,
Como suelen tornar otros del sueño
Al ejercicio usado, así del llanto
Tornar al llanto»...

(Figueroa).

1102. Mandar se construye de un modo semejante: «El general *mandó evacuar* las plazas»: *las plazas* acusativo de *mandó evacuar, las mandó evacuar, se mandaron evacuar.* Ni disonaría *fueron mandadas evacuar.*

«Josué mandó al sol pararse.» Para explicar esta construcción no es preciso salirse de las reglas comunes: *pararse* es acusativo de *mandó; al sol,* dativo. Las reproducciones y pasivas lo prueban: *le mandó pararse; se lo mandó; se le mandó pararse; le fue mandado pararse: se lo* es combinación de dativo oblicuo bajo forma refleja, y acusativo neutro que reproduce el infinitivo (§ 943); y *pararse,* acusativo, pasa a sujeto de las construcciones pasivas.

1103. Nótese el doble sentido de que es susceptible en ciertos casos una construcción de infinitivo: en «Le mandaron azotar a los malhechores», *a los malhechores* es acusativo y *le* dativo; en «Le mandaron azotar por mano del verdugo», *le* es acusativo. Dícese de un lobo que *le* dejaron devorar al cordero (*le* dativo), y de un cordero que *le* o *lo* dejaron devorar por el lobo (*le* o *lo* acusativo).

1104. Nótese también que cuando el infinitivo lleva un acusativo reflejo que se identifica con el acusativo del verbo, se suele suprimir el acusativo reflejo: «Al entrar en el hoyo todos nos ajustamos y encogemos, o nos hacen ajustar y encoger, mal que nos pese» (Cervantes): esto es, *nos hacen ajustarnos y encogernos: nos* es acusativo de *hacen* y acusativo reflejo de *ajustar* y *encoger.* Si a *nos* sustituyéramos la tercera persona de plural, no podría decirse «*Les hacen* ajustar y encoger», sino *ajustarse* y *encogerse,* porque para suprimir el acusativo reflejo es necesario otro acusativo con el cual se identifique; condición que se verificaría diciendo *los hacen ajustar y encoger.*

1105. Notable es asimismo el sentido pasivo que con ciertos adjetivos suele tomar el infinitivo, precedido de la preposición *de.* Así una cosa es *buena de comer, digna de notar, fácil de concebir;* sin que por eso deje de usarse la pasiva *buena de comerse, digna de notarse,* etc.; pero lo primero es lo más usual. El verbo *ser* puede tener por sí solo el mismo régimen, cuando el infinitivo significa un acto del entendimiento o una afección moral: *es de creer, es de saber, no es de olvidar, es de sentir.*

1106. Acompaña frecuentemente al infinitivo la elipsis de un verbo *(poder, deber,* u otro semejante), a que sirve de acusativo, precediendo entonces al infinitivo un relativo con antecedente expreso o tácito: «No tengo vestido *que ponerme*»; «No conocíamos persona alguna *de quien valernos*»; «Hay mucho *que hacer*»; esto es, *que pueda ponerme, de quien pudiésemos valernos, que debemos hacer.* Es arbitrario callar o expresar el antecedente cuando éste significa una idea general de *persona, cosa, lugar, tiempo, modo, causa.* «No tengo (nada) que ponerme»; «No veíamos (persona) de quien fiarnos»; «Buscábamos (lugar) donde guarecernos de la lluvia»; «Al fin hallaron (camino) por donde escapar»; «Trazaba (modo) como salir del apuro»; «No hay (razón, causa, motivo) por que diferir la partida».

1107. Pero no deben confundirse con estas frases elípticas aquellas en que después del verbo *haber* o *tener* viene un infinitivo precedido de *que,* perdiendo este neutro su oficio de relativo y haciéndose como un mero artículo del infinitivo: «*No hay* que avergonzarte» (esto es, *no debes, deja de avergonzarte);* «*Tengo que escribir varias cartas*» (esto es, *debo, tengo precisión de escribir).* Así *haber* o *tener* que, seguido de infinitivo, es a veces una frase elíptica, y a veces no: *hay que escribir,* significará, pues, según los varios casos, *hay algo que escribir,* o *es preciso escribir,* y *tengo que contar,* equivale ya a *tengo cosas que contar,* ya a *tengo precisión de contar:* duplicidad de sentidos que no cabe sino cuando el *que* puede ser acusativo del infinitivo.

1108. Úsase también el *que* como artículo del infinitivo después de los verbos *ocurrir* y *faltar,* y no sé si algún otro: «Vistámonos por si *ocurriere que salir*»; «Sostienen algunos que la absoluta libertad del comercio es en todas circunstancias conveniente; pero *falta que* probarlo». Con estos dos verbos puede suprimirse el *que*: *si ocurriere salir; falta probarlo.*

1109. Tampoco debe confundirse con la frase elíptica de que hablamos aquella en que *no haber* o *no tener* es seguido de *más que,* haciendo el *que* el oficio de conjunción comparativa: «No hay más que rendirse»; «No tenemos más que rendirnos», a la cual equivalen las interrogativas de negación implícita: «¿Tenemos más que rendirnos?» «¿Hay más que rendirse?». *Más* y *rendir* son dos acusativos ligados por el *que* conjuntivo.

1110. En la referida frase elíptica, el relativo se hace interrogativo indirecto después de verbos que signifiquen actos del entendimiento: «No sabe qué creer», «con quién aconsejarse», «a qué atenerse», «por dónde salir», «cómo defenderse de sus enemigos», «cuándo ponerse en camino». Conócese la interrogación indirecta en que se pospone el antecedente: «No tiene (cosa) que decir»; «No sabe qué (cosa) decir»; «No hay (modo) como salir del apuro»; «No se sabe cómo (esto es, de qué modo) salir del apuro». A veces será arbitrario dar o no a la frase la enunciación interrogativa: «Buscaba como, o cómo salir del apuro», puesto que podemos resolver esta frase en *buscaba modo como* y *buscaba de qué modo.*

1111. El interrogativo *si* se presta a la misma elipsis, y entonces no tanto significa duda del entendimiento como vacilación de la voluntad: «No sabe *si* retirarse o no».

1112. Otra particularidad del infinitivo es el poder mediar entre él y la preposición a que sirve de término las palabras o frases que lo modifican y a veces su mismo sujeto, sin embargo de que en general precede a éste: «Tenía (Enrique de Borbón) una tropa de caballería de respeto *para*, en caso que perdiese la jornada, poderse salvar» (Antonio de Herrera); «*Para*, sin consideración ninguna a los altos destinos que ha ocupado, ni a su autorizada figura, sentarle bien la mano» (Puigblanch); «Trataba secretamente con el papa, *para*, pasando a Italia, tomar el cargo de general de la Iglesia» (Quintana) (este pasaje ha sido censurado como opuesto a las reglas de la perspicuidad, por don Vicente Salvá; pero con demasiado rigor, a mi juicio); «El cura no vino en quemar los libros *sin* primero leer los títulos» (Cervantes); «Exigían los aliados que Luis XIV se obligase *a*, por sí solo y con las armas, echar de España a su nieto» (Maury);

«Juro este acero al brazo de la muerte
Sólo rendir: sus filos y mi brío
Usar *en*, vivo y muerto, defenderte.»

(el mismo).

«*Hasta* llenos quedar súbitamente
Cuarto y cuartel de luces y de gente.»

(el mismo).

«*Sin* yo poder, oh cólera, el castigo
Tomar de nuestro pérfido enemigo.»

(el mismo).

La preposición *para* es la que se presta mejor a esa intercalación, que con las otras tiene algo de violento: con las *a* y *en* ni aun en verso es soportable.

1113. Aunque el infinitivo participa de las dos naturalezas de sustantivo y verbo, no son raros los casos en que se despoja de la segunda y se convierte en un sustantivo ordinario. Sucede esto principalmente cuando lo que debiera servirle de sujeto se convierte en complemento.

«El cantar los pastores
Inocentes amores
En el sencillo idilio nos agrada»:

aquí el infinitivo se construye con sujeto, y es por tanto un verdadero derivado verbal. No es así en aquellos versos de Garcilaso:

«El dulce lamentar de dos pastores
He de cantar, sus quejas imitando»:

lamentar depone su carácter genuino, porque su natural sujeto *los pastores* toma la forma de complemento. Una cosa semejante se verifica en *el trabajar suyo* por *el trabajar ellos*, porque el posesivo equivale a un complemento con *de*.

1114. Pasemos a los participios, principiando por el participio adjetivo. *

1115. Lo regular es que no lo tengan, sino los verbos transitivos, porque este participio, mientras conserva el carácter de tal, se refiere a sustantivos que pueden ser acusativos del verbo en las construcciones activas, o sujetos en las pasivas.

1116. Hemos visto (§ 708) que el participio adjetivo, combinado con el verbo *tener*, forma una especie de tiempos compuestos: «Tengo leído el libro»; «Tuve terminada la obra»; «Tenía recorridos los campos vecinos»; «Tendrá bien conocidas las dificultades de la empresa». Pero es de advertir que estas formas se prestan poco a la construcción refleja, y que si bien se dice corrientemente «Los tiene instruídos», no así «Él se tiene instruído», sino sólo «Él se ha instruído». No creo que sea permitida esta construcción refleja, sino en ciertas frases peculiares determinadas por el uso, y regularmente imperativas, como «Teneos apercibidos.» **

* Se extrañará que no se comprenda entre los participios al que se distingue con el título de *activo* terminado en *ante* o *ente*, como *amante, leyente*. Pero aunque los llamados participios activos se derivan de verbos, no son verdaderamente derivados verbales, esto es, que participen de la naturaleza del verbo y tomen sus construcciones. Éranlo sí en latín, donde se decía *amans virtutem* como *amo virtutem*. En nuestra lengua, al contrario, no podría jamás decirse *amante la virtud*, como se dice *amo, amar, amando, he amado la virtud*. Nuestros verbos y derivados verbales se construyen con afijos o enclíticos: *le amo, amarle, amándole, le habré amado; le leo, leerle, leyéndole, le habré leído la carta*: ¿podría jamás decirse *amántele, leyéntele la carta?* Es visto, pues, que los tales participios son meros adjetivos. No tenemos en castellano participio alguno *activo*, fuera del que se construye con *haber* y a que he preferido llamar *sustantivado*, porque siempre lo está, y tiene significado y régimen activo, cuando el verbo de que se deriva lo tiene.

** Eran conocidas estas formas compuestas en los mejores tiempos de la lengua latina. En Cicerón leemos: *Clodii animum perspectum habeo, cognitum, iudicatum.* — *Quod me hortaris ut absolvam, habeo absolutum.* — *Omnes habeo cognitos sensus adolescentis.* — *De Caesare satis dictum habeo.* Pero los latinos no usaron nunca este participio sino como adjetivo. En el último ejemplo, que se cita en contrario, *satis* es sustantivo neutro que concuerda con *dictum*; y de que su verdadera naturaleza es de sustantivo no cabe duda en vista de frases como éstas: *Sat patriae Priamoque datum.* — *Satis causae ad obiurgandum erat.* — *Satis iam verborum est.*

1117. Hemos visto asimismo (§ 432) que ciertos participios adjetivos no admiten, por ser intransitivos los verbos de que se derivan, la inversión de significado, que es propia de las construcciones pasivas, y que aun los que tienen significación pasiva, la pierden a veces, y expresan la misma idea que el verbo de que se derivan sin inversión alguna. En este caso se hallan: *agradecido,* el que agradece; *bebido,* el que ha bebido con exceso; *callado,* el que calla o acostumbra callar; *cansado,* lo que da fatiga, fastidio; *bien cenado, bien comido,* el que ha cenado o comido bien; *disimulado,* el que habitualmente disimula; *entendido,* el que entiende mucho; *fingido,* el que suele fingir; *leído,* el que ha leído muchos libros; *ocasionado,* el que ocasiona (disgustos, pendencias); *osado,* el que tiene osadía; *porfiado,* el que tiene hábito de porfiar; *presumido,* el que presume (esto es, el que tiene de sí mismo más alto concepto que debiera); *sabido,* el que sabe muchas cosas; *sufrido,* el que por carácter es sufridor y tolerante, etc. La Academia los considera entonces como meros adjetivos, y realmente no son otra cosa.

1118. De algunos verbos que se usan siempre con pronombre reflejo salen derivados que por la forma y la variedad de terminaciones parecen participios adjetivos, pero que tienen el significado del verbo sin inversión alguna, y deben mirarse también como simples adjetivos; v. gr. *atrevido, atrevida,* el o la que tiene atrevimiento. Hay verbos que en algún sentido particular se conjugan con pronombres reflejos, y de ellos salen a veces derivados de forma participial, que son asimismo puros adjetivos: v. gr. *mirado,* el que se mira mucho (el que compone y modera sus acciones); *sentido,* el que con facilidad se siente (se ofende).

1119. Los adjetivos de forma participial, que nacen de verbos intransitivos, como *nacido, nacida; muerto, muerta; ido, ida; venido, venida; vuelto, vuelta; llegado, llegada*; rara vez se juntan con *ser* si no es en frases anticuadas, que sólo se permiten a los poetas, como «Son idos», por *han* o *se han ido*; «Es vuelto a casa», por *ha vuelto*; bien que restan algunas no sólo permitidas en prosa, sino elegantes: «Llegada es la hora, la ocasión»; «El tiempo es llegado»; «Sus padres eran entonces muertos»; «Cuando esas cosas sucedieron, vosotros no erais todavía nacidos». En todas estas frases el adjetivo, o llámese participio, hace referencia a una época anterior a la del auxiliar, a diferencia de lo que sucede en las construcciones pasivas formadas con *ser*, donde el significado de la frase, esto es, la acción del verbo de que se deriva el participio, se refiere a una época que coincide con la del auxiliar: así *eran idos* es un ante-co-pretérito *; mientras que *eran amados, eran temidos*, no son más que co-pretéritos **. Con muchos de estos participios anómalos se forman adjetivos sustantivados de uso corriente, *los nacidos, los muertos, los*

* Como *profecti erant* en latín.
** *Amabantur, timebantur.*

recién llegados; y cláusulas absolutas (cap. XLVIII), como en «*Idos* ellos, terminó la función»; «*Llegada* la noticia, se esparció una alarma general»; «*Nacido* el Salvador del mundo, fueron a adorarle los pastores»; «*Muerto* Carlomagno, se disolvió el grande imperio que bajo su mano vigorosa había parecido resucitar la potencia romana».

1120. Hay otra cosa en que es menester consultar el uso; y es que los participios adjetivos de algunos verbos activos como *llenar, limpiar, hartar,* no se prestan de buen grado a todas las construcciones usuales de los participios adjetivos: 1º porque en lugar de las construcciones pasivas que se forman con *ser,* admiten más bien las cuasi-reflejas: dícese, por ejemplo: «*Se llenó* la plaza», «*Se limpiaron* las armas», «*Se les hartó* de fruta», mucho mejor que *fue llenada, fueron limpiadas, fueron hartados* *; y 2º porque en las construcciones de *estar* y en las cláusulas absolutas, les preferimos los adjetivos correspondientes, como *lleno, limpio, harto*: «La plaza estaba llena», «Limpias las armas», «Harta el alma de frívolos pasatiempos, la devora el fastidio». Y esto, sin embargo de que los adjetivos correspondientes no supongan de suyo una acción anterior, como sucede en *lleno* y *limpio*: pues una cosa puede estar llena o limpia, sin que la hayan llenado o limpiado.

1121. Las frases adverbiales *antes de, después de,* y menos frecuentemente *luego de,* llevan a veces por término de la preposición un participio adjetivo, a que puede agregarse un sustantivo que le sirve de sujeto: «Antes de dada la orden», «Después de cerradas las puertas», «Luego de acabada la misa», «Después de yo muerta», dice Santa Teresa: donde es de notar que se dice *yo* y no *mí,* porque *yo* no es término de la preposición, sino sujeto del participio.

1122. En las cláusulas absolutas usan algunos el participio sustantivo con acusativos y dativos, pero a mi parecer incorrectamente: «Oído a los reos, y recibídoles la confesión, mandó el juez llevarlos a la cárcel», en vez de: «Oídos los reos y recibida su confesión», que es mucho más sencillo y claro **. Cuando se dice «*sabido* que los regidores estaban reunidos, me dirigí a la sala municipal», *sabido* es adjetivo y concierta con el *que.* De la misma manera, en «Mandó que se instruyera la causa y *hecho* se trajesen los autos», *hecho* es adjetivo y concierta con el tácito *esto.*

1123. La construcción «*leído que* hubo la carta», «*compuesto que* hubo los versos», es el solo caso que yo sepa de cláusula absoluta formada por el participio sustantivado. «Oído que hubo tan funesta noticia, se abandonó al dolor», es lo mismo que «Oída tan funesta noticia», etc.; pero la primera expresión puede ser a veces oportuna para manifestar mejor la identidad o la distinción de los agentes: la identidad, como en el ejemplo anterior, en que son uno mismo el que oyó y el que se abandonó; la distinción como en «Leído que hubo la carta, se retiraron los circunstantes», en que es uno el que leyó, y otros los que se retiraron.

1124. De la misma manera empleamos el participio adjetivo con

* *Harto, harta,* como verdadero participio adjetivo, es anticuado: «Bienaventurados los que han hambre y sed de justicia, porque ellos *serán hartos*».

** En Cervantes ocurre este pasaje: «Limpias pues sus armas, hecho del morrión celada, puesto nombre a su rocín, y confirmándose a sí mismo, se dio a entender», etc. Pero nadie, a mi parecer, dudará que o debió haberse principiado por «Habiendo pues limpiado sus armas», o que precediendo «Limpias pues sus armas», era preciso «hecha del morrión celada, puesto nombre a su rocín, y confirmado *que se hubo* a sí mismo».

el verbo *tener*: «Concluída que tuvieron la obra», «Examinados que tuviese los autos».

1125. Otro tanto sucede con los verbos *ser* y *estar*: «Aprehendidos que fueron», «Encarcelados que estén».

1126. Lo de más importancia en el empleo de los infinitivos y gerundios es que si, como participantes de la naturaleza del verbo hacen relación a un sustantivo de que son atributos, no haya la menor vacilación en el entendimiento del que oye o lee para referirlos a ese sustantivo y no a otro; y aun es tan delicada la lengua en este punto, que sin embargo de no haber duda acerca del sustantivo de que son atributos, es necesario que la relación parezca natural y obvia. «Dijo en la junta de reyes y caballeros que todo lo que hacía por Amadís lo hacía de agradecida por *haber éste* rescatado a un caballero que estaba preso en el castillo de la Calzada» (Clemencín). Exprésase el sujeto de *haber*, aunque el sentido de la oración habría bastado para que nos fijásemos en *Amadís*; y con todo eso, lejos de redundar el demostrativo *éste*, es oportuno y contribuye a la claridad, por cuanto el giro de la frase nos hubiera hecho a primera vista referir el infinitivo al sujeto de *hacía*.

«Este lance imprevisto de repente
La atención llama de la inmensa turba,
Juzgando que ha deshecho a Rui Velásquez
Del cielo vengador llama trisulca.»

(El duque de Rivas).

Es suficientemente claro el sentido, y parece que no puede pedirse más a un poeta: pero el gerundio, por el giro de la frase, se referiría más bien *a este lance*, que a *la turba*. Hay además en este pasaje una ligera impropiedad: supuesto que el gerundio significa coexistencia o próxima anterioridad a la época del verbo, y por tanto nos presenta aquí el juicio de la turba como próximamente anterior al lance que llama la atención de la misma, o como coexistente, cuando menos, con él (§ 446), debiendo más bien por la naturaleza de las cosas preceder al juicio el llamamiento que lo produce.

1127. Los gerundios, como adverbios que son, no modifican al sustantivo, sino por medio de otras modificaciones: «No menos correcto hablando que escribiendo»; «Conmovía poderosamente los ánimos, ya manejando la pluma, ya usando de la palabra en la tribuna». Si el gerundio modifica al infinitivo directamente, es porque el infinitivo, como derivado verbal, admite todas las construcciones del verbo: «Era preciso *desenvolver* el principio, *manifestando* sus consecuencias y aplicaciones». Y si le construímos con sustantivos de otra especie, es cuando le sirven de sujeto; porque, como derivado verbal, participa de la naturaleza del verbo: «Deje vuesa merced caminar a su hijo por donde su estrella le llama, que *siendo él* tan buen estudiante como debe de ser, y habiendo ya subido felizmente el primer escalón de las ciencias, que es el de las lenguas, con ellas por sí mismo subirá a la cumbre de las letras humanas» (Cervantes).

1128. A veces parece el gerundio construírse con el sujeto de la proposición modificándolo: y pudiera dudarse si conserva o no el carácter de adverbio: «El ama, imaginando que de aquella consulta había de salir la resolución de la tercera salida, toda llena de congoja y pesadumbre se fue a buscar al bachiller Sansón Carrasco» (Cervantes). Yo creo, con todo, que la cláusula de gerundio es aun en casos como éste una frase adverbial que modifica al atributo; como lo haría un complemento de causa: «El ama, por imaginar», o una proposición introducida por un adverbio relativo: «El ama, como imaginaba». Si el gerundio pudiera emplearse como adjetivo, no habría motivo de censurar aquella frase de mostrador, tan justamente reprobada por Salvá: «Envió cuatro fardos, conteniendo veinte piezas de paño»; este modo de hablar es uno de los más repugnantes galicismos que se cometen hoy día.

1129. Hemos mencionado antes (§§ 617 a 621) las formas compuestas de gerundio con el verbo *estar*: y a eso añadiremos ahora que todas las veces que hay movimiento en la acción, aunque el movimiento no sea verdadero sino figurado, como el que nos representamos, por ejemplo, en las operaciones intelectuales, es preferible *ir* a *estar*: «No estaban ociosas la sobrina y el ama de don Quijote, que por mil señales *iban coligiendo* que su tío y señor quería desgarrarse la vez tercera, y volver al ejercicio de su, para ellas, mal andante caballería» (Cervantes).

1130. Cuando el infinitivo o el gerundio lleva sujeto, generalmente le preceden: «Avisábasele haber principiado las hostilidades»; «Por estar ellos ausentes»; «Estando la señora en el campo».

1131. La colocación del gerundio es mucho más determinada que la del infinitivo, porque en general debe principiar por él su cláusula. Podemos fijar fácilmente el lugar que en la oración ha de dársele, resolviéndolo en una proposición subordinada: el lugar que en ésta ocupe el relativo, o frase relativa, es en el que ha de ponerse el gerundio. Por consiguiente no sería natural en prosa el orden de las palabras en estos versos de Calderón:

> «...Alejandro,
> De Ursino príncipe y dueño,
> Siendo hermano de mi padre
> Y habiendo sin hijos muerto,
> Me tocaba por herencia
> De aquel estado el gobierno.»

No puede decirse: «Alejandro siendo hermano de mi padre, me tocaba su herencia», sino «Siendo Alejandro», etc.; a la manera que resolviendo el gerundio no diríamos: «Alejandro, por cuanto era hermano de mi padre, me tocaba su herencia», sino «Por cuanto Alejandro era», etc. Esta es una regla importante, que los traductores olvidan a veces, y cuya trasgresión apenas puede disimularse a los poetas.

CAPÍTULO XLV

DE LAS ORACIONES NEGATIVAS

1132. En las oraciones negativas en que la negación se expresa por *no,* la regla general es que este adverbio preceda inmediatamente al verbo, pudiendo sólo intervenir entre uno y otro los pronombres afijos: «Hay estilos que parecen variados y *no lo son,* y otros que son y *no lo* parecen» (Capmany). A veces el *no* pertenece al derivado verbal y no al verbo de la sentencia, y debe entonces preceder al primero: de aquí la diferencia de sentido entre «la gramática no puede aprenderse bien en la primera edad», en que se niega la posibilidad de aprenderse, y «La gramática puede en la primera edad no aprenderse bien», en que se afirma como cosa posible el no aprenderse.

1133. Son frecuentísimas las excepciones; pero pueden todas reducirse a una, que consiste en colocar el *no* antes de la palabra o frase sobre que recae determinadamente la negativa: «No porque se aprobase aquel arbitrio, lo adoptó la junta, sino porque era el único que se presentaba»; «No de los grandes y poderosos se valió el Salvador del mundo para predicar la divina palabra, sino de los pequeños y humildes»; «No sólo por extremada brevedad se hacen oscuros los conceptos, más también por los difusos rodeos de términos monótonos y uniformes» (Capmany); «No a todos es dado expresarse con facilidad y elegancia.».

1134. Una particularidad del castellano es el subentenderse el *no,* cuando precede al verbo alguna de las palabras o frases de que nos servimos para corroborar la negación: «No la he visto en mi vida», «En mi vida la he visto»; «No se le pudo encontrar en parte alguna», «En parte alguna se le pudo encontrar»; «No se ha visto una criatura más perversa en el mundo», «En el mundo se ha visto una criatura más perversa»; «El que más se admiró fue Sancho por parecerle (como era así verdad) que en todos los días de su vida había visto tan hermosa criatura»; «Amadís fue a ver el encantamiento de Urganda, y por cosa del mundo dejara él de probar tal aventura, sino que había prometido que hasta dar fin a aquel fecho» (el combate con Lisuarte) «no se pornía * en acometer otra cosa» (Amadís de Grecia). De lo cual ha resultado que ciertas palabras originalmente positivas, como *nada (nacida,* subentendiendo *cosa), nadie (nacido,* subentendiendo *hombre), jamás (ya más),* a fuerza de emplearse para hacer más expresiva la negación, llevan envuelto el *no* cuando preceden al verbo, y no admiten, por tanto, que entonces se les junte este adverbio: «No tengo nada», «Nada tengo»; «No ha venido nadie», «Nadie ha venido»; «No le veré jamás», «Jamás le veré». Y como las hemos revestido de la significación negativa que al principio no tuvieron, se ha extendido por analogía la misma práctica aun a las palabras que han sido siempre negativas, como *ninguno, nunca;* y se ha hecho una regla general de nuestra sintaxis, que dos negaciones no afirman, colocada la una antes del verbo, y la otra después: «De las personas que estaban convidadas no ha venido ninguna», o «ninguna ha venido»; «No he dicho nunca tal», «Nunca he dicho tal». Y aun puede suceder que tres o cuatro negaciones equivalen a una sola: «No le ofendí jamás en nada»; «No pide nunca nada a nadie».

1135. Sobre lo cual notaremos dos cosas: 1ª que si una de las negaciones es *no*, ninguna otra la acompaña antes del verbo; pero no habiendo *no*, se pueden distribuír las negaciones como se quiera, con tal que una de ellas, a lo menos, preceda al verbo: «Nunca a nadie pide nada»; «Nada a nadie pide nunca»; 2ª que las negaciones acumuladas deben ser palabras de diversos valores, como *nada,* negativo de cosa, *nadie,* negativo de persona, *nunca,* negativo de tiempo, *no,* simplemente negativo. La frase *nunca jamás* es la sola excepción a este regla; pero *jamás* es, de todos los negativos originalmente positivos, el que mejor conserva su antiguo carácter, y así es que lo asociamos a *siempre* de la misma manera que a *nunca, por siempre jamás.*

1136. A la regla que dos negaciones no afirman, hacen excepción:

1137. 1º Las frases conjuntivas *ni menos, ni tampoco,* que refuerzan el simple *ni.*

1138. 2º La preposición *sin* precedida de *no:* estos dos elementos combinados equivalen a *con.*

«No fue oído el suplicante, ni menos» o «ni tampoco se hizo caso alguno de los que intercedieron por él»; «Se vio insultada la magistratura, no sin general escándalo».

* *Porné, pornia,* anticuados, por *pondré, pondria*; como *terné, ternia*; *verné, vernia.*

1139. A veces hay dos negaciones, una con el verbo y otra con otro elemento de la misma proposición, conservando cada una su significado relativamente a la palabra sobre que recae: «No le fue permitido no asistir» equivale a *no le fue permitido dejar de asistir.* «No puedo no admitirle» vale tanto como *no puedo dejar* o *no puedo menos de admitirle;* que es como generalmente se dice.

1140. Suele redundar el *no* después de la conjunción comparativa *que:* «Más quiero exponerme a que me caiga el aguacero, que *no* estarme encerrado en casa».

Este pleonasmo es necesario para evitar la concurrencia de dos *que:* «Siendo la marina el único o casi el único consumidor de esta especie de maderas, es más natural que dé la ley, *que no que* la reciba» (Jovellanos).

1141. Por el contrario, después de *seguro está* se acostumbra subentender el *no:*

> «Seguro está
> Que la piquen pulgas ni otro insecto vil.»
>
> (Iriarte):

seguro está que vale tanto como *es seguro que no.*

1142. Los negativos de origen positivo se emplean a veces en su significado antiguo, como lo hemos observado de *jamás:* «¿Cree usted que *nadie* sea capaz de persuadirle?»: esto es, *alguien.* «Yo no espero que se logre *nada* por ese medio»: esto es, *algo.* «¿Quién *jamás* se puso en armas contra Dios y le resistió, que tuviese paz?» (Granada): esto es, *en algún tiempo.* «Mi amo es el hombre más celoso del mundo, y si él supiese que yo estoy ahora aquí hablando con *nadie,* no sería más mi vida» (Cervantes): *con alguien.* Y aun sucede que por analogía se extiende el mismo uso a los que son negativos de suyo y lo han sido siempre: «Las más altas empresas que *hombre ninguno* haya acabado en el mundo»: esto es, *hombre alguno, nadie.* «¿Viste *nunca* tú tal coche o tal litera como son las manos de los ángeles?» (Granada): esto es, *alguna vez, jamás.* Lo cual, con todo, se limita a proposiciones interrogativas o a subordinadas que dependen de subordinantes interrogativas o negativas, o de una frase superlativa, como en los ejemplos anteriores.

1143. Aquí me parece oportuno observar el uso de *alguno, alguna,* que se pospone al sustantivo en las frases negativas, le precede en las positivas, y puede precederle o seguirle en las interrogativas: «Creo haberle visto en alguna parte»; «No me acuerdo de haberle visto en parte alguna»; «¿Le ha visto usted en parte alguna» o «en alguna parte?» Bien que estas dos últimas frases no son de todo punto sinónimas: la primera envuelve un sentido implícitamente negativo, que suele no llevar la segunda.

CAPÍTULO XLVI

ORACIONES INTERROGATIVAS

1144. Las proposiciones interrogativas, según se ha dicho antes (§ 321), son directas o indirectas: las directas no forman parte de otras como sujetos, complementos o términos; y en esto se diferencian de las indirectas.

1145. En las interrogaciones directas, o se pregunta por medio de pronombres o adverbios interrogativos, o sin ellos:

«Inocente tortolilla,
¿*Qué* buscas entre estos ramos?
¿A *quién*, desdichada, arrullas,
En tu nido solitario?»
(El duque de Rivas).

«¿*Cuando* será que pueda
Libre de esta prisión volar al cielo?»
(Fr. Luis de León).

Pregúntase aquí por medio de los pronombres *qué* y *quién*, y del adverbio *cuándo*. En los ejemplos que siguen no es indicada la pregunta sino por el giro y la modulación de la voz que corresponde a los signos ¿?

«¿Piensas acaso tú que fue criado
El varón para el rayo de la guerra?»
(Rioja).

«... ¡Padre mío!
¿Y vengo a pronunciar tan dulce nombre,
Para que el hijo del traidor me llamen,
Y ser ludibrio y maldición del orbe?»
(El duque de Rivas).

1146. Finalmente, o se hace uso de la interrogación directa para informarnos de lo que ignoramos, como en «¿Qué hora es?», «¿Quién llama?» o para expresar ignorancia o duda, v. gr. «¿Qué le habrán dicho, que tan enojado está con nosotros?» o para negar implícitamente lo mismo que parecemos preguntar, significándose entonces por *qué, nada,* por *quién,* *nadie*, por *dónde*, *en ninguna parte*, por *cuándo*, *jamás*, por *cómo*, *de ningún modo*, etc.

«¿De la pasada edad, *qué* me ha quedado?»
(Rioja).

Dase a entender que no me ha quedado *nada*. Así en «*¿Quién* tal cosa imaginara?» se insinúa *nadie*, y en «*¿Cómo* podía yo figurarme semejante maldad?» se quiere decir que *de ningún modo*. Además, adoptamos el mismo giro para significar extrañeza, admiración, repugnancia, horror, como si dudásemos de la existencia de aquello mismo que produce tales afectos, pero la interrogación es en este caso una figura oratoria.

1147. Antes (§ 989) se ha visto que a las palabras y frases negativas se contrapone elegantemente el *que* de proposición subordinada, que rige entonces subjuntivo: «*Nadie* fue a verle, *que* no le encontrase ocupado». Si hacemos pues implícita la negación por medio del giro interrogativo, diremos: «*¿Quién* fue a verle *que*», etc.

1148. El *qué*, sustantivo neutro interrogativo, se adverbializa a veces: «*¿Qué* sabe el hombre cuándo se halla más próximo a gozar de su fortuna?» (Baralt y Díaz). Quitada la interrogación, expresaríamos el mismo pensamiento diciendo: *de ningún modo sabe el hombre*.

1149. Una novedad en el uso del *qué*, sustantivo neutro interrogativo, es el construírse con el artículo; práctica que sólo tiene cabida cuando la interrogación se reduce a las solas palabras *el qué*:

«...Quedamos
En que corre de mi cuenta...—
¿El qué? —Dejar cuerdo y sano
Al loco de tu marido.»
(M. de la Rosa).

Si se llenase la elipsis, sería preciso omitir el artículo, diciendo, por ejemplo, *qué es lo que corre por tu cuenta*? (En este *el qué* vemos verificado otra vez que el género neutro no se distingue del masculino en lo que toca a la concordancia del sustantivo con el adjetivo).

1150. La conjunción *sino*, que generalmente supone negación anterior, se usa con mucha propiedad en interrogaciones de negación implícita, ligando sustantivos con *qué* y *quién*, adverbios y complementos de modo con *cómo*, de lugar con *dónde*, de tiempo con *cuándo*, etc.

«¿Del bien perdido al cabo *qué* nos queda,
Sino pena, dolor y pesadumbre?»
(Ercilla).

1151. Por un efecto de esta negación implícita sucede también que a la oración interrogativa se antepone a veces la conjunción *ni* cuando propiamente correspondía alguna de las otras conjunciones *y, o.* «Si éstas» (la oratoria, la poética, la amena literatura) «que servían más inmediatamente a las facultades privilegiadas, merecieron tan escasos premios, ¿cuál sería el que se destinaba a las ciencias naturales y exactas? ¿y cuáles podían ser los progresos del teatro? ¿*ni* quién había de aplicarse a un estudio tan difícil, tan apartado de la senda de la fortuna, si desatendido de las clases más elevadas y menospreciado de los que se llamaban doctos, era sólo el vulgo el que debía premiar y aplaudir sus aciertos?» (Moratín). Es claro que siendo virtualmente negativa la cláusula por el solo efecto de la interrogación, bastaba *y* en lugar de *ni* (como en la cláusula anterior), y por tanto hay en éste una especie de pleonasmo, en que la negación implícita se desemboza, por decirlo así, y deja de serlo.

1152. En las interrogaciones indirectas la proposición subordinada puede servir de sujeto, término o complemento: «No se sabe qué sucederá», o «en qué vendrán a parar estas cosas»: sujeto, porque la construcción es cuasi refleja, y la proposición subordinada significa la cosa que no se sabe. «Vacilaba sobre si saliese o no»: término de la preposición *sobre.* «Los historiadores están divididos sobre a quién de ellos (sus hermanos) embistió primero el rey don Sancho» (Quintana): término de la misma preposición. «Nos preguntaron qué queríamos»: acusativo, porque la construcción es activa, y la proposición subordinada significa la cosa que se pregunta. «Considerad, señores, cuál quedaría yo en tierra no conocida, y sin persona que me guiase» (Cervantes): acusativo de *considerad.*

1153. Toda proposición interrogativa indirecta pide una palabra interrogativa que la introduzca, como se ve en los ejemplos anteriores y se verá en los que iremos presentando.

1154. El anunciativo *que* no precede a las proposiciones indirectamente interrogativas sino en dos casos: después del verbo *decir,* cuando significa preguntar: «Díjole que dónde quedaba su amigo»; «que cómo se hallaba en aquel paraje»; «que por dónde había sabido la noticia». «Digo, que qué le iba a vuesa merced en volver tanto por aquella reina Majimasa o como se llama» (Cervantes); «Me parece que había de burlar de mí y decir que qué San Pablo para ver cosas del cielo» (Santa Teresa). Y después del verbo *preguntar*: «Preguntóle que de quién se quejaba»; «que adónde se dirigía»; «que quién le había traído allí»; «que si estaba determinado a partirse». Este *que* después del verbo *preguntar,* es pleonástico, pero lo permite el uso.

1155. La interrogación indirecta admite por lo regular indicativo o subjuntivo, pero no siempre indistintamente. Es una misma cosa decir: «No se sabe quién *ha*» o «*haya* dado la noticia»; bien que empleando el indicativo se afirma el hecho de haberse dado la noticia; el cual se enuncia algo dubitativamente por medio del subjuntivo. Pero cuando se hace relación al futuro y el agente de los dos verbos, subordinante y subordinado, es o puede ser uno mismo, hay una distinción importante: «No se sabe qué partido *se tome*», expresa que el que ha de tomarlo es el mismo que no sabe cuál, porque aun no ha elegido ninguno; y al contrario, «No se sabe qué partido *se tomará*», significa que son distintos los dos agentes, y que la elección del partido no está sujeta a la voluntad del que no la sabe.

De la misma manera, «No sé si *salga*», conviene a la irresolución de la voluntad; y «No sé si *saldré*», a la sola duda del entendimiento: si digo *salga*, hago considerar la salida como una cosa sujeta a mi arbitrio; si digo *saldré*, doy a entender que es independiente de mí.

1156. En las oraciones interrogativas *cuánto* se puede resolver en *qué tanto* y *cuán* en *qué tan*: «¿*Qué tanto* dista del puerto la ciudad?»; «*Qué tan* grande sea esta providencia, en ninguna manera lo podrá entender sino el que la hubiere experimentado» (Granada). Pero es de advertir que esta resolución apenas tiene uso fuera de las interrogaciones en que verdaderamente preguntamos, esto es, en que solicitamos una respuesta instructiva; y que de las oraciones exclamatorias (que se reducen a las interrogativas, en cuanto se hacen por los mismos medios gramaticales), solamente la admiten las indirectas, como la precedente de Fr. Luis de Granada; a menos que demos otro giro a la frase, apartando el *tan* del *qué*: «¡*Qué* acción *tan* generosa aquélla!»; «¡*Qué* edificio *tan* bello!» Puede también callarse en las exclamaciones el *tan*, revistiéndose de su fuerza el *qué*: «¡Qué generosa acción!»; «¡Qué bello edificio!»

1157. De la misma manera se resuelve *cuál* en *qué tal*; resolución aun más usual que la de *cuánto* en *qué tanto*, pues se extiende a todo género de proposiciones interrogativas y exclamatorias: «¡*Qué tal* será la obra en que tales aparejos hay!» (Granada). A veces esta resolución es obligada, pues no cabe decir: «¿Cuál le ha parecido a usted la comedia?», sino *qué tal*; lo que sin duda ha provenido de la necesidad de distinguir dos sentidos: con *¿cuál es la casa que usted habita*? se pregunta *qué casa*; con *qué tal es la casa* se preguntaría *qué calidades tiene*.

1158. La misma diferencia debe hacerse cuando se habla de personas: «Si éstos son los vencedores, *qué tales* serán los vencidos?», aludiendo a las calidades personales; «Si ellos no han sido los ejecutores del hecho, *¿cuáles* o *quiénes* fueron?», aludiendo a la distinción de personas.

1159. *Qué* y *cuál*, cuando se construyen con sustantivo o lo son ellos mismos, suelen usarse uno por otro:

1º En poesía:

> «¿Dime, de *qué* maestro,
> En *cuál* oculta escuela,
> Se aprende?», etc.
>
> (Jáuregui).

2º Cuando se indica elección o preferencia: «¿A *qué,* o «a *cuáles* providencias puede apelarse sino a las más rigurosas?»; «*¿Qué* es más», o (como dijo Cervantes): «*cuál* es más, resucitar a un muerto o matar a un gigante?» En este sentido es más propio *cuál.*

1160. *Cuál* excluye a *qué,* cuando es adjetivo que se construye con sustantivo tácito: «*¿En cuál* de las ciudades de España reside la corte?»: entiéndese *en cuál ciudad*; «No se ha podido averiguar *cuál* sea la causa de los terremotos»: *cuál causa* (práctica, sin embargo, que no fue constantemente observada en los mejores tiempos de la lengua: «Si soy vuestro Señor, ¿qué es el temor que me tenéis?» (Granada): hoy se diría *cuál es*. «¡*Qué* es el peligro que os espanta, sino una infundada aprehensión?»: no sería propio *cuál* porque en el *qué* no se subentiende *peligro*; pero por una razón contraria diríamos: «En medio de tantas seguridades ¿*cuál* es el peligro que os espanta?»

1161. En las proposiciones exclamatorias son más frecuentes las elipsis que en las interrogativas: «¡Cuán grandes las maravillas de la creación, y qué ciegos los que no alcanzan a ver en ellas el poder y sabiduría del Creador!» El verbo *ser* o *estar* es la palabra que generalmente se subentiende.

1162. Las proposiciones exclamatorias no admiten el sentido de negación implícita que llevan a menudo las interrogativas; pero sucede no pocas veces que podemos emplear a nuestro arbitrio la interrogación implícitamente negativa o la exclamación, dando a cada una la modulación, y por consiguiente el signo ortográfico que le corresponde. «¡*Qué tales* serán los ríos que de tan caudalosas fuentes manan!» es propiamente una oración exclamatoria, como lo indican los signos; y la volveríamos interrogativa con negación implícita, diciendo *qué tales no serán*, porque como el sentido debe ser positivo, es necesario dar a la interrogación una forma aparentemente negativa, para que las dos negaciones se destruyan. «Qué *no* diría la Europa» es, como observa muy bien Salvá, casi lo mismo que «Qué diría la Europa»: toda la diferencia es de modulación y ortografía, por cuanto la primera estructura es interrogativa, y la segunda exclamatoria. Creo, pues, que en estos pasajes de Jovellanos: «¡Qué ejemplo tan nuevo y admirable de resignación *no* presentaron entonces a nuestra afligida patria tantos fieles servidores suyos!» y «¡Qué de privilegios *no* fueron dispensados a las artes!», la oración es propiamente interrogativa, y no están bien empleados los signos.

1163. Las interrogaciones y exclamaciones indirectas están siempre asociadas a palabras o frases que significan actos del entendimiento o del habla, como *saber, entender, decir, preguntar*, etc. Daríase, por ejemplo, un giro indirecto a los ejemplos anteriores, diciendo: «Ya se deja entender qué tales serán los ríos»... «Se nos preguntó qué tales no serían los ríos»... «Dijo qué cuál era el peligro»...

1164. *Lo que*, según lo dicho arriba (§ 977), significa *el grado en que*. Este sentido de cantidad es el que suele tomar esta frase en las exclamaciones, equivaliendo al sustantivo o adverbio *cuanto*: «¡Lo que ciega a los hombres la codicia!»; «¡Lo que vale un empleo!»; «La experiencia de cada día muestra lo deleznable que es la popularidad, y lo poco que tarda el pueblo en derribar sus ídolos».

1165. En las interrogaciones indirectas y en las exclamaciones de ambas clases es notable el giro que por un idiotismo de nuestra lengua podemos dar al artículo definido y al relativo *que*, precedido de preposición: «¡De los extravíos que es capaz una imaginación exaltada!» El orden natural sería *¡los extravíos de que!* o *¡de qué extravíos!* «Sé al blanco que tiras» (Cervantes); «Era cosa de ver con la presteza que los acometía» (el mismo); «Bien me decía a mí mi corazón del pie que cojeaba mi señor» (el mismo). Se podría decir en el mismo sentido *a qué blanco, con qué presteza, de qué pie*; pero si se dijese *el blanco a que, la presteza con que, el pie de que*, despojaríamos a la oración de la énfasis que caracteriza a las frases interrogativas y exclamatorias. *

1166. Las proposiciones interrogativas y exclamatorias que hacen de sujeto, conciertan siempre con el singular del verbo, ya sea una o muchas juntas; por lo que sería mal dicho: «No se sabían cuántos eran», en lugar de *no se sabía*; y tengo por errata o descuido el plural con que principia este pasaje de Martínez de la Rosa: «Viéronse entonces aun más que en el largo trascurso de aquella tenacísima guerra, lo que pueden el valor y la destreza»; donde aun dejando de mirar como una interrogación indirecta la cláusula *lo que pueden*, significando esto la cosa vista, se debería decir *viose*, concertando este verbo con el sujeto *lo*.

Capítulo XLVII

CLÁUSULAS DISTRIBUTIVAS

1167. Llamo cláusulas *distributivas, alternativas* o *enumerativas*, aquellas en que se contraponen acciones distribuídas entre varios agentes, lugares, tiempos; o se presentan varias suposiciones que recíprocamente se excluyen; o se enumeran las varias fases de un hecho; sentidos diferentes, que reunimos aquí, porque se exprimen muchas veces por unos mismos medios gramaticales.

1168. Las suposiciones alternativas se indican naturalmente por la conjunción *o*, o por un verbo en el modo optativo: «No pudieron curarle los médicos, *o* porque fueron llamados

* No se crea que es una trasposición cualquiera la de estos pasajes: es la trasposición de una frase interrogativa indirecta, y por eso es siempre regida de verbos que significan actos del entendimiento o de la palabra, como se ve en los anteriores ejemplos y en los que agrego aquí para poner en claro la naturaleza de este giro, que nadie ha explicado hasta ahora: «Ya *se ha dicho* de la mala manera que Cardenio estaba vestido» (Cervantes); «*Viendo* que ya el don estaba conseguido y con la diligencia que don Quijote se alistaba para cumplirlo» (el mismo); «La mujer echó de *ver* con el cuidado que la miraba» (Mateo Alemán); «Quise entonces *decir* a mi señor de los trabajos que le había sacado» (el mismo); «Este ejemplo no sólo prueba que haya este conocimiento, sino *declara* también de la manera que es» (Granada); «Si Apolonio rodeó mucha parte del mundo por ver a Hiarcas en un trono de oro disputando del movimiento de los cielos y de las estrellas, ¿qué debían hacer los hombres por ver a Dios enseñándoles, no de la manera que se mueven los cielos, sino cómo se ganan los cielos?» (el mismo).

«¡Muy lindo Santelmo hacéis!
¡Bien temprano os acostáis!
¡Con la flema que llegáis!»

(Lope de Vega).

tarde, *o* porque no conocieron la enfermedad»; lo que suele variarse diciendo: «Sea porque fueron... sea porque no conocieron»; o «Sea que fueron... sea que no conocieron». Pueden también combinarse ambos medios: «*O fuese* que se habían consumido las provisiones, y no había esperanzas de recibirlas de afuera, por la fuerza y vigilancia de los sitiadores, *o fuese* que después de tantos meses de sitio comenzase a desfallecer el ánimo de la guarnición, se determinó al fin», etcétera. Puede asimismo suprimirse el verbo de la segunda frase optativa: «O fuese que se habían consumido... o que comenzase». Y en todos casos es arbitrario callar o expresar la conjunción *o* en el primer miembro, o si hay muchos, en todos menos el último. Finalmente, en lugar de *o* se emplea también la frase conjuntiva *o bien;* y si en ésta se calla la conjunción se revestirá de su fuerza el adverbio: «Bien fuese la edad, bien el rigor de la disciplina lo que había debilitado sus fuerzas».

1169. Las enumeraciones y distribuciones se expresan naturalmente por medio de los adjetivos *uno, otro,* y de varias palabras o frases que pueden hacer este oficio sin salir de su acepción propia: «*Unos* cantaban, *otros* tañían diversos instrumentos, *otros* bailaban»; «En *una* parte se oían tristes lamentos, en *otra* desesperadas imprecaciones»; «*Parte* venían armados de espadas y lanzas, *parte* solamente de palos y piedras, *parte* inermes»; «Perecieron casi todos; *parte* a filo de espada, *parte* a manos del hambre y de la miseria»; «*Cerca* sonaban las voces de los combatientes; *lejos* se reiteraban los lelilíes agarenos» (Cervantes).

1170. Pero además de estos medios naturales y comunes, hay otros más expresivos, suministrados por palabras demostrativas e interrogativas.

«¿No has visto tú representar alguna comedia adonde * se introducen reyes, emperadores y pontífices, caballeros, damas y otros diversos personajes? Uno hace el rufián, otro el embustero, *éste* el mercader, *aquél* el soldado, otro el discreto, otro el enamorado simple, y acabada la comedia, y desnudándose de los vestidos de ella, todos los recitantes quedan iguales» (Cervantes). «*Quiénes* viajaban a pretender beneficios, *quiénes* se encaminaban a recibir su educación en el colegio de Bolonia, *quiénes* militaban en los tercios», etc. (Navarrete, citado por Salvá). «Hombres y mujeres, viejos y niños, fueron desorejados o desollados vivos: *a quiénes* hacía quitar el cutis de los pies y caminar sobre vidrios o guijarros: *a quiénes* mandaba coser espalda con espalda: *a quienes* hacía

* Hoy se diría *donde* o *en que*.

mutilar de uno o dos miembros o de las facciones del rostro» (Baralt y Díaz). «Descubrieron los rostros poblados de barbas: *cuáles* rubias, *cuáles* negras, *cuáles* blancas y *cuáles* albarrazadas» (Cervantes). «Vieron un abrigo que podía llamarse puerto, y en él hasta diez o doce bajeles: *dellos* chicos, *dellos* medianos, y *dellos* grandes» (Cervantes): *parte de ellos.* «El campamento presentó luego una escena de espantosa confusión, donde todos, exagerándose el peligro, corrían desolados y sin saber a qué punto: *cuáles*, como valerosos, para hacer frente al mal; *cuáles*, como cobardes, para evitarlo huyendo» (Baralt y Díaz). «*Éste* la maldice y la llama antojadiza, varia y deshonesta: *aquél* la condena por fácil; *tal* la absuelve y perdona, y *tal* la vitupera; uno celebra su hermosura, otro reniega de su condición, y en fin, todos la deshonran y todos la adoran» (Cervantes). «*Cuál* buscaba al amanecer entre los montones de muertos horrendamente heridos o mutilados el cadáver de un padre; *quién* el de un hijo o de un hermano; *aquélla* el de un esposo o de un amante; *otros* los de sus amigos o protectores» (el duque de Rivas). «*Aquí* se queja un pastor, *allí* se desespera otro, *acullá* se oyen amorosas canciones» (Cervantes). «*Aquí* se pelea por la espada, *allá* por el caballo.»

«El araucano ejército revuelto
Por acá y *por allá* se derramaba.»

(Ercilla).

«El diablo me pone ante los ojos *aquí, allá, acá* no, sino *acullá*, un talego lleno de doblones, que me parece que a cada paso le toco», etcétera (Cervantes). (Nótese que este adverbio *acullá* apenas se usa sino en oraciones distributivas, como las precedentes.)

1171. Úsanse de la misma manera:
Ya... ya,
Ahora... ahora (que se sincopa frecuentemente en *ora... ora,*
Tal vez... tal vez (en el sentido de *ya... ya*),
Tan presto... tan presto (en el mismo sentido),
Cuándo... cuándo (en el mismo sentido),
Dónde... dónde (por *aquí... allí*), etc.

«*Ahora* estés atento sólo y dado
Al ínclito gobierno del Estado,
Albano, *ahora* vuelto a la otra parte,
Resplandeciente, armado,
Representando en tierra al fiero Marte,
Ahora de cuidados enojosos
Y de negocios libre, por ventura
Andes a caza», etc.

(Garcilaso).

«Su rueda plateada
La Luna va subiendo:
Ora una débil nube
Que le salió al encuentro,
De trasparente gasa

Le cubre el rostro bello;
Ora en su solio augusto
Cubre de luz el suelo,
Tranquila y apacible
Como lo está mi pecho;
Ora finge en las ondas
Del líquido arroyuelo
Mil luces, que con ellas
Parecen ir corriendo.»

(Meléndez).

«Graciosa palomita,
Ya licenciosa pueden
Empezar con tus juegos
Y picar libremente.
Ya te provoca Fili,
Ya en los brazos te mece,
Ya en su falda te pone,
Y el dedo te previene.»

(el mismo).

«Almanzor tenía dispuestas sus gentes para hacer cada año dos entradas en tierra de Navarra, *cuándo* por una parte, *cuándo* por otra» (Conde).

1172. Conviene advertir que si se trata de dos cosas, o de más de dos, pero reducidas a dos por el modo de presentarlas, es más propio emplear *el uno* y *el otro* con artículo definido, para designarlas consecutivamente: «De sus dos hijos *el* uno se dedicó a las armas y *el* otro a las letras»; «De sus cuatro hijos, *los* dos... y *los* otros dos». Pero si se habla de más de dos individuos o colecciones, lo más propio es suprimir el artículo, excepto cuando en la construcción se llega a la última de las cosas de que se trata, siendo determinado su número: «Había tres aldeas a la orilla del río: *una* antigua de numeroso vecindario, *otra* recién poblada, *la otra* arruinada y desierta».

Capítulo XLVIII

CLÁUSULAS ABSOLUTAS

1173. Llámanse cláusulas *absolutas* aquellas que constan de un sustantivo modificado y no tienen conexión gramatical con el resto de la sentencia *, supliéndoseles el gerundio *siendo, estando, teniendo, llevando* u otro semejante: «Quince fueron en número los que allí se juntaron, curiosos e impacientes de saber el intento a que eran convocados en estación

* Corresponden a lo que en gramática latina se llama *ablativo absoluto*.

tan rigurosa; los montes cubiertos de nieve, embotadas las fuerzas y el brío, en silencio las armas» (Martínez de la Rosa): *estando los montes,* etc. «Cuenta con ir bien apercibidos, los vestidos con buenos soforros, y la jacerina debajo» (el mismo): *llevando los vestidos,* etc., donde es de notar que pueden juntarse con el gerundio tácito, no sólo adjetivos *(cubiertos, embotadas),* sino complementos *(en silencio, con buenos soforros),* y adverbios *(debajo).*

«El rey de Castilla se volvió a Sevilla, salva y entera la fama de su valor, no obstante los malos sucesos que tuvo» (Mariana): *llevando* salva, etc.

1174. A veces el sustantivo de estas frases es un *que* anunciativo o una proposición interrogativa indirecta: «El rey, visto que no podía tomar por fuerza la villa, mandóla escalar una noche con gran silencio» (Mariana).

> «Ya de Córdoba arrancan, acordado
> Cómo el valor sujete a la fortuna.»
>
> (Maury).

1175. Cállase a veces el sustantivo por hallarse a poca distancia: «Se trató de amoblar el palacio, y *amoblado,* se trasladaron a él los tribunales». Gil y Zárate, hablando de Lope de Vega, dice así: «*Flojo, desmayado, incorrecto, prosaico* muchas veces, sus eminentes cualidades, que dirigidas por el arte se hubieran fortalecido para mostrarse en todo su esplendor, degeneraron en los vicios a que toda virtud está cercana».

1176. En las cláusulas absolutas entra a menudo un participio adjetivo, o un adjetivo de aquellos cuyo significado es parecido al de los participios: *Limpias las armas, llenos los requisitos legales;* pero los ejemplos anteriores manifiestan que otros adjetivos, y hasta complementos y adverbios, pueden hallarse en construcción con el gerundio tácito.

1177. Ni el gerundio, mientras no se expresa, ni mucho menos el participio, admiten afijos o enclíticos: así, aunque decimos «Siéndole dada la carta», «Teniéndoles comunicado el suceso», no podemos decir en cláusulas absolutas: «Dádale la noticia, aguardamos su resolución», «Comunicádoles el suceso, partimos».

1178. En estas locuciones se antepone casi siempre al sustantivo el adjetivo o lo que hace sus veces, sobre todo si la cláusula absoluta está a la cabeza de la oración; por lo que en prosa parecería algo violento: «El palacio amoblado, se trasladaron a él los tribunales». Exceptúanse ciertas breves frases que tienen la sanción del uso: «*Esto dicho,* se retiraron». Otra excepción es la de aquellos sustantivos con los cuales puede subentenderse en vez del gerundio la preposición *con*: «Oraba siempre, *las rodillas* en el suelo, sin estrado ni sitial» (Rivadeneira); «¿Quién te trajo hasta ponerte en un patíbulo, *las manos* enclavadas, *el costado* partido, *los miembros* descoyuntados, *las venas* agotadas, *los labios* secos, y todo finalmente despedazado?»

(Granada); «Bajó al esquife un brioso mancebo de poco más de veinte y cuatro años, vestido a lo marinero de terciopelo negro, *una espada* dorada en las manos, y *una daga* en la cinta» (Cervantes).

1179. Es elegante la misma práctica en descripciones que recapitulan circunstancias ya referidas: «Yendo pues de esta manera, *la noche* oscura, *el escudero* hambriento, y *el amo* con gana de comer, vieron», etc. (Cervantes).

1180. Las cláusulas absolutas contribuyen no poco a la concisión del estilo. Martínez de la Rosa las emplea a cada paso en su *Hernán Pérez del Pulgar.*

CAPÍTULO XLIX

PREPOSICIONES

1181. Las preposiciones castellanas más usuales son *a, ante, bajo, con, contra, de, desde, en, entre, hacia, hasta, para, por, según, sin, sobre, tras.*

1182. Añádese *so,* cuyo empleo está en el día limitado a unas pocas frases *(so color, so pretexto, so pena, so capa); cabe,* enteramente anticuado *; *mientras* y *pues,* que dejan a menudo el oficio de preposiciones ; y los adverbios antes mencionados *(afuera, adentro, arriba, abajo, adelante, atrás, antes, después),* que toman el carácter, aunque no el lugar de la preposición, posponiéndose al nombre (§ 375).

1183. El adverbio relativo *cuando* suele emplearse también como preposición: *cuando la guerra,* por *en el tiempo de la guerra.*

1184. Podemos asimismo agregar a éstas algunas que lo son imperfectamente: como *excepto, salvo, durante, mediante, obstante, embargante.*

1185. Muchas preposiciones, y acaso todas, han sido en su origen palabras de otra especie, particularmente nombres. Y como esta metamorfosis no ha podido ser instantánea, sucede a veces que una palabra ha perdido en parte su primitiva naturaleza, y presenta ya imperfectamente, y como en embrión, los caracteres de otra, habiendo quedado, por decirlo así, en un estado de transición.

* «Así como lo blanco se echa de ver mejor *par* de lo negro, y la luz *cabe* lo oscuro», etc. (Rivadeneira): «No me parece se quitaba el Señor de *cabe* mí» (Santa Teresa). Nótese de paso el uso adverbial de *par (junto, cerca).* Hoy se dice *a par de lo negro, a par del río.* Dícese también significando igualdad: «Era *a par*», o «*a la par* de valiente, avisado».

1186. *Excepto* era un participio que variaba de terminación para los diferentes géneros y números, como hoy se usa *exceptuado;* pero hecho indeclinable, y limitado a cláusulas absolutas, que principian regularmente por un adjetivo (§ 1178), tomó la apariencia de preposición (*excepto un niño, una niña, unos pocos hombres, algunas mujeres*), y sin embargo no ha sido completa la trasformación, pues no se construye, como las genuinas preposiciones, con los casos terminales de los pronombres: no decimos *excepto mí, ti, sí,* sino *excepto yo, tú, él.*

1187. De cláusulas absolutas, como *salvo el derecho, salva la honra, salvas las vidas y propiedades,* se deriva de la misma manera el indeclinable *salvo,* que a semejanza de *excepto,* cuyo significado se apropia, no admite los casos terminales, pues no se dice *salvo mí,* sino *salvo yo.* Pero *salvo* recobra otras veces su primitivo significado de participio adjetivo, variando de terminación y colocándose antes o después cerca o lejos del sustantivo: «Salieron solamente con la vida salva», «Pocos quedaron salvos» *. A *excepto* y *salvo* se da muchas veces por término el anunciativo *que*: «Se les restituyó en el ejercicio de sus derechos, excepto» o «salvo que se les nombró un interventor para la administración de los bienes». Dánseles también complementos por término:

«La pérdida del tiempo no es pequeña,
Y *salvo* al imprudente, a nadie sobra.»
(B. de Argensola). **

«Con todos se usó de indulgencia, excepto con los que habían excitado el motín.» Y asimismo proposiciones subordinadas: «No es lícito dar a otro la muerte, excepto» o «salvo cuando es absolutamente necesario para nuestra propia defensa.»

1188. Estas dos palabras pueden también considerarse como conjunciones, en cuanto ligan elementos análogos, y la misma observación debe hacerse con respecto al adverbio *menos,* cuando equivale a *excepto* o *salvo*: «Todos, excepto» o «salvo» o «menos uno, fueron sentenciados a muerte»; «A nadie se mostró severo, excepto» o «salvo» o «menos a los homicidas»; «Con todos se usó de indulgencia, excepto» o «salvo» o «menos con los que habían turbado la tranquilidad pública. ***

1189. Del empleo de *mediante* y *durante* en cláusulas absolutas ha procedido asimismo el uso preposicional que hoy tienen: «Durante los meses de invierno»; «mediante los buenos oficios de sus amigos». Pero *mediante* se pospone a veces: *Dios mediante.* Ni uno ni otro se juntan con los casos terminales de los pronombres; y tampoco se usa construírlos con el nominativo: *durante yo* y *me-*

* Este es uno de los adjetivos que, como *lleno, limpio, harto,* se suelen sustituír al participio adjetivo en las construcciones de *estar* y de otros verbos significativos de mera existencia. En las de *ser* lo más común es decir *salvo* sin régimen: «Será salvo», y *salvado* con régimen: «Fueron salvados de la muerte». Sustantívase en el complemento *a* o *en salvo*: «Se pusieron en salvo»; «Quedó su honra a salvo»; «Pudieron estafar a su salvo».

** Hay un grave defecto en esta sentencia: el autor quiso decir que *a nadie sobra el tiempo,* pero lo que ha dicho es que *a nadie sobra la pérdida del tiempo.*

*** Como preposiciones, se traducen en latín por *praeter,* como conjunciones por *nisi: Omnibus sententiis, praeter unam, condemnatus est. — Nemini, nisi imprudenti.*

diante yo, disonarían tanto como *durante mí, mediante mí*; y aunque eso en *durante* pueda explicarse por la circunstancia de no expresarse con él la duración de las personas, sino de las cosas, no cabe decir lo mismo de *mediante*, que puede aplicarse a personas o cosas, bien que mucho menos frecuentemente a personas.

1190. Otras dos preposiciones imperfectas y originadas, como las anteriores, de cláusulas absolutas, son *obstante* y *embargante*; pero tienen la especialidad de que los complementos formados con ellas son siempre modificados por el adverbio *no*: «No obstante» o «no embargante los ruegos y empeños de varias personas principales, fue condenado a destierro perpetuo». El primero es, incomparablemente, de más uso; y callado el término toma el carácter de conjunción adversativa: «Compuestas (las asambleas públicas de las naciones setentrionales) de guerreros ignorantes y groseros, no había más elocuencia que la facundia natural de cada orador sin arte ninguno, y apelando a las pasiones más bien que al raciocinio o a las galas del buen decir. No obstante, asistían con frecuencia a ellas obispos ilustrados, formados por los escritos de los Santos Padres, y aun de los oradores antiguos» (Gil y Zárate); *no obstante esto, no obstante que no había en ellas elocuencia.*

1191. Algunas preposiciones dejan a veces el carácter de tales y se vuelven adverbios, como *bajo* y *tras* cuando modificadas por un complemento con *de* equivalen a *debajo* y *detrás*: «*Bajo de* la cama»; «*Tras de* la puerta»; «Preguntó que cómo aquel hombre no se juntaba con el otro hombre sino que siempre andaba *tras dél*» (Cervantes). *Tras él* hubiera sido más propio.

1192. Dejando a los diccionarios la enumeración de los varios significados que toma cada preposición, y de los verbos que las rigen, nos limitaremos a unas pocas observaciones generales sobre el modo de usarlas.

1193. 1ª Si el sentido pide dos complementos de preposiciones diferentes con un mismo término, es necesario expresarlas ambas, reproduciendo el término. Peca pues contra la sintaxis: «Lo que depende y está asido a otra cosa» (Diccionario de Valbuena, citado por Salvá); porque *depender* rige *de*, mientras *asido* se construye con *a*; siendo por tanto necesario: «Lo que depende *de otra cosa* y está asido *a ella*». «El camino real de que se trata» (dice otro respetable escritor) «no debe ni ha necesitado mucho del arte»; *del arte* se hace régimen común de los verbos *debe* y *ha necesitado*, siendo así que *deber* pide *a* y *necesitar, de*: era menester otro giro, como «no debe ni ha pedido mucho al arte». Si un sustantivo es, por sí solo, acusativo y término de preposición expresa, debemos también ponerlo de manifiesto en ambas funciones, primero directa y luego reproductivamente: «Se trató de refutar y hacer ver la futilidad de todas las razones alegadas en contra»; pésima sintaxis; es preciso: «Se trató de refutar las razones alegadas en contra, y hacer ver la futilidad *de todas ellas*». Cervantes contravino alguna vez a esta regla: «¡Cómo qué! ¿Es posible que una rapaza, que apenas sabe menear doce palillos de randas, se atreva a *poner lengua* y a *censurar las historias* de los caballeros andantes?»: el acusativo *las historias*, régimen propio de *censurar*, no lo es de *poner* *lengua*, que pide complemento con *en*. «Cosas que *tocan, atañen, dependen y son anexas a la orden* de los caballeros andantes»: el complemento *a la orden*, que cuadra bien a *tocan, atañen* y *son anexas*, es rechazado por *dependen* que no pide *a* sino *de*. Pero esta regla es de menos rigor en el diálogo familiar.

1194. 2ª Aun cuando no sólo se identifican los términos sino las preposiciones mismas, es necesario, repitiendo la preposición, reproducir el término, siempre que no se presenten los dos complementos de un modo semejante respecto de las palabras que los rijan. «La poesía vive y saca de las imágenes materiales su mayor gala y hermosura», no parecería bien; porque después de *vive* y *saca* sigue *de las imágenes materiales*, régimen de ambos verbos a la vez, y luego *su mayor gala y hermosura*, régimen peculiar de *saca*. Puede aceptarse «La poesía vive, y saca su mayor gala y hermosura, de las imágenes materiales», pero no quedamos todavía satisfechos, porque el complemento con *de* se refiere por una parte al verbo *vivir* sólo, por otra al verbo *sacar* modificado por el acusativo *su mayor gala y hermosura*. Es mucho mejor construír la sentencia de este modo: «La poesía vive de las imágenes materiales, y saca *de ellas* su mayor gala y hermosura».

1195. 3ª Con el acusativo y el dativo, formados ambos por la preposición *a*, y por un mismo sustantivo, basta expresar una sola vez la preposición y el término: «Da toda especie de socorros y alienta con sus palabras a los menesterosos y desvalidos».

1196. 4ª Blanco-White y Jovellanos probaron a introducir en castellano la práctica de que se vale la lengua inglesa en el caso de dos preposiciones diferentes con términos idénticos; la cual consiste en callar el término con la primera preposición y expresarlo con la segunda: «Providencias exigidas *por*, y acomodadas *al* estado actual de la nación»; «Todo lo cual fue consultado *a* y obtuvo la aprobación *de* la Junta» (ambos ejemplos son de Jovellanos, citado por Salvá). Pero hasta ahora no parece haber hecho fortuna este giro, que los mismos escritores ingleses no miran como elegante.

1197. 5ª Notaremos de paso que en los modos del verbo no es menos necesaria que en las preposiciones la consecuencia de régimen. Se pecaría contra esta regla diciendo, por ejemplo: «*Estamos seguros* y nos *alegramos* de que *tenga* esas intenciones el gobierno»; porque *estamos seguros* pide *tiene* y no *tenga*. Extiéndese lo mismo a toda palabra o frase en que influyen diversas causas de régimen.

1198. 6ª Hay una que otra frase en que el uso autoriza la inconsecuencia. Dícese «Esta casa es *mayor* o *tan grande como* la de enfrente», sin embargo de que no puede decirse *mayor como*, sino *mayor que*: entre las dos especies de régimen se prefiere la que cuadra con la más cercana de las palabras que las piden: *es mayor* o *tan grande como: es tan grande* o *mayor que*. Cervantes contravino a esta regla: «Mis pensamientos, mis suspiros, mis lágrimas, mis buenos deseos, mis acometimientos, pudieran hacer un volumen *mayor o tan grande que* el que puedan hacer todas las obras del Tostado».

APÉNDICE

RÉGIMEN DE LAS PREPOSICIONES, CONJUNCIONES E INTERJECCIONES

1199. Las preposiciones castellanas no tienen propiamente régimen, porque régimen supone elección: así un verbo rige un modo o un complemento particular, porque hay varios modos y multitud de complementos; al paso que con todas las preposiciones lleva el término una forma invariable; es a saber, la del caso terminal en los pronombres declinables, y la forma única de los nombres que no se declinan por casos: *de mí, por mí,* etc. *De la casa, por la casa, sin la casa,* etc. *

1200. Las conjunciones carecen de régimen; ligando palabras, cláusulas u oraciones, no tienen influencia sobre ninguna de ellas.

1201. La interjección tiene a menudo régimen: el más frecuente es el de nominativo, que se usa muchas veces como vocativo: «¡Ah infelices!» «¡Oh patria!» «¡Alerta, soldados!»

1202. También es frecuente el complemento con *de,* como puede verse en los ejemplos del número 78.

1203. *Ojalá* equivale a *Dios quiera,* y rige por consiguiente proposición subordinada en el modo subjuntivo común, de la misma manera que los verbos que significan *deseo:* «Ojalá que la buena causa triunfe!» «Ojalá no paren en desgracias sus temeridades!».

CAPÍTULO L

OBSERVACIONES SOBRE EL USO DE ALGUNOS ADVERBIOS, PREPOSICIONES Y CONJUNCIONES

Ha parecido conveniente reunir en este capítulo preposiciones, adverbios y conjunciones por la facilidad con que estas palabras se trasforman unas en otras **.

* En latín no era así: *ab,* por ejemplo, regía ablativo, *propter* acusativo, *super,* acusativo y ablativo.

** De esta recíproca permuta de oficios no se infiera que sería mejor reducir esas tres clases de palabras a una sola. Son esencialmente distintos los oficios del adverbio, de la preposición, de la conjunción: la palabra que pasa de una clase a otra varía de sintaxis y aun de significado; y como también sucede que, según se usa una palabra como adverbio, preposición o conjunción, le corresponden diversos equivalentes en otros idiomas, la separación de estos tres oficios gramaticales no sólo es conveniente para su acertado uso en castellano, sino para facilitar el aprendizaje de otras lenguas.

1204. (1) *Ahora bien, ahora pues*: frases adverbiales que pasan a conjunciones de las llamadas *continuativas*, porque anuncian que continúa y se desenvuelve un pensamiento. Gil y Zárate muestra que hay en el alma cierta imagen de lo que llamamos hermoso y perfecto, la cual en su totalidad no se asemeja a nada de cuanto percibimos con los sentidos; y sigue después así: «Ahora bien, si existe en la mente del artista un tipo ideal de la belleza, ¿existirá también un criterio que dé a conocer si los objetos se acercan más o menos a aquel modelo? En otros términos, ¿existiría un buen gusto?»

1205. (2) *Antes*, adverbio de tiempo. Hácese conjunción de las llamadas *correctivas*, que rectifican una idea precedente:

> «Mas yo sé bien el sueño con que Horacio,
> *Antes* el mismo Rómulo, me enseña», etc.
>
> (B. de Argensola).

Antes es aquí *o más bien*. Dícese en el mismo sentido *antes bien*, y cuando la corrección es una completa contradicción, *antes por el contrario*. «No respondía, ni menos daba muestras de flaqueza, *antes bien* besaba humilde la mano de su padre, y le pedía su bendición, seguro de llevar con ella la del cielo» (M. de la Rosa).

1206. Con el anunciativo *que* forma una frase adverbial relativa, que suele pasar a conjunción, y deja entonces la idea de prioridad de tiempo para tomar el sentido de *más bien, más propiamente que*: «Con voz, antes basta y ronca que sutil y delicada, dijo», etc. (Cervantes). «No daba espacio de un bocado a otro, pues antes los engullía que los tragaba» (Cervantes).

1207. (3) *Apenas... cuando*: frase adverbial relativa: «*Apenas* le vi, *cuando* me dirigí a él». Por la elipsis de *cuando*, adquiere *apenas* la fuerza de un adverbio relativo, y la que era proposición subordinante se vuelve subordinada: «Apenas le vi, me dirigí a él»; es evidente que *apenas*, usado de este modo, equivale a la frase *en el momento que*. En el mismo sentido se dice: *No bien... cuando*, y *aun no... cuando*, y *no... cuando*: «No bien estuvo formada la tropa, cuando», etc.; «Aun no hubo andado una pequeña legua, cuando», etc. (Cervantes); «No se hubo movido tanto cuanto, cuando», etc. (el mismo); «No hubo andado cien pasos, cuando», etc. (el mismo). Y con *no bien* sucede lo mismo que con *apenas*, callándose el *cuando*.

1208. *Apenas... cuando más*: «Apenas creo que pueda pensarse cuanto más escribirse» (Cervantes). En este modo de hablar es indiferente decir *más* o *menos*. Empleando el primero de estos adverbios, *apenas* conserva su significado positivo; como si dijésemos, *difícilmente puede pensarse, cuanto más difícilmente escribirse;* empleando el segundo, hacemos a *apenas* en cierta manera negativo, como si el sentido fuese *no puede pensarse, cuanto menos escribirse*. De aquí proviene la construcción *apenas... sino*: «Apenas dormía, *sino* después de un largo y laborioso ejercicio».

1209. *Apenas no*, que usó Cervantes («Apenas el caballero no ha acabado de oír la temerosa voz, cuando», etc.), es construcción que no debe imitarse.

1210. Se ha introducido recientemente, tomada de la lengua francesa, la frase *apenas si*, que se encuentra con bastante frecuencia en las obras de Martínez de la Rosa: «Apenas si se oía el confuso rumor de los pasos». No creo deba desecharse, porque se ajusta bien a la significación de los elementos que la componen, y la elipsis que la acompaña es natural y expresiva: *si se oía, era apenas.*

1211. (4) *Arreo*: adverbio que debe agregarse a las preposiciones pospuestas, en frases como: «Término lleva de quejarse un mes arreo» (Cervantes): todo un mes, día por día. «Lo cual hizo cuarenta y seis días arreo» (Rivadeneira): cuarenta y seis días seguidamente.

1212. (5) *Así... que*, de manera que: «Así le afeaban las verrugas el rostro, que en viéndole Sancho, comenzó a herir de pie y de mano» (Cervantes).

1213. *Así que*, de manera que: frase conjuntiva. Entra en la clase de las conjunciones llamadas *raciocinativas*, y más específicamente *consecuenciales*, porque anuncian en lo que sigue una deducción o consecuencia de lo que precede: «Sé más libros de caballerías, que de las súmulas de Villalpando; así que, si no está en más que en esto, seguramente podéis comunicar conmigo lo que quisiéredes» (Cervantes).

1214. *Así que*, luego que: frase adverbial relativa; la tengo por introducida recientemente: «Así que se supo aquel acontecimiento, sonó por todo el ámbito del reino un grito de sorpresa». Se decía, y aun se dice, en el mismo sentido, y mejor a mi ver, *así como.*

1215. *Así es que*, frase conjuntiva que anuncia la continuación de un pensamiento o una comprobación que de él se hace. Después de haber dicho que la invención oratoria es la que reúne todas las ideas, todos los materiales de que se ha de componer el discurso, pudiéramos añadir: «Así es que esta parte no depende tanto del arte, como del talento y de la instrucción del orador». Tal es el empleo legítimo de la frase; de que algunos se sirven malamente en la significación de *así es como,* diciendo v. gr. «Así lo hago, porque *así es que* me enseñaron».

1216. (6) *Aun*, adverbio de tiempo, equivalente a *todavía* o *hasta ahora.* De aquí pasó a sugerir una gradación de ideas que, ya expresa, ya tácita, termina en la palabra o frase a que lo anteponemos: «Conmovióse al verle, y *aun* se le arrasaron los ojos de lágrimas»; «Desnudos de todo recurso, y *aun* abandonados de sus amigos, no desesperaron por eso»; «Provee a los menesteres de los suyos económica y *aun* escasamente»; «Había resuelto no ceder, arriesgarlo todo y *aun* perecer si fuese necesario»; en estos ejemplos la gradación es expresa; en los que siguen es tácita: «Aun en la indigencia conservaba toda su dignidad», como si se dijese: «Se portó noblemente en el poder, descendió a la vida privada sin abatirse, y aun en la indigencia», etc. «Aun las horas de la noche eran negadas al reposo»: *todas las horas del día y aun las horas de la noche*, etc. La gradación implícita variará mucho por supuesto, según los diferentes casos; pero algo semejante a ella entrevería siempre el entendimiento, aunque de un modo indistinto y vago, en este uso de *aun.*

1217. *Aun,* en este sentido de gradación, pertenece a una especie particular de elementos gramaticales que pudieran llamarse *cuasiafijos*, porque se anteponen a toda clase de palabras modificando su significado y sirviendo como de partículas prepositivas. Así, en el sentido de que hablamos, la énfasis de *aun* no sólo recae sobre adjetivos, verbos, adverbios y complementos, como es propio de los adverbios, sino también sobre sustantivos, según se ve en el último de los ejemplos anteriores.

1218. *Aun cuando* es una frase adverbial relativa, en que *aun* conserva la idea de gradación: «La vida del hombre está llena de cuidados y zozobras, aun cuando más nos halaga la fortuna»; «Aun cuando todos conspiren a un fin, es necesario que obren de concierto, para que alcancen lo que se proponen». Aquí se ve que esta frase adverbial puede regir indicativo o subjuntivo según las circunstancias. Pero el construírla con indicativo en el sentido de *aunque es verdad que* («Aun cuando ha llegado bueno, se resiente de las fatigas del viaje»), es una práctica moderna que no debe, a mi parecer, imitarse.

1219. Combínase con *ni* en las oraciones negativas: «No sólo no le viste ni le sustenta, pero ni aun le abre sus puertas». Dejando sólo el último grado de la escala, diríamos: «Ni aun de los suyos se fía»; «Ni aun en el destierro y la indigencia se le vio perder su dignidad». Callando el adverbio *aun*, se revestiría de su fuerza el *ni: Ni de los suyos; Ni en el destierro y la indigencia.*

1220. *Aun bien que:* frase relativa adverbial y elíptica: «Aun bien que yo casi no he hablado palabra» (Cervantes): *afortunadamente sucede que...*

1221. (7) *Aunque*, adverbio relativo, equivalente a *sin embargo de que.* Rige indicativo o subjuntivo, bien que no indistintamente. «Tengo de salir aunque llueva», es una expresión propia, no sólo en boca del que piensa en una lluvia futura, que puede verificarse o no, sino del que ve llover y está en el acto de salir. «Aunque estaba lloviendo a cántaros, insistieron en ir al baile»: es indispensable el indicativo. «Bien pudiste venir, aunque lloviese»: aquí por el contrario, aun cuando se tratase de una lluvia pasada y cierta, sonaría mejor el subjuntivo. Es más fácil sentir que explicar el valor peculiar de las formas modales según los diferentes casos.

1222. Cállase a menudo el verbo *ser* o *estar* en la proposición subordinada: «Aunque anciano y enfermo, trabaja incesantemente»: *aunque* era *anciano y* estaba *enfermo.*

1223. Al adverbio relativo *aunque*, se contraponen a menudo los complementos demostrativos *sin embargo de eso, no obstante eso, con todo eso* y otros de valor semejante (o como se dice elípticamente, *sin embargo, no obstante, con todo*), que repiten el significado de *aunque* sin el elemento relativo: «Las memorias del castillo de Bellver, aunque por lo demás ofrezcan poco cebo a la curiosidad, pueden con todo satisfacer el gusto de los que desean conocer a fondo la historia de la media edad» (Jovellanos). Esta duplicación de ideas es análoga a la de *tanto, cuanto; tal, cual; así como, así también,* y otras que se han señalado en varios lugares de esta gramática, usadas en castellano y en todas las lenguas.

1224. Los referidos complementos se emplean a menudo como conjunciones que ligan dos oraciones independientes: «Vamos ahora a los accesorios de nuestra obra, dejando a un lado los de madera o fierro, de que no me curé, porque conducen poco para la historia de las artes: diré, sin embargo, que en el gran número de puertas y ventanas del castillo, se nota estar todas trabajadas sobre un misma idea, con gran gusto y diligencia» (el mismo); «Gastado el pavimento, fue reemplazado en la galería con plastas de yeso y guijarro, tan feos a la vista, como incómodos a la huella: con todo, entre el polvo y roña se divisan acá y allá algunos trozos, que bien lavados y fregados por mí, descubren su primitiva belleza» (el mismo).

1225. Pero lo que más merece notarse es la trasformación de *aunque* en conjunción *adversativa* que enlaza oraciones y toda especie de elementos análogos denotando cierta oposición entre ellos: «Escribe bien, aunque despacio»; «El pincel de Tácito es vigoroso, aunque demasiado sombrío»; «Era puro y bien intencionado su celo, aunque es preciso confesar que en vez de corregir irritaba»; «Aquella sombra grande que desde aquí se descubre, la debe de hacer el palacio de Dulcinea. Así será: *aunque* yo lo veré con los ojos y lo tocaré con las manos, y así lo creeré, como creer que ahora es de día» (Cervantes); «¡Oh encantadores mal intencionados! Bastaros debiera haber mudado todas sus facciones de buenas en malas, sin que tocárades en el olor, que por él siquiera sacáramos lo que estaba encubierto debajo de aquella fea corteza; *aunque*, para decir verdad, nunca vi yo su fealdad, sino su hermosura» (el mismo). *Aunque* en estos ejemplos no tiene ya el significado de *sin embargo de que*, sino el de *sin embargo* o *pero*. En los dos últimos es propiamente una conjunción correctiva, con que se retracta o corrige lo que se acaba de decir.

1226. Para distinguir el adverbio relativo de la conjunción, cuando ambos ligan proposiciones completas, advertiremos:

1º Que el adverbio relativo tiene régimen, y así es que, siéndolo *aunque*, rige indicativo o subjuntivo, al paso que, siendo conjunción y ligando proposiciones independientes, no influye en el modo del verbo, que toma siempre las formas propias de las proposiciones de esa especie.

2º Que la proposición introducida por el adverbio relativo puede no seguir a la otra; pero la introducida por la conjunción ocupa necesariamente el segundo lugar.

3º Que hasta en la pronunciación se echa de ver la diferencia de los dos oficios, pues entre las oraciones ligadas por el *aunque* conjuntivo se hace siempre una pausa más larga, y no pocas veces las separamos en lo escrito con el punto final.

«*Aunque* una historia abrace muchos siglos y aun el mundo todo, no debe carecer de plan.» Hubiera podido decirse: «Una historia no debe carecer de plan, aunque *abrace* muchos siglos». Pero pruébese a invertir el orden o a sustituir el subjuntivo al indicativo en el *veré, tocaré, creeré* y *vi* de los dos ejemplos de Cervantes, y se percibirá que la lengua no lo permite. Podría sí decirse en el primero *vería, tocaría* y *creería,* o *viera, tocara* y *creyera,* introduciendo una negación implícita; pero esto es una confirmación de lo dicho, porque la forma en *ra* o *ría* es propia de la apódosis independiente en las oraciones condicionales implícitamente negativas.

«Si las pruebas son concluyentes, entonces viene bien el presentarlas separadamente, explanarlas, adornarlas, para que hieran más la imaginación y adquieran mayor fuerza todavía. *Aunque* esto debe tener su límite; porque si el orador se detiene demasiado en una prueba, y apura cuanto se puede decir acerca de ella, llega a ser molesto, descubre el artificio, y hace que desconfíe el oyente o se distraiga.» En este ejemplo hay entre las dos oraciones toda la pausa señalada por el punto final. *

1227. *Aunque más*: por más que; frase adverbial relativa: «Aunque más tendimos la vista, ni poblado, ni persona, ni camino, ni senda descubrimos» (Cervantes).

1228. (8) *Bien*: adverbio. Uno de sus significados es el contrario al de *apenas*: «Bien se pasaron quince días en que no vimos la caña, ni la mano ni otra señal» (Cervantes).

1229. (9) *Bien que*: frase adverbial relativa, y otras veces conjunción adversativa o correctiva; en ambos casos debiera escribirse como una sola palabra, *bienque*. En uno y otro oficio tiene gran semejanza con *aunque*: «Bien que hubiese grande escasez de provisiones, no nos faltaba lo necesario»; «El camino de la derecha es llano, derecho y cómodo, bien que no le falten lodazales y ciénagas en tiempo de lluvias»; muéstrase en ambos ejemplos el uso adverbial y relativo. Como conjunción debemos ver en esta frase un residuo de *bien es verdad que* o *bien es que*, y tiene entonces los mismos tres caracteres que poco ha hemos señalado al *aunque* conjuntivo, que liga oraciones: «El camino de la derecha...; bien es verdad que», o «bien es que», o «bien que no le faltan...» En el anterior ejemplo, *Si las pruebas son concluyentes*, etc., pudiéramos poner *bien que* en lugar de *aunque*, sin hacer diferencia alguna en el sentido.

1230. (10) *Casi* y *cuasi*, originalmente una misma palabra, tienen hoy diferente significado: *casi* denota que la palabra modificada por él no es exacta, sino con cierta rebaja: «El edificio estaba casi todo en completa ruina». *Cuasi* quiere decir que nos valemos de una palabra, no para significar la idea propia de ella, sino algo que se le asemeja: subsiste sólo como partícula compositiva en *cuasi-delito, cuasi-contrato*. En el sentido de *casi* es anticuado.

1231. Mencionamos este adverbio (que no es de la clase de los relativos aunque en latín lo fue) para hacer notar que se reduce a veces a un mero afijo o *partícula prepositiva*, con que modificamos no sólo las palabras a que puede hacerlo el adverbio, sino al sustantivo mismo: «Casi exánime»; «Casi le mata»; «Casi al borde del sepulcro»; «Disponía de casi todo»; «Era casi señor absoluto», «Era casi noche» (Santa Teresa).

1232. (11) *Como*, adverbio relativo. No es necesario dar ejemplo de su significado modal, que es el primitivo y propio, ni de los secundarios de causa, fin o condición, que suele tomar a menudo. Sólo sí notaremos que en el significado de causa rige indiferentemente indicativo o subjuntivo, aun cuando se afirma la causa: «El orador, como *sea* su fin mover y persuadir, se sirve de lo vehemente y su-

* Nótese la correspondencia en otras lenguas. En latín *quamquam* es adverbio relativo o conjunción, como nuestro *aunque;* pero *quamvis, etsi,* no son más que adverbios relativos. *Aunque* se traduce en francés por *quoique;* como conjunción que liga oraciones, por *cependant, pourtant.* Insistimos en este punto, porque es grande la vaguedad y confusión de las ideas que se dan acerca de lo que es adverbio y lo que es conjunción. Burnouf ha señalado con bastante claridad la distinción entre los adverbios relativos y las conjunciones, llamando a los unos *conjunciones de subordinación,* y a las otras *conjunciones de coordinación.* Pero conjunciones de subordinación, conjunciones que acarrean proposiciones subordinadas e influyen en el modo de éstas, me parece opuesto a la naturaleza del elemento conjuntivo, que siendo un mero vínculo, media entre palabras o frases análogas, independientes una de otra.

blime» (Capmany); «Se les requirió si querían rendirse antes de la primera carga, y como *persistiesen* en su obstinación, se jugaron diez cañones» (Coloma); «Como *conviene* no divagar, el exordio debe nacer del mismo asunto» (Gil y Zárate); «Como no *eran* tan poderosos que pudieran hacer guerra sino correrías y robos, comenzaron a ser molestados» (Mariana). Construído con pretérito de indicativo, significa también sucesión inmediata: «Como vieron acercarse la tropa, huyeron precipitadamente». Y en este sentido se dice con igual propiedad *así como*.

1233. Sustitúyese a veces *como* al anunciativo *que*: «Carriazo le contó punto por punto a su amigo la vida de la jábega, y *como* todas sus tristezas y pensamientos nacían del deseo que tenía de volver a ella» (Cervantes); «Ordenó el señor de la casa *como* se llamase un cirujano famoso de la ciudad, para que de nuevo curase a Marco Antonio» (el mismo).

1234. Hácese conjunción, ligando elementos análogos, v. gr. «La naturaleza, *como* quien tiene necesidad, no reposa, sino siempre está piando y suspirando por más» (Granada): líganse *naturaleza* y el antecedente envuelto en *quien*. «Es laborioso *como* pocos»: líganse *él*, tácito, *y pocos*. «Le miran *como* padre»: líganse *le* y *padre*. «Los trata *como* a hijos»: el enlace es entre *los* y *a hijos*. «El duque dio nuevas órdenes de que se tratase a Don Quijote *como* a caballero andante» (Cervantes): se ligan los complementos *a Don Quijote* y *a caballero andante*. «La hermosura por sí sola atrae la voluntad de cuantos la miran y conocen, y *como* a señuelo gustoso se le abaten las águilas reales y los pájaros altaneros» (Cervantes): se ligan los complementos *le* y *a señuelo gustoso*.

1235. ¿Es indiferente poner o no la preposición en «Le miran como padre»; «Los trata como a hijos»? Me parece que *le miran como padre* se dice de los que miran como un padre al que no lo es; y que, por el contrario, «los trata como a hijos» sugeriría la idea de verdadera paternidad.

1236. Empléase también *como* en calidad de simple afijo o partícula prepositiva, sustituyendo al sentido propio de una palabra o frase el de mera semejanza con él: «Encontró Don Quijote con dos *como clérigos o estudiantes*» (Cervantes); «Estos que llaman políticos ponen *tales como primeros principios* para el gobierno, que siguiéndolos, necesariamente se han de perder los Estados» (Rivadeneira); «El ejército de las estrellas, puesto *como en ordenanza* y *como distribuído en hileras*, luce hermosísimo: y hermanadas todas, y *como mirándose entre sí*, se hacen muestras de amor» (Fr. Luis de León). Sólo a los verbos y a las proposiciones enteras no puede anteponerse este *como* sino mediante el anunciativo *que*: «Se estremecía la tierra, y *como que se hundía* debajo de mis pies»; «Figurábaseme *como que caían globos de fuego*».

1237. Cuando principia la oración con esta frase, *como que*, puede tener dos sentidos. El uno de ellos es el de que ahora tratamos, en que *como* es un mero afijo. En el otro es conjunción continuativa, equivalente a la frase *así es que, tan cierto es eso que;* y tal es el que tiene en este pasaje de Samaniego:

«Desde tan bella estancia
¡Cuántas y cuántas veces
Oiré los pastores,
Que discretos contienden,
Publicando en sus versos
Amores inocentes!
Como que ya diviso
Entre el ramaje verde
A la pastora Nise,
Que al lado de una fuente,
Sentada al pie de un olmo.
Una guirnalda teje.»

1238. (12) *Con que*: complemento que toma a veces el carácter de conjunción consecuencial:

«¿Con que de tus recetas exquisitas
(Un enfermo exclamó) ninguna alcanza?»
(Samaniego).

1239. (13) *Cuando:* adverbio relativo de tiempo. Tiene a veces el significado de *aun cuando,* y debe sujetarse a las mismas reglas.

1240. Lo hacemos sustantivo en *de cuando en cuando* o *de vez en cuando* (de tiempo en tiempo); y ya hemos notado (§ 1183) su uso preposicional en *cuando la guerra* por *durante la guerra.* Y si recordamos que las preposiciones llevan a menudo predicados por términos (§ 69), reconoceremos el mismo carácter preposicional en *cuando viejos, cuando solteros*; expresiones enteramente análogas a *desde niños, mientras jóvenes:* «Muchos hombres que cultivan las letras miran como puerilidad la nomenclatura retórica, porque aprendieron el arte en su puericia. como desdeñándose, cuando adultos, de tan humilde recuerdo» (Capmany). Si se prefiere mirar esta frase como elíptica, subentendiéndose el verbo *ser (cuando son adultos),* repetiré que haciéndose habitual una elipsis, los elementos suprimidos se olvidan, y las palabras entre las cuales median, contraen un vínculo gramatical inmediato.

1241. *Cuando más, cuando menos*: expresiones adverbiales que significan a lo sumo, a lo menos: «Tendrá *cuando más* treinta años»; «Aspira a un ministerio de Estado, o una contaduría mayor *cuando menos*».

1242. (14) *Cuanto.* No hacemos mención de esta palabra sino con motivo de la frase *cuanto más,* en que es adverbio interrogativo, y propiamente exclamatorio: «Yo te sacaré de las manos de los caldeos, *cuanto más* de las de la Santa Hermandad» (Cervantes); «Por lo menos servirá aquel largo catálogo de autores a dar de improviso autoridad al libro. Y más que no habrá quien se ponga a averiguar si los seguistes o no los seguistes, no yéndole nada en ello. *Cuanto más,* que si bien caigo en la cuenta, este vuestro libro no tiene necesidad», etc. (Cervantes). *Cuanto y más* o *cuantimás,* que se decía en el mismo sentido, creo que pasaría hoy por desaliñado y rastrero, no obstante el empeño del erudito Don J. A. Puigblanch en rehabilitarlo.

1243. (15) *Desde.* Es notable el modismo en que damos a esta preposición por término una oración completa: «Mis trabajos son tantos *desde* este Agosto pasado hizo un año» (Santa Teresa). Dícese también callando el verbo: «*Desde* ahora un año».

1244. (16) *Donde:* adverbio relativo de lugar. Pasa al sentido de condición en la frase elíptica *donde no* (si no): «Sin verla, lo habéis de creer, confesar, afirmar, jurar y defender: donde no, conmigo sois en batalla, gente descomunal y soberbia» (Cervantes).

1245. Sustitúyese a veces la frase *por donde* a la frase *por el cual, por la cual,* etc.; pero sólo para significar ilación o consecuencia lógica: «Las señales por donde conjeturaron se moría» (Cervantes). De aquí la frase conjuntiva *por donde* para anunciar en la oración que viene después de ella una ilación o consecuencia lógica: «Con cada obra mala que hacemos, se hinca más y más el vicio en nuestras almas: por donde vemos que la vejez de aquellos que gastaron la mocedad en vicios, suele ser muchas veces amancillada con las disoluciones de aquella vida pasada, aunque la presente las rechace y la misma naturaleza las sacuda de sí» (Granada). Antiguamente se decía *por ende,* que es hoy *por esto,* o *por tanto,* o *por lo tanto,* como a *por donde* se prefiere de ordinario *por lo cual.*

1246. (17) *Hasta.* En esta preposición vemos otra de aquellas palabras que saliendo de su uso primitivo se trasforman en meros afijos o partículas prepositivas: «*Hasta* las causas particulares se convertían con frecuencia en asuntos políticos» (Gil y Zárate): donde cualquiera percibirá que *hasta* no hace el oficio de preposición, puesto que sólo sirve para dar al sujeto cierta énfasis parecida a la de *aun.* De la misma manera se dice: «*Hasta* insensato parece», anteponiéndolo a un predicado; «Desacertada y *hasta* torpemente se portaron», anteponiéndolo a un adverbio; «*Hasta* de los suyos se recata», «Correspondió a tantos beneficios con ingratitud, y *hasta* con villanía», anteponiéndolo a complementos: «Le reconvino, le denostó, y *hasta* le dio de golpes», a un verbo.

1247. En estas locuciones se presenta siempre al entendimiento una escala creciente o decreciente de ideas, señalándose la última con el prepositivo *hasta.* Vese la escala en el 3º, 5º y 6º ejemplos; pero frecuentemente sólo se exhibe el último grado, dejándose los otros a la imaginación del que oye o lee, como en el 1º, 2º y 4º. Este uso de *hasta* es mucho más frecuente en los escritores modernos, que en los de la edad de Cervantes.

1248. El autor del Quijote juntó alguna vez los dos prepositivos *hasta* y *aun*: «Esta que llaman necesidad dondequiera se usa, y a todos alcanza, y *aun* hasta a los encantados no perdona». Cualquiera de las dos bastaría: *y aun a los encantados; y hasta a los encantados.* Podría variarse la frase diciendo *y ni aun a los encantados perdona,* que es como tal vez sonaría mejor.

1249. (18) *Luego,* adverbio de tiempo que se usa frecuentemente como conjunción deductiva o consecuencial. *Luego que,* frase adverbial relativa de tiempo, en lugar de la cual se dice también *luego como*: «Somos muy flacos, pues luego como vemos el peligro desmayamos» (Granada).

1250. (19) *Más.* Se han notado (§ 85) los varios oficios de esta palabra, ya sustantivo, ya adjetivo, ya adverbio, ya conjunción. Hemos visto asimismo (cap. XXXVII) el uso comparativo de la frase *más que.* Ahora observaremos el sentido particular que se suele dar a esta frase, haciéndola equivalente de *aun dado caso que*: «No lo aceptaría *más que* me rogasen con ello». Subentendiendo la proposición subordinante se dice: «Más que me maten» (cállase *no se me da nada, no importa*).

1251. *Mas*, construído con el interrogativo *si*, sirve para la expresión de una duda, de una sospecha, que nos asalta de repente: «¿Mas si después de tantas promesas nos engaña?»

1252. (20) *Medio*: sustantivo en «No hay medio de persuadirle»; adjetivo en «Medio almud», «Media hora»; adverbio en «Medio vivo», «Medio muerta», «Medio persuadidos»; puro afijo o partícula prepositiva en «La sirena era un monstruo, *medio* pez y *medio* mujer»; «Rióse el Rector y los presentes, por cuya risa se *medio* corrió el capellán» (Cervantes): donde es de notar que no se interpone entre el afijo pronominal y el verbo, lo que no hace ninguna de las otras partículas prepositivas de su especie. Pero podría también decirse *medio se corrió*.

1253. (21) *Ni*, conjunción copulativa que envuelve al mismo tiempo la significación del adverbio *no*. Es de las que pueden expresarse con todas las palabras o frases que liga, inclusa la primera: «Ni el general ni los soldados»; «Ni de noche ni de día». Se permite a veces la elipsis del primer *ni* en construcciones como ésta: «Las lluvias y el mal estado de los caminos, ni la falta de víveres, detuvieron la marcha»: apenas soportable en prosa.

1254. Aunque generalmente se dice *y no* cuando la proposición antecedente es positiva, *ni* cuando es negativa, se suele a veces en el primer caso decir *ni*: «Fácil se creería la empresa de dominar todo aquello que se fuese descubriendo, vista la mansedumbre y timidez, las armas y costumbres de las nuevas gentes. *Ni* le ocurrió a nadie duda sobre el derecho de sujetarlas por medio de la fuerza» (Baralt y Díaz). Según la práctica ordinaria se hubiera dicho *y no*, pero es más elegante el *ni*. La pausa entre las proposiciones ligadas es entonces más larga, y se llama la atención a la segunda de ellas con cierta énfasis.

1255. (22) *No*. Es bastante moderno el uso que se hace de este adverbio como partícula prepositiva, anteponiéndolo a sustantivo: «La *no* comparecencia del reo». Esta práctica puede convenir a veces para simplificar la expresión.

1256. (23) *O*, conjunción disyuntiva y alternativa. Es también de las que pueden expresarse con todas las palabras o frases ligadas, de la misma manera que *ya, ora,* etc. Antes de la inicial *o* la convertimos en *u*: «Cicerón u Hortensio»; y lo mismo puede hacerse cuando se halla entre dos vocales, de las cuales la primera es *o*: «Leyendo u escribiendo». En Granada, Calderón y otros de nuestros clásicos se pone *u* por *o* antes de la preposición *de*: el motivo o no subsiste hoy, o se desestima.

1257. (24) *Pero, empero;* conjunciones adversativas y correctivas. La segunda puede o no principiar cláusula; al revés de la primera, que siempre es la palabra inicial. «Así lo cuenta Tito Livio; pero otros» u «otros empero refieren el hecho de diverso modo»; «Estaba (Don Quijote) aguardando que se le diese la señal precisa de acometida: empero nuestro lacayo tenía diferentes pensamientos» (Cervantes); «Detuvieron los molineros el barco, pero no de manera que dejasen de trastornarlo» (Cervantes).

1258. Lo que sigue se aplica no sólo a *pero*, sino a sus sinónimos *empero* y *mas*.

1259. Hay cierta afinidad entre *aunque* y *pero*, que se percibirá fácilmente comparando estas dos sentencias.

«*Aunque* era puro y bien intencionado su celo, en vez de corregir irritaba.» «Era puro y bien intencionado su celo; *pero*, en vez de corregir, irritaba.»

El sentido es idéntico, no obstante la diversa relación de las dos cláusulas en cada giro. El primero anuncia desde luego cierta aparente contrariedad entre la proposición subordinada *(aunque era)* y la subordinante *(irritaba)*. En el segundo hay dos proposiciones independientes ligadas por la conjunción *pero*, que indica la misma apariencia de contrariedad entre ellas. Si *aunque* es *sin embargo de que*, *pero* equivale a *sin embargo de eso*.

1260. En los mejores tiempos de la lengua solía hacerse de los dos giros uno solo, contraponiendo la conjunción al adverbio: «*Aunque* sean muchas las comparaciones que se pueden hacer de la misericordia a la justicia, *pero* en cabo venimos a hallar que en el linaje de Adán son más los vasos de ira que los de misericordia» (Granada); «*Aunque* este fuego (del purgatorio) no sea eterno, *mas* es extrañamente grande, porque sobrepuja todas las penas» (el mismo); «*Aunque* enseñaba cosas más devotas que curiosas, eran *empero* eficaces y de gran fuerza aquellas palabras» (Rivadeneira). Esta contraposición de *pero* al adverbio *aunque* es de poco uso en el día.

1261. *Aunque*, en su contraposición a *pero*, conserva su carácter de adverbio, encabezando una proposición subordinada cuyo verbo puede ponerse en indicativo o subjuntivo; al paso que la proposición encabezada por *pero* no admite otras formas que las que pertenecen a proposiciones independientes. *Pero*, a la verdad, se adverbializa, mas no se hace adverbio relativo, sino equivalente a un complemento demostrativo *(sin embargo de eso)*. * Tal fue probablemente su primitivo oficio; y de aquí pasó, como otros adverbios, al de conjunción, que es el que hoy casi exclusivamente ejerce.

1262. *Aunque*, según vimos poco ha (1225), es cabalmente uno de estos adverbios que se trasforman en conjunciones. En este oficio se hace sinónimo de *pero*, mas no enteramente, pues hay casos en que la elección del uno o del otro depende de relaciones delicadas. *Aunque* anuncia un concepto accesorio; *pero*, la idea principal: «Es vigoroso el pincel de Tácito; *aunque* demasiado sombrío»: la idea dominante es el vigor; así es que desenvolviendo el pensamiento, añadiríamos naturalmente: «Cada rasgo suyo deja una impresión profunda en el alma»; «Lope, con fecunda imaginación, *pero* sin el nervio suficiente, no había nacido para la epopeya», dice Gil y Zárate: es claro que el no ser a propósito para el poema épico, no se enlaza con la fecundidad de imaginación, sino con la insuficiencia de nervio, que es de las dos ideas precedentes la de más relieve. Parecerá alguna vez que el uno puede sustituírse al otro sin inconveniente. Solís, hablando del Cardenal Cisneros, le caracteriza de este modo: «Varón de espíritu resuelto, de superior capacidad y de corazón magnánimo; pero tan amigo de los aciertos y tan activo en la justificación de sus dictámenes, que perdía mu-

* Como el *però* de los italianos *(per hoc)*.

chas veces lo conveniente por esforzar lo mejor. *Aunque*, a primera vista, hubiera convenido igualmente; mas, bien mirado, no es así. El historiador va enumerando varias circunstancias que concurrieron a producir las alteraciones de Castilla, que después menciona, y bajo este punto de vista la excesiva severidad del Cardenal era el concepto relevante; así es que se detiene a demostrarlo añadiendo: «y no bastaba su celo a corregir los ánimos inquietos, tanto como a irritarlos su integridad».

1263. No me parece justificable el *empero* del pasaje siguiente de un gran poeta que aventura locuciones atrevidas, no siempre felices:

> «Su brillo, empero pálido, figura
> La dulce luz de angélica belleza.»

¿Podría decirse *pero* en lugar de este *empero*? La expresión que convenía era *aunque* o *si bien*, subentendiendo *es* o *está* (1222), que no podía aquí subentenderse con *pero* ni *empero*.

1264. (25) *Porque*: adverbio relativo. Propiamente es un complemento en el cual sirve de término el anunciativo *que*. Lo escribimos como una sola palabra para distinguirlo del complemento *por que*, el cual, escrito así, no anuncia, sino reproduce: «Huyeron *porque* les era imposible defenderse»; «El motivo *por que* no vino, se ignora»: esto es, *el motivo por el cual no vino;* «Una de las causas *por que* se suelen holgar de traer sus amos a mi posada, es», etc. (Cervantes). Sin embargo, es raro emplear de este modo a *por que*, cuando el antecedente no significa razón, causa, motivo.

1265. Ya hemos notado (§ 991) el valor conjuntivo de *porque*. Es fácil reconocerlo: 1º En que liga proposiciones independientes, no pudiendo, por tanto, construírse con otras formas del verbo, que las que son propias de tales proposiciones; 2º En que siempre hace la voz antes de esa conjunción una pausa más grande, que aun se señala a veces por un punto redondo; 3º En que la proposición acarreada por ella no puede nunca hallarse antes o en medio de la otra proposición: «Apenas hay día ni hora que se te pase sin acrecentar contra ti el tesoro de esta ira divina. *Porque*, aunque no hubiese más que las vistas deshonestas de tus ojos, y los malos deseos y odios de tu corazón, y los juramentos de tu boca, esto solo bastaría para henchir un mundo» (Granada); «Y como ahora ninguno hay que no se pueda reconciliar con él, así entonces ninguno habrá que lo pueda hacer; *porque* así como la benignidad en la primera venida se descubrió sobre toda manera, así será el rigor de la justicia que en la postrera se mostrará: *ca* inmenso es Dios e infinito en la justicia, así como en la misericordia» (el mismo). *Porque* y *ca* son palabras de una misma especie: conjunciones causales ambas.

1266. (26) *Pues*: preposición cuyo término expreso no puede ser otro que el anunciativo *que*. Callado el *que*, se vuelve adverbio relativo. Usada absolutamente es conjunción consecuencial (§ 409): «Ignorantes los trovadores de la literatura antigua, nada tenían que ver sus composiciones con los poetas latinos: esta literatura fue *pues* totalmente original, y la primera en que se reflejaron las ideas y sentimientos modernos» (Gil y Zárate). Lo regular es poner este *pues* entre las primeras palabras de la oración, como se ve en el ejemplo anterior; pero en el estilo apasionado y vehemente se principia muy bien por él: «La creación es el primero de los beneficios divinos y el fundamento de todos los otros... *Pues* si tanto cuidado tiene Dios de pedir agradecimiento por sus beneficios (aunque no por su provecho, sino por el nuestro), ¿qué pedirá por éste?» (Granada); «Redemístesme * con inestimables dolores y deshonras, con estas acusaciones me defendistes, con esta sangre me lavastes, con esta muerte me resucitastes, y con esas lágrimas vuestras me librastes de aquel perpetuo llanto y crujir de dientes **. *Pues* ¿con qué dadivas responderé a esa dádiva? ¿Con qué lágrimas a esas lágrimas? ¿Con qué vida pagaré esa vida?» (el mismo); y algo más adelante: «*Pues* díganme ahora todas las criaturas, si puede ser beneficio mayor: digan todos los coros de los ángeles si ha hecho Dios tanto por ellos».

1267. Es también conjunción continuativa, de que nos servimos para las transiciones: «Harto mejor sería volverme a mi casa, y no andarme tras vuesa merced, por caminos sin camino, bebiendo mal y comiendo peor. *Pues* tomadme el dormir; contad, hermano escudero, siete pies de tierra», etc. (Cervantes): «Ella, lo primero y principal, es devotísima de Nuestra Señora; confiesa y comulga cada mes; sabe escribir y leer; no hay mayor randera en Toledo; canta a la almohadilla como unos ángeles; en ser honesta no hay quien la iguale; *pues* en lo que toca a ser hermosa, ya vuesa merced lo ha visto» (el mismo).

1268 (27) *Puesto que.* Usado hoy en la significación de *pues que,* antes significaba más comúnmente *aunque:* «Puesto que dos veces le dijo don Quijote que prosiguiera su historia, ni alzaba la cabeza ni respondía». Lo mismo *dado que,* y aun a veces *supuesto que.*

1269. (28) *Puro.* Este adjetivo, además de su significación ordinaria *(una agua pura, una vida pura),* admite frecuentemente otra, equivalente a la de *mero (lo hizo por pura generosidad),* y precediendo a un infinitivo, expresa lo mismo que *mucho,* pero más enfáticamente: «Se le hincharon los ojos de *puro llorar*». En este sentido suele pasar al oficio de adverbio, modificando predicados: «Los pensamientos de Calderón no se entienden a veces de *puro* sutiles y alambicados». Precédele por lo regular la preposición *de,* cuando modifica de ese modo a los infinitivos y predicados, y puede entonces callarse: *de llorar, de sutiles y alambicados.*

1270. (29) *Si,* condicional. Es siempre adverbio relativo. Del sentido de condición pasa a otros; como: 1º, aquel en que la condición es aparente, porque expresa una verdad manifiesta, por cuyo medio se asevera más fuertemente la apódosis: «Si hay ley, si razón, si justicia en el mundo, la grandeza de los beneficios bastaría para que no fueses tan escaso en el servicio con quien tan largo te ha sido en las mercedes» (Granada); «Es gente virtuosa la de aquel lugar, si yo la he visto en mi vida» (Santa Teresa): que es como si por medio de una disyuntiva dijésemos, «*O no* hay ley, razón, ni justicia, o la grandeza», etc.; «*O yo no* he visto gente virtuosa en mi vida, o la de aquel lugar lo es».

1271. 2º En sentido de *aunque:* «No dijera él una mentira, si le asaetearan»: ponderación en que la hipótesis (que sigue siempre)

* *Redimir* en Granada y otros escritores coetáneos era *redemir,* que se conjugaba como *concebir.*

** Aquí se ve que la terminación *astes, istes,* es de segunda persona de plural.

suele ponerse en co-pretérito, sin embargo de hallarse la apódosis en futuro: «Ha de ser cosa muy de ver; a lo menos yo no dejaré de ir a verla, *si supiese* no volver mañana al lugar» (Cervantes): que es como decir: «No dejaré de ir a verla, *ni dejaría de ir,* si supiese», etc., elipsis de que hoy se hace uso más ordinariamente con *aunque.* Pero a veces se construye este *si* con presente: «Andan por las florestas, sin hallar una misericordia de vino, *si dan* por ella un ojo» (Cervantes): esto es, *aunque den.*

1272. En el diálogo familiar se hace en el día frecuentísimo uso del condicional *si,* suprimiendo la apódosis, que puede fácilmente colegirse del contexto, pero que no es siempre una misma:

«¿Qué respuesta? ¿Y la Inesita? —
Si acabo de entrar»...
(Moratín).

Equivale a decir, *si acabo de entrar, ¿cómo puedo tener la respuesta, ni saber de la Inesita?*

«...Calla,
Déjale hablar. — Si mi amo
Está diciendo patrañas,
Si sueña.»
(Moratín).

Esto es, *si mi amo está diciendo patrañas, si sueña, ¿cómo he de dejarle hablar?*

1273. Puede también callarse la apódosis, cuando hay una serie de oraciones condicionales, en cada una de las cuales fuera dado suplirla con las palabras de la hipótesis; v. gr. «Como le toma (al cuerpo el ímpetu celestial), se queda siempre: si sentado, si las manos abiertas, si cerradas» (Santa Teresa): esto es, *si sentado, sentado,* etc.

1274. (30) *Si bien:* frase adverbial relativa; su sentido es semejante al de *aunque,* y se usa en él como su simple *si*: «Pedidme lo que gustáredes, que yo os juro de dároslo, si bien me pidiésedes una guedeja de los cabellos de Medusa, que eran todos culebras» (Cervantes).

1275. (31) *Sino:* conjunción. Lo más ordinario es que le preceda *no* u otra palabra negativa: «No voy al paseo sino al teatro»; «No le tientan las riquezas, sino las distinciones y honores»; «No corre, sino vuela». Vemos en estos ejemplos elementos análogos ligados por *sino;* ya sujetos *(riquezas, distinciones y honores),* ya complementos *(al paseo, al teatro), ya* verbos *(corre, vuela).* Mas a veces se calla el primero de los elementos ligados, porque lo sugiere fácilmente el sentido: «No hacía sino mirarle y remirarle» (Cervantes): *nada sino.* Así *no quiero sino,* es *no quiero nada, no quiero otra cosa sino.* De la misma manera, «No se oía sino el rumor de las hojas»; *nada* u *otra cosa, sino;* «No se vio el sol sino entre nubes»; *de modo alguno, sino.* Mas aquí se debe recordar que si se ligan con esta conjunción dos sujetos, y se calla el primero, concierta el verbo necesariamente con el segundo: «No se *oía* sino *el rumor* de las hojas»; «No se *oían* sino *lamentos*».

1276. En las oraciones interrogativas de negación implícita es naturalísimo el uso del *sino*: «¿*Qué* puede esperar *sino* la muerte?»

«*¿Quién* hubo de ser *sino* su propio hijo?» «*¿Dónde* había de hallar seguridad *sino* entre los suyos?» Este uso no se diferencia del anterior, porque en el sentido de negación implícita *qué* es *nada; quién, nadie; dónde, en ninguna parte,* etc. (§ 1146). Y también puede ocurrir en él la elipsis del primer elemento ligado: «¿Hízole por ventura, sino beneficios?», que es como si quitada la interrogación se dijese, «No le hizo sino beneficios»: *otra cosa sino.*

1277. Hay oraciones negativas en que el *sino* redunda manifiestamente: *No dudo sino que,* por *no dudo que; no se me puede quitar del pensamiento sino que,* por *no se me puede quitar del pensamiento que.* Con esta construcción se hace decir al *sino* lo contrario de lo que debiera; pues *no dudo sino que* significa propiamente *la sola cosa que dudo es que.* Este pleonasmo es de poco uso en el día, y vale más evitarlo.

1278. *Sino* toma a veces la significación de *menos* o *excepto:* «Todos aprovechan *sino* yo»; «Respondiéronle que todas escuchaban, *sino* su señora, que quedaba durmiento» (Cervantes); «Tras todos éstos venía un hombre de muy buen parecer; *sino que* al mirar metía el un ojo en el otro» (Cervantes).

1279. Cuando *sino* liga dos oraciones (como en el último ejemplo), le solemos juntar el anunciativo *que.* Lo cual, sin embargo, no se practica ordinariamente, cuando la segunda consta de muy pocas palabras: parecería pues algo ocioso este *que* en «No corre sino que vuela». En *sino que* por *menos que,* o *excepto que,* es necesario el anunciativo.

1280. *Sino que* toma también a veces el sentido de *pero:* «Paso señor» (dice una dama a un caballero que alababa su canto); «a quien habrá oído las voces célebres que hay en esta gran ciudad, habrále parecido la mía muy mal; *sino que* es de pechos nobles favorecer humildades, y darles mayor honor que tienen méritos» (Castillo Solórzano).

1281. *Pero* y *mas,* después de la frase *no sólo,* pueden sustituírse a *sino,* y entonces suele juntárseles *también* o *aun,* como al mismo *sino:* «No sólo estaba dispuesto a complacer a sus amigos en cuanto le pedían, *sino que*» o «*mas también*» o «*mas aun* se anticipaba a sus deseos».

1282. No se debe confundir, como lo ha hecho Garcés (de quien hemos tomado algunos de los ejemplos precedentes), la conjunción *sino* con la frase *si no,* que se compone del adverbio relativo y condicional *si,* y del adverbio negativo *no,* y en que cada uno de esos elementos conserva su significado propio, y figura como palabra distinta: «Díjole que se rindiese; *si no,* que le cortaría la cabeza» (Cervantes); «Ha sido ventura el hallaros; *si no* para dar remedio a vuestros males, a lo menos para darles consejo» (el mismo). Es facilísimo distinguir el *sino* del *si no,* ya por el acento agudo con que en éste debe pronunciarse el *no,* ya porque entre los dos elementos de que éste consta, se puede intercalar otra palabra o frase *(si acaso no, si ya no):* todo al contrario de lo que sucede en el uso moderno de la conjunción *sino:*

«Estas quimeras, estas invenciones
Tuyas, te han de salir al rostro un día,
Si más *no* te mesuras y compones.»

(Cervantes).

«El se guardará bien de eso, *si* ya *no* quiere hacer el más desastrado fin, que padre hizo en el mundo» (el mismo). *

1283. (32) *Y:* conjunción copulativa. Vuélvese *e* antes de la vocal *i*, como en *españoles e italianos*, pero no antes del diptongo *ie*, ni antes de la consonante *y: corta y hiere, tú y yo.*

1284. Aunque lo regular es no ponerla sino antes de la última de las palabras o frases que enlaza, la expresamos algunas veces antes de todas ellas, menos la primera, y otras suele callarse antes de todas, lo que sin embargo casi nunca se hace cuando solamente son dos las palabras o frases ligadas. Su repetición en unos casos y su entera supresión en otros no son puros accidentes, sino más bien medios oratorios, destinados a la expresión de ciertos afectos o estados mentales: «No temo añadir que si toda la junta sevillana, y los mismos que la movieron a insurrección, y sus satélites, y sus emisarios, y sus diaristas, y sus trompeteros y fautores, pudieron ser sinceros», etc. (Jovellanos, citado por Salvá). «Temía la escasa fe de los moros, el desenfreno de la plebe, la índole feroz del alcaide» (Martínez de la Rosa). «No es necesario renovar la memoria de tantos desastres, los varios trances de aquel asedio, su duración, su éxito» (el mismo).

1285. En lo antiguo solía alguna vez anteponerse también al primero de los miembros enlazados por ella:

«Y tú mereces y éste la becerra.»

(Fr. Luis de León).

1286. Pierde el oficio de conjunción y toma el de simple adverbio en interrogaciones y exclamaciones directas. Fr. Luis de León principia así una de sus odas:

«¿Y dejas, Pastor santo,
Tu grey en este valle hondo, oscuro?»

«¡Y que no viese yo todo eso!», exclama el héroe de Cervantes al oír una descripción que le hace su escudero. Fácil es percibir la énfasis de esta conjunción adverbializada así. Principiando por una palabra que regularmente supone otras anteriores, se hace entrever confusamente un conjunto de ideas sobre las cuales salta el que habla, para fijarse en la más importante.

1237. Se ha notado en Cervantes el uso de la frase conjuntiva *y pues* en el significado de *y además, y después de todo, y al cabo:* «Yo, que aunque parezco padre, soy padrastro de don Quijote, no quiero irme con la corriente del uso, ni suplicarte que perdones las faltas que en este mi hijo vieres; y pues ni eres su pariente

* Vemos separados los dos elementos de *sino* en algunas expresiones proverbiales como *en ayunas si de pecar no*, que traen Cervantes y otros. Antiguamente era de mucho más uso esta separación, como se ve en los ejemplos siguientes del «Amadís»: «Después de Dios otro reparo si el suyo» (de Amadís) «no tenían»; «Hale tanto menester» (a Amadís Urganda la desconocida) «que si por él no, por otro ninguno puede cobrar lo que mucho desea».

ni su amigo, y tienes tu alma en tu cuerpo, y tu libre albedrío, como el más pintado». Este *y pues* ha dejado de usarse. *

1288. (33) *Ya*, adverbio de tiempo. *Ya que*, luego que; y también, supuesto que: «Ésta, ya que no es Lucinda, no es persona humana, sino divina» (Cervantes). Es raro, y enteramente poético, significando *en otro tiempo*, en contraposición a lo presente:

«Grandeza de un duque *ahora*
Título *ya* de marqués.»
(Góngora, citado por Salvá).

* Yo miraba esta locución como un reprensible italianismo de Cervantes; pero encuéntrase en obras anteriores al Quijote, y en que no es presumible la afectación del modismo italiano *e poi*: «Crecería vuestro provecho dándoos el uno al otro la mano: *y pues*, sabe que es menester que ames, si quieres ser amado» (La Celestina). «Mire V. E. que este negocio toca a la Virgen nuestra señora, que ha menester su orden. *Y pues*, muchos y muchas entraran en ella, si pudieran estar sujetos a quien», etc. (Santa Teresa).

APENDICE

Reproducimos un breve fragmento ilustrativo de la "Introducción a los estudios gramaticales de Andrés Bello", de Amado Alonso [1951] *(N. del E.)*

La línea que Bello continúa en sus doctrinas es sin duda la de Port-Royal y sus seguidores con la consulta directa de ciertos inspiradores de Port-Royal (el Brocense sobre todo, pero también algún antiguo como Prisciano) y de los filósofos ingleses y escoceses, especialmente Stuart Mill. Bello no era un doctrinario paladín de una escuela, sino que se dejaba convencer de quien en cada punto se mostrara más convincente, y con frecuencia su claro entendimiento le hizo interpretar y aplicar la doctrina con notable avance de la ciencia. Port-Royal y sus secuaces son los que separan el adjetivo del substantivo, y establecen en el adjetivo divisiones en *físicos* y *metafísicos* (Du Marsais), *calificativos* y *determinativos* o *calificativos* y *pronominales* (Beauzée); pero la partición de Bello en *explicativos* y *especificativos*, ∫ 47, es legítimamente gramatical, alcanza más y atiende a materia más importante. Su doctrina de las partes de la oración es el ejemplo de mayor importancia. Aparte la manera tradicional, y la más usada hoy mismo, de considerar las clases de palabras como meros rótulos de las clases de realidad (cosas, cualidades, acciones, relaciones), fueron los filósofos escolásticos quienes elaboraron una teoría que, guardando por un lado la relación de las partes de la oración con las clases de realidad significada *(modus entis)* (1), atendían con gran originalidad a la forma mental correspondiente *(modus significandi)*. Aquí es donde nace la idea de significaciones autosemánticas *(per se stantes)* y synsemánticas de que hemos hablado arriba. Port-Royal introduce esta idea, y son, por ejemplo, substantivos "todos aquellos que subsisten por sí mismos en el discurso, sin tener necesidad de otro nombre, aun en el caso de que signifiquen accidentes", y adjetivos "hasta aquellos que significan substancias cuando por su manera de significar tienen que adjuntarse a otros nombres en el discurso". Esta excelente teoría tuvo mala fortuna

(1) Por una idea religiosa, no por inercia tradicional. Todo se justifica en última instancia en Dios, que es la Verdad Suma. Las partes de la oración tenían que justificarse en el *verum*. Véase sobre esto Martín Heidegger, *Die Kategorien und Bedeutungslebre des Duns Scotus*, Tubinga, 1916.

entre los gramáticos filósofos, no tanto por ser olvidada, cuanto mal comprendida y aplicada, pues se solían explicar unas partes de la oración por las clases de realidad y otras por las clases de forma mental. Aun los que no procedían así aplicaban el principio de los *modi significandi* como de oídas. En ninguno se llega (por lo menos yo no lo he visto) a extender sistemáticamente el principio escolástico a las cuatro partes de la oración que tienen significación objetiva, o sea, substantivos, adjetivos, verbos y adverbios. Sólo lo hizo Andrés Bello con palabras tan sencillas como iluminadoras: "La clasificación de las palabras es propiamente una clasificación de oficios gramaticales. El substantivo es la palabra dominante: todas las otras concurren a explicarlo y determinarlo. El adjetivo y el verbo son signos de segundo orden: ambos modifican inmediatamente al substantivo. El adverbio es un signo de orden inferior: modifica modificaciones" *(Gram.*, Nota I). Abrase una lógica moderna, por ejemplo, la de A. Pfänder (2), y se hallará exactamente la misma construcción y categorización: a los substantivos corresponden los conceptos independientes (autosemántica y categoremática de Husserl y Marty); a los adjetivos y verbos, conceptos dependientes del substantivo en primer grado; a los adverbios, conceptos dependientes en segundo grado, porque dependen de los adjetivos y verbos, que son dependientes en primer grado (syn-semántica y syn-categoremática). Igualmente satisfactoria es su doctrina de que el género no denota el sexo, sino sólo la necesidad gramatical de concordar con una u otra forma del adjetivo, idea que remonta al Brocense, mantenida por sus discípulos y escoliastas Vossius y Perizonius, y recogida como buena por Port-Royal, Du Marsais y Buffier, pero olvidada luego no sólo en las gramáticas escolares sino en las filosóficas (Desmarais, Girard, Beauzée, etc.), que acudieron de nuevo a la interpretación por el sexo.

Sería un milagro que Andrés Bello adoptara en cada ocasión una doctrina que cien años después nos pareciera siempre la mejor. Aun en los casos de acierto, no lo suele ser en todos los aspectos. Por ejemplo, niega que los pronombres sean una parte más de la oración, lo cual es perfectamente correcto (idea del Brocense, adoptada por casi todos los gramáticos filósofos, aunque con varia obscuridad); pero falla en no ver en ellos a pesar de eso una clase especial de palabras con modo de significación privativo y conducta gramatical privativa (3). Ve que la

(2) A. Pfänder, *Lógica*, trad. de Gaos, Madrid, *Revista de Occidente*, 1928, Parte II, caps. 8-10.

(3) Ver A. Alonso y P. Henríquez Ureña, *Gram. Cast.*, I, Nota final III. En la misma admirable formulación de las cuatro

interjección no es una parte de la oración (ya doctrina del Brocense) (4); pero falla en tomarla por una oración condensada, cuando tanto la lingüística moderna como el Brocense, *Minerva*, la encuentran falta de contenido intelectual, condición que la aparta de ser oración no menos que de ser parte de la oración.

clases de palabras que hemos comentado, falla en no ver que esas formas de significar (sust., adj., verb. y adv.) son absolutamente independientes de las materias significativas, y que una misma materia puede dar lugar a las cuatro clases *(brillo, brillante, brillar, brillantemente)* o que una forma de significar puede moldear a toda clase de significados *(piedra, semejanza, carrera, bondad, sueño*, etc., etc.).

(4) Dionisio de Tracia contaba ocho partes de la oración: nombre, verbo, participio, artículo, pronombre, preposición, adverbio y conjunción. Los gramáticos latinos lo consiguieron, pero, hallándose sin artículo, creyeron un triunfo de su ingenio introducir la interjección en su lugar, lo cual les permitía mantener el número.

INDICE GENERAL

Págs.

CAPITULO V

CAPITULO VI

CAPITULO VII

CAPITULO VIII

CAPITULO IX

CAPITULO X

CAPITULO XI

CAPITULO XII

CAPITULO XIII

Págs.

CAPITULO XIV

CAPITULO XV

CAPITULO XVI

CAPITULO XVII

CAPITULO XVIII

CAPITULO XIX

CAPITULO XX

Págs.

CAPITULO XXI

CAPITULO XXII

CAPITULO XXIII

CAPITULO XXIV

CAPITULO XXV

CAPITULO XXVI

Págs.

CAPITULO XXVII

CAPITULO XXVIII

CAPITULO XXIX

CAPITULO XXX

CAPITULO XXXI

CAPITULO XXXII

CAPITULO XXXIII

Págs.

CAPITULO XXXIV

CAPITULO XXXV

CAPITULO XXXVI

CAPITULO XXXVII

CAPITULO XXXVIII

CAPITULO XXXIX

CAPITULO XL

CAPITULO XLI

CAPITULO XLII

CAPITULO XLIII

COLECCIÓN AUTOAPRENDIZAJE

1 **ORTOGRAFÍA PRÁCTICA,** *por Guillermo Suazo Pascual.*

2 **GRAMÁTICA PRÁCTICA,** *por Antonio Benito Mozas.*

3 **ESCRITURA CREATIVA,** *por Louis Timbal-Duclaux.*